CB060595

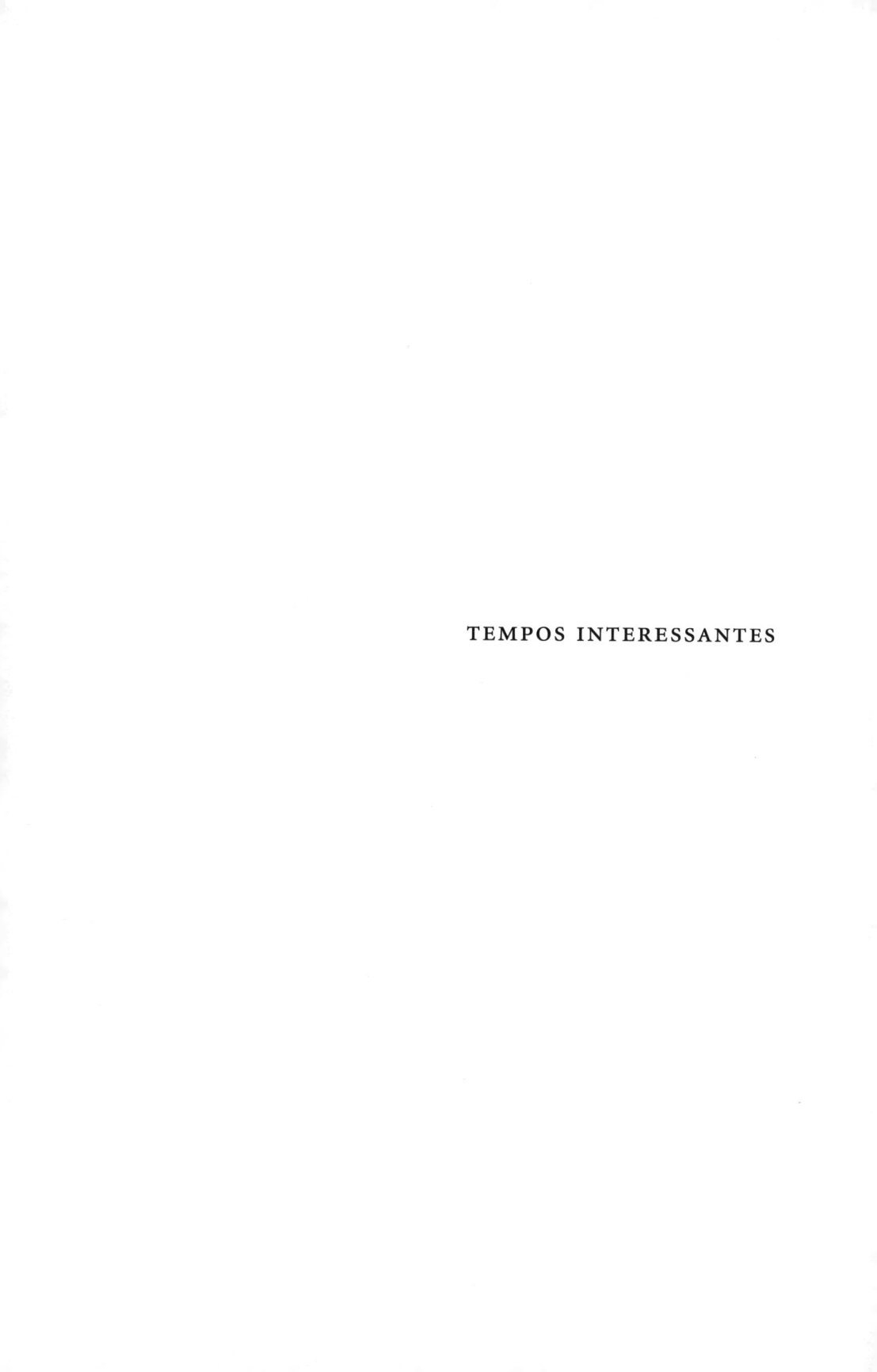

TEMPOS INTERESSANTES

ERIC HOBSBAWM

Tempos interessantes
Uma vida no século XX

Tradução
S. Duarte

3ª reimpressão

COMPANHIA DAS LETRAS

Copyright © 2002 by Eric Hobsbawm

Título original
Interesting Times — A Twentieth-Century Life

Capa
Hélio de Almeida

Índice remissivo
Daniel A. de André

Preparação
Beatriz de Freitas Moreira
Eliane de Abreu Santoro

Revisão
Antonio de Macedo Soares Guimarães
Maysa Monção
Beatriz de Freitas Moreira

Dados Internacionais de Catalogação na Publicação (CIP)
Câmara Brasileira do Livro, SP, Brasil

Hobsbawm, Eric J., 1917-2012
    Tempos interessantes : uma vida no século xx / Eric Hobsbawm ; tradução S. Duarte. — São Paulo : Companhia das Letras, 2002.

    Título original: Interesting Times: A Twentieth-Century Life.
    ISBN 978-85-359-0300-3

    1. Autobiografias 2. Historiadores — Grã-Bretanha — Biografia 3. Hobsbawn, Eric J., 1917- I. Título. II. Título: Uma vida no século xx.

02-5689   CDD-907-202

Índice para catálogo sistemático:
1. Historiadores : Autobiografia   907-202

[2019]
Todos os direitos desta edição reservados à
EDITORA SCHWARCZ S.A.
Rua Bandeira Paulista, 702, cj. 32
04532-002 — São Paulo — SP
Telefone: (11) 3707-3500
www.companhiadasletras.com.br
www.blogdacompanhia.com.br
facebook.com/companhiadasletras
instagram.com/companhiadasletras
twitter.com/cialetras

A meus netos

Sumário

Prefácio 9

1. Abertura 15
2. Infância em Viena 23
3. Tempos difíceis 42
4. Berlim: o fim de Weimar 60
5. Berlim: marrom e vermelho 79
6. Na ilha 96
7. Cambridge 119
8. Contra o fascismo e a guerra 134
9. Ser comunista 148
10. Guerra 174
11. Guerra Fria 197
12. Stalin e depois 222
13. Divisor de águas 245
14. Sob o Cnicht 260
15. Os anos 60 274
16. Um observador na política 292
17. Entre historiadores 311

18. Na aldeia global 328
19. *Marseillaise* 345
20. De Franco a Berlusconi 370
21. Terceiro Mundo 395
22. De FDR a Bush 420
23. Coda 447

Notas 457
Fotos da capa 467
Índice remissivo 469

Prefácio

Quem escreve autobiografias precisa também ler autobiografias. Enquanto preparava este livro, admirei-me ao ver quantas pessoas que eu conhecia, homens e mulheres, haviam publicado as histórias das próprias vidas, sem falar das figuras (geralmente) mais eminentes ou escandalosas que as encomendaram a outrem. Nem sequer estou considerando as numerosas obras autobiográficas contemporâneas, disfarçadas de ficção. Talvez minha surpresa seja injustificada. Quem escreve e se comunica em função da profissão costuma relacionar-se com quem exerce atividades semelhantes. Aí estão artigos, entrevistas, impressos, fitas e até mesmo vídeos, além de livros como este, grande parte dos quais de autoria de homens e mulheres cujas carreiras se passaram em universidades. Assim, não estou sozinho.

No entanto, a questão é saber por que uma pessoa como eu escreve uma autobiografia, e, ainda mais importante, por que outras pessoas, que não têm ligação especial comigo ou que talvez antes de ver a capa de um livro em uma livraria nem sequer soubessem que eu existo, acham que vale a pena lê-la. Não pertenço à categoria de gente que parece estar classificada como uma subespécie própria na seção de biografias de pelo menos uma cadeia de livrarias de Londres sob o título "Personalidades" ou, como se diz hoje em dia, "celebridades", isto é, pessoas suficientemente bem conhecidas de todos, qualquer que seja o motivo, para que simplesmente seus nomes sejam o bastante para suscitar curiosidade a respeito de suas vidas. Tampouco pertenço à classe daqueles cujas vidas públicas os autorizam a chamar suas autobiografias de "Memórias" e que em geral são homens e mulheres cujas atividades num palco público mais amplo precisam ser registradas ou defendidas, ou que viveram em contato com grandes acontecimentos ou com pessoas cujas decisões os afetavam. Eu não estive entre eles. É provável que meu nome figure nas histórias de algum campo especializado de atividade, como o marxismo do século xx e a historiografia, e talvez surja em algum livro sobre a cultura intelectual britânica no século xx. Além dessas possibilidades, se meu nome desaparecesse completamente — como a lápide na tumba de meus pais no Cemitério Central de Viena, que em vão procurei há cinco anos —, não haveria lacuna perceptível no relato do que sucedeu na história do século xx, na Grã-Bretanha ou fora dela.

Tampouco escrevi este livro com o espírito de confissão tão vendável hoje em dia, em parte porque a única justificativa para essa viagem em torno do ego é a genialidade — não sou nem um santo Agostinho nem um Rousseau — e em parte porque nenhum autobiógrafo vivo seria capaz de contar sua verdade particular sobre coisas que envolvem outras pessoas vivas sem ferir injustificavelmente os sentimentos de algumas delas. Não tenho nenhuma boa razão para fazer isso. Essa é a seara da biografia póstuma e não da autobiografia. De qualquer forma, ainda que tenhamos curiosidade sobre esses assuntos, os historiadores não são colunistas de fofocas. Os méritos militares dos generais não devem ser julgados pelo que fazem ou deixam de fazer na cama. Será um fracasso qualquer tentativa de explicar as teorias econômicas de Keynes ou de Schumpeter com base em suas vidas sexuais, que foram bastante ativas, embora diferentes. Além disso, suspeito que os leitores atraídos por biografias de alcova acharão minha própria vida muito sem graça.

Este livro também não é uma apologia da vida do autor. Se o leitor *não* quiser entender o século xx, deve ler as autobiografias daqueles que se justificam a si mesmos, advogados de sua própria defesa, e as de seu reverso, os pecadores arrependidos. Todas são inquéritos *post mortem* nos quais o cadáver finge ser o legista. A autobiografia de um intelectual trata necessariamente de suas idéias, atitudes e ações, mas não deve ser uma peça de advocacia. Creio que este livro contém respostas às perguntas que mais freqüentemente me foram feitas por jornalistas e outros interessados no caso um tanto estranho de um sujeito que tem sido comunista por toda a vida, porém anômalo, e de "Hobsbawm, o historiador marxista". Meu objetivo, entretanto, não foi respondê-las. A história poderá julgar minhas opiniões políticas — e na verdade em grande parte já as julgou —, e os leitores poderão julgar meus livros. O que busco é o entendimento da história, e não concordância, aprovação ou comiseração.

Apesar disso, há alguns motivos pelos quais o livro poderá merecer ser lido, além da curiosidade dos seres humanos a respeito de outros seres humanos. Em minha vida, atravessei quase todo o século mais extraordinário e terrível da história da humanidade. Morei em alguns países e vi algo de outros, em três continentes. Talvez eu não haja deixado no mundo uma marca visível no curso dessa longa existência, embora deixe boa quantidade de marcas impressas em papel, mas desde que tomei consciência de ser historiador, com a idade de dezesseis anos, observei e ouvi durante a maior parte dela, buscando entender a história de meu próprio tempo.

Após haver escrito a história do mundo entre o fim do século XVIII e 1914, finalmente tentei a história daquilo que denominei *Era dos extremos: o breve século XX*, e creio que ela se beneficiou do fato de que o fiz não apenas como intelectual, mas como o que os antropólogos chamam de "observador participante". O benefício foi duplo. Sem dúvida minhas recordações pessoais de acontecimentos remotos no tempo e no espaço aproximaram de leitores mais jovens a história do século XX, como também reavivaram as recordações dos leitores de mais idade. Talvez mais do que meus outros livros, por exigentes que fossem as obrigações do estudo histórico, esse foi escrito com paixão adequada à era dos extremos. Isso me foi dito pelos dois tipos de leitores. Mais do que isso, porém, o entrelaçamento da vida de uma pessoa com sua época e a interpretação das duas coisas ajudaram de maneira mais profunda a dar forma a uma análise histórica que, espero, a tenha tornado independente de ambas.

Eis o que uma autobiografia é capaz de fazer. De certa forma, este livro é o avesso de *Era dos extremos*: não a história do mundo ilustrada pelas experiências de um indivíduo, mas a história do mundo dando forma a essa experiência, ou melhor, oferecendo uma gama de escolhas cambiantes, mas sempre limitadas, com as quais, adaptando a frase de Karl Marx, "os homens fazem [suas vidas], mas não [as] fazem como desejam, não [as] fazem nas circunstâncias escolhidas por eles, e sim nas circunstâncias diretamente encontradas, proporcionadas e transmitidas pelo passado"; poder-se-ia acrescentar: e pelo mundo à volta delas.

A autobiografia de um historiador é também, em outro sentido, parte importante da construção de seu trabalho. Além da crença na razão e na diferença entre fato e ficção, a autoconsciência — isto é, estar ao mesmo tempo em sua própria pele e fora dela — é uma habilidade necessária aos que militam na história e nas ciências sociais, especialmente para um historiador que, como eu, escolheu seus temas de maneira intuitiva e acidental mas acabou por juntá-los num todo coerente. Outros historiadores poderão interessar-se por esses aspectos mais profissionais de meu livro. Espero, entretanto, que os demais o leiam como uma introdução ao século mais extraordinário da história do mundo através do itinerário de um ser humano cuja vida não poderia ter ocorrido em qualquer outro século.

Como disse minha colega, a filósofa Agnes Heller, a história "trata do que acontece visto de fora, e as memórias tratam do que acontece visto de dentro". Neste livro não cabem reconhecimentos acadêmicos, mas simplesmente agradecimentos e pedidos de desculpas. Os agradecimentos vão acima de tudo para minha mulher, Marlene, que percorreu metade de minha vida, leu e criticou construtivamente todos os capítulos e tolerou os anos que um marido freqüentemente distraído, mal-humorado e às vezes desestimulado passou menos no presente do que no passado que procurava registrar no papel. Agradeço também a Stuart Proffitt, príncipe dos editores. O número de pessoas a quem consultei ao longo dos anos sobre temas relevantes para esta autobiografia é grande demais para o registro, embora muitas delas hajam falecido depois que comecei. Elas sabem os motivos de minha gratidão.

Meu pedido de desculpas também se dirige a Marlene e à família. Esta não é a autobiografia que eles teriam preferido, pois, embora estejam constantemente presentes — pelo menos desde que entraram para a minha vida e eu para a deles —, este livro trata mais do homem público do que do privado. Devo também pedir desculpas aos amigos, colegas, alunos e outros, ausentes destas páginas, que poderiam esperar ser lembrados aqui ou mencionados mais detidamente.

Finalmente, organizei o livro em três partes. Após uma breve abertura, os capítulos de 1 a 16 cobrem, mais ou menos em ordem cronológica, o período a partir do qual começa a memória — no início da década de 1920 — até o início dos anos 90. A intenção, porém, não é a de fazer uma crônica direta. Os capítulos 17 e 18 tratam de minha carreira como historiador profissional. Os capítulos 19 a 22 dizem respeito a países ou regiões (além da Europa Central, onde nasci, e da Inglaterra) com os quais tive ligações durante longos períodos de minha vida: França, Espanha e Itália, América Latina e outras partes do Terceiro Mundo e Estados Unidos. Por cobrirem toda a gama de meu relacionamento com esses países, tais capítulos não se enquadram na narrativa cronológica principal, embora se superponham a ela. Por isso me pareceu melhor mantê-los separados.

Londres, fevereiro de 2002
Eric Hobsbawm

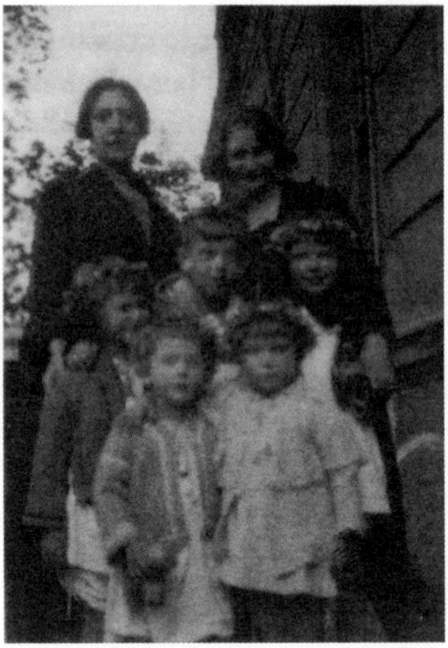

1. Abertura

Certo dia, no outono de 1994, minha mulher, Marlene, que cuidava da correspondência para Londres enquanto eu dava um curso na New School, em Nova York, telefonou-me para dizer que havia chegado uma carta de Hamburgo que ela não conseguia ler, pois estava escrita em alemão. Vinha de uma pessoa que se assinava Melitta. Deveria mandá-la para mim? Eu não conhecia ninguém em Hamburgo, mas na mesma hora me dei conta de quem era, embora cerca de três quartos de século já houvessem transcorrido desde que vira a signatária pela última vez. Só podia ser a pequena Litta — em verdade, era mais velha do que eu mais ou menos um ano — da Villa Seutter, em Viena. Era isso mesmo. Na carta, ela dizia haver visto meu nome relacionado com *Die Zeit*, o semanário alemão intelectual liberal, e imediatamente concluiu que eu devia ser o mesmo Eric com quem ela e as irmãs haviam brincado, muito, muito tempo antes. Tinha pesquisado seus álbuns e descobrira uma foto, que mandava junto. Cinco crianças pequenas apareciam nela, posando no terraço de verão da casa, com as respectivas *Fräuleins*. As meninas — e talvez eu próprio — usavam colares de flores, e Litta estava em companhia das irmãs menores, Ruth e Eva (Susie, sempre chamada de Peter, ainda não nascera). Eu aparecia com minha irmã Nancy. O pai de Litta marcara a data no verso: 1922. Como estava Nancy?, perguntava Litta. Como poderia saber que Nancy, mais moça do que eu três anos e meio, tinha morrido uns dois anos antes? Em minha última estada em Viena eu havia visitado as casas em que tínhamos morado e mandei fotos delas a minha irmã. Pensei que ela fosse a única pessoa com quem partilhava a recordação da Villa Seutter. Agora, a lembrança revivia.

Também tenho a mesma foto. No álbum de família, que acabou ficando comigo, último sobrevivente entre meus pais e irmãos, as fotos do terraço da Villa Seutter representam o segundo testemunho iconográfico de minha existência e o primeiro de minha irmã Nancy, nascida em Viena em 1920. Meu próprio registro inicial parece ser a imagem de um bebê dentro de um enorme carrinho de vime, sem adultos ou qualquer outro indício, que imagino haja sido tirada em Alexandria, onde nasci em junho de 1917. Minha presença foi registrada por um funcionário do Consulado Britânico (incorretamente, pois a data está errada, assim como o sobrenome). As instituições diplomáticas britânicas presidiram minha concepção e meu nascimento, pois foi em outro consulado inglês, em Zurique, que meu pai e minha mãe se casaram, com o auxílio de uma autorização oficial, assinada pessoalmente por sir Edward Grey, ministro do Exterior, que permitia a Leopold Percy Hobsbaum, súdito do rei George v, contrair matrimônio com Nelly Grün, súdita do imperador Francisco José, numa época em que ambos os impérios estavam em guerra — conflito ao qual meu futuro pai reagiu com o que lhe restava de patriotismo britânico, mas que minha futura mãe repudiou. Em 1915 ainda não havia recrutamento militar obrigatório, mas, se houvesse, ele deveria se alistar declarando que sua consciência objetava ao serviço militar.[1] Gosto de imaginar que o casamento tenha sido oficiado pelo cônsul que é o personagem principal da peça *Travesties*, de Tom Stoppard. Também faço a conjetura de que, enquanto meus pais aguardavam em Zurique que sir Edward Grey deixasse assuntos mais graves e autorizasse o casamento, tivessem sabido da existência de outros exilados na cidade, como Lenin, James Joyce e os dadaístas. Mas obviavemente nada disso ocorreu, e sem dúvida meus pais naquele momento não estariam interessados em tais assuntos. Certamente estariam mais preocupados com a lua-de-mel que em breve iriam passar em Lugano.

Como teria sido minha vida se *Fräulein* Grün, de dezoito anos de idade, uma das três filhas de um joalheiro vienense relativamente próspero, não tivesse se apaixonado por um inglês mais idoso, o quarto de oito filhos de um marceneiro judeu vindo de Londres, que emigrara para Alexandria em 1913? Provavelmente ela teria se casado com algum judeu jovem de classe média da Europa Central, e seus filhos seriam austríacos. Como quase todos os judeus austríacos acabaram sendo emigrantes ou refugiados, minha vida subseqüente talvez não tivesse sido muito diferente, pois muitos deles vieram para a Inglaterra e aqui estudaram e se tornaram acadêmicos. No entanto eu não teria crescido como cidadão britânico nem teria um passaporte de inglês nato.

Como não podiam morar em nenhum dos dois países em guerra, meus pais regressaram, por Roma e Nápoles, a Alexandria, onde antes da guerra tinham se conhecido e noivado e onde ambos possuíam parentes: o tio de minha mãe, Albert — de cujo empório Nouveautés ainda conservo uma foto, na qual aparecem todos os empregados —, e o irmão de meu pai, Ernest, cujo nome me foi dado e que trabalhava no Serviço Egípcio de Correios e Telégrafos. (Como todas as vidas privadas constituem matéria-prima tanto para historiadores como para romancistas, utilizei as circunstâncias do encontro de meus pais na apresentação de meu livro de história *A era dos impérios*.) Logo que a guerra terminou, mudaram-se para Viena com o filho, já com dois anos. Por esse motivo, o Egito, ao qual sempre estive ligado por grilhões em forma de documentação oficial, não faz parte de minha vida. Nada absolutamente me recordo a respeito, exceto, talvez, uma gaiola de passarinhos no zoológico de Nouzha e um fragmento estropiado de uma canção infantil grega, provavelmente cantada por uma babá daquela nacionalidade. Tampouco tenho curiosidade pelo lugar onde nasci, o bairro conhecido como Sporting Club, que margeia a linha de bondes de Alexandria a Ramleh; mas, como diz E. M. Forster, cuja estada em Alexandria quase coincidiu com a de meus pais, não há muito o que dizer sobre esse lugar. Sua única menção à estação de bondes Sporting Club, no livro *Alexandria, Uma história e um guia*, é a seguinte: "Próxima à arquibancada do hipódromo. À esquerda, um balneário".

O Egito, portanto, não pertence a minha vida. Não sei quando se inicia a vida da memória, mas a maior parte dela não recua à idade de dois anos. Nunca mais lá fui desde que o vapor *Helouan* partiu de Alexandria para Trieste, cidade que acabava de passar da Áustria para a Itália. Tampouco recordo a chegada a Trieste, lugar de encontro de raças e línguas, de opulentos cafés, de lobos-do-mar, e sede da imensa companhia de seguros Assicurazioni Generali, cujo império de negócios provavelmente define melhor do que qualquer outro o conceito de *Mitteleuropa*, até mesmo no sentido cultural, pois em seus escritórios trabalharam, nas duas grandes cidades dos Habsburgo — Trieste e Praga —, tanto Italo Svevo como Franz Kafka. Oitenta anos mais tarde tive ocasião de descobri-la em companhia de amigos triestinos, especialmente Claudio Magris, esse maravilhoso memorialista da Europa Central e da esquina adriática onde convergem as culturas alemã, italiana, eslava e húngara. Meu avô, que veio nos receber, levou-nos até Viena na estrada de ferro do sul. Ali começou minha vida consciente. Moramos alguns meses com meus avós enquanto meus pais procuravam seu próprio apartamento.

Chegando com economias em moeda forte — nada era mais forte do que a libra esterlina naquele tempo — a um país empobrecido cuja moeda se encaminhava para o colapso, meu pai se sentia confiante e relativamente próspero. A Villa Seutter pareceu-lhe ideal. Foi o primeiro lugar que eu considerei "nosso" em minha vida.

Quem visita Viena, vindo do oeste, ainda passa pela casa. Olhando pela janela do trem, do lado direito, quando chegar aos arredores da cidade, junto à estação de Hütteldorf-Hacking, não deixará de notar aquela ampla construção na falda da colina, com sua abóbada de quatro lados numa torre baixa, erguida por um industrial bem-sucedido nos últimos tempos do imperador Francisco José (1848-1916). O terreno descia até a Auhofstrasse, que levava ao oeste seguindo os muros dos antigos terrenos imperiais de caça, a Lainzer Tiergarten, e daí se alcançava uma rua estreita colina acima (a Vinzenz-Hessgasse, hoje Seuttergasse), em cuja parte baixa havia naquela época uma fileira de cabanas de telhados de palha.

A Villa Seutter de minhas lembranças infantis é em grande parte a recordação compartilhada pelos mais jovens e os mais velhos dos Hobsbaum (pois assim se escrevia o nome, apesar do amanuense consular de Alexandria), que alugavam um apartamento no primeiro andar da casa, e os Gold, que alugavam o apartamento térreo abaixo do nosso. Essencialmente, essas lembranças se concentram no terraço lateral da casa, onde se desenrolava boa parte da vida social das gerações de ambas as famílias. Desse terraço, uma trilha — íngreme, em minha lembrança — levava às canchas de tênis mais abaixo — agora esse terreno já abriga um edifício —, passando por uma árvore que parecia imensa a um menino pequeno, mas cujos ramos eram suficientemente baixos para que pudesse trepar. Recordo haver ensinado seus segredos a um menino de minha escola, vindo de um lugar chamado Recklinghausen, na Alemanha. Alguém nos pediu que cuidássemos dele, porque as coisas estavam difíceis no lugar de onde viera. Nada mais me lembro a respeito dele, a não ser a árvore e o nome de sua cidade natal, no que hoje é o estado de Nordrhein-Westfalen. Em pouco tempo, ele regressou. Embora eu não pensasse nisso na ocasião, esse deve ter sido meu primeiro contato com os principais acontecimentos da história do século xx — isto é, a ocupação do vale do Ruhr pelos franceses em 1923 —, por intermédio de um menino que fora temporariamente mandado para longe dos conflitos a fim de morar com pessoas benevolentes na Áustria. (Naquele tempo, todos os austríacos se consideravam alemães e, se não tivesse havido um veto dos que fizeram a paz após a Primeira Guerra Mundial, teriam votado em favor da união com a Alemanha.) Tenho também uma vívida recordação de brincar em um celeiro cheio de feno em algum lugar no terreno da casa, mas em minha última visita a Viena com Marlene percorremos a Villa e não foi possível descobrir onde possa ter sido. Curiosamente, não guardo recordações do interior da casa, embora me haja ficado a vaga impressão de que não fosse bem iluminada nem confortável. Nada recordo, por exemplo, de nosso apartamento ou do da família Gold, a não ser o pé-direito elevado.

Cinco crianças, mais tarde seis, todas em idade pré-escolar, ou pelo menos nos primeiros anos da mesma escola primária, constituem elemento importante para cimentar as relações interfamiliares. Os Hobsbaum e os Gold se davam bem, apesar de suas origens muito distintas, pois (a despeito do nome) os Gold não pareciam ser judeus. Ao que sei, permaneceram e prosperaram na Áustria, isto é, na Grande Alemanha de Hitler, após o *Anschluss*. O casal Gold provinha de Sieghartskirchen, cidade ignota da Baixa Áustria, ele filho do único fazendeiro-hoteleiro local, e ela filha do único comerciante da aldeia (que vendia tudo, desde meias até equipamento agrícola). Ambos mantinham fortes laços com a terra natal. Na década de 1920 eram suficientemente prósperos para mandar pintar seus retratos, dos quais contemplo agora uma cópia em preto-e-branco mandada há cerca de um ano por uma das filhas sobreviventes. A figura de um senhor de aspecto sério, de terno escuro e colarinho engomado nada me diz, e na verdade tive pouco contato íntimo com ele na minha infância, embora certa vez tivesse me mostrado seu quepe de oficial dos tempos anteriores à queda do império. Era a primeira pessoa que eu conhecia que tivesse ido aos Estados Unidos, para onde havia viajado a negócios. De lá trouxera um disco de gramofone, que hoje reconheço como o *Vendedor de amendoim*, e a informação de que havia lá uma marca de automóvel com o nome "Buick", que por alguma razão me pareceu difícil de acreditar. Por outro lado, a imagem de uma senhora bonita, de longo pescoço e cabelos curtos frisados nos lados, olhando o mundo com ar sério mas não muito confiante por cima do ombro nu, imediatamente lhe dá vida em minhas recordações. As mães são presença muito mais constante nas vidas das crianças pequenas; e minha mãe Nelly, intelectual, cosmopolita e instruída, e Anna ("Antschi") Gold, que pouco freqüentara a escola, sempre consciente de sua origem provinciana, rapidamente se tornaram excelentes amigas e assim permaneceram até o fim. Na verdade, segundo sua filha Melitta, Nelly era a *única* amiga íntima de Anna. Isso talvez explique o motivo pelo qual fotografias de membros desconhecidos e não identificáveis da família Hobsbawm aparecem nos álbuns dos netos da família Gold que ficaram em Viena. Uma das meninas Gold recorda, quase tão claramente quanto eu, ir visitar (com a mãe) minha própria mãe em seus dias finais. Chorando, Antschi disse à filha: "Nunca mais veremos Nelly outra vez".

Duas pessoas, quase da mesma idade do "breve século xx", começaram assim a vida juntas e percorreram seus diferentes itinerários no mundo extraordinário e terrível do século que acaba de findar. Por isso inicio estas reflexões sobre uma longa vida com a inesperada lembrança de uma foto nos álbuns de duas famílias que nada mais tinham em comum a não ser o fato de suas vidas terem se encontrado brevemente na Viena dos anos 20. As lembranças de alguns anos da primeira infância compartilhadas por um professor universitário aposentado e historiador peripatético com uma atriz igualmente aposentada, apresentadora de televisão e tradutora ("como sua mãe!") são de interesse limitado às pessoas às quais dizem respeito diretamente. Mesmo para elas, essas lembranças representam apenas tênues fios de seda como teias de aranha a atravessar o imenso espaço de quase setenta anos de vidas inteiramente separadas e absolutamente desligadas, sem nem sequer um instante de pensamento consciente de uma a respeito da outra. O que aproxima essas vidas é a extraordinária experiência de europeus que viveram ao longo do século xx. Uma infância comum redescoberta e uma retomada de contato na velhice dramatizam, mas não criam, a imagem de nosso tempo: absurdo, irônico, surrealista, monstruoso. Dez anos depois que aquelas crianças olharam para a máquina fotográfica, meus pais estavam mortos, e o chefe da família Gold, vítima do cataclismo econômico — praticamente todos os bancos centro-europeus se viram tecnicamente insolventes em 1931 —, seguiu com a família para servir ao sistema bancário na Pérsia, onde o xá preferia banqueiros de impérios distantes e derrotados aos oriundos dos vizinhos perigosos. Quinze anos mais tarde, quando eu freqüentava uma universidade inglesa, as meninas Gold, regressando dos palácios de Shiraz, iniciavam — todas elas — suas carreiras de atrizes no lugar que iria se tornar parte da Grande Alemanha de Hitler. Vinte anos depois, eu me via em uniforme de soldado inglês na Inglaterra, minha irmã Nancy censurava cartas para as autoridades britânicas em Trinidad, enquanto Litta representava, sob nossos bombardeios, no Kabarett der Komiker, na Berlim do tempo da guerra, para uma platéia onde poderiam estar pessoas que teriam mandado aos campos de concentração meus parentes, os quais por sua vez talvez tivessem acariciado os cabelos das meninas da família Gold na Villa Seutter. Cinco anos mais tarde, quando comecei a dar aulas nas ruínas bombardeadas de Londres, o casal Gold já tinha morrido — ele, provavelmente de fome, na confusão da derrota e ocupação, e ela de doença, após a evacuação para os Alpes ocidentais antes do final da guerra.

O passado é um outro país, mas deixou sua marca nos que o habitaram. Marcou também os que eram demasiadamente jovens para havê-lo conhecido a não ser por ouvir dizer, ou mesmo numa civilização estruturada de maneira a-histórica, para tratá-lo como coisa banal, como no jogo *trivial pursuit*, que teve passageira fama no final do século xx. Mas a preocupação do historiador autobiográfico não é apenas revisitá-lo, e sim traçar seu mapa. Sem esse mapa, como poderíamos seguir os caminhos de toda uma vida através de suas paisagens cambiantes, ou compreender o motivo e o momento em que hesitamos e tropeçamos, ou de que maneira vivemos entre as pessoas com cujas vidas as nossas se entrelaçaram e das quais dependiam? Essas coisas não esclarecem apenas as vidas individuais, mas o mundo inteiro.

Este pode ser, portanto, o ponto de partida para um historiador tentar retraçar um roteiro no acidentado terreno do século xx: cinco crianças pequenas fazendo pose para os adultos há oitenta anos num terraço em Viena, sem saber (ao contrário de seus pais) que estavam rodeados de escombros da derrota, de impérios arruinados e de colapso econômico, e sem saber (tal como seus pais) que teriam de procurar seus caminhos ao longo da era mais sangrenta e mais revolucionária da história.

2. Infância em Viena

Passei minha infância na empobrecida capital de um grande império, ligada, após o colapso, a uma pequena república provinciana de grande beleza que não acreditava dever existir. Com poucas exceções, todos os austríacos depois de 1918 achavam que deveriam fazer parte da Alemanha e foram impedidos somente pelas potências que impuseram os acordos de paz à Europa Central. Os problemas econômicos dos anos de minha meninice nada fizeram para aumentar sua fé na viabilidade da primeira República Federal Austríaca. Esta acabava de passar por uma revolução e aquietara-se brevemente sob um governo de clérigos reacionários chefiados por um monsenhor, baseado nos votos da população rural devota, ou pelo menos fortemente conservadora, que enfrentava uma detestada oposição de socialistas marxistas revolucionários, que tinha apoio maciço em Viena (não somente a capital, mas também um Estado autônomo da República Federal) e era sustentada quase unanimemente por todos os que se consideravam "trabalhadores". Além da polícia e do exército, controlados pelo governo, ambos os lados estavam associados a grupos paramilitares, que consideravam simplesmente suspensa a guerra civil. A Áustria não era apenas um Estado que não desejava existir, mas também uma situação que não podia perdurar.

E não perdurou. Porém as convulsões finais da primeira República Austríaca — a destruição dos social-democratas após uma curta guerra civil, o assassinato do primeiro-ministro católico por rebeldes nazistas, a entrada triunfal de Hitler em Viena, sob aplausos — aconteceram depois que deixei Viena, em 1931. Só voltei em 1960, quando o mesmo país, sob o mesmo sistema bipartidário de católicos e socialistas, já se tornara uma pequena república neutra, estável e imensamente próspera, perfeitamente satisfeita — alguns diriam demasiadamente satisfeita — com sua identidade.

Essa é, porém, uma retrospectiva de historiador. Como era uma infância de classe média em Viena na década de 1920? O problema é como distinguir aquilo que se aprendeu desde então do que as pessoas pensavam ou sabiam na época, e as experiências e reações dos adultos das daqueles que naquele tempo eram crianças. O que as crianças nascidas em 1917 sabiam dos acontecimentos ocorridos no ainda jovem século XX, tão vívidos nas mentes de pais e avós — guerra, colapso, revolução, inflação —, era aquilo que os adultos nos contavam, ou melhor, o que entreouvíamos quando eles conversavam entre si. A única prova direta que tínhamos eram as imagens cambiantes nos selos de correio. Colecionar selos na década de 1920 era uma boa introdução à história política da Europa a partir de 1914, embora não fosse suficiente para explicá-la. Para um menino inglês expatriado isso dramatizava o contraste entre a continuidade imutável da efígie de George V nos selos britânicos e o caos de reimpressões, nomes novos e novas moedas em outras partes da Europa. A outra única linha direta com a história vinha da mutação de moedas e cédulas, numa era de caos econômico. Eu já era suficientemente crescido para perceber a mudança de *Kronen* para *Schillings* e *Grosschen*, de notas com muitos zeros para cédulas e moedas e sabia que antes dos *Kronen* tinha havido *Gulden*.

Embora o império dos Habsburgo tivesse terminado, ainda vivíamos em sua infra-estrutura e em grande parte, supreendentemente, seguíamos as premissas básicas da Europa Central de antes de 1914. O marido de uma das grandes amigas de minha mãe, o dr. Alexander Szana, morava em Viena e infelizmente para a paz de espírito de sua mulher trabalhava num jornal de língua alemã a quase cinqüenta quilômetros de distância, Danúbio abaixo, na cidade que chamávamos de Pressburg e os húngaros, de Poszsony, e que então passara a ser Bratislava, principal cidade eslovaca na nova República da

Tchecoslováquia. (Hoje é a capital da Eslováquia independente.) A não ser quando da expulsão de antigos funcionários húngaros, a cidade não passara ainda, entre as duas guerras, pela limpeza étnica de sua população poliglota e policultural de alemães, húngaros, tchecos e eslovacos, judeus assimilados e ocidentalizados dos Cárpatos, ciganos e outros mais. Ainda não se tornara *realmente* uma cidade eslovaca de "bratislavaks", dos quais aqueles que recordam o que fora a cidade até a Segunda Guerra Mundial ainda se distinguem, denominando-se "Pressburaks". O dr. Szana ia e vinha pela estrada de ferro, a Pressburger Bahn — na verdade uma linha de bonde que partia de uma rua central de Viena a fazia o retorno numa rua central de Pressburg. Havia sido inaugurada na primavera de 1914, quando ambas as cidades pertenciam ao mesmo império, um triunfo da tecnologia moderna, e continuava a existir, como era o caso do famoso "trem da ópera", que a gente culta da cidade de Brünn/Brno, na Morávia, tomava para assistir às apresentações noturnas na Ópera de Viena, a cerca de duas horas de distância. Meu tio Richard morava em Viena e em Marienbad, onde tinha um bazar. As fronteiras ainda não eram impenetráveis, como ficaram depois da guerra, que destruiu a ponte do bonde para Pressburg por sobre o Danúbio. Ainda se podiam ver as ruínas da ponte em 1996, quando colaborei num programa de televisão a respeito dela.

O mundo da classe média vienense — e certamente dos judeus, que formavam grande parte dela — ainda era o daquela vasta região poliglota cujos imigrantes, nos oitenta anos anteriores, haviam transformado sua capital em uma cidade de 2 milhões de habitantes, certamente a maior cidade do continente europeu entre Paris e Leningrado, com exceção de Berlim. Nossos parentes haviam vindo de (ou ainda moravam em) lugares como Bielitz (hoje na Polônia), Kaschau (hoje na Tchecoslováquia) ou Grosswardein (hoje na Romênia).[1] Os verdureiros e os porteiros dos edifícios de apartamentos eram quase sempre tchecos, e nossas empregadas domésticas ou babás não eram nascidas em Viena. Ainda recordo as histórias de lobisomens contadas por uma delas, que era eslovena. Nenhuma dessas pessoas se encontrava — ou se sentia — deslocada ou separada da "terra natal", ao contrário dos imigrantes europeus nos Estados Unidos, pois para os europeus continentais o mar era a grande fronteira, e todos estavam habituados a viajar de trem, mesmo por longas distâncias. Até minha nervosa avó considerava normal viajar para visitar a filha em Berlim.

Era uma sociedade multinacional, mas não multicultural. O alemão (com sotaques locais) era seu idioma; a cultura era alemã (com toques locais), o que representava também seu acesso à cultura mundial, antiga e moderna. Meus parentes teriam compartilhado a apaixonada indignação do grande historiador da arte Ernst Gombrich, a quem, segundo era moda na parte final do século xx, pediram que caracterizasse como judia sua cultura vienense nativa. Era simplesmente a cultura da classe média de Viena, independentemente do fato de muitos de seus eminentes participantes serem judeus e saberem que eram judeus (confrontados com o anti-semitismo endêmico da região), tanto quanto do fato de que alguns vinham da Morávia (Freud e Mahler), alguns da Galícia ou de Bukovina (Joseph Roth), ou mesmo de Russe, no Danúbio búlgaro (Elias Canetti). Seria igualmente inútil procurar elementos deliberadamente judeus nas músicas de Irving Berlin ou nos filmes hollywoodianos da era dos grandes estúdios, todos dirigidos por judeus emigrados: seu objetivo, que alcançaram plenamente, foi justamente fazer músicas ou filmes de expressão específica cem por cento americana.

Falando a *Kultursprache* numa cidade que havia sido capital imperial, as crianças instintivamente partilhavam do sentimento de superioridade cultural, ainda que já não mais de superioridade política. A maneira pela qual os tchecos falavam alemão (*böhmakeln*) nos parecia inferior e, portanto, engraçada, e idêntica reação despertava a incompreensível língua tcheca, com sua aparente acumulação de consoantes. Sem conhecer os italianos nem ter opinião formada a seu respeito, nos referíamos a eles, com um toque de desprezo, como *Katzelmacher*. Os judeus emancipados e assimilados de Viena falavam dos judeus da Europa Oriental como se se tratasse de outra espécie. (Lembro-me perfeitamente de haver perguntado a um parente mais velho, visivelmente embaraçado, se os judeus orientais tinham sobrenomes como os nossos, e que nomes seriam esses, pois obviamente eles eram muito diferentes de nós.) Em retrospecto, creio que isso explica grande parte do entusiasmo com que os austríacos saudaram sua anexação à Alemanha de Hitler: recuperavam a sensação de superioridade política. Na época, somente reconhecia dois ou três de meus coleguinhas na escola secundária como *hakenkreuzler* (partidários da cruz suástica). Como eu era inglês, ainda que não pudesse ser culturalmente diferenciado dos austríacos, isso evidentemente não me dizia respeito diretamente. Agora, porém, me leva à questão da política.

Por haver sido tomado tão cedo, e durante tanto tempo, por essa paixão típica do século xx — o comprometimento político —, parece razoável indagar que parcela de suas raízes poderia existir em uma infância na Viena dos anos 20. A reconstrução não é fácil. Vivíamos numa era engolfada pela política, embora os temas do mundo a nossa volta somente nos chegassem, como disse, pelas conversações que ouvíamos dos adultos e cujo significado as crianças não assimilavam completamente. Lembro-me de duas dessas conversas, ambas provavelmente em torno de 1925. Uma ocorreu num sanatório nos Alpes, para onde eu havia sido mandado a fim de me recuperar de alguma doença (nós, crianças, parecíamos sempre estar doentes de alguma coisa) sob a supervisão de minha tia Gretl, que também convalescia no mesmo lugar. "Quem é esse Trotsky?", perguntou uma mulher que vagamente recordo, ou imagino, como maternal e de meia-idade, mas não sem um toque de satisfação. "É só um rapaz judeu chamado Bronstein." Sabíamos que tinha havido uma revolução na Rússia, mas do que se tratava exatamente? A outra ocasião foi uma competição esportiva à qual fora levado por meu tio (e presumivelmente também por meu pai), que ficou na memória por causa de um velocista negro chamado Cator. "Você diz que não temos guerra agora", disse alguém, "mas sem dúvida está havendo uma revolta na Síria." Que significava isso para nós, ou o que poderia significar? Sabíamos que tinha havido uma guerra mundial, como qualquer menino inglês nascido em 1944 cresceria sabendo de que houvera uma guerra. Dois de meus tios ingleses haviam participado dela, nosso vizinho Gold me mostrava seu quepe alto de oficial, e meu melhor amigo era órfão de guerra (a mãe dele pendurara a espada do marido na parede). Mas ninguém que eu conhecesse, inglês ou austríaco, considerava que a Grande Guerra tivesse sido um episódio heróico, e as escolas austríacas não tratavam dela, em parte porque dizia respeito a outro país, a outra época — o antigo império dos Habsburgo —, e em parte também porque os exércitos austríacos não se haviam coberto de muita glória. Somente quando fui para Berlim conheci um professor, ex-oficial, que se orgulhava de haver servido na linha de frente. Antes disso, minha imagem mais poderosa da Grande Guerra viera do maravilhoso drama documental *Os últimos dias da humanidade*, que minha mãe e minha tia Gretl haviam comprado em 1922, logo que foi publicado. Ainda tenho o exemplar de minha mãe e de vez em quando o releio.

Que mais sabíamos sobre o tempo em que vivíamos? As crianças das escolas primárias em Viena estavam convencidas de que existia uma escolha entre dois partidos, o dos social-cristãos e o dos social-democratas, também chamados Vermelhos. Presumíamos com ingenuidade que os proprietários votavam no primeiro e os inquilinos no segundo. Como a maioria dos vienenses era de inquilinos, naturalmentre a cidade era vermelha. Até depois da guerra civil de 1934 os comunistas tinham tão pouca importância que vários dos mais entusiastas preferiram atuar em outros países, onde havia mais campo de ação, especialmente a Alemanha, como os famosos irmãos Eisler — o compositor Hanns, o agente do comintern Gerhardt, e a irmã deles, a extraordinária Elfriede, mais conhecida como Ruth Fischer, que por breve período foi líder do Partido Comunista alemão —, mas também na Tchecoslováquia, tais como Egon Erwin Kisch. (Muitos anos mais tarde, o pintor Georg Eisler, filho de Hanns, tornou-se meu melhor amigo.) Não me recordo de haver dado atenção ao único comunista do círculo das irmãs Grün (de solteiras), que escrevia sob o pseudônimo de Leo Lania, na época um jovem que declarava ser *L'Oeuvre*, de Zola, seu livro favorito, e cujos heróis preferidos na literatura e na história eram Eugene Onegin e Spartacus. Nossa família, naturalmente, não era preta nem vermelha, pois os Pretos eram anti-semitas e os Vermelhos eram para operários, e não gente da nossa classe. Além disso, por sermos ingleses, o assunto não nos dizia respeito.

Mesmo assim, ao passar da escola primária para a secundária e da infância à puberdade, na Viena do final dos anos 20 adquiria-se naturalmente consciência política tanto quanto sexual. No verão de 1930, em Weyer, uma aldeia da Alta Áustria onde os médicos procuravam em vão tratar os pulmões de minha mãe, fiz amizade com Haller Peter, filho da família que nos alugava quartos. (Segundo a tradição dos países burocráticos, ao dizer os nomes próprios, o sobrenome vinha primeiro.) Pescávamos e roubávamos frutas juntos nos pomares, atividade que eu acreditava também agradasse minha irmã, mas que muitos anos mais tarde ela confessou que a enchia de terror. Como o pai dele era ferroviário, a família era vermelha: na Áustria daquele tempo, e especialmente no campo, nenhum trabalhador não-agricultor imaginaria ser qualquer outra coisa. Embora Peter, que tinha mais ou menos a minha idade, não se interessasse pelos assuntos públicos, também se considerava naturalmente vermelho, e de alguma forma, enquanto jogava pedras nas trutas e furtava maçãs, concluí que eu queria ser igualmente vermelho.

Recordo outras férias de verão, três anos antes, numa aldeia da Baixa Áustria chamada Retenegg, em época vagamente situada em minha vida privada, mas firmemente ancorada na história. Como era costume, meu pai não foi conosco e permaneceu trabalhando em Viena. Mas o verão de 1927 foi a época em que os operários de Viena, sentindo-se afrontados pela absolvição de direitistas que haviam assassinado alguns socialistas durante uma rixa, saíram em massa às ruas e queimaram o Palácio da Justiça na Ringstrasse (a grande avenida circular que rodeia a parte central da antiga Viena), mas 85 deles acabaram massacrados na refrega. Ao que parece, meu pai havia sido apanhado pelos distúrbios, mas conseguiu escapar ileso. Não tenho dúvida de que os adultos terão discutido intensamente o caso (especialmente minha mãe), mas não posso dizer que tenha me causado impressão — ao contrário da história da viagem ao Egito, em 1909, quando o navio passou próximo à Sicília na época do grande terremoto de Messina. O que realmente recordo daquelas férias foi ter observado o artesão local construindo um barco do lado de fora de nossa casa e as florestas de pinheiros que eu explorava sozinho, até que encontrei um acampamento de lenhadores que me deram um pouco de seu *Sterz*, o mingau de cereal que os alimentava no bosque. No caminho, vi pela primeira vez na vida o grande pica-pau negro, de mais de 45 centímetros, com sua crista de um vermelho vivo, batucando num tronco em uma clareira, como um eremita louco em miniatura, solitário sob a calma das árvores.

Mas seria demasiado afirmar que o verão em Weyer me tranformou em um ser político. Somente em retrospecto minha infância pode ser considerada um processo de politização. Naquele tempo, brincar e aprender, família e escola definiam minha vida, como definiam a vida da maioria das crianças vienenses da década de 20. Praticamente tudo o que ocorria conosco vinha de uma ou outra dessas fontes, ou cabia em uma ou outra dessas duas molduras.

Das duas teias de que era feita a maior parte de minha vida, a família era de longe a mais permanente. Consistia em um clã vienense mais amplo: parentes de meus avós e uma parte menor anglo-austríaca, as duas irmãs Grün, minha mãe e Gretl, sua irmã mais jovem, ambas casadas com dois irmãos Hobsbaum, isto é, meu pai e seu irmão mais moço, Sidney, que também moraram em Viena durante grande parte dos anos 20. Quanto à escola, só começava aos seis anos de idade. Depois disso, enquanto mudávamos de endereço eu passei por duas escolas primárias e três ginásios, e minha irmã — que deixou Viena antes dos dez anos —, por duas escolas elementares. Nessas circunstâncias, as amizades escolares tendiam a ser temporárias. De todos os colegas das minhas cinco escolas em Viena, todos, menos um, desapareceriam totalmente de minha vida subseqüente.

A família, por outro lado, era uma rede operacional, ligada não somente pelos laços emocionais entre mães, filhos e netos, e entre irmãos e irmãs, mas pela necessidade econômica. O que existia de apoio social estatal na década de 20 quase não chegava às famílias de classe média, pois poucos de seus membros eram assalariados. Quando era preciso auxílio, com quem mais se podia contar? Era impossível não ajudar os parentes necessitados, ainda que não fossem muito queridos. Não creio que isso representasse uma característica específica das famílias judias, embora a família vienense de minha mãe sem dúvida cultivasse o hábito do *mishpokhe* ou pelo menos os parentes que moravam em Viena constituíam um grupo que se reunia ocasionalmente — como recordo de longos e terrivelmente maçantes piqueniques à volta de mesas juntas em algum café ao ar livre — para tomar decisões familiares ou simplesmente mexericar. Ganhávamos sorvetes, mas os prazeres curtos não compensam os tédios prolongados. Se havia algo de especificamente judaico nessas ocasiões, era o sentimento de todos de que a família era uma rede que atravessava países e oceanos, de que viajar de um país a outro era parte normal da vida e de que, para quem se ocupava em comprar e vender — como faziam muitos membros de famílias judias —, ganhar a vida era assunto incerto e imprevisível, especialmente na era catastrófica que engolfara a Europa Central desde o colapso da civilização em agosto de 1914. Acontecia que ninguém na família Hobsbaum-Grün iria necessitar da proteção do sistema familiar mais do que meus pais, especialmente depois que a morte de meu pai transformou em catástrofe uma situação econômica de crise permanente. Mas até então — no meu caso até um pouco além dos onze anos — nós, crianças, praticamente não tomávamos conhecimento dessas coisas.

Vivíamos ainda numa era em que pegar um táxi parecia uma extravagância que exigia justificação especial, mesmo para pessoas relativamente abastadas. Nós, ou pelo menos eu, parecíamos possuir tudo o que nossos amigos possuíam e fazer tudo o que eles faziam. Lembro-me de apenas uma ocasião em que tive a percepção das dificuldades reais. Tinha acabado de entrar para a escola secundária (Bundesgymnasium XIII, Fichtnergasse). O professor encarregado da nova turma — todos os professores em um Gymnasium eram automaticamente chamados *Herr Professor*, assim como nós éramos automaticamente tratados de *Sie* e não mais de *Du*, como as crianças — deu-nos a lista de livros que tínhamos de comprar. Para geografia, precisávamos do *Kozenn-Atlas*, um volume grande e evidentemente caro. "Isso é muito caro. Você precisa mesmo dele?", perguntou minha mãe, num tom de voz que sem dúvida me comunicava um sentimento de crise, sobretudo porque a resposta era inteiramente óbvia. Claro que o livro era necessário. Como é que mamãe não entendia? O atlas foi comprado, mas permaneci com a sensação de que pelo menos naquela ocasião um grande sacrifício havia sido feito. Talvez por isso eu ainda tenha o livro em minhas prateleiras, um pouco maltratado e cheio de rabiscos e garatujas de aluno das classes iniciais da escola secundária, mas ainda um bom atlas, que consulto de vez em quando.

Talvez outras crianças de minha idade percebessem mais nossos problemas materiais. Quando criança, nunca tomei muito conhecimento das realidades práticas e, no que me dizia respeito, os adultos não faziam parte das realidades práticas enquanto suas atividades e seus interesses não interferissem nos meus. De qualquer modo, eu vivia a maior parte do tempo num mundo sem fronteiras claras entre a realidade, as descobertas das leituras e as criações da imaginação. Até mesmo uma criança com sentido mais direto da realidade, como minha irmã, não tinha idéia clara de nossa situação. Saber essas coisas simplesmente não fazia parte do mundo de nossa infância. Por exemplo, eu não imaginava qual fosse a ocupação de meu pai. Ninguém pensava em dizer essas coisas às crianças, e de qualquer maneira a forma como pessoas como meu pai e meu tio ganhavam a vida estavam longe de ser claras. Não eram pessoas cujas ocupações fossem facilmente descritíveis, como as figuras dos livros sobre "famílias felizes": médicos, advogados, arquitetos, policiais, lojistas. Quando alguém perguntava o que fazia meu pai, eu dizia ou escrevia *Kaufmann* (comerciante), mas sabia perfeitamente que isso nada significava e que muito provavelmente estava enganado. O que mais poderia dizer?

Em grande parte, nossa (ou pelo menos minha) falta de conhecimento da situação financeira no lar se devia à relutância, ou melhor, à recusa de minha família vienense em reconhecê-la. Não se tratava de uma insistência em "manter as aparências", último recurso das famílias de classe média quando as coisas se tornam difíceis. Sabiam a verdadeira extensão de sua decadência. "É realmente animador ver isso em nossos tempos empobrecidos e proletarizados", escreveu minha avó a sua filha, encantada com a opulência e a naturalidade do casamento de um sobrinho, observando amargamente que o noivo presenteara a noiva com "um anel muito bonito e valioso, feito por nós" em tempos melhores. Isso foi antes que o avô Grün — cujas economias, reduzidas pela Grande Inflação do início da década de 20, passaram a equivaler ao preço de um café com bolo no café Ilion — retornasse, na velhice, a sua ocupação dos tempos de jovem: caixeiro-viajante que vendia bugigangas nas aldeias alpinas e cidades de província. Amplos segmentos da classe média austríaca se viam em situação semelhante, empobrecidos pela guerra e pelo pós-guerra, acostumando-se a apertar os cintos e a um estilo de vida bastante mais modesto do que "em tempos de paz", isto é, antes de 1914. (A partir de 1918 nada era considerado paz.) A falta de dinheiro era coisa difícil de aceitar, ou pelo menos, pensavam eles, mais difícil do que para os trabalhadores, que afinal de contas já estavam acostumados com isso. (Mais tarde, ao me tornar um jovem comunista entusiasmado, minha tia Gretl balançou negativamente a cabeça quando me recusei a aceitar o que, para ela, era uma proposição evidente por si mesma.) Os maridos ingleses das filhas Grün também não estavam em boa situação. Dois deles eram espetacularmente pouco competentes na selva da economia de mercado: meu pai e o bem-apessoado Wilfred Brown, que fora internado na Áustria durante a guerra e casara com a primogênita, Mimi. Até mesmo meu tio Sidney, o único irmão Hobsbaum a ganhar a vida no mundo dos negócios, passou a maior parte da década escapando das ruínas de um projeto falido para atirar-se a outro empreendimento igualmente destinado ao fracasso.

No fundo, minha família vienense considerava inconcebível qualquer estilo de vida a não ser o anterior a 1914 e continuava tentando mantê-lo contra todos os riscos. Assim, minha mãe, mesmo sem poder pagar as contas do armazém — para não falar do aluguel e dos serviços públicos —, continuava a ter empregadas domésticas. Não se tratava de antigas serviçais, como Helene Delmuth, que está enterrada junto com o casal Karl Marx no cemitério de Highgate. Eram, e continuavam a ser, o delicado "problema das empregadas"

das senhoras de classe média, um desfile infindável de jovens mandadas pelas agências e que ficavam um ou dois meses, passando da rara *eine Perle* (uma pérola) à desajeitada roceira que nunca vira um fogão a gás, para não falar do telefone. Quando minha mãe foi à Inglaterra pela primeira vez, em 1925, para cuidar da irmã Mimi, que estava doente em Barrow-in-Furness, escreveu à outra irmã, impressionada não apenas pela eficiência, eqüanimidade e ausência de problemas no governo dos lares (tão diferente das famílias judias de Viena), mas pelo fato de que tudo era feito *sem empregadas*. "Aqui há senhoras que fazem tudo sozinhas, têm filhos e até mesmo lavam toda a roupa e continuam sendo damas."[2]

Ainda assim, ela jamais pensou seriamente em adotar a opção inglesa. "Na qualidade de alguém que tem muitos anos de experiência em estar falida", escreveu ela à irmã, que se queixava de problemas financeiros em Berlim,

> deixe-me dar-lhe um conselho importante, que espero seja levado a sério. Procure jamais reconhecer que seja possível ficar sem uma empregada!! A longo prazo é impossível não contar com elas, e portanto é melhor partir do pressuposto de que uma empregada é tão necessária quanto a alimentação ou o teto. A economia é desprezível em comparação com o prejuízo à saúde, a falta de conforto e acima de tudo o estado de seus nervos; e, quanto pior a situação, mais precisamos delas. É verdade que ultimamente andei pensando em despedir Marianne — não poderia fazê-lo antes do Natal, já é tarde demais, e ela sempre foi muito boa —, mas a única razão pela qual não fiz foi por vergonha de que ela visse que não posso pagar o armazém e tudo o mais. No fundo sei perfeitamente que o melhor é agüentar firme e conservá-la.[3]

Nada sabíamos disso nem o entenderíamos bem; percebíamos apenas que nossos pais discutiam, talvez com freqüência crescente — mas que pais não discutem? —, e que nos fortes invernos da Europa Central os quartos ficavam gelados. (Se morássemos na Inglaterra no tempo das lareiras a carvão, certamente a mais ineficiente forma de aquecimento interno já inventada, isso não se deveria necessariamente à falta de dinheiro para comprar o combustível de inverno.)

Firme e coesa, em parte devido à própria precariedade material, a família dividia o mundo — e, portanto, minha vida — em duas partes: a interna e a externa. Com efeito, para nós, crianças, a família e os amigos íntimos constituíam, ou definiam, o mundo dos adultos que eu conhecia como *pessoas* e não simplesmente como prestadores de serviços, ou por assim dizer *extras* no cenário do filme de nossas vidas. (A família e os amigos íntimos determinavam também as crianças que permaneceriam para sempre parte de nossas vidas e nós das delas, como as meninas Gold ou a filha dos Szana.) Os adultos que eu conhecia eram quase todos parentes ou amigos dos pais e parentes. Por isso não tenho lembrança, como pessoa, do dentista ao qual minha mãe me levou, embora a experiência da consulta tivesse sido inesquecível, pois ele não era um "conhecido" dela. Por outro lado, lembro-me do Doktor Strasser como pessoa real, presumivelmente porque a família conhecia a ele e a sua família. Curiosamente, os professores não parecem ter feito parte do mundo de adultos individuais até meu último ano em Viena, e somente em Berlim se transformaram em gente com quem eu tinha relações pessoais.

A escola era estritamente "externa", e o que era externo era feito principalmente de outras crianças. O mundo das crianças, fosse "interno" ou "externo", era algo que os adultos não chegavam a compreender, assim como nós na verdade não os compreendíamos. Na melhor das hipóteses, cada lado do hiato de gerações aceitava o que o outro fazia como "coisa de criança" ou "isso é o que os adultos fazem". Somente a puberdade, que chegou em meu último ano em Viena, começou a demolir os muros que separavam essas duas esferas.

Naturalmente, ambas as esferas se sobrepunham. Minhas leituras, especialmente em inglês, eram em grande parte fornecidas pelos adultos, embora eu achasse aborrecido e incompreensível o *Children's Newspaper*, de Arthur Mee, que parentes amáveis mandavam de Londres. Por outro lado, desde cedo devorei os livros alemães sobre pássaros e animais que recebia de presente, e após a escola primária mergulhei nas publicações da Kosmos, Gesellschaft der Naturfreunde, uma associação dedicada a popularizar as ciências naturais, principalmente os aspectos biológicos e evolutivos, que meus pais assinavam para mim. Também desde cedo nos levavam ao teatro, para ver peças que podíamos apreciar mas de que os adultos também gostavam — digamos, o *Guilherme Tell*, de Schiller (mas não o *Fausto*, de Goethe), e as obras dos autores vienenses populares do início do século XIX —, as encantadoras peças sentimentais de Raimund e as selvagemente divertidas comédias do grande Johann Nestroy, cujo humor ácido ainda não entendíamos. Junto com os coleguinhas da escola primária íamos às sessões matinais no cinema local (o Maxim-Bio há muito desaparecido) para ver curtas-metragens de Chaplin e Jackie Coogan, e supreendentemente também o longa *Nibelungen*, épico de Fritz Lang. Em minha experiência vienense, os adultos e as crianças não iam juntos ao cinema. As crianças mais intelectuais escolhiam livros nas prateleiras dos pais e parentes, talvez influenciados pelo que ouviam em casa, ou talvez não. Assim, certos gostos eram partilhados entre as gerações. Por outro lado, o material de leitura escolhido pelos mais velhos para as crianças não era em geral considerado de maior interesse para os adultos. Reciprocamente, de todos os adultos com quem tínhamos relações, somente os professores conheciam (e desaprovavam) o apaixonado interesse dos meninos de treze anos pelos livrinhos de bolso com aventuras de detetives, de nomes invariavelmente ingleses, que circulavam em nossas classes sob títulos como *Sherlock Holmes, o detetive mundial*, que nada tinha a ver com o personagem original; *Frank Allen, o vingador dos deserdados*, de Sexton Blake, e o mais popular de todos, o detetive berlinês Tom Shark, com seu amigo Pitt Strong, cuja base de operações ficava na Motzstrasse, conhecida dos leitores de Christopher Isherwood mas tão remota quanto a Baker Street de Holmes para os meninos vienenses.

As crianças da metade da década dos 20 em Viena ainda aprendiam a escrever com as antigas letras góticas em lousas com molduras de madeira, apagando com pequenas esponjas. Como a maioria dos textos escolares após 1918 vinha com as novas letras latinas, naturalmente também aprendemos a ler e mais tarde a escrever dessa forma, mas não recordo os métodos. Ao entrar para a escola secundária, aos onze anos, evidentemente esperava-se que o aluno já soubesse ler, escrever e fazer as quatro operações, porém não sei bem o que mais se aprendia na escola primária. Sem dúvida eu considerava a escola interessante, pois minha lembrança dos tempos escolares é de algo agradável, e recordo muitas coisas sobre Viena e passeios às áreas rurais circunvizinhas em busca de plantas, árvores e animais. Creio que tudo isso era compreendido na matéria pedagógica *Heimatkunde*, que pode ser mais bem traduzida por "conhecimento do lugar de onde viemos", pois sabidamente a palavra alemã *Heimat* não tem equivalente exato em inglês.* Hoje compreendo que não se tratava de uma preparação inadequada a um historiador, pois os grandes acontecimentos da história convencional em Viena e seus arredores eram apenas uma parte incidental do que as crianças aprendiam sobre seu hábitat. Aspern não era apenas o nome da batalha vencida pelos austríacos contra Napoleão (a vizinha Wagram, batalha decisivamente perdida pela Áustria, não estava na memória coletiva), mas sim um lugar na remota região transdanubiana, que ainda não fazia parte da cidade e aonde as pessoas iam nadar nas lagoas deixadas pelo antigo curso do rio e explorar áreas selvagens onde havia martas e pássaros aquáticos. Os cercos dos turcos contra Viena haviam sido importantes por terem trazido o café como parte do butim após a derrota deles, e daí haviam surgido as *Kaffeehäuser*. Naturalmente tínhamos a grande vantagem de haver desaparecido a história oficial da antiga Áustria imperial, a não ser em forma de edifícios e monumentos, e a nova Áustria de 1918 ainda não possuía história. A continuidade política é o que tende a reduzir a história nas escolas a uma sucessão canônica de datas, monarcas e guerras. O único acontecimento histórico que recordo haver sido comemorado na escola, na Viena de minha infância, foi o centenário da morte de Beethoven. Os próprios professores compreendiam que na nova era a escola deveria ser diferente, mas não sabiam bem como. (Meu livro escolar de canções dizia na época, 1925: "os novos métodos de ensino não estando ainda completamente claros".) Eu iria descobrir a história do tipo "1066 e tudo o mais" no Gymnasium secundário, que ainda não se emancipara da pedagogia tradicional. Naturalmente isso nada tinha de entusiasmante. O estudo de alemão, geografia, latim e eventualmente o grego (que eu tive de abandonar ao vir para Londres) parecia mais a meu gosto, porém infelizmente não a matemática e as ciências físicas.

Sem dúvida, tampouco a instrução religiosa. Não creio que o assunto surgisse na escola primária, mas na secundária recordo que os não-católicos — luteranos, evangélicos e os estranhos católicos do rito grego, mas principalmente os judeus — eram dispensados das aulas presumivelmente dedicadas a esses assuntos. A alternativa para a minoria eram as pouco inspiradoras

---

* Tampouco em português. *Heimat* engloba as idéias de "lar", "pátria" e "lugar de origem". (N. T.)

aulas vespertinas para judeus, dadas em outro lugar da cidade pela senhorita Miriam Morgenstern e seus diversos sucessores. Narravam-nos repetidas vezes as histórias bíblicas do Pentateuco e nos interrogavam sobre elas. Lembro-me do choque que causei quando respondi à enésima pergunta de qual havia sido o mais importante entre os filhos de Jacó. Sem imaginar que mais uma vez estavam falando de José, respondi: "Judá". Afinal — raciocinei —, não é por causa dele que os judeus (*Juden*) se chamam assim? A resposta era incorreta. Também aprendi os caracteres hebraicos, que acabei esquecendo, além da invocação essencial "Shema Jisroel" (a língua era sempre pronunciada à maneira asquenaze e não à sefardita, imposta pelo sionismo), e um fragmento do *Manishtani*, as perguntas e respostas rituais que devem ser recitadas durante a Páscoa judaica pelo varão mais jovem. Como ninguém na família celebrava a Páscoa nem tomava conhecimento do sábado e outros dias santificados judaicos, e tampouco das regras de alimentação, eu não tinha oportunidade de pôr em prática o que aprendia. Sabia que na sinagoga os homens deviam cobrir a cabeça, mas as únicas vezes em que eu ia ao templo era nos casamentos e funerais. Observei certa vez, com remota curiosidade, um colega de escola que praticava o ritual completo para dirigir-se a Deus — manto de orações, filactérios e tudo o mais. Além disso, se nossa família seguisse essas práticas, uma hora por semana na escola não teria sido necessária nem suficiente para absorvê-las.

Embora não fôssemos praticantes, mesmo assim sabíamos que éramos judeus e não poderíamos deixar de sê-lo. Afinal, havia 200 mil de nós em Viena, 10% da população da cidade. A maioria dos judeus vienenses adotara nomes alemães, porém, ao contrário do costume anglo-saxão, raramente mudava os sobrenomes, por mais que fossem reconhecíveis como judeus. Em minha infância não conheci ninguém que tivesse se convertido. Em princípio, tanto sob os Habsburgo quanto os Hohenzollern, o abandono de uma forma de culto religioso em favor de outro havia sido um preço pago de bom grado por famílias judias muito bem-sucedidas em troca de posições sociais ou oficiais, mas, após o colapso da sociedade, as vantagens da conversão desapareceram até mesmo para essas famílias, e os Grün nunca haviam ambicionado tanto. Os judeus vienenses não poderiam jamais se considerar simplesmente alemães que praticavam (ou não praticavam) uma forma específica de culto. Nem sequer sonhavam em escapar da sina de constituir uma etnia entre muitas. Ninguém lhes dava a opção de pertencer à "nação", pois ela não existia. Na metade austríaca dos domínios do imperador Francisco José, ao contrário do que ocorria na metade húngara, não existia um único "país" com um único "povo" teoricamente identificado com ele. Nessas circunstâncias, ser "alemão" era, para os judeus, um projeto cultural, e não político ou nacional. Significava deixar para trás o atraso e isolamento dos *shtetls* e *shuls* para entrar no mundo moderno. Os representantes da cidade de Brody, na Galícia, cuja população era 80% judia, haviam feito, muito tempo antes, uma petição ao imperador para que a língua alemã fosse usada nas escolas, não porque os emancipados cidadãos de Brody desejassem imitar os teutônicos bebedores de cerveja, mas porque não queriam ser como os chassídicos, com seus milagrosos *wunderrabbis* hereditários, ou como os *Yeshiva-bokhers*, que explicavam o Talmude em ídiche. Por isso os judeus vienenses de classe média, cujos pais ou avós haviam emigrado do interior da Polônia, da Tchecoslováquia e da Hungria, faziam questão de distinguir-se dos judeus do Leste.

Não por acaso o criador do sionismo moderno foi um jornalista vienense. Todos os judeus de Viena sabiam, pelo menos desde a década de 1890, que viviam em um mundo de anti-semitas e até mesmo de anti-semitismo de rua, potencialmente perigoso. "*Gottlob kein Jud*" ("graças a Deus não foi um judeu") é a reação imediata dos transeuntes (judeus) aos gritos dos jornaleiros no Ring de Viena que anunciam o assassinato do arquiduque Franz Ferdinand, na cena de abertura do maravilhoso *Os últimos dias da humanidade*, de Karl Kraus. Na década de 1920 havia ainda menos razão para otimismo. As pessoas não duvidavam de que o governante Partido Social Cristão continuava tão anti-semita quanto seu fundador, o famoso prefeito de Viena Karl Lüger. Ainda recordo o momento de choque, aos treze anos, quando meus pais receberam a notícia da eleição alemã para o Reichstag, que transformou o Partido Nacional Socialista de Hitler na segunda força do país. Sabiam o que aquilo significava. Em resumo, não havia como esquecer o fato de ser judeu, ainda que eu não recorde nenhum exemplo pessoal de anti-semitismo, pois a nacionalidade inglesa me conferia, ao menos na escola, uma identidade que desviava a atenção. Ser inglês também provavelmente me imunizava, felizmente, contra as tentações do nacionalismo judaico, ainda que o sionismo entre os jovens centro-europeus em geral fosse acompanhado de opiniões socialistas moderadas ou revolucionárias, a não ser os discípulos de Jabotinsky, inspirados por Mussolini e hoje no governo de Israel, no Partido Likud. É claro que o sionismo tinha uma presença maior na cidade de Herzl do que entre os judeus nascidos, por exemplo, na Alemanha, onde até o advento de Hitler atraía apenas uma pequena camada marginal atípica. Não havia como não notar a existência tanto de anti-semitas quanto do clube de futebol Hakoah, de cores azul e branca, que fez meu pai e meu tio Sidney enfrentarem o problema da dupla lealdade ao jogar contra o time visitante inglês Bolton Wanderers. No entanto, a imensa maioria dos judeus vienenses emancipados ou de classe média antes de Hitler não era sionista e nunca passou a sê-lo.

Naturalmente não tínhamos idéia dos perigos que ameaçavam os judeus. Ninguém tinha, nem poderia ter. Até mesmo nos recessos obscurantistas e assolados por pogroms na Europa dos Cárpatos e nas planícies da Polônia e Ucrânia, de onde vieram as primeiras gerações de imigrantes para Viena, o genocídio sistemático era inconcebível. Em caso de distúrbios graves, os mais velhos e mais experientes aconselhavam a manter discrição, agir de forma evasiva e manter lealdade às autoridades que os podiam proteger ou que tivessem interesse em fazê-lo, ou pelo menos que desejassem estabelecer a lei e a ordem em seus domínios, ainda que de forma não igualitária. Os jovens e os revolucionários clamavam por resistência e autodefesa ativa. Os mais velhos sabiam que mais cedo ou mais tarde as coisas se estabilizariam novamente; os mais moços sonhavam com a vitória total (por exemplo, a revolução mundial); mas como poderiam imaginar a destruição total? Nem uns nem outros esperavam que uma nação moderna quisesse se ver permanentemente livre de todos os seus judeus, algo que não acontecia desde a Espanha de 1492. Menos ainda se poderia imaginar a extirpação física. Além disso, somente os sionistas vislumbravam efetivamente o êxodo sistemático de todos os judeus para um Estado-nação monoétnico, abandonando seus lares anteriores, ou, para usar a expressão nazista, "*judenrein*". Quando, antes de Hitler ou em seus primeiros tempos, falava-se dos perigos do anti-semitismo, isso significava a intensificação daquilo que os judeus sempre haviam sofrido: discriminação, injustiça, vitimização, intimidação confiante e desdenhosa dos fortes, às vezes brutal, contra a minoria inferior e débil. Não significava Auschwitz, nem poderia significar. A palavra "genocídio" somente foi cunhada em 1943.

Que poderia significar "ser judeu" na década de 20 para um menino anglo-vienense inteligente, que não sofrera com o anti-semitismo e estava tão afastado das práticas e crenças do judaísmo tradicional que até após a puberdade nem sequer tinha consciência de haver feito a circuncisão? Talvez apenas isto: em algum momento, por volta dos dez anos de idade, adquiri de minha mãe um princípio simples, numa ocasião já esquecida em que eu devo haver feito, ou talvez repetido, alguma observação negativa sobre o comportamento de um tio como sendo "tipicamente judeu". Ela me disse firmemente: "Nunca faça ou dê a impressão de fazer algo que possa sugerir que você se envergonha de ser judeu".

Desde então procurei seguir esse ensinamento, embora o custo de fazê-lo seja às vezes intolerável, à luz do comportamento do governo de Israel. O princípio de minha mãe era suficiente para que eu me abstivesse, com certo arrependimento, de declarar-me *konfessionslos* (sem religião), como se podia fazer na Áustria aos treze anos de idade. Por causa dele fiquei para o resto da vida com o peso de um sobrenome impronunciável que parece estar pedindo para ser convenientemente convertido em Hobson ou em Osborn. Bastou também para definir meu judaísmo desde então e libertou-me para viver como algo que meu amigo, o falecido Isaac Deutscher, chamava de "um judeu não-judaico", mas não o que o regimento mesclado de autores religiosos ou nacionalistas chamam de "um judeu que se autodetesta". Não tenho obrigações emocionais quanto à prática de uma religião ancestral e muito menos quanto ao pequeno, militarista, culturalmente decepcionante e politicamente agressivo Estado-nação que solicita minha solidariedade por motivos raciais. Nem sequer preciso me ajustar à postura mais em voga da virada do novo século, a de "a vítima", o judeu que, com a força do *Shoah* (e na era de originais e inéditos sucessos, realizações e aceitação mundiais dos judeus), exige da consciência universal que o considere vítima de perseguição. O certo e o errado, a justiça e a injustiça não têm distintivos étnicos nem bandeiras nacionais. E como historiador observo que, se existir justificação para a reivindicação de 0,25% da população do globo (ano 2000), que constitui a tribo em que nasci, de que são o povo "eleito", ou especial, tal justificação não repousa no que se fez dentro dos guetos ou territórios especiais, autoescolhidos ou impostos por outrem, no passado, no presente ou no futuro. Repousa, isso sim, em sua desproporcional contribuição à humanidade num sentido mundial mais amplo, especialmente durante os cerca de dois séculos em que os judeus puderam deixar os guetos e desejaram fazê-lo. Para citar o título do livro de meu amigo Richard Marienstras, judeu polonês, lutador na resistência francesa, defensor da cultura ídiche e principal autoridade de seu país em Shakespeare, somos *un peuple en diaspora*. Certamente assim permaneceremos. E se fizermos o exercício mental de supor que o sonho de Herzl se tornou realidade e todos os judeus acabaram chegando a um pequeno Estado territorial independente que impede a cidadania completa a todos os que não sejam filhos de mães judias, isso seria um momento infeliz para o resto da humanidade — e para os próprios judeus.

3. Tempos difíceis

No fim da tarde da sexta-feira 8 de fevereiro de 1929, ao regressar de outra de suas idas à cidade, cada vez mais desesperadas, em busca de dinheiro que pudesse ganhar ou pedir emprestado, meu pai desabou diante da porta de entrada de nossa casa. Minha mãe escutou seus gemidos pela janela do andar de cima e, quando abriu a porta ao ar gélido daquele rigoroso inverno alpino, ouviu-o chamando seu nome. Em poucos minutos estava morto, imagino que de um ataque cardíaco. Tinha 48 anos de idade. Ao morrer, também condenou à morte minha mãe, que não conseguiu se perdoar pelo modo como achava que o tinha tratado durante os meses, na verdade os poucos dias, que acabaram sendo os últimos e mais terríveis de sua vida.

"Alguma coisa se quebrou dentro de mim", escreveu ela à irmã na primeira carta após ao falecimento dele.

> Ainda não consigo escrever sobre isso. Você pode imaginar as palavras ásperas e os pensamentos maldosos que agora me cortam como facas. Aquele "nunca mais", Gretl! O que eu faria agora, o que teria feito antes, se soubesse que isso ia acontecer... Se pelo menos ele tivesse ficado um dia doente, eu poderia ter cuidado dele e demonstrado meu amor novamente... Pelo menos eu estava ali e ele não teve de morrer sozinho.

Mas isso não a consolava.

Dentro de dois anos e meio também estava morta, aos 36 anos. Sempre imaginei que as muitas visitas autoflagelantes que ela fez, inadequadamente agasalhada, à tumba de meu pai nos duros meses de inverno após a morte dele tenham contribuído para a doença pulmonar que a levou.

Não admira que ela perdesse o autocontrole naqueles terríveis meses — e o mais surpreendente é que tivesse conseguido, com esforços sobre-humanos, esconder de seus filhos o estado em que se encontrava. As coisas nunca andaram bem financeiramente desde que o jovem casal chegara do Egito com uma modesta reserva de libras esterlinas estáveis e valiosas em uma Áustria que descambava para a hiperinflação. Não tenho idéia de como meu pai esperava ou pretendia ganhar a vida num país cuja língua jamais aprendeu a falar bem. Na verdade, não tenho idéia de como ganhava a vida antes de embarcar para o Egito, onde um rapaz de pouco mais de vinte anos, apresentável e polido, falante, inteligente embora não demasiadamente intelectual, com reputação de esportista, não teria dificuldade em conseguir trabalho em alguma firma de navegação ou de comércio da numerosa colônia de expatriados britânicos. Talvez esperasse encontrar apoio semelhante sendo inglês em Viena, embora ali os expatriados fossem poucos (ainda que tivessem sido responsáveis pelo surgimento de várias equipes de futebol da cidade). Só sei que ele encomendou blocos de notas com o cabeçalho "L. Percy Hobsbawn, Viena. Tel. Ad. 'Hobby'. Tel. Nr. ...". Durante breve intervalo em 1920 minha mãe informou à irmã que tinha empregadas, no plural: uma cozinheira e uma arrumadeira (que desapareceram quase imediatamente).

Dali em diante tudo foi ladeira abaixo. Da Villa Seutter nos mudamos para um apartamento bem mais modesto num subúrbio próximo, Ober St. Veit. A partir da metade dos anos 20 a família parece ter simplesmente sobrevivido, mal sabendo de onde viria o dinheiro para as despesas do dia. Por isso, penso eu, minha mãe procurou seriamente ganhar dinheiro escrevendo, trabalhando cada vez mais horas com cada vez mais afinco. Mesmo assim, qualquer que fosse a contribuição de seu trabalho literário para a renda familiar, em 1928 a situação foi ficando catastrófica. No final daquele ano o senhorio ameaçou nos despejar. Foi preciso negociar para evitar que o gás fosse cortado. Dois dias antes do Natal minha mãe escreveu à irmã: "Hoje já é sexta-feira e ainda não comprei nenhum presente. Se Percy não trouxer algum dinheiro amanhã, não sei o que farei".

O ano-novo não trouxe alívio. Três dias antes da morte de meu pai ela se queixou à irmã de que as coisas pioravam dia a dia, o aluguel e a conta do telefone não tinham sido pagas e "em geral não tenho nem um tostão em casa". Continuava sem ter idéia de onde a família iria morar quando o aviso de despejo expirasse. A situação era essa quando meu pai saiu de casa pela última vez. Agora, estava morto. Foi enterrado alguns dias mais tarde na parte judia do Cemitério Central de Viena. Da ocasião de sua morte me lembro apenas de ter sido uma noite escura em que minha irmã e eu fomos levados, meio adormecidos, de nosso quarto para o quarto de nossos pais e nos disseram vagamente que uma coisa terrível havia acontecido. Lembro-me também do vento gelado soprando sobre nós diante da cova aberta.

Talvez este seja o momento de o filho enfrentar a difícil tarefa de escrever sobre o pai.

A tarefa é ainda mais difícil porque não tenho quase nenhuma lembrança dele, o que significa que evidentemente preferi esquecer a maior parte do que poderia haver recordado. Sei como era sua aparência: um homem de estatura mediana, enérgico, com um pince-nez sem aro, cabelos negros repartidos no meio, a fronte franzida horizontalmente; mas até mesmo essa impressão pode vir mais da máquina fotográfica do que de minha própria memória. No álbum de fotos de família que minha mente guarda da infância, pouco mais de meia dúzia de imagens o preserva, todas, ao que penso, dos anos passados em Ober St. Veit: papai vestindo terno de tweed, coisa rara em Viena; papai me levando a um jogo de futebol amador; eu servindo de apanhador de bolas para ele, em partidas de duplas mistas de tênis em algum lugar no caminho entre nossa casa e o Lainzer Tiergarten, o antigo terreno imperial de caça; papai cantando músicas inglesas de cabaré; uma lembrança curta mas esplendorosa de ir caminhar com papai nas colinas vizinhas. Depois, duas imagens menos agradáveis: papai tentando (e evidentemente fracassando) ensinar-me a lutar boxe (ele não persistiu); e uma muito mais específica dele enraivecido, no jardim da Einsiedeleigasse. Eu devia estar nos últimos anos da escola primária, com nove ou dez anos. Ele tinha me mandado buscar um martelo para pregar alguma coisa, talvez alguma tábua solta de uma cadeira do pátio. Naquela época eu estava apaixonado pela Pré-História, talvez por estar na metade da leitura do primeiro volume da trilogia *Die Höhlenkinder* (*Os meninos da caverna*), de um tal Sonnleitner, no qual, à la Robinson Crusoé, um casal de crianças órfãs sem parentesco entre si, em um vale alpino inacessível, crescia reproduzindo os estágios da pré-história humana, desde a era paleolítica até algo parecido com a vida rural austríaca. Enquanto os personagens passavam pela Idade da Pedra, eu fizera um martelo dessa época, com uma pedra cuidadosamente amarrada em um cabo de madeira da forma adequada. Levei-o para ele e espantei-me com sua furiosa reação. Depois disso, disseram-me que ele freqüentemente demonstrava pouca paciência comigo, mas, se é verdade, o que é provável, eu devo tê-lo bloqueado. Tenho somente uma imagem dele trabalhando. Certo dia ele trouxe para casa um aparelho que procurava sem sucesso (como quase sempre) vender. Era um cartaz de uma loja, no qual uma palavra luminosa, que devia ser o nome de um produto, ou da loja, era visível na rua, como se estivesse refletida em um espelho. Talvez quisesse debater as possibilidades com algum visitante, o que quase certamente significava seu irmão, pois se tinha amigos vienenses eu não os consigo recordar.

Tampouco me lembro de meu pai pela memória alheia. Havia histórias sobre sua juventude em Londres e no Egito, a maioria a respeito de sua destreza física e de sua atração por mulheres (embora eu jamais tenha ouvido a mais leve sugestão de que tenha sido infiel à esposa). Todas as famílias judias do bairro londrino de East End precisavam ter pelo menos um irmão que pudesse, como se dizia, "cuidar de si mesmo" e enfrentar os irlandeses locais. Na família Hobsbaum esse era o papel de meu pai, e, como o ringue era uma opção aceita para os rapazes pobres do bairro, inclusive jovens judeus com bons músculos e reflexos rápidos, ele se tornou um boxeador mais do que aplicado. Foi sempre amador, mas os registros visíveis de suas vitórias eram as duas taças que ganhou como campeão amador do Egito na categoria peso-leve em 1907 e 1908, ou por essa época, sem dúvida principalmente contra adversários das forças britânicas de ocupação. Ficavam em prateleiras em nossa casa — as salas austríacas não tinham lareiras e portanto também não tinham espaço para objetos sobre a lareira —, e minha irmã, que se lembrava dele com carinho embora tivesse apenas oito anos quando ele morreu, guardou-as posteriormente em sua casa. Diziam que certa vez meu pai salvara seu irmão Ernest, que teve problemas quando nadava. O romance escrito por minha mãe, que trata de uma jovem no Egito antes de 1914, contém a descrição de um semideus atlético em ação, quase certamente baseado nele.

No entanto, não há histórias familiares nem brincadeiras a respeito dele nos anos de Viena. Parece claro que não se dava bem com os sogros, e certamente isso era verdade quanto a minha avó Grün. Além disso, há realmente muito pouco sobre ele nas alentadas cartas de minha mãe à irmã, muito menos do que sobre Sidney, seu cunhado. Nada sobre os planos de meu pai, suas atividades, seus fracassos. Nada sobre o que ambos faziam ou aonde iam. Depois que meus pais morreram, falava-se muito pouco sobre ele, ou mais precisamente sobre seus anos em Viena, na casa de Sidney e Gretl. Ele parecia ter desaparecido de vista.

A verdade é que para ele os anos em Viena foram um desastre. Nas palavras de minha mãe: "Tanta preocupação, tanto sofrimento, tantos desenganos, para acabar assim". Se tivesse tido um salário constante, de um emprego estável, não muito exigente, ele teria sido um homem feliz, companheiro encantador, um trunfo em qualquer meio que apreciasse os esportes, um pouco de música e diversão. Essas coisas eram possíveis para homens sem recursos ou sem qualificações profissionais nos postos avançados formais e informais do Império Britânico, mas não na Viena do pós-guerra. Talvez no distante e irrecuperável mundo de antes de 1914 ele tivesse conseguido algum trabalho na rede então próspera das famílias dos avós, ou por meio dela. Afinal, é preciso ajudar o marido da filha mesmo que seja um tanto *schlemihl*. Na década de 20 isso já não era mais possível. Ele só podia contar consigo mesmo. Conheço poucas pessoas tão mal preparadas como meu pai para ganhar a vida num mundo impiedoso. No fim, já não devia mais ter grande confiança em si mesmo, no mínimo porque ninguém mais acreditava nele. Depois de sua morte, a esposa se confortou momentaneamente com o pensamento de que "o futuro somente poderia ter sido pior. Pelo menos disso ele foi poupado".

Não deixou muita coisa a não ser os troféus de boxe, a carteirinha da assinatura anual do sistema de transportes públicos de Viena, com foto, e uma coleção substancial de livros ingleses, principalmente as brochuras produzidas pela editora Tauchnitz, da Alemanha, para venda exclusivamente fora da Grã-Bretanha — e que portanto presumo que tenham sido compradas no Egito. Não recordo outros livros dessa empresa trazidos para a casa de Viena, mas talvez fosse por não haver dinheiro para adquiri-los. Ao que me lembro, havia especialmente títulos do fim da era vitoriana e da eduardiana, muitos contos de Kipling (mas não *Kim*), que li avidamente mas sem entender, alguns autores menores pré-1918 e obras de viagens e aventuras, dentre as quais me lembro de um épico hoje esquecido sobre a pesca de baleia à antiga, *The Cruise of the Cachalot*. Também havia alguns livros encadernados, e desses me lembro de *Mr. Britling Sees It Through*, de Wells. Jamais o abri. Havia um volume grosso, encadernado, da poesia de Tennyson, que dava a impressão de ter sido presente ou prêmio escolar. O que meu pai me deu veio por meio desses livros, que presumivelmente ele (com ou sem minha mãe) escolhera, ou quisera preservar. Teria sido ele quem lera para mim "The Revenge" ("In Flores on the Azores sir Richard Grenville Lay"), o qual, junto com "The Charge of the Light Brigade", "Sunset and Evening Star" e, naturalmente, "The Lady of Shallot", são os únicos poemas que sei pertencerem ao volume de Tennyson? Se isso foi verdade, será o único contato intelectual direto com ele do qual posso me lembrar.

No entanto, ainda tenho um dos poucos documentos remanescentes de sua vida. É uma anotação datada de 1921 em um dos álbuns íntimos de sua cunhada, daquele tipo de perguntas a respeito de si mesmo que eram muito populares, pelo menos na Europa Central. Reproduzo as perguntas e respostas. Servirão de epitáfio para ele.

QUALIDADE FAVORITA NO HOMEM: Força física
QUALIDADE FAVORITA NA MULHER: Virtude
SUA IDÉIA SOBRE FELICIDADE: Ter todos os desejos satisfeitos
SUA IDÉIA DE INFELICIDADE: Falta de sorte
O QUE VOCÊ SABE FAZER MELHOR E PIOR: Perder oportunidades. Aproveitá-las
QUAL SUA CIÊNCIA FAVORITA: Nenhuma
QUAL TENDÊNCIA ARTÍSTICA APRECIA: Moderna
QUE TIPO DE VIDA SOCIAL PREFERE: Minha família
O QUE MAIS ODEIA: A sociedade moderna
ESCRITOR/COMPOSITOR FAVORITO: ——
LIVRO E INSTRUMENTO MUSICAL FAVORITO: Piano
HERÓI FAVORITO NA FICÇÃO OU NA HISTÓRIA: Conde de Warwick
COR E FLOR FAVORITAS: Rosa

ALIMENTO E BEBIDA FAVORITOS: —
NOME FAVORITO: —
ESPORTE FAVORITO: Boxe
JOGO FAVORITO: Bridge
COMO VIVE? Tranqüilamente
TEMPERAMENTO E CARACTERÍSTICA PRINCIPAL: Falso idealista. Tendência a sonhar
LEMA: O suficiente para um dia, talvez um pouquinho mais

Ele não conseguiu realizar nem mesmo essa modesta ambição.

A morte de meu pai deixou a família indigente por algum tempo. Não parece ter havido seguro substancial. Quando, alguns dias mais tarde, precisei de sapatos novos, porque os que tinha deixavam passar o terrível frio daquele gélido inverno — lembro-me de gritar de dor na Ringstrasse —, minha mãe conseguiu-os numa instituição judaica de caridade. A família fez o possível para ajudar, mas não havia dinheiro. De qualquer forma, o único presente em dinheiro que ela aceitou foram dez libras do tio Harry, mandadas de Londres. Era uma soma nada desprezível. Junto com o que sobrara de um adiantamento feito por um editor e algumas críticas literárias, ela achava que teria o suficiente para cerca de dois meses.

Apesar da justificada preocupação de minha mãe, tivemos de mudar para o apartamento dos avós. Não havia outro lugar para ir. Dormíamos os três num pequeno quarto lateral do apartamento de três cômodos, e minha mãe tratou de ganhar a vida. Enquanto isso, alguns dos amigos mais prósperos salvaram sua auto-estima disfarçando a ajuda em forma de pagamento por aulas de inglês. (Estou certo de que o primeiro dinheiro que ganhei — o pagamento por aulas dadas durante aqueles meses à filha de um de seus melhores amigos para passar no exame de ingresso na escola secundária — foi uma forma delicada de fazê-la economizar meus pequenos gastos diários.) Lembro-me pelo menos de uma aluna genuína, que contribuía para nossa renda, uma senhorita Papazian, filha de um homem de negócios armênio.

Felizmente minha mãe já conseguira estabelecer contatos no ramo literário. Desde 1924 mantivera relações com a Rikola-Verlag (mais tarde Speidelsche Verlagsbuchhandlung), pequena editora vienense que já publicara o que acabou sendo seu único romance. O editor, um sr. Scheuermann, fez o possível para ajudar. De qualquer forma, apreciava o trabalho dela como tradutora. Ela traduzira um romance de um escritor escandinavo-americano já esquecido, e Scheuermann a contratou para outra tradução, oferecendo-lhe uma relação mais permanente com a empresa. Recordo-me dele vagamente, um homem alto e meio encurvado. Minha mãe também andou vendendo contos para periódicos, de sua autoria ou traduzidos do inglês, tanto na Grã-Bretanha como na Alemanha. Isso lhe dava algum rendimento, porém certamente não o suficiente para viver. (Depois que ela morreu, minha tia Mimi, em um de seus muitos períodos de dificuldades financeiras, voltou a tentar vender textos de minha mãe.)

Ela acabou por procurar emprego na firma de Alexander Rosenberg, de Viena e Budapeste, como representante de produtores britânicos de têxteis, presumivelmente devido a seu conhecimento da língua inglesa. Gostou de trabalhar num escritório, depois de anos de labuta solitária em casa — dava-se bem com as pessoas em geral —, e além disso tinha a oportunidade de evitar a constante tensão da vida íntima com a mãe num apartamento superlotado. Até essa época ela costumava escapar indo ao café durante uma hora, simplesmente para ter algum tempo consigo mesma. Lembro-me de ter sido levado ao escritório e apresentado aos colegas dela.

Mas no final de 1929 ela começou a escarrar sangue. No início de abril, os médicos haviam detectado a falência de um dos pulmões. Durante o último ano e meio de vida ela foi morrendo lentamente em uma sucessão de hospitais e sanatórios. A exata natureza de sua enfermidade não é clara, pois pelo que entendo não se ajusta integralmente ao diagnóstico de tuberculose, que naqueles dias era comum e potencialmente letal. Fosse o que fosse, os médicos pouco podiam fazer para controlá-la. Aconteceu que o emprego permanente a inscrevera no sistema de seguro social da "Viena Vermelha", cujos benefícios ela então descobria. Não há como imaginar de que outro modo teria sido possível pagar seu tratamento.

A doença dela transformou nossa situação. Não havia como ela continuar cuidando de um menino de doze anos e de uma menina de nove. Felizmente para ambos os filhos, na primavera de 1929 Sidney finalmente conseguira ficar rico, pelo menos pelos padrões pouco exigentes das famílias Grün e Hobsbaum na década de 20. Conseguiu um emprego, inseguro e impreciso, mas que pagava bem e tinha futuro, na Universal Films em Berlim. Isso não somente satisfazia sua ambição de estar ligado ao mundo da criação artística, mas também dava a ele e Gretl os meios para tomar a responsabilidade pelos filhos semi-órfãos do irmão dele e da irmã dela. Portanto, devemos os caminhos que nosso futuro tomou a Carl Laemmle, fundador do estrelismo de Hollywood e da Universal Films. Separamo-nos: Nancy foi imediatamente para Berlim e eu fiquei em Viena até a morte de minha mãe, em julho de 1931.

Não sei bem o motivo. Talvez Sidney e Gretl achassem que não tinham, naquele momento, como cuidar de duas novas crianças ou lidar com o problema de ter de encontrar de repente uma escola em Berlim adequada a um aluno de terceiro ano do curso secundário em Viena. É verdade que minha mãe evidentemente tinha mais afinidade comigo do que com minha irmã, mas já estava acostumada com a idéia de que, como lhe seria impossível cuidar permanentemente de dois filhos, iria acabar por perdê-los. De qualquer forma, ela sempre achara que se possível eu deveria finalmente ir para a Inglaterra e lá ser educado, para seguir carreira como um verdadeiro inglês. A maioria dos judeus centro-europeus de classe média tendia a idealizar a Grã-Bretanha, tão estável e forte, tediosa e sem neuroses, e esse era sem dúvida o caso das irmãs Grün, todas casadas com ingleses. Mesmo sem contar o casamento, minha mãe era uma anglófila excepcionalmente passional. Conforme escreveu à irmã, a simples idéia de que a carta que rascunhara para mr. Rosenberg ia ser enviada a Huddersfield deixava-lhe sentimental em relação à Inglaterra. Foi ela quem insistiu para que em casa somente se falasse inglês, não apenas com meu pai, mas com ela própria. Corrigia meu inglês e tratava de ampliá-lo além do vocabulário básico de comunicação doméstica. Sonhava em me ver algum dia no Serviço Civil da Índia, ou, como eu evidentemente me interessava por pássaros, no Serviço Florestal Indiano, o que me traria (e também a ela) mais próximo do mundo de seu admirado *O livro da selva*.

Até a morte de meu pai esses eram sonhos para um futuro remoto. Mas então a oportunidade de me mandar para a Inglaterra surgira, pois sua irmã Mimi me convidara para morar na pensão que ela e o marido haviam acabado de abrir em Lancashire, na periferia de Southport, próximo aos campos de golfe de Birkdale. Para lá fui após o fim do período escolar de 1928-29.

Foi minha primeira visita à Grã-Bretanha e, na verdade, minha primeira viagem sozinho. (A primeira coisa que Mimi fez quando cheguei foi pegar o dinheiro que eu levava, pois, como ocorria freqüentemente, ela estava em dificuldades financeiras.) Durante algum tempo minha mãe nutriu a esperança de que eu ficasse lá permanentemente, pedindo-me que verificasse quando começariam as aulas e "se você vai ter de aprender muito para alcançar os meninos de sua idade". "Estou ansiosa para saber seus planos para o outono — ou melhor, dos planos da tia Mimi para você", escreveu ela em outra carta. "Para seu bem, espero que você possa ficar aí, e tenho certeza de que é isso que você também quer." É impossível saber se ela realmente levou a sério essa possibilidade, e evidentemente não havia planos concretos. De qualquer forma, nunca houve mais do que uma remota possibilidade de que a errante e pobre Mimi, com ou sem o marido belo mas economicamente inútil, pudesse me proporcionar uma base permanente. Regressei a Viena no fim das férias escolares.

Já não lembro se preferia ficar na Grã-Bretanha ou o que pensava dessa idéia. Foi bom visitar a Inglaterra, passear em Londres e conhecer tio Harry e tia Bella, e especialmente meu primo Ronnie, mais velho do que eu cinco anos, mas achei Southport entediante e a vida entre os hóspedes de Wintersgarth desinteressante. Além da lembrança de infindáveis ruas de casinhas de tijolos cinza-amarelados a caminho de Londres e da surpresa em ver como o povo de Lancashire pronunciava as vogais de maneira bastante diferente da nossa, eu retornei com duas descobertas importantes. A primeira foram os semanários lidos avidamente pelos meninos das classes trabalhadoras britânicas — *The Wizard*, *Adventure* e outros títulos semelhantes, muito diferentes do material de leitura *bien-pensant* que os parentes ingleses nos mandavam para Viena de vez em quando. Li-os sequiosamente e com puro prazer, gastei com eles todo o meu dinheiro reservado para pequenas despesas e levei comigo, de volta a Viena, uma coleção deles. (Não custavam muito — dois *pence* por exemplar, se bem me lembro.) Na época não o percebi, mas ler aquelas colunas densas e acinzentadas de fantasia, aventura e sonhos fez de mim, pela primeira vez, um verdadeiro britânico, pois pelo menos naquele momento eu estava em sintonia com a maioria dos meninos britânicos de minha faixa etária.

A segunda descoberta foram os escoteiros. Fui levado a um *jamboree* mundial do movimento, que ocorreu naquela época não longe de Southport, e voltei entusiasticamente convertido, trazendo um exemplar do *Scouting for Boys*, de Baden-Powell, e resolvido a ser um deles. Assim fiz no ano seguinte em Viena, onde os "Pfadfinder" (escoteiros) competiam com os "Falcões Vermelhos" social-democratas, de camisas azuis, aos quais minha mãe me demoveu de juntar-me sob o pretexto de que seus acampamentos com fogueiras eram admiráveis, mas eu era ainda demasiado jovem para dedicar-me ao marxismo que eles seguiam. Portanto, iniciei-me na vida pública aos catorze anos não sob auspícios revolucionários, mas em uma parada de escoteiros, composta principalmente por meninos judeus vienenses de classe média, formalmente passados em revista pelo então presidente da Áustria, um político pouco relevante e sem dúvida católico anti-semita chamado Miklas.

Fui um escoteiro animado, até mesmo recrutando alguns de meus colegas de escola, embora não fosse especialmente adepto da vida de acampamento ou de grupo. Na época entre a morte de meu pai e a de minha mãe conheci meu melhor amigo, também um escoteiro. Mantivemos contato até seu falecimento; ele escapou para a Inglaterra quando Hitler ocupou a Áustria, arranjou emprego de porteiro na legação do Afeganistão em Londres e lá permaneceu até tornar-se técnico em medicina. (O líder de minha tropa acabou na Austrália.) Se houvesse escoteiros de Baden-Powell na Alemanha, eu provavelmente teria sido um deles lá também, depois que minha mãe morreu, mas não havia, como tampouco existiam — embora hoje em dia seja difícil acreditar — equipes de futebol alemãs de expressão internacional. Havia o equivalente aos "Falcões Vermelhos" austríacos, porém pertenciam a um partido social-democrata muito menos entusiasmante e nada revolucionário. Assim, o marxismo não tinha competidores.

Durante dois anos após minha volta da Inglaterra, levei uma vida curiosamente provisória e quase independente. Morar com uma avó neurótica e semi-inválida, depois que minha mãe foi para o hospital, estava fora de questão. Por alguns meses fiquei com meu tio-avô Viktor Friedmann e tia Elsa, que ainda tinham pelo menos uma filha vivendo com eles, minha prima Hertha, mais velha do que eu vários anos. (O irmão dela, Otto, havia passado algum tempo com Sidney e Gretl em Berlim, e por isso havia certa obrigação de reciprocidade.) No restante do ano escolar eu ia diariamente do apartamento deles no Sétimo Distrito, do outro lado da Cidade Antiga, a meu Gymnasium no Terceiro Distrito, que ficava — embora na época eu não soubesse — em frente à casa que o filósofo Wittgenstein construíra para si. No verão de 1930 juntei-me a Gretl, Nancy e Peter em Weyer-an-der-Enns, uma aldeia alpina na Alta Áustria, para estar perto de minha mãe, que havia ido para um sanatório local. Como sabem os leitores da *Montanha mágica* de Thomas Mann, os ares de montanha eram recomendados aos doentes de tuberculose. Mas não adiantaram para ela.

Passei meu último ano escolar em Viena sozinho, ou melhor, como hóspede de uma família. Alguém descobriu uma sra. Effenberger, viúva de um coronel, e, como muitos bons vienenses, oriunda do sul da Boêmia — vinha de Pisek —, e seu filho Bertl, dois ou três anos mais moço que eu, precisava de aulas de inglês. Em troca das aulas e talvez uma retribuição muito modesta, ela concordou em cuidar de mim. Como morava no subúrbio de Währing, tive de mudar de escola outra vez e entrei para o Ginásio Federal XVIII na Klostergasse, minha terceira escola secundária em três anos. Nessa altura minha mãe já havia saído de Weyer e sido transferida para um hospital não longe de Währing. Eu ia visitá-la semanalmente. Sidney e Gretl me convidaram para passar o Natal em Berlim com eles e minha irmã, mas o único contato familiar que eu mantinha era estar com minha mãe no hospital. Para ela, eu era tudo o que ainda lhe restara do trabalho e de suas esperanças.

Em algum momento no início do verão de 1931 os adultos ficaram sabendo que o fim se aproximava. Gretl deve ter ido a Viena e lá ficou. Minha mãe foi levada a um sanatório na área rural de Purkersdorf, a oeste de Viena, onde a vi pela última vez antes de ir a um acampamento de escoteiros. Não me recordo de nada dessa ocasião, a não ser que minha mãe parecia muito fraca e que eu, sem saber o que dizer ou fazer — havia outras pessoas presentes —, olhei pela janela e vi uma espécie de pardal, um passarinho de bico forte o suficiente para quebrar caroços de cereja, que eu nunca vira antes e que fiquei observando por um longo tempo. Assim, minha última lembrança dela não é de tristeza, mas de prazer ornitológico.

Ela morreu no dia 12 de julho de 1931. Mandaram me buscar no acampamento. Pouco depois do funeral, ela foi enterrada no calor do verão, no mesmo túmulo de meu pai. Deixei Viena para sempre e parti para Berlim. Dali em diante Nancy e eu ficamos novamente juntos, e Sidney, Gretl e o filho deles, Peter (na época com apenas seis anos), passaram a ser nossa família. Não seria a última morte de um parente naquela década.

* * *

Talvez este seja o momento para algumas reflexões sobre minha mãe.

Ela era a mais baixa das meninas Grün, a mais inteligente e visivelmente a mais bem-dotada, exceto em *joie de vivre*. Menos bonita e espontânea do que a irmã mais moça, Gretl, a mais bela delas, menos rebelde e aventureira do que a mais velha, Mimi, minha mãe era talvez em vários aspectos a mais convencional das três. Noiva de Percy aos dezoito anos, casou-se mais cedo do que as outras duas — e virgem, segundo suas cartas —; depois da guerra voltou a Viena casada e com um filho, e logo ficou grávida novamente. Suas irmãs e muitas de suas amigas enquanto isso passavam pela "panela de pressão" da mudança e emancipação, da guerra e da era de colapso e revolução subseqüente, solteiras e sem outras ligações. Ela ainda teve alguma experiência da guerra. Durante alguns meses, enquanto esperava para viajar à Suíça a fim de casar-se no consulado britânico em Zurique, trabalhou como enfermeira voluntária em um hospital militar. Lá aprendeu que os feridos não admitiam deitar sobre lençóis que não fossem muito bem estendidos — mais tarde me ensinou como fazer a cama assim — e tentou conversar com um soldado ruteno moribundo selecionando frases de um livro de traduções de contos de fadas dos irmãos Grimm, a cujo texto em alemão ela facilmente se referia. Mesmo assim, a vida na sociedade colonial de Alexandria era uma versão exótica, porém reconhecível, da vida européia de antes de 1914. Mas a vida em Viena, à qual ela retornou depois de quatro anos de ausência, não era bem assim.

Em certos aspectos ela permaneceu convencional, uma vienense da classe média de antes de 1914. Como já mencionei, considerava quase inconcebível viver sem empregados e surpreendeu-se ao descobrir que as donas de casa inglesas cozinhavam e faziam os demais serviços domésticos e mesmo assim continuavam a ser damas. Achava normal que a mulher casada colocasse seus interesses em plano secundário em relação aos do marido e dos filhos, e a recusa da irmã Mimi em fazer o mesmo a escandalizava e irritava. Não que isso tenha contribuído para que ela fosse uma boa mãe, mas — como minha irmã e eu concordamos muitos anos mais tarde, ao comparar nossas impressões de infância e juventude — nem nossos pais nem os que mais tarde assumiram essa função, cuidando de nós, tinham especial talento ou qualificação para isso: não se saíram muito bem e, na verdade, não se podia esperar outra coisa. Os pais deles tampouco haviam sido bem-sucedidos ao criá-los. Minha mãe não se atirou de cabeça às novas modas do mundo, mas acabou por segui-las. Somente cortou os cabelos depois de 1924 ou 1925 e ficou decepcionada quando ninguém notou.

A vida em Viena não fazia muitas concessões para quem (como ela no álbum de "confissões") afirmava que sua idéia de felicidade era "olhar uma lareira acesa sem ter outros anseios" e que dizia que seu livro preferido eram os *Contos de fadas* de Andersen. Não creio que fosse uma dona de casa eficiente ou dedicada, nem muito boa administradora, embora parecesse gostar de costura e até mesmo dos infindáveis reparos em velhas roupas para atender a novas necessidades ou para crianças em crescimento, pois eram parcos os recursos financeiros. Havia ocasiões em que simplesmente desistia da incessante batalha para fazer com que o dinheiro desse para as despesas. "Eu simplesmente fui para o café na cidade e pensei: '*après moi*'...", escreveu certo dia quando a roupa lavada ia ser entregue e não havia dinheiro na casa para pagar, e as duas amigas a quem fora pedir emprestado não estavam em casa. Ou então simplesmente ia ao cinema sozinha, para esquecer. Ou ainda, cada vez mais, refugiava-se em sua atividade de escritora, que pelo menos possuía a justificativa material de render dinheiro. Havia também algumas amizades íntimas (inclusive com a irmã mais moça), que, com o tempo, passaram a ser seu principal apoio moral. Elas, por sua vez, confiavam em sua amizade e a amavam e admiravam.

Curiosamente, não era grande leitora de literatura contemporânea. Na metade da década de 1920, quando a irmã convalescente lhe pediu livros para ler, ela respondeu que quase nada lera ultimamente, a não ser Shakespeare, e que havia muito tempo não ia a uma livraria.

Quando teria ela começado a pensar em ser escritora (ocupação muito menos comum para as mulheres na Europa Central naquela época do que para o cenário já bastante feminizado da ficção britânica)? Quando terá escolhido o pseudônimo Nelly Holden? Em 1924 já havia enviado manuscritos à Rikola-Verlag e escrito, ou pelo menos rascunhado, um romance, presumivelmente o que se baseava em suas próprias experiências e contava a história de uma jovem em Alexandria, que foi publicado pela Rikola com o título *Elizabeth Chrissantis*, em 1926. Já havia terminado outro romance na época em que meu pai morreu, mas para decepção dela o editor não se entusiasmou e sugeriu que o reescrevesse; o livro acabou não sendo publicado. Talvez tivesse sido diferente, se minha mãe houvesse podido continuar a trabalhar. O manuscrito, ao que parece, não sobreviveu. Não é possível saber quanto ela levava a sério os contos que escrevia para os periódicos. Por outro lado, orgulhava-se com razão do profissionalismo e da qualidade literária de suas traduções.

Seria boa escritora? Li seu romance somente muitos anos depois. Quando moço eu não o abri, não sei por quê. Escrevia com seriedade e estilo, num alemão elegante, lírico, hamonioso e cuidadosamente ponderado, o que talvez fosse natural para uma jovem intelectual vienense que fora freqüentadora assídua dos recitais do grande Karl Kraus, mas não posso honestamente afirmar que parecesse escritora de primeira classe. Também escreveu poemas, que desapareceram. Quando os li na adolescência, escandalizei minha tia Gretl ao dizer que não lhes dava muito valor, pois já então achava que ninguém deveria se enganar, nem mesmo sobre as pessoas ou coisas que mais importavam na vida.

Essas são as reconstruções feitas por um homem idoso, que ainda procura ser guiado por esse princípio em seus entusiasmos profissionais e pessoais. E de qualquer forma isso é irrelevante para minhas relações com a pessoa que teve a influência mais profunda em minha vida. Estou agora com idade suficiente para ser avô de uma mulher de 36 anos, e mesmo assim pareceria absurdo se em algum lugar na outra margem do rio Estige nos encontrássemos e eu a considerasse jovem, ou a tratasse como se ela fosse jovem. Ela ainda seria minha mãe. Imagino que ela me perguntaria o que fiz de minha vida, e eu responderia que pelo menos realizei algumas das expectativas que ela tinha para mim, que aceitei pelo menos certo reconhecimento público por acreditar que agradaria a ela. E creio que não seria mais honesto nem desonesto do que sir Isaiah Berlin, que costumava desculpar-se do título de nobreza que recebeu dizendo que somente o aceitara para dar alegria à mãe. Não tenho nenhuma dúvida de que saber que o menino que ela tanto se esforçou para transformar em um inglês decente finalmente se tornara membro aceito do establishment cultural britânico oficial lhe traria maior felicidade do que qualquer outra coisa nos últimos dez anos de sua curta vida.

Creio que sua influência sobre mim foi acima de tudo moral, embora no tempo de sua doença eu também procurasse não a magoar ou contrariar seus desejos. Eu lhe dava ouvidos mesmo quando ela criticava meu comportamento. Eu a levava a sério. Creio que o que me convencia eram sua honestidade e seu orgulho. Ela não possuía fé e demonstrava interesse em ser uma verdadeira judia — embora para agradar a mãe tivesse se casado em uma cerimônia religiosa, além da secular. No entanto, como já recordei, ela me deu o fundamento duradouro de meu próprio sentido de ser judeu, para irritação ou perplexidade dos que não conseguem acreditar que uma simples negativa possa ser base suficiente para uma identidade. Provavelmente ela adiou meu comprometimento político ao sugerir que mesmo os meninos muito inteligentes precisam de tempo para reflexão e amadurecimento intelectual, assim como me ensinou que há grandes escritores que somente podem ser entendidos quando o leitor já está um pouco mais velho. E, como ela sempre foi sincera comigo, fez com que eu acreditasse nela.

Isso não quer dizer que, mesmo descontando a diferença de idade, estivéssemos no mesmo patamar intelectual. O entusiasmo dela pelo pan-europeísmo — um movimento um tanto conservador em prol de um único Estado europeu (mas que excluía a Rússia) propugnado por um aristocrata austríaco, o conde Coudenhove-Kalergi — jamais me contagiou. Foi a única incursão no reino da política de parte de uma mentalidade liberal, porém basicamente apolítica. Por outro lado, aborreciam-na os escritos do marido de sua amiga Grete Szana, o peripatético Alexander Szana, nos quais ele relatava suas viagens político-sociais à Rússia (altamente críticas), ao norte da África e a outros lugares. Eu o ouvia avidamente, sem dúvida estimulado pelos generosos presentes de selos cosmopolitas que chegavam a seu escritório em um jornal. Graças a essas lembranças, mais tarde escolhi o norte da África quando Cambridge me ofereceu uma bolsa para o exterior no curso de graduação em 1938. Evidentemente minha admiração por Karl Kraus me veio dela, mas sua insistência em me fazer ouvir integralmente uma representação de *Sansão e Dalila*, de Saint-Saëns, no rádio de nossos avós — creio que não tínhamos rádio em casa —, me afastou da música clássica durante muitos anos.

Ainda me recordo de sentar ao lado de sua cama no hospital, ela me ouvindo e eu a ouvindo, quando eu me preparava para crescer e ela para morrer. Ela queria viver. "Gostaria de acreditar nisso", disse ela, apontando para as *Escrituras da ciência cristã*, de Mary Eddy Baker, que uma visita lhe deixara. Lembro que ela disse: "Talvez se eu tivesse essa fé isso me ajudasse mais do que os médicos até agora, mas não consigo acreditar". No entanto, pouco antes de morrer, imaginou que estava melhorando e que poderia até mesmo ficar curada. Dizem que esse é sempre um sinal certo de que o fim está próximo.

Olhando para trás, os anos entre a morte de meu pai e a de minha mãe me parecem ter sido um período de tragédia, trauma, perda e insegurança, que certamente iriam deixar marcas profundas na vida de duas crianças que os atravessaram. Isso sem dúvida é verdade, e é claro que minha irmã levou muitos anos para se recuperar da perda do pai seguida de uma infância incompreendida e uma juventude ressentida, de constantes rupturas e insegurança emocional. Não tenho dúvidas de que também eu devo trazer em algum lugar dentro de mim as cicatrizes emocionais daqueles anos sombrios. Mesmo assim, não creio que, na época, tivesse essa consciência. Isso pode ser uma ilusão de alguém que, como um computador, facilmente apaga e manda para a lixeira os dados desagradáveis ou inaceitáveis, mas de onde outros podem ser capazes de recuperá-los. No entanto, isso não me parece explicar por si só por que aqueles anos não me foram especialmente perturbadores, ainda que não tenham sido de fato felizes. Talvez a realidade tenha passado por mim, pois eu vivia a maior parte do tempo um tanto afastado do mundo real — não em um mundo de sonhos, mas de curiosidade, questionamento, leitura solitária, observação, comparação e experimentação —; foi essa a única vez em minha vida que construí para mim um rádio (era fácil fazer rádios galena com caixas de charutos). Embora durante o ano em que fui escoteiro tivesse feito pelo menos uma amizade duradoura, eu não cultivava relações muito íntimas. Quando penso em minha própria vida no último ano antes da morte de minha mãe, o que me vem à mente são três lembranças: primeiro, sentado sozinho num balanço no jardim da sra. Effenberger, procurando aprender o trinado dos melros e notando as variações entre eles; segundo, recebendo de minha mãe o presente de aniversário — uma bicicleta barata de segunda mão — com o tipo de embaraço que somente os adolescentes conhecem, pois o quadro estava visivelmente repintado e torcido; e, terceiro, passando certa tarde diante de uma vitrine ladeada por espelhos e percebendo como era o perfil de meu rosto. Seria eu tão feio assim? Mesmo o fato (que aprendera em um dos fascinantes fascículos populares de ciência do *Kosmos, Gesellschaft der Naturfreunde*) de que eu deveria sem dúvida pertencer ao tipo magro dentre os três tipos psicossomáticos de Kretzschmer e que, como Frederico, o Grande, certamente minha aparência melhoraria com a idade, não era grande consolo. Já naquela época, como em relação a muitas outras coisas, eu guardava para mim meus sentimentos.

Mas depois não pensei muito sobre esse período. Após deixar Viena, em 1931, nunca mais vi o túmulo. Em 1996 fui procurá-lo, como parte de um programa de televisão sobre a história do entreguerras tal como vivenciada por uma criança centro-européia. Porém, após mais de sessenta anos de história do mundo, já não foi possível encontrar o jazigo, com a lápide que minha mãe encomendara (a um custo de quatrocentos *schillings*). A equipe de televisão me filmou procurando o local. Somente o banco eletrônico de dados que as autoridades da seção judaica do Cemitério Central de Viena — pensando no turismo americano — haviam tido a previsão de organizar registrava que o túmulo continha os restos mortais de Leopold Percy Hobsbaum, falecido em 8 de fevereiro de 1929, e de Nelly Hobsbaum, falecida em 12 de julho de 1931 e — para minha surpresa — também o de minha avó Ernestine Grün, morta em 1934.

4. Berlim: o fim de Weimar

Quando em 1960 voltei a Viena pela primeira vez depois de quase trinta anos, nada parecia ter mudado. As casas em que tínhamos morado e as escolas que freqüentáramos ainda estavam lá, mesmo que agora parecessem menores; as ruas eram reconhecíveis, até mesmo os bondes mantinham os mesmos números e letras, com os mesmos itinerários. O passado estava fisicamente presente. Em Berlim, porém, não foi assim. Quando lá voltei, parei do lado de fora do que teria sido a casa em que todos morávamos, na Aschaffenburgerstrasse, em Wilmersdorf. No mapa, a rua ainda ia da Prager Platz à Bayrischer Platz. A Barbarossastrasse deveria sair justamente do lado oposto da porta da frente de nosso edifício, levando diretamente à escola de minha irmã. Mas nada disso restara. Havia casas, mas não as reconheci. Como num desses pesadelos de desorientação e deslocamento, não apenas eu já não conseguia identificar coisa alguma no lugar, como tampouco sabia em que direção olhar para me orientar. O prédio em ruínas de minha antiga escola ainda existia fisicamente na Grunewaldstrasse, mas a escola não havia sobrevivido à guerra. O lugar onde ficava o escritório de meu tio no centro da cidade não era nem sequer identificável no mapa, pois toda a área em volta da Leipziger e Potsdamer Platz, uma terra de ninguém bombardeada entre o Leste e o Oeste, não havia sido objeto de qualquer restauração desde o fim do conflito. Em Berlim o passado físico fora apagado pelas bombas da Segunda Guerra Mundial. Por motivos ideológicos, nem as duas Alemanhas da Guerra Fria, nem a Alemanha reunida da década de 90 tinham interesse em recuperá-lo. A capital da nova "República de Berlim", como a Berlim Ocidental da Guerra Fria, uma vitrine subsidiada para exibir os valores da riqueza e da liberdade, é um artefato arquitetônico. A República Democrática Alemã não era lá grande construtora — sua edificação mais ambiciosa, além da Stalinallee, foi o Muro de Berlim —, nem se destacou como restauradora, embora se tenha feito o melhor possível com o antigo centro prussiano da cidade, arquitetonicamente belo, que por acaso caíra em seu território. Assim, a cidade em que passei os dois anos mais decisivos de minha vida existe somente na memória.

Não que a Berlim dos anos finais de Weimar fosse grande coisa do ponto de vista arquitetônico. Era uma cidade em crescimento no século XIX, isto é, marcada essencialmente pelo gênero pesado do vitoriano tardio (em termos alemães, *Wilhelmine*), mas não possuía o estilo imperial e a coesão urbana da Ringstrasse de Viena, ou o planejamento de Budapeste. Havia herdado um belo trecho neoclássico, mas a maior parte, no leste altamente proletário — pois Berlim era um centro industrial —, consistia em infindáveis pátios de enormes "quartéis de aluguel" (*Mietskasernen*) em ruas sem arborização, e o oeste, de classe média, era mais verde e repleto de blocos de apartamentos mais decorados e (obviamente) mais confortáveis. A Berlim de Weimar era essencialmente a mesma de Guilherme II, a qual, a não ser pelo tamanho, talvez fosse a menos ilustre capital de toda a Europa não balcânica, com a provável exceção de Madri. De qualquer forma, possivelmente os intelectuais adolescentes não se deixariam impressionar pelos esforços imperiais para atingir a notoriedade, como o Reichstag e a adjacente Siegesallee, uma avenida ridícula com 22 soberanos Hohenzollern imortalizados em estátuas, todas alusivas a glórias militares e invariavelmente com um pé à frente e outro atrás, o que provocava infindáveis piadas berlinenses. Foi destruída após a guerra pelos aliados vitoriosos — mas privados de senso de humor —, presumivelmente como parte do projeto de eliminar da Prússia e de tudo o que pudesse fazer recordar a Prússia aos alemães, a partir da memória pós-1945. Restou apenas um monumento literário igualmente incongruente. Rudolf Herrnstadt, antigo editor do jornal diário oficial do governo alemão oriental, expulso da liderança do Partido da Unidade Socialista em 1953 e denunciado como seguidor de Beria — o (executado) chefe da polícia secreta soviética —, foi exilado nos Arquivos do Estado prussianos. (Fazendo justiça a um regime que foi objeto, justificadamente, de muitas críticas na imprensa, deve-se dizer que nenhum de seus membros contra quem tivesse havido alegações de traição foi executado, mesmo nos piores anos do stalinismo.) Lá ele se divertiu escrevendo uma brilhante sátira, *Die Beine der Hohenzollern* (As pernas dos Hohenzollern), com base em documentos que descobrira. Era uma coleção de composições de estudantes secundários, solicitadas por algum professor desesperado por extrair conteúdo pedagógico de uma visita da turma ao (então novo) monumento ao patriotismo prussiano. Até que ponto as posturas das estátuas expressavam o caráter de seus modelos? Esse era o tópico sobre o qual os alunos fizeram suas redações, evidentemente com tanta lealdade que o Kaiser em pessoa pediu para lê-las e comentou-as com sua própria mão imperial. Era um exercício muito adequado ao espírito da Berlim de Weimar.

A Berlim em que os jovens de classe média viviam em 1931-33 era uma cidade feita para o movimento e não para a contemplação, uma cidade de ruas mais do que de edifícios — a Motzstrasse e a Kaiserallee de Isherwood e Erich Kästner, e da minha juventude. Mas para a maioria de nós a importância dessas ruas era que muitas delas levavam à parte realmente memorável da cidade, o anel de lagos e bosques que a rodeavam e ainda a rodeiam: ao Grunewald, com seus lagos estreitos cercados de vegetação, o Schlachtensee e o Krumme Lanke, em cujas superfícies congeladas patinávamos no inverno (Berlim é uma cidade caracteristicamente fria); a Zehlendorf, porta de entrada do maravilhoso sistema Wannsee de lagos ocidentais. Os lagos orientais não faziam parte de nosso mundo. Ali viviam os ricos e os muito ricos, em mansões de pedra cinzenta entre as árvores. Por um paradoxo não incomum em Berlim, o Grunewaldviertel fora originalmente construído por um milionário, membro de uma família judia local que se orgulhava da longa tradição de esquerda, iniciada por um ancestral, ávido colecionador de livros e convertido à revolução de 1848 em Paris, onde comprara um exemplar da primeira edição do *Manifesto comunista* de Marx e Engels. Em minha época a família era representada pelos filhos e filhas de R. R. Kuczynski, ilustre demógrafo que após 1933 se refugiou na London School of Economics. Todos se tornaram comunistas pelo resto da vida. Os mais conhecidos foram Ruth, que em sua longa e aventurosa carreira no serviço soviético de informações serviu, entre outras coisas, de contato para Klaus Fuchs na Inglaterra, e o encantador e sempre esperançoso historiador econômico Jürgen, inventivo defensor do que considerava a tese de Marx sobre a pauperização do proletariado e que levou a imensa biblioteca da família de volta a Berlim Oriental, onde morreu com a idade de 93 anos, decano de sua matéria, autor provavelmente do maior número de palavras entre os eruditos que conheço, mesmo sem contar os 42 volumes de sua *História das condições da classe trabalhadora*. Simplesmente não conseguia deixar de ler e escrever. Como a família ainda era dona do Grunewaldviertel, ele era provavelmente o cidadão mais rico de Berlim Oriental, o que lhe permitiu ampliar a biblioteca e oferecer por sua própria conta um prêmio anual de 100 mil marcos (orientais) aos trabalhos mais promissores de jovens estudiosos da RDA sobre história econômica, tema que floresceu na Alemanha Oriental graças a seu apoio. Viveu além da existência da RDA, onde expressara opiniões moderadamente dissidentes, toleradas porque sua franca lealdade era muito evidente. Afinal, estava no Partido Comunista havia mais tempo do que os governantes do país.

Politicamente, Berlim era uma cidade de centro-esquerda, assim como Manhattan (com a qual gostava de comparar-se nos anos de Weimar). Não possuía um patriciado nativo com raízes históricas e portanto era mais aberta aos judeus. (A tradição aristocrática da corte, do exército e do Estado prussianos olhava com desprezo qualquer tipo de burguês.) Era uma cidade que rapidamente detectava falsidades, cética às reivindicações de superioridade social, retórica nacionalista e sentimentalismo. Apesar do dr. Goebbels, que se empenhou principalmente em arrebatá-la aos comunistas em nome de Hitler, jamais foi uma cidade de coração nazista. Diferentemente do dialeto vienense — que todos, do imperador ao lixeiro, bem ou mal falavam —, o dialeto berlinês, adaptação urbana acelerada e engraçada da linguagem *plattdeutsch* das planícies setentrionais da Alemanha, era primordialmente uma língua vulgar que, embora compreendida por todos, separava o povo da gente bem vestida. A simples insistência em formas gramaticais especificamente berlinesas que, corretas no dialeto, eram visivelmente incorretas no alemão escolar, era suficiente para que permanecesse distinta da fala educada. Naturalmente os alunos de classe média de meu Gymnasium clássico se dedicaram a ele com entusiasmo, como os alunos dos prestigiosos *lycées* de Paris adotam o *argot* de sua cidade. Após o fim da RDA, os habitantes da antiga Berlim Oriental, ressentidos porém briosos, gostavam de se distinguir dos governantes ocidentais de sua parte da Alemanha fazendo questão de falar o dialeto berlinês mais marcado. Era uma língua confiante, impetuosa, desafiadora, na qual também mergulhei entusiamado, embora até hoje a inflexão natal de meu alemão lembre Viena. Atualmente, o som, agora raro nas ruas, do puro *Berlinerisch*, ainda me traz de volta o momento histórico que decidiu a configuração tanto do século XX como da minha vida.

Cheguei a Berlim no final do verão de 1931, momento em que a economia mundial desabava. Semanas depois de minha chegada, a Grã-Bretanha, que fora o eixo econômico do mundo durante o século anterior, abandonou o padrão-ouro e o livre-comércio. Na Europa Central a catástrofe já era esperada desde que os americanos exigiram o pagamento dos empréstimos, e ela ocorreu um pouco antes, no mesmo verão, quando dois bancos importantes quebraram. O cataclismo financeiro não teve grande impacto para um adolescente deslocado, mas o desemprego, que já crescia vertiginosamente — em 1932 chegou a 44% da força de trabalho da Alemanha —, atingiu em cheio nossa família. Meu primo Otto, que morara com Sidney e Gretl e ainda os visitava de tempos em tempos, perdera o emprego e reagiu tornando-se comunista. Não era o único: em 1932, 85% dos membros do KPD (Partido Comunista da Alemanha), estavam desempregados. Sendo eu mais jovem do que ele, naturalmente me impressionou aquele rapaz alto, bem-apessoado, que fazia sucesso com as mulheres, usando então o distintivo com as iniciais em russo da Jovem Internacional Comunista. Creio que foi ele o primeiro comunista que conheci sabendo de sua tendência política; na Áustria quase não existiam, e entrar para o Partido Comunista não era coisa que passasse pela cabeça dos jovens senão depois que a guerra civil de 1934 desacreditou os líderes social-democratas.

O colapso da economia mundial era até certo ponto algo de que os jovens de classe média sabiam por ler a respeito, mais do que por senti-lo diretamente. Mas a crise econômica mundial era como um vulcão, gerando erupções políticas. Por isso não podíamos escapar dela, pois dominava o panorama da cidade, assim como os cones às vezes fumegantes dos vulcões verdadeiros se erguem acima das cidades — o Vesúvio, o Etna, o Mont Pelée.

A erupção estava no ar que respirávamos. A partir de 1930 seu símbolo se tornou familiar: a suástica preta num círculo branco em campo vermelho.

Para aqueles que não viveram a "Era da Catástrofe" do século xx na Europa Central é difícil compreender o que significava viver num mundo que simplesmente não se imaginava que fosse durar, algo que na verdade não podia ser considerado um mundo, mas meramente uma transição entre um passado morto e um futuro que ainda não nascera, a não ser talvez nas profundezas da Rússia revolucionária. Em nenhum lugar isso era tão perceptível quanto na moribunda República de Weimar.

Ninguém realmente desejara Weimar em 1918, e, mesmo os que a aceitaram ou a apoiaram ativamente viam-na com condescendência: não era o ideal, mas era melhor do que a revolução social, o bolchevismo ou a anarquia (se fossem da direita moderada), e melhor do que o Império Prussiano (se fossem da esquerda moderada). Ninguém poderia adivinhar se duraria além das catástrofes de seus primeiros cinco anos: um tratado de paz penalizador quase unanimemente considerado ofensivo pelos alemães de todos os matizes políticos, golpes militares fracassados e assassinos terroristas na extrema direita; repúblicas soviéticas malogradas e insurreições na extrema esquerda; exércitos franceses ocupando o coração da indústria alemã, e ainda por cima a (para a maioria) incompreensível Grande Inflação galopante de 1923, ainda hoje em dia sem paralelo. Durante a metade da década de 20 a República de Weimar parecia que daria certo. O marco estabilizara-se — permaneceu estável até seu fim —; a economia mais poderosa da Europa se recuperava da guerra, retomava seu dinamismo e pela primeira vez a estabilidade política afigurava-se possível. Mas não podia — e não pôde — sobreviver à quebra de Wall Street e à Grande Depressão. Em 1928 a ultradireita lunática parecia virtualmente extinta. Nas eleições daquele ano o partido nazista de Hitler ficou reduzido a 2,5% e a doze assentos no Reichstag, menos do que o cada vez mais débil Partido Democrata, o mais fiel sustentáculo de Weimar. Dois anos mais tarde os nazistas estavam de volta com 107 cadeiras, em segundo lugar atrás dos social-democratas. O que restava de Weimar foi governado por decretos de emergência. Entre o verão de 1930 e fevereiro de 1932, o Reichstag esteve reunido por menos de dez semanas no total. E, à medida que crescia o desemprego, também cresciam inelutavelmente as forças de alguma espécie de solução radical-revolucionária: o nacional-socialismo à direita e o comunismo à esquerda. Era esse o cenário de quando cheguei a Berlim, no verão de 1931.

Sidney e Gretl moravam com Peter, de sete anos, na Aschaffenburgerstrasse, onde reencontrei Nancy. O apartamento era alugado a uma das muitas idosas viúvas de boa família e necessitadas. Pouca coisa recordo dele, a não ser que era claro e que do quarto onde eu dormia era possível ouvir a conversa dos adultos com seus convidados à mesa de jantar. Sidney e Gretl levavam uma vida social razoavelmente ativa, com colegas de negócios, parentes e amigos vienenses que visitavam Berlim ou lá moravam, pois a pequena Áustria, empobrecida entre as duas guerras, era demasiado limitada para o talento de Viena. Éramos muito jovens para participar disso. Assinávamos o jornal *Vossische Zeitung*, do qual minha tia gostava principalmente por causa da seção cultural, que recortava. Minhas lembranças mais vivas são de grandes cinemas e dos rebuscados automóveis de luxo estacionados do lado de fora, de marcas como Maybach, Hispano-Suiza, Isotta-Fraschini e Cord.

Poucos dias depois de minha chegada, tio Sidney conseguiu-me vaga no Prinz-Heinrichs-Gymnasium em Schöneberg, perto do apartamento. Eu podia ir a pé para a escola, que era também próxima à de Nancy, no Barbarossaschule. Fui matriculado na classe de Obertertia (Terceira Superior). Ao contrário das escolas britânicas e austríacas, as classes dos colégios secundários alemães eram numeradas de cima para baixo, começando na Sexta e chegando até a Oberprima, após a qual se recebia o diploma de conclusão, ou *Abitur*. Dos treze anos que passei em sete estabelecimentos de ensino antes de ir para Cambridge, os dezenove meses no PHG foram os que mais profundamente marcaram minha vida. Por intermédio da escola vivi o que já sentia ser um momento decisivo na história do século XX. Além disso, essa minha experiência não se deu comigo como criança que era na Áustria (embora eu tivesse chegado à puberdade no ano anterior, em Viena), mas naquele momento em que o adolescente, como um novo Colombo, descobre o mundo com seu entusiasmo e sua inteligência, transformando a experiência de viver em algo inesquecível. Muitos anos mais tarde, um velho amigo me levou a visitar o então embaixador alemão no Reino Unido, Günther von Hase, que ao ouvir meu nome numa conversa se recordara de que tínhamos sido colegas de turma. Por minha vez, identifiquei imediatamente o nome dele, ligando-o a um rosto na classe que freqüentamos somente alguns poucos meses numa longa vida, durante a qual certamente um havia pensado no outro desde 1933. Éramos simplesmente colegas de turma e não era possível dizer que tínhamos sido amigos, mas havíamos estado juntos em uma época da vida e da história que não se esquece. Nossos nomes bastaram para revivê-la. Na planície do panorama de minha vida escolar, o PHG se ergue como uma cordilheira. Nos primeiros anos depois de Berlim, a vida na Inglaterra não despertava nenhum verdadeiro interesse.

Olhando para trás, minha escola em Berlim teria realmente sido importante como parece? A artilharia de Weimar bombardeava por todos os lados um menino esperançoso de catorze anos. A escola não me ensinou as músicas que para mim ainda significam "Berlim": as da *Dreigroschenoper* (*Ópera dos três vinténs*), de Brecht-Weill; a voz de bronze de Ernst Busch cantando a "*Stempellied*", ("Canção do seguro-desemprego" ou "Canção da esmola dada aos desempregados), de Erich Weinert. Os grandes acontecimentos da época — a queda do governo Brüning, as três eleições nacionais de 1932, os governos Papen e Schleicher, a subida de Hitler ao poder, o incêndio do Reichstag — não chegaram a mim por intermédio da escola, e sim pelos cartazes de rua, pelos jornais diários e pelos periódicos que havia em casa (embora, curiosamente, eu me recorde mais das notícias pelo rádio em Viena do que em Berlim). Lembro-me dos livros da Malik Verlag, monumentos de estilo e conteúdo de Weimar, das prateleiras da seção de livros do KaDeWe, a grande loja de departamentos na Tauentzienstrasse, uma das poucas coisas que restam da Berlim de minha juventude — cheia de autores como B. Traven, Ilya Ehrenburg, Arnold Zweig e, de modo diferente, Thomas Mann e Lion Feuchtwanger.

Grande parte disso, naturalmente, deve ter chegado a mim por meio da vida doméstica. Tio Sidney atravessava um de seus períodos passageiros de prosperidade e trabalhava para a companhia cinematográfica Universal, que estava no epicentro da política cultural de Weimar como produtora de *All Quiet on the Western Front*, de Lewis Milestone, a versão para o cinema do elogiado romance antibélico de Erich Remarque. Os nazistas organizaram demonstrações contra a Universal, exigindo sua proibição. Mais do que isso: o chefe, "tio" Carl Laemmle, era o único dos grandes dirigentes de Hollywood que vinha da Alemanha, e ele sabia bem o que se passava, pois visitava o país anualmente a fim de manter contato. E realmente mantinha. Não era um intelectual, mas, para os conhecedores, as películas que celebrizaram a Universal — sem contar o *All Quiet,* que eram filmes do tipo *Frankenstein* e *Drácula*, mostravam claramente a influência da vanguarda expressionista alemã.

Quem sabe como Sidney entrou para o mundo do cinema? Em certo momento em 1930 conseguiu convencer alguém a lhe dar algum tipo de trabalho na Universal. Era um emprego incerto e inseguro, mas foi reconhecido enquanto durou — pelo menos por meio de um presente pessoal, do próprio tio Carl, de um exemplar autografado de sua biografia, escrita por um literato inglês e esquecido poeta menor de estilo georgiano, John Drinkwater. (Laemmle o escolhera depois da recusa de H. G. Wells, pois lhe disseram que Drinkwater — sobre quem naturalmente ainda não ouvira falar — havia escrito uma biografia de Abraham Lincoln.) O livro vendeu 164 exemplares na Inglaterra, fora os distribuídos para publicidade.[1] O exemplar dado a Sidney não sobreviveu às peripécias da família Hobsbawn no século xx.

Nunca soube afinal qual era sua função exata na companhia. Uma carta de minha avó fala de um oferecimento de emprego no escritório em Paris no outono de 1931, que ele recusou porque Gretl disse que as crianças (minha irmã e eu) mal haviam tido tempo de se acostumar com as novas escolas em Berlim. Essas pequenas decisões familiares determinam o destino. Como teriam sido nossas vidas se tivéssemos ido para Paris em 1931? Uma das coisas que Sidney sem dúvida fez foi equipar a expedição de filmagem de *S. O. S. Eisberg,* uma aventura polar com Luis Trenker, veterano de películas sobre montanhas e neve, e com o piloto de acrobacias Ernst Udet, que vivia dessa atividade até que o rearmamento alemão lhe proporcionou posto de destaque na força aérea de Hitler. A assistência técnica foi dada pelos membros da expedição de Alfred Wegener, um dos quais veio a nossa casa e me falou sobre a teoria do deslocamento continental e da ocasião em que os dedos de seus pés ficaram congelados no inverno da Groenlândia. Pelo menos em uma ocasião meu tio promoveu a distribuição de produções de Hollywood na Europa, mais especificamente *Frankenstein*, no mercado polonês. Na campanha publicitária, da qual ele se orgulhava, figurava o boato (endereçado ao então numeroso público judeu) de que Boris Karloff, cujo nome verdadeiro era o pouco dramático Pratt, na verdade se chamava Boruch Karloff, ligeira adaptação de um nome judeu. Certamente Sidney tinha alguma ligação com a Polônia, porque uma vez, no verão de 1932, falou-se em um emprego permanente naquele país, e ele procurou nos preparar para a vida muito diferente de lá. Iríamos morar em Varsóvia. Os poloneses, disse-me ele, eram gente sensível, com forte senso de honra e gosto por duelos. Nunca tive ocasião de verificar essa informação.

No entanto, pensando bem, o lar não era tão firmemente ligado a Berlim como a escola. Já deve ter ficado claro que os Hobsbawm não viviam propriamente em Berlim, e sim num mundo transnacional, no qual gente como nós ainda se mudava de país para país em busca de emprego, embora a década de 30 fosse tornar isso muito mais difícil. Podíamos ter raízes na Inglaterra ou em Viena, mas Berlim era uma escala no complicado itinerário que poderia nos levar a praticamente qualquer lugar da Europa a oeste da União Soviética. A casa de Berlim — três endereços e duas organizações familiares em dezoito meses — tampouco possuía a continuidade da escola. Minha janela para o mundo, naquele momento de crise, era o Prinz-Heinrich-Gymnasium.[2]

Era uma escola perfeitamente convencional de tradição prussiana conservadora, fundada em 1890 para atender às necessidades de um bairro de classe média em rápida expansão. O príncipe Henrique, que lhe emprestava o nome, irmão do imperador Guilherme II, era um figurão da Marinha, o que deve explicar o motivo pelo qual a escola se orgulhava, com justiça, de seu clube náutico no Pequeno Wannsee (um modelo de sua garagem de barcos "no estilo de Spreewald" ganhara medalha de ouro na Exposição Mundial de Bruxelas de 1908). O orgulho era justo porque, embora o clube ensinasse artes náuticas, a escola não tinha grande interesse em regatas competitivas, ao contrário de suas equivalentes britânicas, e proporcionava excelente oportunidade para que os meninos mais jovens e os mais velhos se encontrassem em pé de igualdade. O clube adquirira um vale, conhecido como "*unser Gut*" ("nossa propriedade") no pequeno lago Sakrower, onde a pesca era protegida, acessível somente por permissão especial através de um estreito canal. Os grupos de amigos organizavam tripulações para remar no lago ou encontrar-se nos fins de semana para conversar, contemplar o céu de verão e nadar nas águas esverdeadas, voltando para a cidade à tarde. Pela primeira e única vez na minha vida compreendi a utilidade de um clube esportivo. Um antigo aluno da escola, o dr. Wolfgang Unger, médico no hospital de Spandau, cuidava do treinamento dos novos recrutas. Fiquei sabendo que se suicidou em 1934, por não desejar sair da Alemanha, sua terra natal, após haver sido demitido de seu posto no hospital por motivos raciais.

Uma escola prussiana com ligações militares era naturalmente de orientação protestante, profundamente patriótica e conservadora. Os que não se adaptavam a esse modelo — católicos, judeus, estrangeiros, pacifistas ou esquerdistas — sentiam-se como uma minoria coletiva, ainda que de forma alguma excluída.[3] Não era, entretanto, nazista. (Poucos dos rapazes que conheci demonstravam entusiasmo por Hitler e os camisas-marrom, a não ser Kube, rapaz extremamente obtuso, filho do Gauleiter hitlerista de Brandenburgo que se empenhou para que um professor de literatura da escola fosse despedido por "favorecer" os alunos judeus remanescentes e ensinar principalmente a decadente literatura da República de Weimar. Mais tarde tornou-se o célebre chefe da Bielo-Rússia ocupada durante a guerra, até que foi assassinado por sua amante local patriota.) Pelo contrário. A escola perdeu qualquer simpatia que pudesse ter para com o renascimento nacional prometido por Hitler devido à destituição forçada de seu diretor, o altamente respeitado e querido *Oberstudiendirektor* dr. Walter Schönbrunn, politicamente indesejável para o novo regime. Isso aconteceu pouco depois de minha partida para a Inglaterra. Para substituí-lo foi imposto um *Kommissarischer Leiter* implacavelmente detestado. Não se poderia dizer que o PHG da década de 30 fosse um centro de dissidência, mas é significativo que a *Torre de cavalos azuis*, de Franz Marc — lembro-me bem dela no corredor da escola —, banida como "arte degenerada" pelas novas autoridades, tivesse sido recuperada de um depósito por uma das turmas e exibida em sua sala. Os alunos protestaram pela demissão do professor "Sally" Birnbaum, o querido mestre de matemática e ciências, e houve um abaixo-assinado colhido em toda a escola a fim de que fosse mantido. No inverno de 1936-37 toda a turma da Prima Inferior fez-lhe uma visita em sua casa na Rosenheimerstrasse. (Ele sobreviveu em Berlim até 1943, quando foi embarcado com sua mulher no 36º Osttransport, tendo sido Auschwitz o presumível destino.) Na verdade, há indícios de que a escola se esforçou para tratar bem seus alunos e professores judeus, pelo menos enquanto lá permaneceram. Embora politicamente inaceitável para um adolescente que pretendia ser revolucionário e que jamais pensaria em usar o casquete escolar (no estilo marinheiro, com o topo mole), o PHG era uma escola decente.

Isso certamente se devia ao fato de que o regime hitlerista via no diretor Schönbrunn (geralmente conhecido como *der Chef*) o espírito de Weimar, anti-hierárquico e socialmente suspeito. O clube náutico era expressão disso.

Outro exemplo era a ênfase no autogoverno estudantil e a participação dos alunos nos casos disciplinares. Assim também eram as inesquecíveis excursões das turmas, com acampamentos ou estadas em albergues de juventude em Mark Brandenburg e Mecklenburg. (Não foi por nada que o dr. Schönbrunn, igualmente qualificado para ensinar alemão, latim, grego e matemática, havia publicado uma obra cujo título possui uma inflexão dificilmente traduzível para línguas não-germânicas: *Jugendwandern als Reifung zur Kultur* — algo como "Amadurecimento cultural da juventude por meio de passeios no campo".) Pessoalmente não me afeiçoei a esse homem miúdo, de olhos vivos por trás de óculos sem aro e calvície incipiente, que usava bombachas quando acompanhava seus pupilos num *Wandertag*, ou passeio escolar. (Como sabem os leitores de *Tintin*, essa era a época das bombachas na Europa.) Ele desprezou minha admiração por Karl Kraus e sua publicação *Die Fackel* com estas palavras: "*Der Fackelkraus, ein eitler Schwätzer*" ("vaidoso e tagarela"), opinião que, pensando bem, não era completamente indevida. Criticava meu estilo de redação, que considerava excessivamente afetado.

Talvez eu o tivesse perdoado se soubesse que era admirador da arquitetura da *neue Sachlichkeit* ("nova sobriedade") e que via aquelas linhas apuradas e "a consciente austeridade da literatura criativa moderna [...] como sinais de um retorno a um novo classicismo", espírito apolíneo adequado a um professor de grego antigo. Para exemplo desse novo classicismo, escolheu o romance *Krieg* (Guerra) do comunista Ludwig Renn. (Naturalmente, como a maioria de nossos professores, ele havia servido na guerra de 1914.) Mesmo sem realmente gostar dele, eu o respeitava. E certamente ganhei muito com seus esforços, finalmente bem-sucedidos no ano anterior a minha chegada à Grunewaldstrasse, para "afinal conseguir obras realmente modernas para a biblioteca da escola".

Diversas dessas obras moldaram minha vida. Num vasto guia enciclopédico da literatura alemã contemporânea descobri os poemas (diferentes das canções e peças) de Bertold Brecht. E foi à biblioteca da escola que um professor exasperado — seu nome era Willi Bodsch, e nada mais recordo a seu respeito — me encaminhou, quando anunciei minhas convicções comunistas. Ele me disse com firmeza (e estava correto): "O senhor visivelmente não sabe o que está dizendo. Vá à biblioteca e estude o assunto". Foi o que fiz, e descobri o *Manifesto comunista*.

Menos evidente foi o que aprendi nas aulas formais. Olhando para trás, percebo que as aulas não constituíam exatamente o centro da experiência escolar, a não ser como oportunidade para observar, manipular e às vezes experimentar os nervos e a autoridade de um grupo de adultos mal compreendidos. A maioria me parecia quase uma caricatura do mestre-escola alemão, quadrado, de óculos e (quando não eram carecas) cabelos à escovinha, e mais para velho — muitos estavam entre os 45 e os 55 anos. Todos davam a impressão de ser apaixonados patriotas alemães conservadores. Sem dúvida os que não o eram mantinham-se discretos, mas provavelmente a maioria se enquadrava nessa descrição, e nenhum deles mais do que o professor Emil Simon, figura que parecia saída de George Grosz e cujas aulas de grego nós engenhosamente sabotávamos, perguntando que opinião teria Wilamowitz a respeito do texto em estudo (pelo menos dez minutos de panegírico sobre o maior erudito clássico alemão), ou então, o que dava melhor resultado, estimulando suas reminiscências sobre a guerra mundial. Isso invariavelmente levava de uma interpretação da *Odisséia* de Homero para um monólogo sobre a experiência de um soldado na frente de batalha, o dever de um oficial, a necessidade de ordem no pós-guerra, a barbárie russa, os horrores da Revolução de Outubro e da Cheka, a guarda pretoriana de Lenin com atiradores vindos da Letônia e outros temas assim, além de um lembrete de que, ao contrário do que pensavam os operários ignorantes, Espártaco na verdade fora pessoa de alta posição social antes de ser escravizado e nada tinha de origens proletárias. Agora, muitas décadas mais tarde, vejo que essas idéias eram uma versão inicial da tese utilizada nos anos 80 para amenizar o Terceiro Reich, isto é, a de que se tornara necessário defender uma sociedade organizada contra o bolchevismo e de qualquer forma os horrores da era hitlerista haviam sido antecipados e inspirados pelos horrores da Rússia vermelha. Tanto quanto sei, Emil Simon não era nazista, mas simplesmente um alemão conservador que recordava a si mesmo tempos melhores, tais como os que se comentariam numa *Stammtisch* (mesa reservada aos clientes habituais) de um bar de classe média. Independentemente da política, ríamos dele e tínhamos pena de seu filho, um menino pálido e frágil que se sentava na primeira fila e tinha a tripla carga de ser filho de Emil, seu aluno e testemunha de nosso desrespeito.

De qualquer forma, a vida era interessante demais para que se concentrasse essencialmente no trabalho escolar. Naquela época meus boletins de notas não eram especialmente brilhantes. A verdade era que os professores e alunos falavam línguas diferentes, pelo menos para este aluno. Não aprendi absolutamente nada nas aulas de história de um velhote baixo e gordo, *Tönnchen* ("barrilzinho") Rubensohn, a não ser os nomes e as datas de todos os imperadores germânicos, que desde então esqueci. Ensinava-as percorrendo a classe e apontando uma régua a cada um dos alunos com as palavras: "Depressa, Henrique, o Passarinheiro, diga as datas". Hoje sei que esse exercício o aborrecia tanto quanto a nós. Na verdade, era o mais ilustre erudito da escola, autor de uma monografia sobre os misteriosos cultos de Elêusis e Samotrácia, colaborador da Pauly-Wissowa, a grande enciclopédia da Antigüidade clássica, além de reconhecido arqueólogo clássico no mar Egeu e perito em papiros, desde muito antes da guerra. Talvez eu devesse ter descoberto isso na classe da Sexta, quando a educação já não se baseava na memorização. Até ali o principal resultado de seus ensinamentos era fazer com que pelo menos um historiador em potencial passasse a detestar a matéria. Não admira que em Berlim eu haja aprendido por absorção, mais do que por instrução. Mas aprendi.

Os meses que passei em Berlim me tornaram comunista para o resto da vida, ou pelo menos me transformaram em alguém cuja vida perderia a natureza e o significado sem o projeto político a que se dedicou quando estudante, ainda que visivelmente esse projeto tenha falido — e, como agora sei, somente poderia falir. O sonho da Revolução de Outubro ainda está em algum lugar dentro de mim, assim como um texto apagado no computador lá permanece, à espera de que os técnicos o recuperem dos discos rígidos. Abandonei-o, ou melhor, rejeitei-o, mas não foi eliminado. Até hoje me vejo tratando a memória e a tradição da União Soviética com uma indulgência e ternura que não sinto em relação à China comunista, porque pertenço à geração para a qual a Revolução de Outubro representava a esperança do mundo, o que nunca foi verdade quanto à China. A foice e o martelo da União Soviética eram seu símbolo. Mas o que poderia ter transformado aquele menino de escola de Berlim em comunista?

Escrever a autobiografia significa pensar em si próprio como nunca antes. No meu caso é raspar as camadas geológicas de três quartos de século e resgatar, ou descobrir, um desconhecido sepultado, reconstruindo-o. Olhando para trás e procurando compreender essa criança remota e estranha, chego à conclusão de que, se tivesse vivido em outras circunstâncias históricas, ninguém lhe vaticinaria um futuro de apaixonado engajamento político, embora qualquer observador lhe pudesse predizer um futuro como intelectual de alguma espécie. Não parecia se interessar especialmente pelos seres humanos, tanto individual quanto coletivamente, e certamente eles o interessavam menos do que os pássaros. Na verdade, dá a impressão de que aquele menino se distanciava mais do que o normal dos assuntos mundanos. Não tinha motivos pessoais para rejeitar a ordem social e não se sentia vítima nem mesmo do anti-semitismo comum da Europa Central, pois pelos cabelos alourados e olhos azuis era identificado não como *Der Jude*, e sim como *Der Engländer*. Numa escola alemã, levar a culpa pelo Tratado de Versalhes podia ser duro, mas não era aviltante. As atividades para as quais eu espontaneamente gravitava, numa escola em que sem dúvida me sentia bem, nada tinham a ver com política: a sociedade literária, o clube náutico, a história natural, as maravilhosas excursões no Mark Brandenburg e Mecklenburg, os acampamentos ou as noites passadas nos albergues de juventude em colchões de palha, onde conversávamos até de madrugada, cheios de alegria e paixão. Conversando sobre quê? Sobre tudo, desde a natureza da verdade até nossa identidade, desde sexo e mais sexo até literatura e arte, de gracejos a destino. Porém não sobre a política da época. Pelo menos assim recordo aquelas noitadas inesquecíveis. Certamente não tenho memória de discussões políticas, e muito menos desacordo, com meus dois amigos mais chegados, Ernst Wiemer e Hans-Heinz Schroeder (o poeta da turma, que morreu na Rússia durante a guerra). Não sei bem o que tinha em comum com eles. Simplesmente registro que na fotografia da formatura de minha turma, em 1936, estavam eles entre os únicos quatro, entre 23 alunos e dois professores, que apareciam em mangas de camisa, sem gravata. Sem dúvida isso não era uma atitude política. Embora o primeiro não fosse propriamente nacionalista, nosso assunto comum era a poesia absurda de Christian Morgenstern e o mundo em geral. Eu não discordava da admiração convencionalmente prussiana do segundo por Frederico, o Grande, que realmente merece admiração por outros motivos, mas certamente não partilhava das opiniões que o faziam colecionar modelos de soldados de seus exércitos.

Em suma, se fosse fazer a tentativa mental de transpor o menino que eu era então para outra época e lugar — digamos, para a Inglaterra dos anos 50 ou os Estados Unidos dos 80 —, não poderia imaginá-lo mergulhando, como mergulhei, no engajamento passional com a revolução mundial.

Mesmo assim, o simples fato de imaginar tal transposição demonstra o quanto ela era impensável na Berlim de 1931-33. Na verdade, foi imaginada. Fred Uhlman, poucos anos mais velho do que eu quando deixou a Alemanha, advogado refugiado que passou a pintar quadros tristes do panorama campestre do País de Gales, escreveu um romance quase autobiográfico que mais tarde foi filmado (*Reunião*), sobre o impacto dramático do novo regime hitlerista na amizade de tempos de escola entre um menino judeu, inconsciente do iminente cataclismo, e um jovem aristocrata "ariano" num Gymnasium do sul da Alemanha, não muito diferente do meu. Talvez esse fosse um cenário possível em Stuttgart, mas na atmosfera saturada de crise da Berlim daqueles anos tal grau de inocência política era inconcebível. Estávamos no *Titanic*, e todos sabiam que ele ia se chocar com o iceberg. A única incerteza era o que aconteceria quando fosse abalroado. Quem conseguiria outro navio? Era impossível permanecer alheio à política. Mas como apoiar os partidos da República de Weimar, que já não sabiam nem mesmo como tripular os escaleres? Na eleição de 1932 esses partidos estiveram completamente ausentes, e o pleito se deu entre Hitler, o candidato comunista Ernst Thaelmann e o antigo marechal imperial Hindenburg, apoiado por todos os não-comunistas como única forma de impedir a ascensão de Hitler. (Em poucos meses ele chamaria Hitler para assumir o poder.) Para alguém como eu, no entanto, havia apenas uma escolha. O nacionalismo alemão, fosse na forma tradicional do PHG ou do nacional-socialismo de Hitler, não era opção para um *Engländer* e judeu, embora eu compreendesse os motivos pelos quais os que não eram nem uma coisa nem outra se sentissem atraídos. Que mais havia senão o comunismo, especialmente para um menino que chegava à Alemanha já emocionalmente orientado atraído pela esquerda?

Ao entrar o ano escolar 1932-33, tornou-se avassaladora a sensação de estar vivendo algum tipo de crise final, ou pelo menos uma crise destinada a uma solução cataclísmica. A eleição presidencial de maio de 1932 — a primeira de várias naquele ano aziago — já eliminara os partidos da República de Weimar. O último de seus governos, com Brüning, caíra logo depois e havia dado lugar a uma quadrilha de reacionários aristocratas que governavam integralmente por decreto presidencial, pois a administração de Franz von Papen praticamente não possuía apoio no Reichstag nem sequer tinha meios de conseguir maioria. O novo governo enviou imediatamente um pequeno destacamento militar para destituir as autoridades do maior Estado da Alemanha, a Prússia, onde uma coalizão de social-democratas e centristas havia conservado algo parecido com um governo democrático. Os ministros se comportaram como cordeiros, quando Papen, tentando trazer Hitler para seu governo, revogou uma recente proibição de uso do uniforme pelas tropas de choque nazistas. As paradas deliberadamente provocadoras que elas faziam passaram a ser parte do panorama das ruas. Todos os dias havia batalhas entre as milícias uniformizadas de proteção aos diversos partidos. Somente em julho morreram 86 pessoas, principalmente nos entreveros entre nazistas e comunistas, e o número de feridos graves atingiu centenas. Hitler, que queria mais poder, forçou uma eleição geral em julho. Os nazistas obtiveram quase 14 milhões de votos (37,5%) e 230 cadeiras — um pouco menos do que as forças conjuntas dos partidos de Weimar (social-democratas, católicos e os já virtualmente invisíveis democratas) — e os comunistas receberam mais de 5 milhões de votos, o que lhes dava 89 cadeiras. Para todos os efeitos práticos, a República de Weimar estava morta. Faltava apenas resolver como seriam as exéquias. Mas, enquanto não houvesse acordo entre o presidente, o Exército, os reacionários e Hitler (que exigia ser primeiro-ministro ou nada), o cadáver não poderia ser enterrado.

Era essa a situação quando começou o ano escolar. Se as lembranças de meu primeiro ano em Berlim são coloridas, seu tom nos últimos seis meses é um cinzento cada vez mais sombrio, com toques de vermelho. As mudanças não eram somente políticas; eram também pessoais.

Enquanto o ano de 1932 avançava, nossas perspectivas em Berlim se tornavam pouco claras. Fomos vítimas não de Hitler, mas da "Grande Crise", ou, mais especificamente, de uma nova lei que procurava em vão estancar a onda crescente do desemprego obrigando as firmas cinematográficas estrangeiras (e sem dúvida outras empresas do exterior) a empregar pelo menos 75% de cidadãos alemães. Sidney era dispensável. Pelo menos essa é a explicação mais plausível para o que aconteceu. A proposta da Polônia deu em nada, mas no outono de 1932, quando o trabalho em Berlim evidentemente terminara para ele, Sidney levou Gretl e Peter, que tinha apenas sete anos, para Barcelona, não sei se em alguma missão para a Universal ou de olho em alguma oportunidade lá. Creio que não havia possibilidades sólidas de permanência, porque se esse fosse o caso a família inteira teria se mudado. Eu e Nancy permanecemos então em Berlim, a fim de continuar na escola até que as coisas se definissem. Foi o fim da nova casa com jardim em Lichterfelde — na época um subúrbio badalado — para onde nos havíamos mudado vindos da Aschaffenburgerstrasse, vizinhos de um personagem do mundo musical que chegava ao luxo de ter uma piscina (pequena, mas verdadeiramente particular). Nancy e eu fomos morar com a terceira das irmãs Grün, nossa peripatética tia Mimi, cuja vida a levara por diversos negócios malsucedidos em cidades inglesas provincianas ("temos muito poucas dívidas para que a falência seja bom negócio, e por isso precisamos seguir em frente"[4]) até um apartamento em sublocação junto aos trilhos da estrada de ferro em Halensee, um bairro de Berlim próximo à extremidade da Kurfürstendamm. Lá, como sempre, ela sublocada quartos, oferecendo aulas de alemão aos inquilinos ingleses. Foi onde passamos nossos últimos meses em Berlim e assistimos ao advento do Terceiro Reich.

Essa foi provavelmente a única vez em nossas vidas em que minha irmã Nancy e eu moramos juntos numa casa sem família. Mimi, que como sempre vivia com poucos recursos e não estava habituada com crianças — nunca teve filhos —, não era propriamente uma família. Não posso imaginar de que forma a ausência de autoridade paterna naqueles últimos meses de Berlim terá afetado Nancy, mas tenho certeza de que minhas atividades políticas teriam sido muito mais restringidas se Sidney e Gretl tivessem ficado em Berlim. Por ser três anos e meio mais velho do que minha irmã, eu me sentia responsável por ela. Agora não havia mais ninguém. Nunca antes tinha me preocupado em saber como ela ia para a escola; preocupava-me simplesmente com o trauma diário de ter de pedalar diariamente de Lichterfelde ao Gymnasium numa geringonça que me envergonhava como somente um adolescente pode se sentir envergonhado — o presente de minha mãe ao morrer, uma bicicleta repintada de preto, com o quadro torto. (Eu chegava meia hora mais cedo, guardava a bicicleta e saía mais tarde e às escondidas, com medo de que me vissem montado nela.) Agora, íamos e voltávamos da escola juntos, porque Halensee era bastante distante de Wilmersdorf. (O PHG e a Barbarossaschule eram praticamente vizinhos.) Presumivelmente íamos de bonde, porém somente me recordo da infindável caminhada durante os quatro dias dramáticos da greve de transportes de Berlim, no início de novembro. Éramos dois jovens solitários. Quando ela fez doze anos, achei meu dever "esclarecê-la", como se dizia em alemão, isto é, falar sobre os fatos da vida, que ela afirmou não conhecer ainda. Talvez tenha sido por delicadeza que ela tinha dito já saber de tudo, ou pelo menos da menstruação feminina, que era a coisa mais importante para as mocinhas que chegavam à puberdade. Não sei se aqueles meses nos aproximaram mais do que normalmente ocorria com irmãos que passavam pelas mesmas experiências traumáticas. Pouco tínhamos em comum a não ser os traumas, e meu intelectualismo e desinteresse pelas pessoas me dava uma proteção que ela não possuía. Naquela época eu não percebia isso. Ela não partilhava de meus interesses ou da minha vida, cada vez mais dominados pela política. Nem sei como era sua vida na escola, quem eram suas amigas, ou se as tinha. Creio que mexericávamos sobre Mimi e seus inquilinos, jogávamos baralho à noite e escrevíamos cartas para a Espanha. Eu mandava histórias a Peter, utilizando uma combinação do *Doctor Doolittle*, de Hugh Lofting, e do *Nasobem*, animal que caminhava sobre seus narizes, de Christian Morgenstern.

Creio lembrar-me da Friedrichsruherstrasse somente em tons cinza ou à luz artificial, pois presumivelmente naqueles meses passávamos a maior parte do dia longe dela. À noite nos reuníamos na sala, onde ficava a estante de livros dos inquilinos, o que me permitiu, pela primeira vez, ler Thomas Mann (*Tristan*) e um romance curto de Colette. Mimi, que tinha experiência dessas situações, mostrava interesse genuíno pelas vidas de seus inquilinos e utilizava seu repertório social, lendo mãos ou usando outras formas de revelar o temperamento ou desvendar a sorte e conversando sobre a realidade dos fenômenos psíquicos, com exemplos. Uma de suas maneiras de economizar era comprar sacos inteiros de batatas para cozinhar — esse é um dos poucos detalhes concretos de Halensee que me ficaram — e ela me mandava de tempos em tempos ao porão para buscar novo sortimento. Como sempre, vivia num fio de navalha financeiro. Com o tempo, as batatas começavam a dar brotos, e era preciso descascá-las com cuidado para ocultá-los.

5. Berlim: marrom e vermelho

Enquanto isso, minhas tendências revolucionárias passavam da teoria à prática. A primeira pessoa que procurou conferir-lhes maior precisão foi um jovem social-democrata mais velho do que eu, Gerhard Wittenberg. Passei com ele pelo ritual de iniciação do típico intelectual socialista do século XX, isto é, a tentativa efêmera de ler e entender *O capital*, de Marx, começando pela primeira página. Não durou muito, pelo menos nessa fase de minha vida, e, embora permanecêssemos amigos, não me senti atraído nem pela social-democracia alemã (diferente da austríaca) nem pelo sionismo de Gerhard, que o levou a emigrar para um kibutz na Palestina após o advento de Hitler e finalmente morrer (assim fiquei sabendo) ao regressar à Alemanha muma missão para resgatar judeus. (Naturalmente, naquele tempo os militantes sionistas eram principalmente socialistas, de vários matizes marxistas.)

A pessoa que me recrutou para uma organização comunista também tinha mais idade do que eu. Não recordo como nos conhecemos, mas não é improvável que o anúncio das convicções vermelhas do inglês da Untersekunda (classe de Segunda Inferior) tenha suscitado comentários. Em minhas lembranças, Rudolf (Rolf) Leder era moreno, saturnino, gostava de casacos de couro e adotara ostensivamente por modelo a versão idealizada do quadro bolchevique soviético. Morava com os pais em Friedenau, e ainda posso ver as duas ou três prateleiras na estreita parede de seu pequeno quarto, na qual guardava os livros sobre comunismo e sobre a União Soviética. Deve ter me emprestado alguns — onde mais eu os poderia ter conseguido? —, pois li diversos romances soviéticos dos anos 20. Nenhum deles sugeria uma visão especialmente utópica da vida na Rússia revolucionária. Nisso eram idênticos a todas as obras de ficção escritas antes da era de Stalin. Mas, quando sugeri a Rolf — ainda me lembro dessa conversa — que o comunismo poderia vir a ter problemas devido ao atraso da Rússia, ele se alterou: a União Soviética estava acima de qualquer crítica. Por meio dele comprei a edição especial de um volume de documentos e fotografias comemorativas do décimo quinto aniversário da Revolução de Outubro: *Fünfzehn Eiserne Schritte* (Quinze passos de ferro). Ainda o tenho comigo, com sua capa dura simples, cor de areia, ilustrada por John Heartfield, e na orelha uma citação, escrita com minha letra juvenil (naturalmente da versão em alemão) de *Esquerdismo, uma desordem infantil*, de Lenin. É o registro mais antigo de meu engajamento político, juntamente com o deteriorado livreto de *Unter roten Fahnen: Kampflieder*, que traz letras de canções revolucionárias.

Rolf Leder se sentia deslocado na atmosfera burguesa de nossa escola. Em sua autobiografia, afirma haver-se juntado à Juventude Comunista nas ruas, não muito mais de um ano antes de me recrutar, e se orgulhava de haver sido aceito no meio dos comunistas berlineses jovens de classes operárias, que conheciam a vida nas ruas, "provando-se" na época de "guerra civil latente" quando seus camaradas enfrentavam a polícia e as tropas de choque de camisas-marrom.[1] Não sugeriu, no entanto, que eu entrasse para a KJV (*Kommunist Jugend Verein*, Associação dos Jovens Comunistas), e sim para uma organização bem menos proletária, a SSB (*Sozialistischer Schülerbund*, Federação Socialista de Estudantes), especificamente destinada a acolher estudantes secundários. Foi o que fiz, e ele seguiu seu caminho. Nunca mais o vi depois que deixei Berlim. Morreu em 1996.

Nossas vidas, no entanto, permaneceram interligadas. Muitos anos depois, numa obra da Alemanha Ocidental sobre escritores e comunismo, descobri que um membro bastante proeminente do establishment literário da República Alemã, o poeta Stephan Hermlin, na verdade se chamava Rudolf Leder. Mais tarde li em sua autobiografia que ele permanecera na Alemanha ilegalmente, recusando a oferta da família de mandá-lo para Cambridge, e que passara alguns meses internado em um campo de concentração. Em 1935 tinha estado na França, lutado na Espanha e em seguida na Resistência francesa, antes de regressar à zona de ocupação soviética em 1946 e a uma ilustre carreira literária no que se tornaria a República Democrática Alemã. Pelo que li de sua obra, creio que foi um bom poeta, embora não excepcional, talvez melhor como tradutor e adaptador de outros poetas. Sua curta e insinuante obra, *Abendlicht* (Luz da noite), é bastante admirada. Por outro lado, como figura de relevo na cena cultural num regime conservador e autoritário, ele se saiu bem, protestando e protegendo, usando sua amizade com Honecker contra a Stasi (polícia secreta). Esse é um caso em que o velho dito alemão "*Guter Mensch, schlechter Musikant*" ("Boa pessoa, mas mau músico") não deve ser entendido como ofensivo ao artista, mas como louvor ao homem público. Mandei-lhe uma carta, aos cuidados do sindicato de escritores, perguntando se era o Leder que eu conhecera, e recebi breve resposta que dizia ser de fato ele, mas que não se lembrava de mim. Tampouco reagiu mais tarde, quando amigos em Berlim falaram-lhe de mim. No entanto, a breve relação entre dois jovens estudantes em Berlim em 1932 — ambos em países e de costumes diferentes e que se tornaram figuras conhecidas da esquerda cultural — parece fascinante tanto a jornalistas quanto a leitores da Alemanha Oriental pós-1989. Pelo menos sempre me perguntavam a respeito.

Há, no entanto, um curioso desdobramento do episódio de Rudolf Leder. Pouco antes de sua morte, Karl Corino, um repórter investigativo alemão-ocidental, hostil a Stephan Hermlin, seguiu a pista de sua biografia pública e descobriu que a maior parte era romanceada, às vezes apenas tangenciando a realidade.[2] Na verdade, não abandonara em prol da luta do proletariado um lar anglo-germânico da alta burguesia, abastado e cultivado, onde se colecionava arte e se tocava música. Seu pai era um homem de negócios romeno, e mais tarde apátrida, casado com uma imigrante galega na Inglaterra (e que portanto tinha passaporte britânico), que conhecera um breve período de glória financeira nos anos de inflação, seguido de colapso. O pai não servira na Primeira Guerra Mundial nem morrera num campo de concentração, e sim conseguira refúgio em Londres em 1939. O próprio Hermlin tampouco estivera em um campo de concentração, nem mesmo por breve tempo. Não visitara a Espanha e não havia indícios de seu trabalho na Resistência francesa. E assim por diante. O livro constitui eficiente exemplo de crítica destrutiva, apesar das conhecidas tendências do autor e de algumas de suas fontes.

Naturalmente, Leder não é o único escritor autobiográfico que se colocou em papel mais importante e mais romântico nos assuntos mundiais, modificando o cenário de sua vida para esse fim, especialmente se aceitarmos as provas apresentadas pelo investigador de que a maior parte de sua vida real antes do regresso a Berlim em 1946, inclusive sua carrreira escolar, foi altamente frustrante. Afinal, de um modo geral ele não inventou, mas embelezou ou transformou intenções em realidades. Com efeito, deixara o trabalho em Tel Aviv (o Hermlin oficial não insistiu no relato da emigração para a Palestina) declarando que ia juntar-se às Brigadas na Espanha, e talvez tivesse ido, não fosse uma operação de conseqüências quase fatais: quando já podia partir, a mulher ficou grávida. O pai fora de fato milionário durante curto período e colecionou obras de arte, havendo encomendado a Max Liebermann um retrato da mulher e um de si próprio a Lovis Corinth. Além disso, a carreira de qualquer alemão-judeu refugiado no exterior nas décadas de 30 e 40 oferecia inúmeras oportunidades de aperfeiçoar a realidade nos formulários a preencher e nos questionários a responder, e muitos incentivos para fazê-lo. E não há dúvida de que se tornara comunista antes da época em que nos conhecemos — permanecendo dedicado ao partido até que este deixou de existir com o fim da RDA — e de que pagou o preço de suas convicções. Curiosamente, isso aproximou novamente nossas vidas. Se Corino estiver certo, Leder foi expulso de seu Gymnasium por haver escrito um artigo subversivo no número de janeiro de 1932 do jornal, adequadamente intitulado "Der Schulkampf" (A luta na escola), publicado pelo Sozialistischer Schülerbund, organização para a qual estava a ponto de me recrutar. Se isso tivesse acontecido no Prinz-Heinrichs-Gymnasium nos anos escolares entre 1931 e 1933; é inconcebível que eu não ficasse sabendo. É mais provável que tenha sido expulso de outro Gymnasium, e somente entrado para o PHG em 1932-33, depois disso. Ambos, portanto, fomos aves migratórias em nossa escola. Não sei dizer como e por que ele saiu dela.[3] Certamente não se formou lá.

A organização para a qual entrei teve pouco relevo na história do comunismo alemão ou do comunismo em geral, ao contrário de sua inspiradora, Olga Benario. Essa jovem dinâmica, filha de uma próspera família burguesa de Munique, havia se convertido à revolução após a efêmera república soviética de Munique de 1919, da qual participara um jovem professor, Otto Braun, com quem ela teve uma ligação de alguns anos. Em 1928, à frente de um grupo de jovens comunistas, ela invadiu o tribunal onde Otto Braun estava sendo julgado por alta traição, em Berlim, e libertou-o. Ambos foram escamoteados para fora da Alemanha, tornando-se permanentemente ilegais, e juntaram-se aos serviços operacionais do Exército Vermelho e do Komintern. Em Moscou, Benario foi designada conselheira de Luís Carlos Prestes, oficial brasileiro que liderara um grupo de militares rebeldes durante alguns anos numa célebre e longa marcha pelo interior do país e estava pronto para ingressar no Partido Comunista Brasileiro e comandá-lo. Casou-se com ele, ajudou a planejar a desastrosa insurreição de 1935, na qual participou com Prestes, foi capturada e devolvida à Alemanha de Hitler pelo governo brasileiro. Morreu em 1942, no campo de concentração de Ravensbruck. Enquanto isso, Otto Braun viajara para o Leste, e não para Oeste, e tornou-se o único europeu a participar (mesmo com quase nenhum entusiasmo por Mao Zedong) da Longa Marcha dos Exércitos Vermelhos chineses. Aposentado em Berlim Oriental, publicou suas memórias na década de 80. Quando entrei para a SSB a fim de servir à revolução mundial, desconhecia os laços históricos que ligavam essa organização a algumas de suas batalhas mais dramáticas. De qualquer maneira, eu não tinha dúvidas de que quem se tornasse comunista na Berlim de 1932 enfrentaria um futuro de perigo, perseguição e insurreição.

Um aspecto menos dramático da dedicação de Benario à revolução mundial foi a própria SSB.[4] Essa organização parece haver-se originado em Neukölln, um dos bairros mais vermelhos da Berlim de classe média, com estudantes de classes trabalhadoras social-democratas e comunistas politicamente organizados nas chamadas *Aufbauschulen*, sustentadas pelo governo da Prússia, onde estudantes selecionados fariam a transição para a plena educação secundária até o *Abitur*. Ao chegar a Neukölln como novo quadro de *agitprop* em 1926, Benario inspirou os jovens comunistas a formar uma "facção comunista secundária" (*Kopefra*),[5] nas *Aufbauschulen*, análogas às já existentes Facções Estudantis (*Kostufra*). Como essas escolas tinham alunos de ambos os partidos da classe operária, decidiu-se formar uma associação mais ampla que abarcasse os dois, a SSB. Inevitavelmente, quando os social-democratas se transformaram em "fascistas sociais" na visão da Internacional Comunista, pouco restou desse espírito de unidade. A SSB se tornou uma subsidiária do Partido Comunista. Em 1928 já se estendera além das zonas vermelhas de Berlim, com grupos no centro e no oeste — isto é, nas escolas de classe média como a minha — e também em outras partes da Alemanha. Publicava também o *Schulkampf*, que acabava de ser fundado.

No outono de 1932, quando me filiei à SSB, ela já estava em dificuldades, aparentemente devido a cortes financeiros durante a crise econômica que tornaram as coisas cada vez mais problemáticas para as *Aufbauschulen*, que ainda eram seu principal sustentáculo. Diversos grupos deixaram de existir na segunda metade de 1932, ou somente se reuniam sem regularidade. A ação coordenada já não era possível. Até mesmo nos baluartes da causa, como a *Karl-Marx-Schule* em Neukölln, a atmosfera no final de 1932 era de desalento e resignação. Fala-se que o *Schulkampf* deixou de ser publicado a partir de maio de 1932, mas creio que isso se refira a sua forma impressa, pois possuo um exemplar posterior a essa data, visivelmente copiado por camaradas que não eram muito hábeis no uso de mimeógrafos. No entanto, minha pequena célula da associação na Berlim Ocidental não mostrava sinais de desânimo.

Nossas reuniões eram inicialmente no apartamento dos pais de um de nossos membros, e em seguida, com bastante regularidade, numa sala dos fundos de um bar comunista situado próximo ao Halensee. A história das bases tanto do movimento operário alemão como do francês — nenhum dos quais era o que se podia chamar de abstêmio — pode ser escrita em grande parte tendo bares como cenário, em cujas salas da frente os camaradas se encontravam para um gole de vinho ou (como em Berlim) de cerveja, ao passo que as reuniões mais importantes ocorriam em volta de uma mesa na sala dos fundos. Naturalmente era possível pedir bebidas na parte da frente e levá-las para os fundos, mas essa prática era desestimulada. Nossa estrutura contava com um *Orglei* (líder de organização), que era um rapaz chamado Wolfheim — creio que seu primeiro nome era Walter —, e um *Polei* (líder, ou comissário político), chamado Bohrer, que lembro ser gorducho. As organizações comunistas alemãs e russas preferiam as abreviações silábicas às de iniciais (como Komintern, Kolkhoz e Gulag), e o uso dos sobrenomes dava certa formalidade às reuniões. O único outro membro do grupo que permaneceu em minha memória é um russo de boa aparência e bem vestido chamado Gennadi ("Goda") Bubrik, que comparecia às reuniões com uma camisa russa e cujo pai trabalhava para uma das agências russas em Berlim. Penso que discutíamos a situação em nossas diversas escolas e falávamos dos recrutas, ou "contatos" potenciais, mas, no final de 1932, a política nacional era incomparavelmente mais urgente do que os problemas com algum professor reacionário, digamos, na Unterprima do Ginásio Bismarck. Assim, sem dúvida a situação política dominava nossa agenda, e Bohrer indicava a "linha" que devíamos seguir.

O que passava pela nossa cabeça? Hoje tem-se como certo que a política do KPD, seguindo a linha do Komintern, nos anos da ascensão de Hitler ao poder, era de uma idiotice suicida. Baseava-se na presunção de que uma nova rodada de confrontos entre classes e revoluções se aproximava, após a ruptura da estabilização temporária do capitalismo na metade da década de 20, e de que o principal obstáculo à necessária radicalização dos trabalhadores sob a liderança comunista era o domínio da maioria dos movimentos operários pelos social-democratas moderados. Essas presunções não eram implausíveis em si mesmas, mas especialmente depois de 1930 a opinião de que a social-democracia representava, conseqüentemente, maior perigo do que a ascensão de Hitler, tanto que poderia ser descrita como "fascismo social", chegava às raias da insanidade política.* Com efeito, isso contrariava os instintos, o bom senso e a tradição socialista dos trabalhadores socialistas e comunistas (e dos estudantes também), que sabiam perfeitamente que tinham mais em comum uns com os outros do que com os nazistas. Mais ainda, na época em que cheguei a Berlim era evidente que o principal tema político na Alemanha era como prevenir a ascensão de Hitler ao poder. Realmente, até mesmo a linha ultra-sectária do Partido fez uma concessão à realidade, ainda que inócua. Nas lapelas não usávamos a foice e o martelo, mas o distintivo da "antifa" — um chamado a uma ação comum contra o fascismo, embora naturalmente apenas com os trabalhadores e não com seus líderes corrompidos pelo poder e traidores da classe. Tanto os socialistas como os comunistas sabiam, no mínimo pelo exemplo italiano, que sua destruição era o principal objetivo de um regime fascista. Os conservadores, e até mesmo elementos do centro, imaginavam

---

* Esse absurdo está indicado no exemplo do líder comunista italiano Palmiro Togliatti, que em 1933 teve de se submeter à "autocrítica" por haver observado que, pelo menos na Itália de Mussolini, não era possível dizer que a social-democracia fosse "o principal perigo".

a incorporação de Hitler em um governo de coalizão, o qual pensavam poder controlar, subestimando o líder nazista. Os socialistas e comunistas sabiam perfeitamente bem que um acordo e a coexistência com o nacional-socialismo eram coisas impossíveis, tanto para esse partido quanto para eles. Nossa forma de minimizar o perigo nazista — e, como todos os demais, também o subestimávamos grosseiramente — era diferente. Achávamos que se chegassem ao poder, os nazistas seriam em breve derrubados por uma classe trabalhadora radicalizada sob a liderança do KPD, que já contava 300 mil a 400 mil adeptos. O voto dos comunistas não havia crescido tão rapidamente quanto o dos nazistas, desde 1928? Não continuava a crescer fortemente nos últimos meses de 1932, enquanto o dos nazistas caía? Mas não tínhamos dúvidas de que antes disso os lobos de um regime fascista seriam atirados contra nós. E era verdade: os campos de concentração originais do Terceiro Reich foram planejados primordialmente para aprisionar comunistas.

Não há dúvida de que é possível encontrar desculpas para as loucuras da linha do Komintern, ainda que houvesse socialistas e comunistas dissidentes, ou silenciados, que se opunham a ela. Mais de setenta anos depois, mirando em retrospecto com olhos de historiador, a possibilidade de deter a ascensão de Hitler por meio de uma união de todos os antifascistas parece menos entusiasmante do que foi para nós um pouco mais tarde, na mesma década de 30. De qualquer forma, em 1932 uma maioria parlamentar de centro-esquerda já não era possível, nem mesmo no caso duplamente improvável de que os comunistas se juntassem a ela e de que fosse aceita pelos social-democratas, sem falar no Partido Católico do Centro. A República de Weimar desaparecera com Bruning. Hitler poderia efetivamente ter sido detido pelo presidente, pelo *Reichswehr* e pelos diversos reacionários autoritários que então chegavam ao poder, e que certamente não desejavam o que tiveram depois de 30 de janeiro de 1933. Na verdade, Hitler e o ímpeto da ascensão da suástica foram barrados por eles depois do triunfo eleitoral dos nazistas no verão de 1932. Nada havia de inevitável nos acontecimentos que levaram a sua nomeação como primeiro-ministro. Mas a essa altura já não havia nada que os social-democratas ou os comunistas pudessem fazer.

Retrospectivamente, mesmo assim a linha do Komintern não tinha sentido. Tínhamos uma posição crítica quanto a isso? É quase certo que não. O que queríamos era a mudança radical, de uma vez por todas. Os partidos nazista e comunista eram os preferidos dos jovens, no mínimo porque os jovens se sentem normalmente seduzidos pela política de ação, pela lealdade e pelo extremismo, não conspurcados pelos compromissos baixos e desonestos daqueles que pensam em política como a arte do possível. (O nacional-socialismo não dava muito espaço público ao elemento feminino, e naquele momento, infelizmente, o apoio entusiástico do comunismo aos direitos da mulher atraía apenas uma minoria de mulheres excepcionais a seu movimento, que era esmagadoramente masculino.) Na verdade, as Ligas de Jovens Comunistas militantes eram principalmente usadas pelo Komintern para empurrar a liderança adulta dos partidos, freqüentemente relutante, em direção ao extremismo da política de "classe contra classe". Sem dúvida os nazistas eram nossos inimigos nas ruas, mas a polícia também o era, e os chefes de polícia (*Polizeipräsident*) de Berlim, cujos comandados haviam matado trinta homens no dia 1º de maio de 1929, eram social-democratas. O incidente foi transformado pelo KPD em símbolo da traição da classe pelo Partido Social-Democrata. E, sem o Kaiser, quem respeitaria as instituições da legislação e do governo de Weimar, que eram essencialmente as mesmas do império?

Podíamos, assim, ser equiparados aos jovens *ultra* de 1968, mas com quatro diferenças importantes. Primeiro, não constituíamos uma minoria de dissidentes radicais em sociedades que atravessavam um período de prosperidade sem precedentes e dispunham de sistemas políticos de inquestionável estabilidade. Na Alemanha de 1932, em meio à tempestade econômica e à inquietação política geral, a maioria rejeitava radicalmente o status quo. Segundo, ao contrário dos estudantes radicais de 1968, nós, da direita e da esquerda, não estávamos protestando, mas sim engajados em uma luta essencialmente revolucionária para chegar ao poder político; mais exatamente, éramos partidos políticos disciplinados e de massas que buscavam o poder estatal unicamente para si. O que viesse depois não importava; tomar o poder era o primeiro e indispensável passo. Terceiro, comparativamente poucos de nós na ultra-esquerda eram intelectuais, ao menos porque, mesmo em um país com um bom sistema educacional como a Alemanha, bem mais de 90% dos jovens não chegavam nem sequer à educação secundária. E, entre os jovens intelectuais, os de esquerda constituíam uma modesta minoria. A maior parte dos estudantes secundários quase certamente se situava à direita, embora, como na minha própria escola, não necessariamente na direita representada pelo nacional-socialismo. Entre os estudantes universitários o apoio a Hitler era sabidamente elevado.

A quarta diferença é que os intelectuais comunistas não eram dissidentes culturais. O grande divisor de águas cultural não estava situado na diferença entre gerações, como na época do rock, mas sim no conflito, basicamente político, entre os que aceitavam e os que rejeitavam aquilo que os nazistas chamavam de "bolchevismo cultural", isto é, quase tudo o que fizera dos catorze anos de existência da República de Weimar uma era tão extraordinária na história das artes e das ciências. Em Berlim, pelo menos, essa cultura era partilhada entre nós e os mais velhos, pois o comunismo pré-stalinista, embora fizesse uma distinção clara entre os escritores e artistas da linha "correta" e da linha "errada", ainda não rejeitara os homens e as mulheres da vanguarda cultural que tão visivelmente haviam saudado a Revolução de Outubro e que concordavam com o desagrado do KPD em relação à República de Ebert e de Hindenburg. O "realismo socialista" ainda estava abaixo da linha do horizonte. A admiração por Brecht, pela Bauhaus e por George Grosz não separava pais e filhos, mas separava a direita de uma espécie de frente popular cultural que ia desde as autoridades social-democratas da Prússia e de Berlim até os extremos mais distantes da boêmia anarquista. Além disso, unia os liberais e os esquerdistas. A principal razão pela qual em seu tempo a República Democrática Alemã possuía uma legislação sobre controle da natalidade e aborto muito mais liberal do que a da República Federal do Ocidente era que, na época de Weimar, a legalização do aborto, proibido pelo Código Civil alemão, havia sido um dos principais temas de campanha do KPD. Em meu exemplar remanescente do *Schulkampf* o tema ainda sobrevive, juntamente com anúncios de encontros com médicos ligados à emancipação sexual.

Ao reconstruir minha experiência dos últimos meses da República de Weimar, como poderia desenredar as lembranças, separando-as daquilo que atualmente sei como historiador, daquilo que hoje penso após toda uma vida de reflexões e debates políticos sobre o que a esquerda alemã deveria ou não ter feito? Na época, tudo o que eu sabia dos acontecimentos entre o triunfo dos nazistas nas eleições de 30 de julho de 1932 e a nomeação de Hitler como chanceler em 30 de janeiro de 1933 era o que aparecia no *Vossische Zeitung*.

De qualquer forma, na verdade eu não reagia às notícias política ou criticamente, mas como partidário romântico, como um torcedor de futebol. A greve de transportes em Berlim, que ocorreu pouco antes da última eleição democrática da República, no início de novembro de 1932, foi na época tema de amargas polêmicas, que continuam até hoje. Foi convocada, com sucesso, contra os sindicatos oficiais (social-democratas) pela organização comunista RGO (Oposição Sindical Vermelha), e, como os nacional-socialistas se preocupavam em não perder contato com os trabalhadores, foi apoiada pela organização sindical nazista. Não admira que essa frente comum temporária entre o vermelho e o marrom nas semanas finais da República fosse criticada pela imprensa e ainda seja levantada contra os comunistas de Weimar. Sem dúvida demonstra a irracionalidade de um partido que continuava a tratar os social-democratas como principais adversários, mesmo sabendo que a entrada de Hitler para o governo poderia ser iminente. Tal como tudo transcorreu, as principais conseqüências imediatas da greve foram, provavelmente, ajudar o voto dos comunistas a crescer nas eleições de 6 de novembro e contribuir para o forte declínio do voto nazista na mesma eleição — mas ambas foram rapidamente esquecidas. Porém não consigo me lembrar de haver debatido o assunto com ninguém durante a greve, ou de ter me preocupado com ele ou mesmo pensado a respeito. Era a "nossa" greve, e portanto estávamos a favor dela. Sabíamos ser o maior inimigo dos nazistas e seu principal alvo, e portanto a idéia de sermos acusados de ajudar Hitler era absurda. Qual era, então, o problema?

Havia um problema. Mesmo como adeptos juvenis da crença na inevitabilidade da revolução mundial, naqueles últimos meses de 1932 nós sabíamos, ou deveríamos saber, que ela não iria acontecer imediatamente. Certamente não fazíamos idéia de que em 1932 o movimento comunista internacional havia sido reduzido quase a seu ponto mais baixo desde o estabelecimento do Komintern, mas tínhamos consciência de que enfrentaríamos a derrota a curto prazo. Alguém, e não nós, estava prestes a chegar ao poder. Na verdade, nem a retórica nem a estratégia prática do KPD previam a iminência de tomar o poder. (Ao contrário, o partido se preparava para a ilegalidade, embora, ao que se verificou, de modo absolutamente insuficiente: seu líder, Ernest Thaelmann, foi capturado nos primeiros meses do novo regime e encarcerado em um dos campos de concentração.) Além disso, quando Hitler chegasse ao poder, já não haveria lugar para ilusões. Nesse caso, o que se passava nas cabeças de potenciais jovens militantes como eu?

Sem dúvida sentíamos certo conforto em saber que éramos parte essencial de um movimento global. A União Soviética triunfante do Primeiro Plano Quinqüenal nos apoiava. Em algum lugar mais ao oriente a Revolução Chinesa estava em marcha. O fato de estar havendo uma "tempestade na Ásia" (para citar o título do grande filme de Pudovkin) fazia com que, mais do que quaisquer outras pessoas, os comunistas da época tomassem conhecimento daquele continente. Nessa época a China se tornou, para Bertold Brecht e André Malraux, a quintessência dos cenários de revolução e o teste do significado de ser revolucionário. Talvez não por acaso, a única manchete de jornal daquele tempo da qual me recordo (exceto as óbvias, como o anúncio da nomeação de Hitler para a chancelaria e o incêndio do Reichstag) é a que tratava de um motim num navio holandês, o *Sete Províncias*, que partira de Java alguns dias após a posse de Hitler. Não esperávamos viver o drama da insurreição, e sim o da perseguição. Em nossas cabeças, ou pelo menos na minha, a imagem diante de nossos olhos era de perigo, captura, resistência ao interrogatório, atitude de desafio na derrota. Idealmente, nos víamos no papel que seria desempenhado na vida real, dentro de menos de um ano, por George Dimitrov, ao desafiar Göring no julgamento pelo incêndio do Reichstag. Mantínhamos sempre, porém, a confiança — vinda do marxismo — de que nossa vitória já estava escrita no texto dos livros de história do futuro.

Basta, quanto à imagem. E a realidade? Até poucos dias antes da nomeação de Hitler não me recordo de outra atividade comunista a não ser o comparecimento às reuniões da célula da ssb. Sem dúvida, como todos nós, sentia-me animado pelo forte recuo dos nazistas nas eleições de 6 de novembro e por nosso impressionante avanço, mas tenho certeza de que não entendi na época o significado da queda do governo Papen e das atividades do novo e efêmero governo do general Schleicher, o último chanceler antes de Hitler, e nem da crise do Partido Nazista em dezembro, quando Hitler eliminou o segundo mais importante membro (ou pelo menos o segundo mais proeminente), Gregor Strasser. Por outro lado, nada havia de problemático na crescente agressividade e nas táticas propositadamente provocadoras dos camisas-marrom e em sua tácita tolerância pelas autoridades públicas. Em 25 de janeiro de 1933 o KPD organizou sua última demonstração legal, uma marcha na noite de Berlim, convergindo para o quartel-general do partido, no edifício denominado Karl Liebknechthaus, na Bülowplatz (hoje Rosa Luxemburg-Platz), em resposta a uma parada provocadora das SA na mesma praça. Participei daquela marcha, presumivelmente com outros colegas da SSB, mas não tenho lembrança específica deles.

Depois do sexo, a atividade que mais intensamente combina experiência corporal com forte emoção é a participação em uma demonstração de massa em época de grande exaltação pública. Ao contrário do sexo, que é essencialmente individual, essa é por natureza coletiva, e, ao contrário do clímax sexual — pelo menos no que se refere aos homens —, pode ser prolongada durante várias horas. Por outro lado, assim como o sexo, tal participação implica ações físicas — marchar, gritar palavras de ordem ou cantar — nas quais a imersão do indivíduo na massa, que é a essência da experiência coletiva, encontra sua expressão. Aquela ocasião continua inesquecível, embora eu não lhe recorde detalhes. Lembro apenas intermináveis horas de marcha, ou melhor, de movimentação alternada com períodos de espera, num frio polar — os invernos de Berlim são rigorosos — entre edifícios sombrios (e policiais?) nas ruas escuras e geladas. Não guardo lembrança de bandeiras vermelhas ou de slogans, mas, se houve — e deve ter havido —, perderam-se na massa acinzentada dos manifestantes. Lembro-me de cantos, com intervalos de pesado silêncio. Cantávamos — ainda tenho o panfleto meio rasgado com os textos das músicas, com as minhas favoritas marcadas: a "Internacional"; a canção de guerra dos camponeses ("Des Geyers schwarzer Haufen"); os versos fúnebres, triviais e sentimentais da "Der kleine Trompeter", que (ao que soube) o líder da RDA, Erich Honecker, desejava que fosse tocada em seu enterro; "Dem Morgenrot entgegen", canção dos soldados da Força Aérea Vermelha soviética; "Der rote Wedding", de Hans Eisler, e a lenta, solene e hierática "Brüder zur Sonne zur Freiheit". Nós e essas canções éramos uma só coisa. Voltei para casa em Halensee como num transe. Quando, dois anos mais tarde, no isolamento da Inglaterra, refleti sobre as bases de meu comunismo, essa sensação de "êxtase das massas" (*Massenekstase*, pois eu escrevia meu diário em alemão) era um dos seus cinco componentes, juntamente com a compaixão pelos explorados; o apelo estético de um sistema intelectual perfeito e abrangente (o "materialismo dialético"), um pouco da visão da nova

Jerusalém de Blake, e finalmente uma boa dose de anticonservadorismo intelectual.[6] Mas em janeiro de 1933 eu não analisava minhas convicções.

Cinco dias depois, Hitler foi nomeado chanceler. Já descrevi a experiência de em algum momento ler a manchete ao voltar da escola com minha irmã. Ainda vejo aquela imagem, como num sonho. Hoje se sabe que ele resistiu à proposta dos conservadores de banir imediatamente o Partido Comunista, em parte porque isso poderia provocar uma tentativa desesperada de resistência pública do Partido e principalmente porque reforçava o argumento nazista de que somente seus paramilitares, as SA, poderiam preservar o país do bolchevismo e porque daria um caráter nacional, e não partidário, à enorme demonstração nazista no dia da tomada de posse. (É impossível imaginar que alguém, inclusive entre eles próprios, levasse a sério a convocação de uma greve geral que a liderança do KPD afirma haver lançado em 30 de janeiro, presumivelmente para que ficasse registrado não haver cedido sem fazer ao menos um gesto.) Na verdade, as SA e a SS (esta bem menos proeminente na época) foram logo autorizadas a agir como polícia auxiliar e começaram a organizar seus próprios campos de concentração, mesmo ainda sem licença oficial do Estado.

O novo governo impediu que o Reichstag ou seus membros tivessem qualquer possibilidade, mesmo remota, de expressar alguma opinião, dissolvendo imediatamente esse Parlamento e convocando novas eleições para a primeira ocasião constitucional, o dia 5 de março. Dias depois, um conveniente Decreto de Emergência para a Proteção do Povo Alemão restringiu a liberdade de imprensa e instituiu a "prisão cautelar". Em 24 de fevereiro as forças paramilitares do Partido Nazista, os camisas-marrom e os camisas-pretas, passaram ao serviço ativo na qualidade de "polícia auxiliar". No mesmo dia a polícia invadiu a sede do Partido Comunista, afirmando haver encontrado grande quantidade de material sedicioso, embora na verdade nada de significativo tivesse sido achado. Em tais circunstâncias se realizariam as últimas eleições multipartidárias nominalmente livres da República de Weimar. Em seguida, menos de uma semana antes da eleição, um coringa inteiramente inesperado foi colocado entre as cartas já preparadas contra a oposição. Na noite de 27 de fevereiro o edifício do Reichstag foi destruído por um incêndio. Quem quer que tenha sido o responsável, os nazistas imediatamente exploraram o fato com tanto sensacionalismo que a maioria dos antifascistas passou a acreditar que os próprios nazistas teriam planejado o incêndio.* No dia seguinte, um decreto de emergência suspendeu a liberdade de expressão, de associação e de imprensa, além do sigilo dos correios e telefones. Para completar, o decreto autorizava o governo do Reich a intervir nos Estados para restaurar a ordem. Göring já começara a prender comunistas e outros indesejáveis. Foram arrastados a prisões improvisadas, espancados e torturados, e em certos casos assassinados. Por volta de 25 de abril, havia 25 mil pessoas em "prisão cautelar" somente na Prússia.

A reação imediata da SSB, ou pelo menos a minha como parte dela, foi levar o mimeógrafo para o apartamento de minha tia. Gosto de pensar que aquele era o mesmo no qual os últimos números do *Schulkampf* tinham sido impressos. Os camaradas acharam que, sendo eu súdito britânico, correria menos risco, ou talvez que a polícia não revistasse nosso apartamento. Ficou debaixo de minha cama durante algumas semanas. O mimeógrafo, uma caixa de madeira marrom e bastante grande, hoje seria antediluviano: os estênceis datilografados eram colocados sobre uma superfície permeável onde se passava a tinta e cada folha tinha de ser impressa separadamente. Depois alguém veio buscá-lo. Acho que não foi usado para imprimir qualquer coisa enquanto esteve sob minha guarda, pois, do contrário, até mesmo minha tia, pouco zelosa pelas coisas domésticas, teria protestado contra a inevitável sujeira de tinta em meu quarto. Assim era aquela máquina.

Presumivelmente, uma impressora mais eficiente foi usada para produzir os folhetos que deveríamos usar na campanha eleitoral. Creio que a participação nessa campanha foi o primeiro trabalho político de fato que executei. Representou também minha iniciação a uma experiência característica do movimento comunista: fazer algo inútil e perigoso porque o partido mandou. É verdade que desejaríamos cooperar na campanha de qualquer maneira, mas, dada a situação, o que fizemos foi uma demonstração de nossa dedicação ao comunismo, isto é, ao Partido. Algo como o que ocorreu quando, estando sozinho num bonde onde havia dois homens das SA, não escondi meu distintivo, embora naturalmente tivesse medo. Íamos aos edifícios de

---

* No momento em que este livro foi escrito, a opinião geral entre os historiadores é ainda a de que foi um jovem esquerdista holandês, como forma espetacular de protesto na esperança de inflamar os trabalhadores para a ação, e não obra dos nazistas para criar um bode expiatório.

apartamentos, colocando os folhetos por baixo das portas a começar pelo andar mais alto, até sairmos pela frente, sem fôlego e olhando em volta para ver se havia perigo. Havia um certo elemento lúdico, uma brincadeira de faroeste — nós éramos os índios, e não a cavalaria americana —, mas além da emoção do risco havia também perigo genuíno, o que nos amedrontava verdadeiramente. Um ou dois anos mais tarde, descrevi essa sensação em meu diário como "uma contração leve e seca, como a que se sente diante de alguém que vai nos dar um soco, esperando o golpe". Que aconteceria se uma das portas se abrisse e aparecesse uma cara hostil, se alguém de uniforme marrom descesse as escadas ou se a saída para a rua estivesse bloqueada? A distribuição de folhetos do KPD não era brincadeira, especialmente nos dias que se seguiram ao incêndio do Reichstag. Votar no KPD também não era fácil, embora mais de 13% do eleitorado ainda assim o tivesse feito no dia 5 de março. Tínhamos direito de ter medo, pois arriscávamos não apenas nossas peles, mas também a de nossos pais.

    O partido foi oficialmente considerado ilegal. Os campos de concentração — antes não-oficiais — foram institucionalizados. Dachau, o primeiro deles, foi instituído no mesmo dia em que o novo Reichstag (agora sem os comunistas banidos) aprovou uma Lei de Poderes que dava controle total ao regime hitlerista, autodissolvendo-se. Em seguida, no final de março, minha irmã e eu ficamos sabendo que iríamos para a Inglaterra. Quaisquer que fossem eles, os planos do tio Sidney em Barcelona não haviam dado certo. Hitler acabara de anunciar o boicote aos negócios pertencentes a judeus, no início de abril, e, ao me despedir de meus amigos, organizei as coisas para que um deles — provavelmente Gerhard Wittenberg — me mandasse notícias. (Ele me deu o endereço do kibutz onde ficaria ao emigrar para a Palestina.) Depois disso, partimos. Tia Mimi também se decidira por nova migração. Suas atividades em Berlim haviam tido êxito semelhante às anteriores, isto é, nenhum, e minha partida com Nancy a deixava sem uma parte essencial de seus rendimentos. Tenho uma vaga lembrança de que minha irmã iria se encontrar com Gretl e o pequeno Peter — poderia ter sido em Barcelona? — e de lá seguiriam para a Inglaterra a fim de se juntar a mim e a Sidney. Era mais uma mudança desorientadora na vida já desenraizada de uma criança deslocada. Sidney veio me buscar. Embora já naquela altura minha principal paixão fosse a política, fiz desaparecer a velha bicicleta de armação torta, o presente de minha mãe que me causara tanta angústia e vergonha juvenis, quando os pertences dos Hobsbaum foram empacotados para o depósito.

Somente voltei a Berlim trinta anos depois, mas jamais esqueci aquela cidade e jamais a esquecerei.

6. Na ilha

I

O tamanho de Londres foi a coisa mais impressionante para mim ao chegar à Inglaterra. Era ainda de longe a maior cidade do mundo ocidental, um vasto pólipo disforme de ruas e prédios, cujos tentáculos se estendiam aos campos vizinhos. Mesmo após setenta anos de vida baseada em metrópoles, as dimensões e a incoerência dessa cidade ainda me espantam. Em meus primeiros anos na Grã-Bretanha jamais deixei de me maravilhar com as distâncias que percorria como se nada fosse: de bicicleta, de norte a sul, da elevação do Crystal Palace, e mais tarde de Edgware, para a escola em Marylebone; de carro, de leste a oeste, levando meu tio entre Ilford e Isleworth, sem nunca deixar de ver fileiras de casas.

A família Hobsbaum precisava encontrar onde morar em algum lugar em meio a essas "vinte mil ruas sob o céu" (título dado por Patrick Hamilton, escritor comunista talentoso, porém alcoólatra, a seu romance ambientado em Londres). Éramos súditos do rei George v, e portanto não éramos de forma alguma refugiados nem vítimas do nacional-socialismo, como ainda tenho de recordar a entrevistadores e outros curiosos. Em todos os demais aspectos, no entanto, éramos imigrantes vindos da Europa Central — e mesmo imigrantes provisórios, pois somente retiramos nossos pertences do depósito de Berlim em 1935 —, num país para nós desconhecido, a não ser para o tio Sidney, mas mesmo ele não morara na Inglaterra desde a Grande Guerra. Não conhecíamos ninguém, exceto os parentes. Nem sequer éramos antigos emigrantes que retornavam à terra natal, pois a situação futura dos Hobsbaum permaneceu indefinida como sempre fora até 1933. O primeiro lugar onde a família se reuniu depois de Berlim, na primavera de 1933, foi em uma das muitas tentativas de Mimi no mundo da hospedagem, dessa vez em Folkestone. Poderia ser um dos muitos refúgios temporários nas infindáveis migrações dos deslocados do século xx. Ali uma senhora alemã refugiada expressava certa admiração pelo encanto e pela aparência de um rapazinho suíço, que evidentemente iria começar a escola em algum outro lugar da Inglaterra. Um refugiado alemão de minha idade, que estava de partida para um campo de treinamento agrícola sionista, procurou me ensinar fundamentos de judô. Uma figura cinzenta dos Cárpatos europeus, de nome Salo Flohr, que se sentia desprezado pela recusa do grande campeão Alekhin de aceitar seu desafio em busca do título mundial, jogava xadrez com o tio Sidney enquanto esperava pela viagem a Moscou a fim de enfrentar o soviético Mikail Botvinnik. Flohr jamais chegou ao topo do xadrez mundial, mas se tornaria figura conhecida no mundo enxadrista soviético e presumivelmente um dos poucos para quem a emigração de Stalin para a Rússia na década de 30 não se transformou em desgraça. Ali, nas ensolaradas manhãs no jardim, descobri a poesia lírica inglesa por meio do *Golden Treasury* e li pela primeira vez *Alice através do espelho*, de Lewis Carroll. Embora eu já estivesse na escola em Londres, fui ter com o resto da família em Folkestone, onde durante as semanas seguintes me preparei para o exame da London Matriculation em matérias estranhas ou desconhecidas, numa língua que quase não utilizava fora do ambiente familiar.

Na verdade, a não ser para mim e para a indômita tia Mimi, a volta para a Inglaterra em 1933 revelou-se finalmente mais um dos fracassados intentos dos Hobsbaum-Grün de encontrar um ancoradouro em meio aos mares agitados do mundo entreguerras. Gretl morreu em 1936, com um pouco mais de idade do que minha mãe, mas ainda antes dos quarenta. Em 1939, após alguns anos de altos e baixos, Sidney, então com cinqüenta anos, abandonou a luta pelo pão de cada dia na Inglaterra e emigrou para o Chile, levando consigo Nancy e Peter. Lá voltou a se casar e estabeleceu seu lar em Santiago. Nancy, cuja vida começou de fato na América do Sul no tempo da guerra, regressou à Inglaterra com o marido, Victor Marchesi, em 1946, mas durante vários anos prosseguiu na condição errante de esposa de oficial de marinha, terminando como emigrante inglesa em Minorca. Peter, que se formou em engenharia química no Canadá, passou a maior parte da vida no exterior, como executivo de uma companhia petrolífera, e morreu na Espanha. Somente o meu futuro e o de tia Mimi foram firmemente decididos: o meu, em 1935, quando resolvi submeter-me aos exames de admissão para Cambridge, e o dela, não muito depois, quando se apaixonou por um lote de terra disponível num pedaço encantador e protegido de um vale em South Down, a pouca distância de ônibus de Brighton, onde realizou o sonho de sua vida: possuir sua própria casa, transformando um grupo de cabanas e cavalariças no Café Viena Antiga. Lá morreu, com sua desafiadora cabeleira ruiva, com a idade de 82 anos, deixando o modesto lucro da venda de sua propriedade para mim e Nancy. Foi o único dinheiro que herdamos dos Grün ou dos Hobsbaum.

Mas eu não me sentia como alguém que se preparasse para o que acabou se transformando em uma longa vida de acadêmico inglês, embora minha esperança, aos dezessete anos, fosse que "meu futuro estará no marxismo, no magistério ou em ambas as coisas" (eu sabia perfeitamente que não seria poeta, embora "com a prática eu seja capaz de chegar a um estilo aceitável em prosa").[1] Espiritualmente, ainda vivia em Berlim, pois era um adolescente que acabara de ser arrancado de um ambiente em que me sentia bem e à vontade, tanto cultural quanto politicamente. Meu diário contém inúmeras referências a amigos e camaradas, a opiniões do antigo diretor da escola e às dramáticas experiências políticas que tinham ficado para trás. Esse foi, sem dúvida, o motivo pelo qual comecei a escrever meu diário em alemão. Não queria esquecer. Em meados de 1935, a visita de uma imigrante alemã socialista, que procurou envolver-me nas atividades de seu grupo — creio que era o chamado *Neubeginnen* ("novo começo") —, mostrou-me até que ponto minha vida era isolada. Ela (que "em suma representa a 'mulher moderna' de meus sonhos") era "parte de um mundo ao qual pertenci durante alguns meses e cuja existência, vivendo por detrás dos cenários do palco de minhas idéias, eu já quase esquecera".[2]

Após as emoções de Berlim, a Grã-Bretanha inevitavelmente era decepcionante. Nada em Londres igualava a carga emocional daquele tempo, a não ser, de forma muito diferente, a música de hot jazz a que me apresentou meu primo Denis — estudante de viola — e que tocávamos num gramofone de corda manual, no sótão da casa da mãe dele em Sydenham, onde a família inicialmente encontrou moradia em Londres e onde debatíamos com a intensidade da paixão juvenil, devorando latas de leite condensado extremamente açucarado ("impróprio para bebês") e xícaras de chá. Ainda não havia muita disponibilidade desse gênero de música, ainda mais tendo em vista nossos limitados recursos financeiros. Os jovens que mais facilmente se deixariam conquistar pelo jazz em 1933 dificilmente poderiam adquirir mais do que uns poucos discos e muito menos organizar uma coleção.[3] Mesmo assim, o mercado local oferecia Armstrong, Ellington e Fletcher Henderson, além das mais recentes gravações de Bessie Smith por John Hammond. O melhor de tudo foi a vinda a Londres da banda de Duke Ellington, a maior de todas, pouco antes que uma disputa comercial interrompesse as viagens de músicos americanos à Inglaterra durante vinte anos. Ainda sou capaz de citar de memória os nomes dos integrantes do conjunto. Era a temporada em que Ivy Anderson cantava "Stormy Weather". Denis e eu, presumivelmente financiados pela família, fomos ao espetáculo — que durava a noite inteira (*breakfast dance*) — em que tocaram, em um *palais de danse* nos bosques de Streatham, bebendo vagarosamente nossas cervejas nas galerias, pois desprezávamos a massa de dançarinos do sul de Londres que se moviam lentamente abaixo e que se concentravam em seus pares e não no maravilhoso som. Depois de gastar os últimos níqueis, voltamos para casa caminhando nas ruas escuras ou na madrugada, flutuando, prisioneiros para sempre. Tal como o escritor tcheco Josef Skvorecky — um dos que melhor escreveu sobre jazz —[4], eu experimentei essa revelação musical na idade do primeiro amor, aos dezesseis ou dezessete anos. No meu caso, porém, o jazz praticamente substituiu o primeiro amor, pois envergonhado por minha aparência física e convencido de que era pouco atraente, reprimi deliberadamente minha sensualidade e meus impulsos. O jazz trouxe a dimensão de uma emoção física sem palavras, sem questionamentos, para uma vida quase completamente monopolizada por palavras e exercícios intelectuais.

Na ocasião não imaginei que na vida adulta a reputação de amante do jazz me viesse a ser útil. Na época e durante a maior parte de minha vida, a paixão por esse gênero musical marcou um grupo pequeno e geralmente rebelde, até mesmo entre os gostos culturais minoritários. Durante dois terços de minha vida esse ardor cimentou os laços da minoria que o experimentava, transformando-a numa espécie de maçonaria intelectual quase clandestina, pronta a apresentar seu país àqueles que tivessem a senha correta. O jazz seria a chave que abriria as portas de quase tudo o que sei sobre a realidade nos Estados Unidos e em menor grau sobre o que um dia foi a Tchecoslováquia, a Itália, o Japão, a Áustria do pós-guerra e, não menos importante, partes até então desconhecidas da Grã-Bretanha.

O que contribuiu para a ultra-intelectualização de meus anos seguintes foi o fato de que passei a viver constantemente com um casal que para todos os efeitos eram meus pais e que se recusavam terminantemente a permitir ao entusiasmado menino de dezesseis anos mergulhar na vida de militância política que lhe povoava a mente. Sem dúvida eram de opinião que para um rapaz visivelmente inteligente, que não podia contar com recursos financeiros familiares, a primeira prioridade era concentrar-se em ingressar na universidade pelos próprios méritos. Estavam firmemente convencidos de que eu era demasiadamente jovem para entrar para o Partido Comunista.[5] Pela mesma razão, e apesar da solidariedade familiar com tio Harry, também se opunham a minha entrada para o Partido Trabalhista, o que eu pretendia fazer a fim de subvertê-lo, coisa que as gerações posteriores de trotsquistas chamaram de "entrismo". Agora posso imaginar como eles se sentiam diante de minha mistura de pedantismo e imaturidade. Torço-me por dentro ao ler minhas desesperadas anotações no diário, em 1934, durante esse episódio de crise familiar. Assim, embora a proibição fosse sendo pouco a pouco relaxada, vivi durante os dois anos e meio seguintes em estado de animação política suspensa e, por isso, acabei me concentrando numa atividade intelectual intensa e num volume de leitura que hoje, quando penso no assunto, ainda me espanta. Tampouco a revolução britânica parecia fazer grandes progressos, com ou sem mim.

Como vivemos juntos durante os três anos seguintes, quero recordar as duas pessoas que se tinham tornado novos pais para mim e minha irmã. Nancy e eu achávamos que ambos eram praticamente inúteis nessa função, mas, relendo meus diários de 1934-35, creio que eu e ela subestimávamos tanto os problemas de adultos obrigados a uma série de migrações em diversos países quanto as extraordinárias tensões de lidar com dois órfãos difíceis, cujas vidas deslocadas dificilmente se estabilizariam, para não mencionar o próprio filho de oito anos, igualmente peripatético e que adoecia constantemente. Criar-nos deve ter sido um pesadelo. Seja como for, eles complicaram bastante a educação do filho e a nossa, embora o prejuízo para mim tenha sido menor do que para minha irmã, que passou a sonhar com uma vida adulta que nada tivesse a ver com a dos lares continentais de sua juventude — conturbados, argumentativos e intelectualizados. Com efeito, minha recordação mais terna dela é a da tradicional matrona anglicana do interior, ativista do Partido Conservador em Worcestershire na década de 1960.

Diferentemente dela, eu não tinha motivos reais para culpá-los. Pelo contrário, não me pareciam tirânicos, porém "trágicos", como escrevi pouco antes de meu décimo oitavo aniversário. Considerava-os, especialmente a Gretl, vítimas do declínio e da desintegração das antigas convenções, que haviam plasmado as relações entre as gerações. As regras vitorianas de educação infantil haviam desaparecido. Eram duras para com as crianças, embora provavelmente a maioria não as considerasse inaceitáveis, mas eram muito úteis para os pais. Agora não havia nada que preenchesse essa lacuna. Paradoxalmente, cheguei a uma conclusão semelhante à de minha irmã, partindo do ponto de vista oposto. O futuro não deveria trazer uma sociedade sem regras aceitas e uma estrutura firme de expectativas. "O Estado socialista", escrevi em meu diário, "deve criar, e criará, uma nova convenção socialista que se libertará das desvantagens das antigas convenções e ao mesmo tempo conservará suas vantagens." Poder-se-ia dizer que eu desenvolvera os instintos de um comunista conservador, ao contrário dos rebeldes e revolucionários atraídos à causa pelo sonho de liberdade total para o indivíduo, de uma sociedade sem regras.

Eu adorava minha tia Gretl, e passei a respeitar profundamente seu bom senso. Coisa pouco comum entre pais e adolescentes sensíveis, gostava de conversar com ela sobre os problemas da vida e sobre minhas leituras. Além disso, levava a sério as opiniões dela, até mesmo em relação a temas como sexo e amor, sobre os quais eu nada sabia. No entanto, obviamente, ela não poderia substituir minha mãe.[6] Às vezes via pessoas na rua, fechava meus olhos por um instante e dizia para mim mesmo: "Essa pessoa tem os olhos da mamãe".[7] Gretl era a mais jovem, a mais bonita e socialmente a mais bem-sucedida das irmãs Grün, amada pelas outras duas e a única que jamais precisou ganhar a vida. Enfrentava os espinhos da terrível sorte de sua própria vida e da sua família — e houve muitos — armada com encanto, simpatia, uma sensatez inata e uma admirável ausência de autopiedade. "Sidney não acredita, ele sempre foi otimista", escreveu ela em uma breve nota à irmã, enquanto esperava a realização de uma operação para retirar de seu estômago um tumor "do tamanho de um punho fechado", descoberto alguns meses antes de minha ida para Cambridge. Não era pessimista nem otimista. Aceitava as coisas como vinham, e adivinhava — dessa vez corretamente — que o que poderia vir no dia seguinte era a morte. Sidney me levou a ver o corpo dela numa cama do Hospital Geral de Hampstead. Passo de carro pelo lugar, onde hoje fica o estacionamento do Hospital Royal Free, quase todos os dias a caminho de Belsize Park ou voltando de lá. Foi o primeiro cadáver que vi.

Não sei bem se realmente *respeitava* Sidney. Não queria ser como ele. Na verdade, desprezava e sentia-me pouco à vontade com sua autocompaixão, sua instabilidade de temperamento, essas mudanças características que iam e voltavam da raiva à sentimentalidade efusiva — a primeira, uma expressão de impotência, e a segunda, um grito de socorro. Como ambos éramos dados à confrontação (isto é, à contrariedade), tão freqüente nas famílias judias, nossas conversas em casa tendiam a ser dramáticas e exaltadas, muitas vezes absurdas. Creio que ele foi muito ruim para Nancy, especialmente depois da morte de Gretl, que o privou de seu lastro. Felizmente nessa época eu tinha bastante mais idade e sabia que estava prestes a me tornar independente. Mesmo assim, lembro-me dele intensamente e com prazer. Conversávamos, especialmente em Paris, em longas viagens nas quais eu fazia as vezes de motorista, pois em pouco mais de um ano estávamos suficientemente prósperos para poder comprar um carro, e eu aprendera a dirigir, em tempo para passar no exame que acabava de ser introduzido. Ele conhecia o mundo, e eu levava a sério o que dizia sobre isso, inclusive a observação de que os homens não devem falar das mulheres com quem dormem. Tinha informações de fonte segura sobre o cinema francês dos anos 30. Sem dúvida me proporcionou coisas que meu pai biológico não pôde me dar. Por sua vez, ele esperava que eu compensasse as esperanças freqüentemente frustradas de sua própria vida.

Embora Solomon Sidney Berkwood Hobsbaum — baixo, usando um pince-nez sob uma testa que franzia verticalmente (ao contrário da de meu pai) — tivesse sido o único dos filhos de meu avô David a se tornar homem de negócios em tempo integral, seu sonho não era ganhar dinheiro. Tinha a capacidade do vendedor para acreditar passionalmente no produto em voga no momento e a armadura que o protegia dos golpes dos telefonemas sem resposta e dos pedidos cancelados. Anos mais tarde reconheci muito dele na maravilhosa peça de Arthur Miller, *A morte do caixeiro-viajante*, como deve ser o caso de muitos filhos intelectuais de pais judeus. Mas, embora tivesse ambições — Napoleão era seu personagem histórico predileto e Rawdon Crawley, de *Vanity Fair*, de Thackeray, era o favorito na ficção —, o que o inspirava não era o dinheiro.

Quais teriam sido suas ambições na juventude em East End? Se tivesse nascido muito mais tarde, quando o dinheiro apareceu no jogo de xadrez e os ingleses tomaram gosto pela coisa, poderia ter conseguido algo com seu talento natural — e visivelmente grande — para esse jogo. Apresentando-se na França quando houve uma convocação aos jogadores de xadrez, conseguira um posto na inteligência (isto é, decifração de códigos) na Primeira Guerra Mundial. Parecia saber algo a esse respeito, mas era bem provável que qualquer um em sua situação que tivesse viajado pela Europa Central entre 1919 e 1933 encontrasse gente envolvida em serviços secretos. Entretanto ele se manteve alheio à política.

Em outros aspectos não era uma pessoa criativa, mas possuía a paixão pela cultura, característica dos judeus pobres e autodidatas, e adorava estar com sujeitos criativos — músicos, artistas de teatro e acima de tudo gente de cinema. Ouvi pela primeira vez na minha vida e muitas vezes depois, no fonógrafo dele e de Gretl, em Viena, uma seleção ainda vitoriana dos grandes clássicos vocais da primeira geração de gravações: Caruso, Melba, Tetrazzini, além do repertório das grandes árias, principalmente francesas e italianas (Verdi, Meyerbeer, Gounod). Na prática, seus contatos musicais eram mais modernos: Rose Pauly Dreesen, a Electra mais famosa de seu tempo, de cuja carreira ele participou no final dos anos 20, era a principal soprano dramática na *Krolloper* de Klemperer, em Berlim, na vanguarda da música de Weimar. Procurou conseguir para ela a ajuda de Dame Ethel Smyth (1858-1944), feminista dos tempos eduardianos e a mais célebre compositora da época, a quem conhecera quando jovem. Mas o cinema foi a paixão de sua vida. Não era tanto pela atmosfera dos manda-chuvas, oportunistas, aventureiros e escroques, embora tivesse chegado a conhecer gente desse tipo na época da Universal. Gostava do ambiente do estúdio, dos grandes hangares onde se criavam mundos; pequenos emigrantes judeus às voltas com grandes palcos, câmeras, luzes, maquiagem e cenários, tudo recheado de técnicas, mexericos, informalidade boêmia e escândalos. Levei-o várias vezes de carro a esses lugares, em Isleworth e Elstree. Para ele, era onde o homem se encontrava com a criação. Na Inglaterra conseguiu com esforço voltar a esse mundo, convencendo uma empresa fotográfica de que seus contatos cinematográficos o credenciavam a vender ações da companhia que competia com a Kodak e a Agfa. Após alguns anos de uma batalha perdida, armado com um produto pouco competitivo ("tio Sidney vai a Budapeste amanhã. Telegrama furioso de Joe Pasternak. Aparentemente Selofilm não é de boa qualidade"), acabou desistindo, emigrou de novo e, provavelmente por indicação de seu irmão Berk, investiu seu pequeno capital numa modesta empresa chilena que produzia utensílios de cozinha. No fim da guerra abandonou esse negócio pouco inspirador, porém seguro, para seguir um palpite de um velho contato, que sugeria a possibilidade de participar de alguma nova operação cinematográfica a ser lançada em conexão com o surgimento das Nações Unidas. Nada aconteceu. O sonho da vida criativa acabara. Já com mais de cinqüenta anos, deixara de lado um padrão de vida razoável para seguir um sonho. Nunca mais teve sucesso em algo.

Mesmo assim, durante alguns anos na década de 30 conseguiu viver sua fantasia à margem da tragédia européia, e eu lucrei com isso. Quem mais lhe poderia dar oportunidades senão os que estavam à margem do mundo cinematográfico — os refugiados e radicais? Assim, ele se viu envolvido em filmes políticos financiados pela esquerda francesa na época da Frente Popular, especialmente *La Marseillaise*, de Jean Renoir, e nos noticiários políticos que me permitiram ver a grande comemoração da queda da Bastilha, em 1936, do caminhão de filmagem do Partido Socialista, usando um distintivo de ajudante do partido. Durante a Guerra Civil retomou seus contatos na Espanha, ou melhor, na Catalunha. Voltou de viagens a Barcelona em 1937 contando histórias de conversas com o líder catalão Luis Companys (mais tarde executado por Franco) e com um inglês de classe alta chamado Eric Blair. Eram causas perdidas. Embora simpatizasse com a esquerda, como a grande maioria dos judeus de famílias proletárias, meu tio preferia manter-se afastado da política partidária. A lógica da história o levou a ganhar a vida por meio de seus contatos com os militantes antifascistas, enquanto isso foi possível. Mas não durou muito tempo.

II

A Inglaterra para a qual voltei em 1933 era completamente diferente, em quase todos os aspectos, do país em que escrevo estas linhas, no início do novo século. A história da ilha durante o século XX a divide claramente em duas metades — em uma frase, antes e depois dos choques simultâneos de Suez e do rock'r'roll. Quase todas as generalizações sobre o país a que cheguei em 1933 já não são aplicáveis a partir de 1956, nem mesmo a notória ineficiência do sistema britânico de aquecimento doméstico e uma de suas conseqüências, o impenetrável fog de Dickens que até 1953 ainda de vez em quando paralisava Londres. A Grã-Bretanha já não era um grande império nem uma potência mundial, e após Suez ninguém mais acreditou nisso. A cultura popular produziu compensações, criando sagas de heroísmo britânico e de vitória contra os alemães na Segunda Guerra Mundial. Em 1933 as pessoas pensavam na Primeira Guerra não com recordações de heroísmo, mas de túmulos. No entanto, todos sabiam que uma região do mundo mais extensa do que em qualquer época anterior era socialista, e que éramos o único império global, ainda que os imperialistas inteligentes reconhecessem que já não podíamos controlá-lo adequadamente. Mas a pele dos ingleses ainda era branca. Em 1933, era mais fácil encontrar rostos negros e pardos nas ruas de Paris do que nas de Londres, e com exceção do Veeraswamy, no West End, praticamente não existiam restaurantes indianos. Com efeito, os estrangeiros de qualquer tipo eram raros, pois a Inglaterra não era centro de turismo internacional, o qual de qualquer forma ainda era mínimo para os padrões de hoje.

Foi só por causa de Hitler e da guerra que um pequeno grupo de pessoas oriundas do continente chegou à Inglaterra, cujas reações o húngaro George Mikes descreveu com ternura no livrinho *Como ser um forasteiro*. Ao contrário dos mitos locais, o país fez o possível para excluir os refugiados, mas, diferentemente de Mikes, a geração seguinte de imigrantes húngaros, os refugiados de 1956-57, já não pensariam em descrever a Grã-Bretanha como o país onde os sacos de água quente substituíam o sexo. A revolução dos costumes sexuais e sociais dos jovens britânicos ocorreu na década de 50. Nos anos 30, seria inconcebível a idéia de Londres como uma cidade internacional de moda, diversão e promiscuidade (como a *swinging London* dos anos 60). Para os homens heterossexuais as coisas aconteciam em Paris ou na Riviera francesa, e, para os homossexuais, em Berlim — pelo menos até o advento de Hitler. Para as mulheres, o panorama público permanecia restrito de ambos os lados.

A Grã-Bretanha de 1933 era ainda uma ilha estanque, com a vida governada por regras tácitas porém autoritárias, por rituais e tradições inventadas, a maioria relativa aos sexos ou a classes sociais, mas também por outras virtualmente universais, geralmente ligadas à nobreza. O hino nacional era tocado no final de todas as sessões de cinema ou representações teatrais, com a platéia de pé, e só depois os espectadores saíam da sala. Em qualquer lugar em que estivessem, as pessoas observavam os dois minutos de absoluto silêncio no Dia do Armistício, 11 de novembro. O sotaque "correto" unia as classes superiores (mas não os *parvenus*, que eram assim reconhecidos) e assegurava um comportamento cerimonioso de parte das camadas mais baixas — tivessem elas consciência de classe ou não —, pelo menos em público.

Na década de 30 essas coisas eram óbvias, mas naturalmente não se esperava que fossem válidas do outro lado do mar que nos separava dos estrangeiros. A Grã-Bretanha era insular em todos os aspectos. Um médico judeu refugiado que solicitou visto de entrada na Inglaterra como potencial empregado doméstico (a única possibilidade disponível) e se propôs a trabalhar como mordomo teve o visto denegado sem qualquer hesitação, humanitária ou de outra natureza, pelo funcionário da Repartição Britânica de Controle de Passaportes em Paris. "Absurdo", despachou ele, "pois a função de mordomo exige experiência de toda uma vida."[8] Ele não conseguia imaginar um mordomo que não fosse britânico nato.

Ainda assim, pelos padrões europeus continentais, o país ainda era rico, técnica e economicamente adiantado e bem equipado, ainda que Paris fosse mais divertida para um jovem com pouco dinheiro no bolso. Os assentos dos trens e do metrô eram estofados, até mesmo na terceira classe; o calçamento das ruas tinha poucos buracos e até as estradas rurais eram asfaltadas. As casas novas, mesmo as pequenas, tinham banheiro e vaso sanitário, além de jardins particulares, e se multiplicavam por dezenas de milhares nas fímbrias das grandes cidades, num fenômeno ainda não reconhecido como uma explosão da construção civil. Os automóveis não eram privilégio de ricos, e até mesmo os pobres possuíam rádio. Por outro lado, as expectativas materiais eram limitadas, e a maioria da população ainda não se aventurara demasiadamente para além do reino onde o dinheiro é gasto principalmente nas necessidades modestas da vida — como descobri quando por pouco tempo freqüentamos a classe média que tinha carro e ia a coquetéis em Canon's Park, Edgware. A Grã-Bretanha estava longe de ser uma sociedade de consumo moderna, especialmente para os menores de vinte anos. Somente na metade da década de 50, com o pleno emprego, os jovens que trabalhavam passaram a ter dinheiro para gastar, e seus pais puderam contar com a contribuição deles para o orçamento familiar. Felizmente, os luxos necessários aos intelectuais emergentes eram também baratos: os filmes, exibidos em palácios cada vez mais vastos, precedidos por música de órgãos que surgiam das profundezas do palco com luzes cambiantes, e os livros, de segunda mão ou brochuras — os novos Penguin, que custavam seis *pence* —, os quais chegavam a ser distribuídos de graça pelos jornais de circulação de massa que competiam para ultrapassar a barreira dos 2 milhões de exemplares. Ainda tenho as *Collected Plays*, de Bernard Shaw, que ganhei como brinde ao comprar seis números do *Daily Herald*, o jornal do Partido Trabalhista, que por breve tempo fora o vencedor dessa corrida (e que no decorrer da história britânica no século xx se transformou no tablóide *Sun*, que dificilmente ofereceria literatura clássica a seus leitores como forma de aumentar a circulação). Até mesmo a forma de transporte que nos libertou era barata, pois nós, ou nossos pais, seguimos o conselho dos anúncios na traseira dos ônibus londrinos de dois andares: "Desça desse ônibus. Ele jamais será seu. Compre uma bicicleta por dois *pence* por dia". Com efeito, com poucas prestações semanais podia-se comprar a bicicleta — no meu caso uma brilhante Rudge-Whitworth, que custava mais ou menos cinco ou seis libras. Se a mobilidade física é condição essencial da liberdade, a bicicleta talvez tenha sido o instrumento singular mais importante, desde Gutenberg, para atingir o que Marx chamou de plena realização das possibilidades de ser humano, e o único sem desvantagens óbvias. Como os ciclistas se deslocam à velocidade das reações humanas e não estão isolados da luz, do ar, dos sons e aromas naturais por trás de pára-brisas de vidro, na década de 30, antes da explosão do tráfego motorizado, não havia melhor maneira de explorar um país de dimensões médias com paisagens tão surpreendentemente variadas e belas. Com a bicicleta, uma tenda, um fogareiro a gás e a novidade da barra de chocolate Mars, explorei com meu primo Ronnie (que a pronunciava "Marr", como se fosse em francês) grande parte das belezas civilizadas do sul da Inglaterra, e, numa memorável excursão de inverno, também as mais selvagens do norte do País de Gales. (Quase sessenta anos mais tarde, a lembrança desses passeios alimentados com as barras de chocolate Mars foi reavivada pela surpreendente proposta feita a mim pelo próprio Forrest B. Mars, que morava em Las Vegas, tinha então oitenta anos e era proprietário da maior companhia totalmente privada do mundo, para ajudá-lo a explicar a um público mais amplo suas idéias a respeito do mundo. Recusei delicadamente. Ao que parece, uma jovem conhecida sua havia sugerido essa inusitada colaboração entre o clássico modelo da sólida e irreconciliável empresa privada e um historiador marxista.)

Como poderia um jovem imigrante em 1933 entender aquele estranho país, que era também o seu? De certa forma cheguei a ele como a Alice de Lewis Carroll chegou ao País das Maravilhas, através de algumas portas e corredores estreitos abertos pela família e especialmente por meus primos, que eram meus melhores amigos — na verdade os únicos.

Por essa época a família na Inglaterra estava reduzida. Já haviam morrido David e Rose Obstbaum, chegados a Londres na década de 1870, quando sem dúvida algum funcionário *cockney* de imigração lhes havia adicionado um H inicial ao sobrenome. Três de seus oito filhos também eram falecidos: Lou, ator de província; Phil, que seguira a profissão familiar tradicional de marcenaria, e meu pai. (Uma filha do primeiro casamento de David, minha tia Millie Goldberg, mudara-se muitos anos antes para os Estados Unidos, matriarca de um clã que hoje se espalha naquele país e em Israel.) Um quarto parente, meu tio Ernest (Aron), que originalmente convencera meu pai a ir ter com ele no Egito, onde trabalhava no serviço postal e telegráfico, morreu pouco depois de nossa chegada, entre os enfeites de bronze e as histórias que recordavam a vida no Oriente. Deixou uma viúva — uma belga católica —, que ganhava a vida com mais eficiência do que ele, e duas belas filhas que despertavam interesse dos primos. O tio Berkwood (Ike), casado com uma galesa e pai de cinco filhos, havia se estabelecido no Chile, mas mantinha-se em contato. Restavam a tia Cissie (Sarah), professora primária cujo marido estava sempre "ausente a negócios", e o tio Harry, inabalável pilar da família, no mínimo por ser o único que ganhava um salário modesto porém constante de algo como quatro libras por semana como telegrafista dos Correios, onde permaneceu por toda a vida com exceção do tempo da Grande Guerra. Serviu na frente de batalha de Ypres e posteriormente teve a sorte de ir para a Itália, o que provavelmente lhe salvou a vida. Conselheiro municipal do Partido Trabalhista do distrito londrino de Paddington, acabou por se tornar seu primeiro prefeito trabalhista. Os Hobsbaum haviam chegado como família de artesãos pobres e progrediram além dos primeiros endereços registrados em Whitechapel, Spitalfields e Shoreditch, mas não muito. Na Inglaterra, mantiveram-se obstinadamente nos níveis mais baixos das camadas da sociedade.

No entanto, o universo social da família abrangia um espectro amplo e representativo da Inglaterra. Ia desde as aulas de dança e "elocução" — isto é, como falar com o sotaque burguês —, dadas por minha prima Rosalie, filha de Cissie, para filhas de mães suburbanas ambiciosas em Sydenham, até os meios trabalhistas do conselheiro Harry Hobsbaum em North Paddington, chegando ao mundo dos intelectuais plebeus autodidatas e aspirantes a artista no qual se encontravam meus primos, o mundo das reuniões nas casas de chá Lyons ou ABC, grupos de debate, aulas noturnas e aquela maravilhosa instituição: a biblioteca pública com sala de leitura. Esse foi o mundo para o qual Allen Lane criou em 1936 a primeira grande série de brochuras para auto-educação, a Penguin, ou melhor, sua seção intelectual, os livros Pelican, e Victor Gollancz organizou o Left Book Club, no qual meu primo Ruby (filho de Philip) publicou a primeira contribuição da família à literatura de esquerda: *Freud e Marx*, de Reuben Osborn.

Minha apresentação ao cenário britânico fora da família e da escola se deu por intermédio desse mundo. Em parte se deveu ao filho de Cissie, Denis, personagem moreno e razoavelmente elegante dentro de seus limites financeiros, que roía as unhas, abandonara a escola e a partir de meados da década de 1930 conseguiu tocar sua vida sem um emprego certo nas camadas inferiores do mundo musical, teatral e de entretenimento popular. Mas foi principalmente por obra do filho de Harry, Ronnie, fisicamente esbelto e de aparência judia, que nessa época ainda morava com os pais em Maida Vale e acalentava uma paixão pelo mar, a qual satisfez na marinha durante a guerra e a partir daí como marinheiro em pequenos barcos no estuário de Blackwater. Quando cheguei à Inglaterra ele trabalhava como servente em algum lugar nas entranhas do Museu de História Natural — que naquele tempo abrigava vários pensadores populares e boêmios tranqüilos —, enquanto estudava à noite na Escola Politécnica da Regent Street preparando-se para os exames da escola secundária. Posseguiu formando-se com distinção em economia na London School of Economics, que lhe permitiria galgar lentamente os degraus do serviço público — escrevente e depois executivo — até os níveis administrativos mais elevados no Ministério do Trabalho.

Recusei qualquer contato com a pequena burguesia suburbana, que eu naturalmente desprezava. Como o movimento trabalhista representado por meu tio Harry, e mesmo por seu filho um pouco mais esquerdista, era dominado pelos social-democratas reformistas, achei-o também decepcionante, embora curioso. Ao contrário da social-democracia alemã, não poderia simplesmente ser condenado à fogueira. Embora Harry fosse fiel ao Partido Trabalhista e o defendesse contra os duros ataques do Partido Comunista britânico, compartilhava o entendimento geral do movimento trabalhista da Grã-Bretanha (a não ser, talvez, entre os que se encontravam sobre influência direta da Igreja católica) de que, dissessem o que dissessem, a Rússia soviética, afinal de contas, era um Estado de operários. Assim como a maioria dos ativistas do partido e dos sindicatos, não aprovava os comunistas, mas os colocava do mesmo lado dos trabalhistas. Além disso, eu não podia negar que, ao contrário da social-democracia alemã, somente alguns líderes trabalhistas tinham se vendido à burguesia em 1931, quando o primeiro-ministro do governo trabalhista de 1929, Ramsay Macdonald, e dois outros colegas juntaram-se aos conservadores em um chamado "Governo Nacional" que continuou à frente do país até a queda de Neville Chamberlain, em 1940. Como seria possível considerar traidores da classe, no mesmo sentido, o grosso do partido, passionalmente anti-Macdonald, reduzido a cerca de cinqüenta na Câmara dos Comuns?

Por outro lado, e tendo em vista a Greve Geral de 1926, o movimento trabalhista simplesmente não correspondia a minha visão ideal do "proletariado (revolucionário)". Isso era intrigante, pois em certos aspectos o cenário britânico se assemelhava ao alemão, sacudido pelos tremores do terremoto político e econômico global da crise mundial de 1929. A política britânica também havia sido convulsionada. Havia radicalização na direita e na esquerda, inclusive um movimento fascista de camisas-negras que durante um momento pareceu constituir-se em grave ameaça nacional. Embora a estrutura vacilasse um pouco, não parecia estar à beira do colapso, como efetivamente não esteve. A julgar pela Grã-Bretanha, a revolução mundial claramente levaria muito mais tempo do que se imaginava. Como, segundo meu diário, eu não esperava chegar à idade de quarenta anos (aos dezessete até mesmo isso parecia muito distante), talvez eu não o percebesse. Porém naquela época o próprio Komintern estava a ponto de descobrir que não haveria revolução a menos que se ganhasse primeiro a luta contra o fascismo e a Guerra Mundial.

III

Pode parecer estranho que até agora eu quase nada haja dito sobre a instituição que freqüentei desde a chegada à Inglaterra e até deixá-la três anos mais tarde a fim de ir para Cambridge. Foi a escola que mais freqüentei, considerando todos os países pelos quais passei: era a St. Marylebone Grammar School, na esquina da Marylebone Road e Lisson Grove, no centro de Londres. Tinha sido anteriormente a escola de meu primo Ronnie (eu o segui como vencedor da Copa de Debates). Tal como o Prinz-Heinrichs-Gymnasium, ela já não existe, embora não tenha sido destruída por bombas inimigas e sim pela ideologia da década de 1970, época ruim para a educação secundária. Recusou a opção que lhe foi oferecida — transformar-se em uma escola geral não seletiva para todos os que aparecessem ou virar escola particular — e conseqüentemente foi fechada. Obtive nela a melhor educação possível na Inglaterra na década de 1930 e tenho com seus professores uma incalculável dívida de gratidão. Porém, por motivos que ainda me desconcertam, ela surpreendentemente contribuiu muito pouco para que eu entendesse a Inglaterra, exceto pela descoberta de que ao contrário dos *Herren Professoren* de Berlim, *todos* os professores de St. Marylebone tinham senso de humor. (Tomei nota disso especialmente.) O que não percebi na ocasião era que na Grã-Bretanha os mestres de escola secundária poderiam pertencer *socialmente* ao mundo universitário, porém não *intelectualmente*. Ao contrário daqueles que seriam meus professores nas classes finais das escolas alemãs, francesas ou italianas, muito raramente os ingleses eram pesquisadores, eruditos ou futuros acadêmicos. Gravitavam na esfera separada do magistério.

Mais surpreendentemente, não fiz amizades sérias durante esses três anos na escola. Certamente o abismo histórico entre meus antigos países e o novo era demasiado largo. Pelos padrões berlineses de 1932, Londres parecia uma volta à imaturidade. Na Marylebone Road de 1933-36 não havia como prosseguir as conversações do Prinz-Heinrichs-Gymnasium de 1931-33. Exceto com meu primo Ronnie, que já era estudante universitário, somente as retomei ao chegar a Cambridge. Talvez seja essa uma das razões para eu ter subestimado durante os dois primeiros anos a modesta porém verdadeira radicalização política de diversos de meus colegas de escola. A julgar por meu diário, o outro motivo era pura vaidade. Eu me considerava intelectualmente no nível dos professores e superior aos demais. Tampouco partilhava das aspirações sociais da escola, uma versão caricatural das "escolas particulares" burguesas (não internatos): uniforme e casquete obrigatórios, monitores, "casas" rivais, retórica moral e tudo o mais, e fiz o possível para deixar clara a minha desconformidade. A escola, por sua vez, não sabia bem o que fazer com o recém-chegado da Europa Central, incompletamente disciplinado, que ignorava as regras tanto do críquete como do rúgbi e que não se interessava nem um pouco por esses jogos, porém demasiado adiantado para que não se tornasse logo monitor, e demasiadamente intelectual para que não fosse redator da revista da escola, *The Philologian*. Nesse periódico, entre relatos de façanhas esportivas, apareceram meus primeiros escritos impressos, todos os quais já esqueci, exceto uma longa apreciação sobre a Exposição Surrealista de Londres de 1936; posteriormente, no mesmo ano, tive alguns encontros sociais em Paris com um de seus expositores. Em pouco tempo a escola percebeu que eu me saía bem nas provas e que tinha grandes possibilidades de obter uma bolsa de estudos universitária.

O que me fazia aceitar as ostentações da escola era a qualidade dos professores e sobretudo sua dedicação à profissão, a começar pelo diretor, Philip Wayne (que mais tarde traduziu o *Fausto* de Goethe para os Clássicos Penguin), que em nossa primeira entrevista lamentou que a escola só pudesse continuar me ensinando latim e não grego, e em compensação me entregou um volume do filósofo Immanuel Kant e uma seleção de ensaios de William Hazlitt.

A Escola Filológica havia sido fundada na década de 1790 para os filhos de pais modestos — porém ambiciosos — de Marylebone e prosseguiu, posteriormente sob orientação do Conselho do Condado de Londres, a proporcionar como escola elementar o tipo de instrução de que necessitavam as classes médias londrinas, que não tinham esperanças de ir além da educação secundária nem de deixar marcas muito profundas no mundo. Felizmente para a geração dos filhos deles, que começaram a freqüentar a universidade na década de 1930, essa instrução não era de modo algum de segunda classe, ainda que às vezes nos parecesse chegar como uma dádiva voluntária da parte de quem estava firmemente estabelecido nas camadas superiores aos inferiores sociais merecedores.

Harold Llewellyn-Smith, um dos pilares do Partido Liberal, de boa aparência, com excelentes ligações, que nunca se casara, filho do idealizador da política trabalhista na Grã-Bretanha eduardiana e georgiana e de boa parte do welfare state e que foi meu professor de história, encaminhou-me a Oxbridge e acabou por tornar-se diretor da escola. Ele sabia que vinha de cima: estudara em Winchester e no New College, em Oxford, e na guerra servira na Guarda Escocesa. Quase certamente a razão pela qual havia preferido ensinar em uma escola secundária estatal sem maior renome — cujo único ex-aluno conhecido do mundo exterior era o cantor da aventura londrina de classe média, Jerome K. Jerome, autor de *Três homens em um barco* — era a mesma pela qual trabalhava numa favela na parte sul de Londres. Além da atração por estar em companhia de meninos, havia o desejo de fazer boas obras com os menos privilegiados. Emprestou-me seus livros, mobilizou seus conhecidos em meu favor, ensinou-me (corretamente) como me comportar nos exames de Oxbridge e quais faculdades eram melhores para mim (Balliol em Oxford e King's em Cambridge) e advertiu-me de que eu teria de viver como os ricos, entre cavalheiros. Sempre ficou claro que ele nunca me considerou nem sequer potencialmente parte de seu mundo.

Um abismo social semelhante nos separava do mais interessante dos professores, um jovem graduado em literatura inglesa, que fora para Marylebone vindo de Cambridge, trazendo para quem quisesse ouvir — e certamente eu estava entre esses — o grande evangelho do *A prática da crítica literária* de I. A. Richards e F. R. Leavis. Devorei o *Novas tendências de poesia inglesa* que ele me emprestou, juntamente com edições particulares dos poetas que ele mais admirava, e me fez colocar a faculdade de Leavis, Downing, como minha terceira escolha no exame para a bolsa de estudos (depois do King's e do Trinity, por causa da presença de Maurice Dobb). Sua reputação como grande crítico literário não vicejou no século xx, e na época em que cheguei a Cambridge meu próprio entusiasmo por Leavis já esfriara; mas nenhum professor de seu século teve maior impacto sobre o ensino da literatura. Possuía uma incrível capacidade para inspirar gerações de futuros professores de escola que, por sua vez, inspiravam seus melhores alunos. Para o professor Maclean, a língua inglesa era uma cruzada que devia ser levada ao povo. Estou certo de que teria continuado a ser professor, se não tivesse morrido na guerra. Suas aulas sem dúvida me inspiraram. Eu achava que tínhamos muita coisa em comum — no mínimo o nariz grande e feio e o rosto malformado, com olhos castanhos pouco à vontade sob os aros de chifre dos óculos, um corpo volumoso e desajeitado que não sabia bem o que fazer com braços e pernas e uma alma sensível. Infelizmente, acho que o marxismo não era para ele.

Durante três anos, Marylebone foi meu centro intelectual, não apenas a escola, mas também, a poucos metros de distância, a esplêndida Biblioteca Pública Municipal do que era então um distrito de Londres, na qual eu passava a maior parte do tempo livre vespertino em leituras e empréstimos onívoros. (Nunca mais utilizei a biblioteca depois disso, mas no mesmo edifício fica o Registro Civil no qual, muitos anos mais tarde, em 1962, eu me casaria com Marlene.) Minha educação não foi obtida apenas na escola. Na verdade, no último ano que lá passei (1935-36) ela me servia mais como estúdio, onde eu lia o que desejava. Porém minha dívida com St. Marylebone é imensa, e não somente por me haver apresentado às surpreendentes maravilhas da poesia e prosa inglesas. Sem seus ensinamentos e suas orientações, não sei como um rapaz que jamais estivera em escola inglesa, chegado ao país com quase dezesseis anos, poderia conseguir, em pouco mais de dois anos, ganhar uma importante bolsa de estudos para Cambridge e, uma vez tendo chegado à faculdade, poder escolher graduar-se em pelo menos três matérias. Também foi St. Marylebone que me auxiliou a passar novamente, da terra de ninguém na qual (sem contar a família) eu vivera desde quando deixara Berlim, de volta para o terreno essencial à juventude: o da amizade, camaradagem, intimidade particular e coletiva.

IV

Que aconteceu realmente ao desenvolvimento intelectual daquele jovem durante aqueles três anos? Antes de mais nada, eu tive a oportunidade de ler mais ampla e genericamente nesse período, especialmente em literatura, do que em qualquer outro, antes ou depois. Como os exames das escolas secundárias exigiam muito menos conhecimento especializado do que as universidades, sem falar em pesquisa, deixavam mais tempo aos alunos aventureiros para suas próprias explorações — e nessa idade quase tudo está por ser descoberto. Além disso, o sexto ano na Inglaterra exige menos esforço do que seu correspondente no continente, pelo menos porque era preciso escolher entre artes e ciências, e isso já significava a metade do currículo continental. Depois de ingressar na universidade, ninguém que quiser levar a sério seu curso terá o tempo que em geral o adolescente diligente possui para ler tudo, rápida e vorazmente, e com infinita curiosidade. Mas que fiz eu com toda essa leitura?

A resposta mais simples é esta: tentei dar-lhe uma interpretação marxista, isto é, essencialmente histórica. Não havia muito mais que pudesse ser feito por um menino comunista intelectual e passional, porém desorganizado e necessariamente inativo. Como eu não lera muita coisa além do *Manifesto comunista* ao deixar Berlim — a ação veio antes das palavras —, eu precisava adquirir algum conhecimento de marxismo. Meu marxismo era — e até certo ponto ainda é — o que se obtém nos únicos textos então facilmente disponíveis fora das bibliotecas universitárias: as obras e seleções dos "clássicos" sistematicamente distribuídas (e traduzidas em edições locais fortemente subsidiadas) sob os auspícios do Instituto Marx-Engels em Moscou. Curiosamente, até surgir a famosa *Breve história do Partido Comunista da União Soviética* (1939) de Stalin, que continha uma parte central sobre "Materialismo dialético e histórico", não existia um compêndio formal da ortodoxia comunista soviética sobre esses temas. Quando essa parte apareceu, li-a com entusiasmo, descontando suas simplificações pedagógicas. Correspondia em grande parte ao que eu — e talvez também a maioria dos comunistas britânicos intelectuais da década de 1930 — entendia por marxismo. Gostávamos de considerá-lo "científico", num sentido próximo ao do século XIX. Como, ao contrário dos *lycées* e *Gymnasia* continentais, a filosofia não era matéria obrigatória da educação secundária, não nos dedicávamos a Marx com o interesse filosófico de nossos contemporâneos do continente, e muito menos com o conhecimento de filosofia que já possuíam. Isso me ajudou a anglicizar rapidamente minha maneira de pensar. Aquilo que Perry Anderson chamou de "marxismo ocidental" — o marxismo de Lukács, da Escola de Frankfurt e de Korsch — jamais atravessou o canal da Mancha até a década de 1950. Ficamos satisfeitos em saber que Marx e Engels haviam colocado Hegel na posição ereta, sem nos preocuparmos em descobrir o que era exatamente aquilo que ficara de pé. O que tornava o marxismo tão irresistível era sua amplitude. O "materialismo dialético" fornecia, se não uma "teoria de tudo", pelo menos um "arcabouço de tudo", juntando a natureza inorgânica e orgânica com os assuntos humanos, coletivos e individuais, e proporcionando um guia para a natureza de todas as interações em um mundo dinâmico.

Lendo meu diário de 1934-35, fica perfeitamente claro que seu escritor estava se preparando para ser historiador. O que eu procurava fazer acima de tudo era elaborar interpretações históricas marxistas de minhas leituras. Mas fazia isso de uma maneira que provavelmente não seria a mesma se eu tivesse prosseguido meus estudos no continente. A "concepção materialista da história" era, naturalmente, essencial ao marxismo. No entanto, a Grã-Bretanha da década de 1930 era um dos raros países em que se havia desenvolvido uma escola de *historiadores* marxistas, e creio que isso se deveu ao fato de que entre as humanidades, no sexto grau secundário britânico, a literatura tomara o espaço vazio deixado pela filosofia. Os historiadores marxistas britânicos haviam começado, em grande parte das vezes, como jovens intelectuais que passaram para a análise histórica a partir de uma paixão pela *literatura*, ou dela se aproximaram juntamente com a literatura: Christopher Hill, Victor Kiernan, Leslie Morton, E. P. Thompson, Raymond Williams e eu também. Isso pode ajudar a explicar a estranha e surpreendente influência do antimarxista F. R. Leavis sobre muitos dos que se tornaram comunistas. Os comunistas de Cambridge que estudavam inglês o idolatravam.

Meu próprio marxismo se desenvolveu como uma tentativa de compreender as humanidades. O que me preocupava na época não eram os problemas macro-históricos clássicos do debate histórico marxista sobre o desenvolvimento da história — a sucessão de "modos de produção". Era o lugar e a natureza do artista e das artes (de fato, a literatura) na sociedade, ou, em termos marxistas, "De que forma a superestrutura está ligada à base?". Em algum momento no outono de 1934 comecei a reconhecer nisso "o problema" e preocupar-me com ele — como um cachorrinho que se vê às voltas com um osso excessivamente grande — com o auxílio de muita leitura assistemática de psicologia e antropologia e ecos dos tempos continentais de minhas leituras sobre biologia, ecologia e evolução nas publicações do *Kosmos, Gesellschaft der Naturfreunde*. A teoria era ambiciosa. "Marx foi capaz de prever o sistema socialista com base em uma análise precisa do sistema capitalista. Uma análise precisa da literatura capitalista, que leve em consideração todas as circunstâncias, todas as conexões e relações, deverá nos permitir chegar a conclusões semelhantes sobre a cultura proletária do futuro." Logo abandonei essas previsões globais, mas a pergunta histórica que fiz a mim mesmo com a idade de dezessete anos moldou permanentemente minha obra de historiador. Ainda estou tentando "analisar as influências (sociais) que determinam a forma e o conteúdo da poesia [e, mais geralmente, das idéias] em diferentes épocas". Mas eu aprendera um pouco mais de história do que era necessário — juntamente com um pouco de manha de jogador — para passar no exame para a bolsa de estudos de Cambridge.

V

No início de 1936 resolvi cautelosamente — "pois vivo no século xx e [...] de qualquer forma não sou dado ao otimismo" — encerrar o diário que mantivera durante quase dois anos. "Já não preciso mais dele", escrevi, na última anotação.

> Só Deus saberá por quê. Talvez porque ganhei a bolsa de Cambridge e se tudo correr bem tenho três anos de independência à minha frente. Talvez porque S. [que conheci durante o exame para a bolsa e que se tornou um vínculo para toda a vida] seja a primeira amizade que fiz sozinho, sem retirá-la parasiticamente do bolso de outrem [...] Talvez porque agora tenho diante de mim um ano somente de meu próprio trabalho [isto é, até ir para Cambridge]. Por que tudo parece mais cor-de-rosa para mim? Talvez porque passarei a ter uma vida menos de "segunda mão"?

O momento parecia adequado para um balanço — esperava eu que sem sentimentalismo e auto-engano. Assim o fiz:

Eric John Ernest Hobsbaum, sujeito alto, anguloso, vacilante, feio, de cabelos claros e dezoito anos e meio de idade, que "pesca" rápido as coisas, dono de consideráveis conhecimentos gerais, ainda que superficiais, e de muitas idéias originais, gerais e teóricas. Incorrigível tomador de atitudes, o que é mais perigoso e às vezes eficaz, porque se convence a si mesmo a nelas acreditar. Não está apaixonado e aparentemente consegue com êxito sublimar suas paixões, as quais — quase nunca — encontram expressão na apreciação extática da natureza e da arte. Não possui sentido de moralidade; completamente egoísta. Algumas pessoas o acham extremamente desagradável, outras gostam dele, e outras ainda (a maioria) simplesmente ridículo. Deseja ser revolucionário, porém até o momento não demonstrou talento para organização. Deseja ser escritor, porém lhe falta energia e capacidade para dar forma ao material. Não possui a fé que moverá as necessárias montanhas, apenas esperança. É vaidoso e convencido. É covarde. Ama profundamente a natureza. E esquece a língua alemã.

Com esse espírito enfrentei o ano de 1936 na Universidade de Cambridge.

7. Cambridge

Numa sociedade como a da Inglaterra na primeira metade do século XX, passar do ambiente de uma classe social para o de outra equivalia a uma espécie de emigração. Ganhar uma bolsa de estudos para Cambridge em 1935 era, portanto, o mesmo que se mudar para um país novo e diferente e ainda mais estranho por ser mais desconhecido do que aqueles em que anteriormente eu morara. Menos em um aspecto: após um intervalo de três anos eu retornava então ao tipo de política e de conversas que tinha sido forçado a abandonar ao deixar Berlim. Cheguei a Cambridge com a firme decisão de finalmente ingressar no Partido Comunista e mergulhar na política. Da forma como as coisas aconteciam, não estava sozinho. Minha geração foi a mais vermelha e mais radical da história da universidade, e eu estava mergulhado nela. Aconteceu que minha chegada também coincidiu com o que talvez tenha sido a época mais brilhante da vida de uma universidade que durante décadas fora sinônimo de êxitos científicos britânicos, mesmo considerando-se totalmente um passado que incluía nomes como Newton, Darwin e Clerk Maxwell. As duas coisas não estavam separadas: a década de 1930 foi um dos poucos períodos em que, incomumente, muitos eminentes naturalistas eram também politicamente radicais. Devo acrescentar que as realizações científicas de Cambridge nessa década sobreviveram melhor do que as do radicalismo político de seus estudantes. Raras dessas últimas deixaram rastro, até mesmo na memória pública, excetuando-se um derivado menos importante do comunismo dos anos 30, os "espiões de Cambridge".

Como fui um dos principais estudantes comunistas em Cambridge na segunda metade da década de 30, a maioria dos leitores deste livro pertencentes às gerações da Guerra Fria certamente perguntará o que eu sabia a respeito dos comunistas. Posso prontamente responder a essa pergunta. Claro que conheci alguns deles, mas não sabia que trabalhavam, ou haviam trabalhado, para os serviços soviéticos de inteligência, até que isso chegou ao conhecimento público. Os "cinco grandes" (Blunt, Burgess, Cairncross, Maclean e Philby) eram de uma geração de estudantes anterior à minha, e meus contemporâneos não os ligavam ao Partido, exceto Burgess, a quem considerávamos traidor por haver feito questão de anunciar sua alegada conversão às concepções da direita tão logo caiu em desgraça. Antes da guerra não conheci nenhum deles pessoalmente, e depois de 1944 mantive contatos eventuais apenas com Blunt e Burgess. O que sabia a respeito deles não veio da política, mas por intermédio dos Apóstolos (vide o capítulo 11) ou de amigos homossexuais, ou ainda de sobreviventes do establishment de Oxbridge no entreguerras, como Isaiah Berlin, que tinha irreprimível paixão pelos mexericos sobre pessoas que conhecera. Recordo-me de Burgess apenas em dois dos jantares anuais dos Apóstolos: o que ele presidiu em 1948 no Royal Automobile Club (local adequadamente bizarro), registrado nas memórias de Michael Straight, a quem Blunt tentou recrutar para os soviéticos,[1] e o que organizei no final da década de 1950 em um restaurante português de vida curta, na Frith Street, no Soho, e para o qual, conhecendo sua nostalgia em relação à Inglaterra, mandei o convite endereçado a "Guy Burgess, Moscou". Do primeiro, me lembro porque Burgess nos pediu que concordássemos que os católicos não serviam para ser membros dos Apóstolos porque seu compromisso com os dogmas da Igreja impedia a franqueza intelectual tão essencial à sociedade. Guardo memória do segundo porque ele me acordou de madrugada com um telefonema de Moscou para Bloomsbury, lamentando não poder comparecer e, penso eu, assegurando que dali em diante meu telefone seria grampeado. Sua mensagem contribuiu para fazer do jantar um grande sucesso. Se eu conhecesse melhor Anthony Blunt não teria cometido uma impiedosa gafe, da qual ainda me arrependo. Achando-me próximo a ele, no bar, em outro jantar dos Apóstolos no Soho, pouco depois da fuga de Burgess e Maclean, fiz uma piada cínica sem ter idéia dos estreitos laços emocionais entre ele e Guy Burgess. Minhas palavras devem tê-lo magoado, mas como eu poderia saber? Aquele rosto alongado, elegante e sobranceiro demonstrava somente as emoções que desejava. Segundo seu mentor soviético, era o mais duro do grupo. Tinha um autocontrole de tal forma implacável que, no dia em que foi publicamente denunciado, permaneceu tranqüilamente corrigindo provas em casa de um amigo, assediado por paparazzi e abutres profissionais.

Conheci como membros militantes do partido estudantil contemporâneos meus que depois se tornaram agentes soviéticos, pois o partido se assegurava com muito rigor de que não fossem ainda recrutados para trabalhos considerados distintos das atividades ostensivas de uma agremiação política legal, e que, se descobertas, poderiam prejudicar sua reputação. Sabíamos da existência desses trabalhos, sabíamos que não nos cabia fazer perguntas sobre eles, respeitávamos os que os levavam a cabo, e muitos de nós — eu, sem dúvida — os teríamos aceito, se fôssemos convidados a fazê-los. Na década de 30 os limites da lealdade não separavam os países, e sim os percorriam.*

Após esse breve intermezzo, retorno aos anos 30 em Cambridge. É preciso inicialmente compreender, apesar de todas as aparentes semelhanças, em que medida aquele lugar era então diferente do que é hoje.

Minha ligação com Cambridge começou quando me apresentei aos exames para a bolsa de estudos, em 1935, ou melhor, com o King's College, porque a universidade me manteve rigorosamente a distância, a não ser nos arranjos para meus graus de bacharel e de Ph.D. Por outro lado, minhas relações com o King's College não se romperam. Não há momento do dia ou da

---

* Os limites entre as forças pró-fascistas e antifascistas atravessavam todas as sociedades. "Jamais houve um período em que o patriotismo, no sentido de lealdade automática ao governo nacional de um cidadão, contasse menos. Quando a Segunda Guerra Mundial acabou, os governos de pelo menos dez velhos países europeus eram chefiados por homens que, em seu começo (ou, no caso da Espanha, no começo da Guerra Civil), tinham sido rebeldes exilados políticos ou pelo menos pessoas que tinham encarado seu próprio governo como imoral e ilegítimo." (Eric Hobsbawm, *Era dos extremos*, p. 146).

noite, nenhuma estação do ano, nem período de minha vida a partir de 1935 em que eu não haja contemplado, da ponte curva sobre o rio Cam, por sobre a amplidão ininterrupta do grande gramado da parte dos fundos, a extraordinária combinação da severa fachada posterior gótica da capela, que esconde as maravilhas do interior, com a elegância setecentista, igualmente despojada, do edifício Gibbs; e em cada ocasião respirei fundo, maravilhado como da primeira vez. Pouca gente teve tanta sorte.

Para os jovens que, como os eruditos do King's, passaram todo o período de sua graduação no ambiente da faculdade, Cambridge era comparável a desfrutar da companhia pública, constante e invejada, de uma mulher universalmente admirada — pode-se dizer que fosse assim como ir a todas as festas acompanhado pela *Primavera* de Botticelli. (Os aspectos domésticos da vida universitária na década de 1930 — urinar na pia do zelador, pois o banheiro mais próximo talvez estivesse a três andares, um pátio e um porão de distância — eram menos inspiradores.) No entanto, nem mesmo a maioria dos estudantes de graduação que passavam pelo menos parte de seus anos de estudo em algum apartamento conjugado de uma ruazinha residencial vitoriana, não conseguia escapar do impacto dos sete séculos de ensino e erudição de Cambridge. Tudo era feito para nos transformar em pilares de uma tradição que remontava ao século XIII, embora algumas de suas expressões aparentemente mais antigas, como o Festival of Lessons and Carols da véspera de Natal na capela do King's College, houvessem na verdade sido inventadas somente alguns anos antes de eu entrar para o colégio. (Muitos anos mais tarde isso me inspirou uma conferência e um livro, *Invenção da tradição*.[2]) Os estudantes de graduação vestiam suas becas pretas curtas para ir a conferências e estudos dirigidos, ao jantar coletivo obrigatórios nos salões do colégio e (com casquete) após o crepúsculo, ao sair às ruas policiadas por inspetores de disciplina vestidos com mantos e casquetes ainda mais amplos e assistidos por seus "buldogues". Os professores entravam nas salas de aula envergando suas longas becas ondulantes com os casquetes quadrados firmemente plantados na cabeça.[3] Os eruditos liam em latim a oração de ação de graças para a multidão de pé antes dos jantares ou das aulas nas antigas capelas. (Dissimulando o riso, o decano da capela do King's me fez ler um trecho do livro de Amós, a coisa mais parecida com um discurso bolchevique militante no Velho Testamento.) Tal como o passado de fantasias protocolares da vida pública britânica, naturalmente o passado de Cambridge não era a passagem cronológica do tempo, e sim uma mistura sincrônica de suas relíquias sobreviventes. Esperava-se que a glória e a continuidade de sete séculos nos inspirassem, nos confirmassem nossa superioridade e advertissem contra as tentações de mudanças irrefletidas. (Na década de 1930 fracassaram espetacularmente nessa tarefa.) A principal contribuição de Cambridge à teoria e prática políticas, tal como brilhantemente descrita pelo clássico F. M. Cornford em seu livreto satírico *Microcosmographia Academica* (1908), foi "o princípio do momento imaturo". Para qualquer coisa que fosse proposta, o momento não era adequado. Esse princípio era poderosamente reforçado por outro, o da "cunha invasora". Sem dúvida vivíamos nossas vidas de estudantes de graduação em um plano muito inferior aos dos grandes operadores desses princípios, mas aqueles dentre nós que chegaram a ser professores rapidamente descobriram seu poderio.

Cambridge mudou tanto desde a década de 1950 que é difícil imaginar o quanto era isolada e provinciana nos anos 30, mesmo em termos acadêmicos — fora a reconhecida excelência nacional e internacional de suas ciências naturais. Com exceção de sua economia, de renome mundial, recusava-se a reconhecer as ciências sociais. As matérias de humanidades eram no máximo fragmentárias. Embora pareça implausível, fora das ciências naturais a universidade tinha pouco interesse pela pesquisa, que não existia nos graus mais elevados, como os doutorados, considerados uma peculiaridade alemã e, mais provavelmente, uma afetação de classe média. Até as vésperas da guerra, Cambridge contava com menos de quatrocentos pesquisadores.[4] Continuou sendo essencialmente uma escola de aprimoramento de jovens do sexo masculino e de um número muito menor de moças, que funcionava com padrões dúplices. Sem dúvida era extremamente difícil conseguir um grau de distinção como o *Cambridge First*, ou o ainda mais raro *First* "com estrela", mas era ainda mais difícil *não* conseguir *grau algum*, pois os graus "suficiente" ou mesmo as notas mais baixas de terceira classe eram virtualmente conferidos à vontade. Recordo um debate em uma reunião de examinadores das provas finais de economia no início dos anos 50 (durante alguns anos fui examinador das provas de história econômica), na qual resolvemos, não sem certo constrangimento, aprovar qualquer aluno que soubesse a diferença entre produção e consumo. Típico dessa dicotomia era o fato de que tais graus eram conhecidos (entre os professores) como "Terceiro Grau de Trinity", porque no Trinity College, de Isaac Newton, havia muitos jovens desse tipo, assim como, naquela época, provavelmente maior número de agraciados com o Prêmio Nobel ou aspirantes a ele do que em qualquer outra instituição de ensino de seu porte no mundo. Na época em que cheguei a Cambridge, um futuro Prêmio Nobel (R. L. M. Synge) já era estudante de bioquímica, e outro (J. C. Kendrew) estava prestes a iniciar seu primeiro ano.

As autoridades dos cursos de graduação e pós-graduação certamente se espantariam e se horrorizariam com a Cambridge do ano 2000, cheia de "parques científicos", negociações comerciais com empresários globais e "luminares de Cambridge [que] não pensam em erudição e sim em lucro".[5] No tempo deles, Cambridge era uma cidadezinha do interior, modesta e introvertida, nos confins da região de East Anglia. Por não possuir indústrias, era anulada, mais do que ofuscada, pela universidade, da qual dependia em grande parte, como em seus tempos mais remotos, fornecendo-lhe os carregadores, serventes e quartos de aluguel para a maioria dos jovens universitários que não conseguiam acomodação na própria faculdade, além de inúmeros incentivos para que os 5 mil estudantes de graduação cujos recursos financeiros eram considerados adequados gastassem mais do que suas mesadas. Para os padrões subseqüentes havia um número surpreendentemente pequeno de lugares onde comer, embora o recém-inaugurado Teatro das Artes, uma das muitas iniciativas de Maynardd Keynes, possuísse um restaurante que se tornou moda. Tinha dez cinemas. (Ir ao cinema era suficientemente difundido entre os professores para que um ensaio intitulado *De Fratribus Marx* (Sobre os irmãos Marx) fosse candidato a um dos prêmios clássicos em 1938.)

O que piorava o provincianismo de Cambridge era o fato de que a vida dos professores que ali moravam em caráter permanente — diferentemente dos estudantes, que lá permaneciam apenas 24 semanas por ano —, muitos deles intelectuais solteiros, na época uma coisa ainda muito comum, ficava circunscrita às paredes das faculdades. Ainda iria acontecer a Segunda Guerra Mundial, que fez com que muitos deles ampliassem seus horizontes, ainda que às vezes não passassem do centro de decodificação, em Bletchley. Alguns deles davam a impressão de conhecer o mundo mais além de Royston, dez milhas ao sul de Cambridge, somente por ouvir falar. Na verdade, comparada a Oxford, a Universidade de Cambridge era surpreendentemente remota em relação aos centros da vida nacional, o que talvez explique por que, ao contrário de Oxford, nenhum de seus ex-alunos do século XX tornou-se primeiro-ministro. Norfolk, aonde os professores costumavam ir nos feriados, sem falar no famoso hipódromo de Newmarket, pareciam estar bem mais perto do que Londres.

Esse era o lugar para onde fui, vindo de uma família que nunca tivera um universitário e de uma escola de onde jamais algum aluno havia ingressado em Cambridge. Não era a universidade que eu havia imaginado. (Nas férias logo descobri — e passei a freqüentar — uma escola que se adequava a meu ideal de uma "verdadeira" universidade, isto é, a London School of Economics.) Cambrige era excitante, era maravilhosa, mas um estranho que não conhecesse ninguém tinha de se adaptar a ela. Parecia-me que todos os demais conheciam alguém — um irmão, um primo ou certamente ex-colegas de suas escolas. Os professores haviam sido mestres de seus pais ou tios. Eu não sabia que Cambridge era o centro da rede de casamentos entre membros de famílias de profissionais liberais, a "aristocracia intelectual" de Noel Annan — meu amigo e contemporâneo em Cambridge —, que desempenhou papel tão importante na Grã-Bretanha. Mas qualquer aluno do King's logo ficava sabendo disso. Ainda havia muitos Ricardos, Darwins, Huxleys, Stracheys e Trevelyans, tanto entre os estudantes de graduação como entre os professores. Por outro lado, nada era mais evidente do que a propagação em Cambridge dos costumes tribais dos internatos britânicos, dos quais provinha a maioria dos estudantes de humanidades, e que gente como eu somente conhecia por intermédio de revistas juvenis feitas para quem não freqüentava tais estabelecimentos. Por exemplo, para minha surpresa, a vida acadêmica parava durante duas ou três horas todas as tardes, quando se imaginava que os jovens estariam praticando jogos e esportes. Vi-me rodeado de etonianos (ainda havia uma ligação com o King's, pois em 1440 o rei Henrique VI fundara conjuntamente Eton e o King's), de rugbeianos, de carthusianos, de stoicos e de muita gente vinda de escolas particulares mais importantes e às vezes de outras menores e praticamente desconhecidas. Pronta para atender a esse público, a empresa de Ryder e Amies, que ainda existe na King's Parade, em frente à igreja universitária da Grande Santa Maria e da Casa do Senado, possuía em estoque 656 gravatas antigas com os padrões de escolas, faculdades, clubes e outras instituições, que se necessário eles mesmos criavam, além de cartolas, jaquetas e outras peças de vestuário dos estudantes de graduação de

Cambridge.[6] Não havia monitores escolares, mas o semanário *Granta*, dos estudantes de graduação, publicava regularmente os perfis de pessoas consideradas importantes, como os presidentes dos principais clubes esportivos ou associações, sob o título "Em autoridade". (Os de seus próprios editores que deixavam os postos apareciam sob o modesto título "Em obscuridade".)

Na prática, para os estudantes de graduação a universidade era o colégio que freqüentavam. Estar no King's facilitava tudo. Os eruditos, que por esse motivo tinham o direito de morar na faculdade, eram decantados em massa para um cortiço sombrio conhecido como "O ralo", e assim tinham a oportunidade de conhecer-se uns aos outros, enquanto os costumes específicos do King's favoreciam a informalidade nas relações entre professores e alunos, entre veteranos e calouros. Não posso dizer que eu fosse um estudante muito característico do King's — a faculdade estava no ápice de sua atividade social e era o centro teatral e musical de Cambridge — ou que seu estamento se interessasse por mim. Por exemplo, jamais tive ocasião de conhecer seu membro mais famoso, Maynard Keynes. No entanto, o King's era liberal e tolerante, até mesmo com os entusiastas de esportes de equipe, crentes religiosos, conservadores, revolucionários e heterossexuais e jovens menos atraentes que provinham de escolas elementares.

Felizmente, a despeito do reitor, o King's respeitava o intelecto e tinha consciência de seu dever para com os estudantes mais brilhantes. Depois da guerra consegui um lugar de conferencista universitário antes de completar um ano do término do serviço militar, unicamente devido às referências a meu desempenho como estudante de graduação feitas por escrito por meu supervisor de antes da guerra, Christopher Morris, reconhecidamente um mestre nesse gênero de composição literária. Como ele também me entrevistara quando me candidatei à bolsa, suspeito que eu tenha sido aceito no King's por recomendação sua. Era alguns anos mais velho do que eu; homem de família — o que não era característico do King's — e podia ser considerado um docente da velha escola, primordialmente professor, ou melhor, tutor pessoal. Sua missão era conseguir que o jovem médio, vindo das escolas públicas, alcançasse uma nota decente para passar nos exames finais. Além disso, concentrava-se no que chamava de "perguntas socráticas", isto é, obrigava os alunos a descobrir o que haviam escrito ou pretendido escrever em suas dissertações semanais. No meu caso isso funcionou extremamente bem, mesmo quando eu não aceitava suas observações críticas sobre o estilo de minha prosa. Eu não tinha grande respeito por ele, e nossas relações eram distantes, mas devo-lhe muito.

Tive menos contato com os três historiadores sério da faculdade. Como professores, dois deles já não supervisionavam estudantes de graduação: o pequeno, espirituoso, eminente e inacreditavelmente conservador F. A. Adcock, professor de história antiga, e o impressionante e rude John Clapham, que acabava de se aposentar da cadeira de história econômica, autor de um dos mais raros produtos de Cambridge no entreguerras: os três volumes de sua *História econômica da Grã-Bretanha moderna* (1926-38). Era montanhista, o que se adequava ao caráter do King's, mas era também solidamente casado e firmemente ligado ao não-conformismo do norte da Inglaterra, de onde era natural, o que não se adequava. (Ninguém adivinharia que tanto o reitor Sheppard quanto Maynard Keynes tinham origens na religião batista provinciana.) Pena eu não ter sabido mais a respeito do terceiro, John Saltmarsh, que me supervisionava, pois quase nada publicou, embora despejasse sua enorme erudição em conferências que eu não freqüentava.

O homem que de 1933 a 1954 presidiu à vida da faculdade (que prosperava satisfatoriamente, embora não soubéssemos, graças à astúcia financeira de seu sustentáculo, colega jogador e membro dos Apóstolos, Maynard Keynes) foi o reitor Sheppard. Tinha então pouco mais de cinqüenta anos, mas, como os cabelos bastos haviam ficado brancos durante a Primeira Guerra Mundial, ele adotara o estilo de fidalgo idoso, capengando em volta da faculdade vestindo ternos escuros de tecido grosso e colarinho engomado, dizendo "Deus o abençoe, caro jovem" aos estudantes de graduação (de preferência os mais atraentes fisicamente) que encontrava pelo caminho. Nas tardes de domingo ele abria a todos a Casa da Reitoria e sentava-se no chão entre os rapazes fingindo, ou talvez até mesmo tentando, acender o cachimbo a fim de estimular a conversação. Foi em uma dessas ocasiões que conheci meu primeiro-ministro, homem de lugares-comuns e gestos pomposos a quem Neville Chamberlain acabara de designar para coordenar a defesa da Grã-Bretanha. Não era surpreendente que ele confirmasse todos os meus preconceitos contra o governo de contemporizadores.

Os estudantes gostavam do reitor como artista de teatro de revista, tanto na sala de aula como no salão de conferências, que ele usava como um palco.[7]

Não era respeitado, mas freqüentemente emocionava, e sem dúvida emocionava-se a si próprio. Na verdade, foi um menino mimado durante toda a vida, dono de um caráter assustador, que quando ele envelheceu deixou de ser temperado pelo encanto, pelo senso de diversão e pelo liberalismo de sua juventude. Envelhecendo, tornou-se monarquista de modo mais apaixonado. Amante dos clássicos, havia muito abandonara as pesquisas e já não era levado a sério pelos demais. Foi um fracasso como intelectual e como reitor de faculdade — jamais foi promovido a vice-chanceler, recompensa normal aos reitores, mesmo aos apenas moderadamente competentes — e tornou-se inimigo ativo da busca de conhecimento. King's pode ter sido o centro do *beau monde* de Cambridge na década de 30, mas não se distinguiu academicamente (a não ser em economia, sobre a qual ele não tinha ascendência). Era contrário à ciência. "King's College, Cambridge?", dizia o presidente de Harvard. "Não é lá que as ciências naturais são denunciadas da Cátedra?" Como estudantes de graduação, tínhamos pouca noção da malícia e amargura por trás daquela máscara de benevolência senil. Mesmo assim, embora ele tenha sido uma das poucas pessoas pelas quais cheguei a sentir verdadeiro ódio, não posso deixar de me apiedar de seus últimos e tristes anos, quando, já não sendo reitor, incapaz de conceber o King's a não ser como extensão de sua própria personalidade, em visível declínio mental, escolheu seu último papel no palco da faculdade, o de um desgrenhado rei Lear, de pé junto aos portões, denunciando as injustiças de que fora alvo.

    Os únicos outros membros com quem tive contato foram o tutor e o decano, além dos professores de história. O tutor, Donald Beves, era um homem corpulento, pacato, de sorriso largo, cujas paixões eram o teatro amador — foi célebre como Falstaff — e colecionar artefatos de vidro dos períodos Stuart e georgiano, que exibia em seus confortáveis aposentos de onde supervisionava os problemas disciplinares dos jovens, dando atenção intermitente aos detalhes administrativos. Seu campo de estudos era a língua francesa, e mantinha contato constante com a França freqüentando os restaurantes do país durante as férias, com amigos, em seu Rolls-Bentley. Não se conhece nada que haja publicado sobre o idioma ou a literatura daquele país. Muitos anos mais tarde, como seu sobrenome tinha cinco letras e começava com a letra B, como o de Anthony Blunt, algum jornalista, interpretando mal um furo de informação, sugeriu que ele poderia ser o notório "terceiro" ou "quarto" espião de Cambridge, então procurados por todos os editores. A idéia de Donald Beves como agente soviético parecia a quem o conhecesse mais absurda do que a insinuação, também surgida momentaneamente no auge da mania da espionagem, de que outro bolchevique oculto fosse o genuinamente eminente professor A. C. Pigou, membro do King's durante 57 anos, fundador da economia de bem-estar social e considerado (junto com o grande físico J. J. Thompson) o homem mais malvestido de Cambridge. Mas Pigou, outro eterno solteirão, pelo menos era pacifista, quando não estava refletindo sobre temas de economia ou convidando jovens e bem-apessoados estudantes a escalar penhascos a partir de sua casa de campo no Distrito dos Lagos.

Na verdade, com uma alegada exceção, as ligações dos professores do King's com os serviços de inteligência eram com os britânicos, e não com os soviéticos. Membros do King's, chefiados pelo baixinho e roliço F. E. Adcock, mais tarde professor de história antiga, haviam instituído a unidade britânica de decifração de códigos na Primeira Guerra Mundial, e pelo menos dezessete deles haviam sido recrutados por Adcock para a unidade ainda mais famosa de Bletchley durante a Segunda Guerra, inclusive provavelmente o único gênio de meus anos de estudante no King's, o matemático lógico Alan Turing, que recordo como um jovem desajeitado, de rosto pálido, dado ao que hoje se chamaria jogging. A pessoa geralmente considerada o olheiro para o recrutamento dos serviços secretos — a maioria das faculdades de Oxbridge tinham uma figura assim — era o decano, Patrick Wilkinson, erudito clássico excepcionalmente cortês e agradável, com um constante meio sorriso e cabeça alta, de parcos cabelos, que me fazia pensar, não sei por quê, no personagem Long John Silver de *A ilha do tesouro*. Para supresa geral, ele regressou de Bletchley casado, após a guerra. Ao contrário do reitor, dedicava-se à faculdade e a seus membros de maneira autêntica, profunda e desprendida. Durante muitos anos foi responsável pelo relatório anual do King's, que proporcionava obituários completos, embora nem sempre muito explícitos, de *todos* os que por ele passavam, por mais obscuros que fossem. Eram documentos escritos com elegância e sociologicamente inestimáveis, como continuam a ser ainda hoje.

Na década de 1930 Cambridge já não dava grande atenção ao objetivo das universidades medievais, que era a instrução destinada às profissões que exigiam tipos especiais de conhecimento — o clero, as ciências jurídicas e a medicina —, embora cuidasse também dos estágios iniciais do treinamento para elas. Seu propósito, pelo menos nas humanidades, não era capacitar peritos, e sim formar os membros de uma classe dominante. No passado isso se fazia com uma educação baseada nos clássicos da Grécia antiga e sobretudo de Roma, em grande parte mediante o aprendizado de práticas esotéricas como escrever em grego ou fazer versos em latim. Essa tradição estava longe de ter desaparecido. Cerca de 75 pessoas (contra cinqüenta em cada uma das duas cadeiras de história e ciências naturais) ganharam bolsas ou concursos sobre os clássicos nos exames de 1935 — a maioria, naturalmente, oriunda das escolas particulares, pois poucas escolas clássicas ensinavam grego, como era o caso da minha. Porém, cada vez mais, a partir do final do século xix, a história (centrada no desenvolvimento político e constitucional da Inglaterra) passou a ser em Cambridge o veículo para a "educação geral", que servia para todos os fins. Por isso, fazia parte do currículo de centenas de estudantes de graduação, embora quase nenhum dentre eles pretendesse utilizá-la para ganhar a vida, exceto talvez como professores. Não era uma matéria demasiadamente exigente do ponto de vista intelectual.

Fora das ciências naturais, os elementos essenciais da educação em Cambridge eram a dissertação semanal escrita, para ser debatida em particular com um "supervisor", e os "Tripos", isto é, os exames finais para obtenção do grau, feitos em duas partes, no fim do primeiro e do segundo ano de curso. As palestras eram menos importantes. Visavam principalmente àqueles que confiavam nas notas tiradas nos cursos chamados "pão-com-manteiga" para ser bem-sucedidos nos Tripos. Os bons estudantes logo percebiam que ganhavam mais com uma hora de leitura nas magníficas bibliotecas da faculdade, dos professores e da universidade, do que ouvindo durante uma hora uma palestra pouco entusiasmante. Com exceção da "matéria especial" no último ano, creio não haver freqüentado nenhum curso expositivo após meu primeiro ano, a não ser as palestras sobre história econômica de M. M. Postan, que eram intelectualmente tão estimulantes (na época escrevi que tinham "um ar de revivescência"[8]) que os melhores estudantes de história de minha geração lá estavam às nove da manhã. Os bons alunos praticamente não iam às conferências, mas ninguém parecia se importar. Aprendíamos mais lendo e conversando com outros bons alunos.

Conseguir um título — sem falar em um bom título — não era a única coisa que preocupava os jovens de ambos os sexos que se encontravam num lugar tão cheio de coisas interessantes para fazer como Cambridge e que dispunham de mais tempo livre para fazê-las do que a maioria dos adultos. Eu próprio não tive dificuldade em combinar o trabalho acadêmico necessário para ir bem nos exames com atividades intensas de jornalismo universitário e dedicação constante ao Clube Socialista e ao Partido Comunista. E isso sem contar o tempo gasto em conversas extracurriculares, vida social, passeios de barco no Cam, amizades e amores. Parecia haver tempo para praticamente tudo. Talvez as duas únicas atividades que comecei e não concluí tenham sido o curso de língua russa, da extraordinária Elizabeth Hill, que me confinou a permanecer um cosmopolita puramente ocidental, e o sindicato de estudantes de Cambridge (Cambridge Union), cujos debates eram geralmente considerados um treinamento para futuros políticos. Não recordo a razão pela qual resolvi me desligar do sindicato, embora meus esforços iniciais tivessem sido elogiados pelo então presidente, que mais tarde descobri ser membro secreto do Partido. Sem dúvida economizei algum dinheiro.

Logo que cheguei, minhas tendências políticas ficaram sendo conhecidas e fui convidado a entrar para a seção estudantil de Cambridge do Partido Comunista. Acabei por fazer parte de seu "secretariado", de três membros, a mais alta função política que já ocupei. As memórias de um contemporâneo estão equivocadas ao afirmar que me tornei secretário em 1938, mas observam corretamente que eu não era um líder nato.[9] Seus dois dirigentes de maior prestígio haviam ido embora: o moreno e bem-apessoado John Cornford, cuja foto se via sobre todas as lareiras progressistas de Cambridge, fora lutar e morrer na Espanha; James Klugman (vide adiante) partira para Paris. O lugar mais óbvio para se desenvolver o embrião de uma revolução era o conjunto de quartos, repletos de cartazes e panfletos, no Whewell's Court, em Trinity, logo abaixo de Ludwig Wittgenstein, ocupados pelo americano Michael Whitney Straight e pelo bioquímico Hugh Gordon. No entanto, Trinity era o centro do comunismo entre os estudantes de pós-graduação, e não dos de graduação. O desses últimos, um tanto inesperadamente, era a Pembroke College, que, além de um dos raros professores comunistas (o extraordinário germanista Roy Pascal), abrigava certo número de camaradas, inclusive dois dos principais organizadores, David Spencer e Ephraim Alfred ("Ram")

Nahum, cientista natural atarracado e moreno de nariz grande, que irradiava força física, energia e autoridade. Era filho de um próspero comerciante de tecidos sefardita de Manchester e, segundo o consenso geral, era o mais competente dos líderes estudantis comunistas de minha geração. Graduado em física, permaneceu em Cambridge durante a guerra e morreu em 1941, vítima da única bomba alemã que caiu na cidade. Ao contrário de Ram Nahum (conhecido somente pela esquerda), Pieter Keunemann, audaz cingalês (sua ilha natal ainda não se chamava Sri Lanka), espirituoso e extraordinariamente bem-apessoado, que naquela época hospedava-se em Pembroke em grande estilo, era uma grande figura na sociedade universitária — entre outras coisas, era presidente do sindicato — sem falar de sua ligação com a belíssima Hedi Simon de Viena (e de Newnham), por quem me apaixonei em vão. (Depois da formatura, Pieter e eu alugamos juntos uma pequena casa na Round Church Street, que já não existe, a poucos metros da casa onde Ram iria morrer.) Embora fosse ambos membros dedicados do Partido, não creio que alguém imaginasse que aquele *socialite* jovial, o primeiro a me apresentar aos poemas de John Betjeman, iria passar a maior parte de sua vida subseqüente como secretário-geral do Partido Comunista de Sri Lanka.

Por outro lado, todos esperávamos que o elegante e encantador Mohan Kumaramangalam, de Madras, ex-aluno de Eton e agora no King's, que fora também presidente do sindicato, amigo admirado por muitos de nós, se tornasse figura importante em sua Índia natal, o que efetivamente ocorreu. Por ser indiano, naturalmente Mohan não pertencia oficialmente ao Partido. Nem, tampouco, os demais "estudantes coloniais", que, em grande número, provinham do subcontinente indiano. Em breve me vi trabalhando com o "grupo colonial" especial deles, chefiado, numa espécie de hereditariedade, por uma sucessão de historiadores do Trinity que se dedicavam à história do Terceiro Mundo. Ao contrário de seus mentores, os jovens "comunistas coloniais" não pretendiam uma vida acadêmica, embora um ou dois tenham acabado assim. Seu objetivo era a libertação e a revolução social em seus países. Os mais bem-sucedidos dentre eles eram os dois alunos do King's, pois o contemporâneo mais jovem de Mohan, o modesto e desprendido Indrajit ("Sonny") Gupta, após uma sucessão de ocupações como líder sindical e político, acabou, já mais idoso, como secretário-geral do Partido Comunista da Índia e durante um curto período foi ministro do Interior de seu país.

Naturalmente, o Partido era minha paixão primordial. Porém, mesmo para um comunista cem por cento, havia simplesmente muito o que fazer em Cambridge para ficar integralmente restrito à agitação, propaganda e organização, o que de qualquer forma não era meu forte. (Acabei por perceber, relutantemente, que a única carreira realmente desejável, a de "revolucionário profissional", isto é, funcionário do Partido, não era para mim, e resignei-me a ganhar a vida de maneira menos comprometedora.) É claro que em certo sentido tudo era político, embora não no sentido pós-1968, para o qual "o pessoal é político". Achávamos que nossos desejos *pessoais* não eram do interesse do Partido, desde que não conflitasse com a linha partidária. Mas era nosso dever não apenas obter boas notas mas também trazer o marxismo para nosso trabalho acadêmico, assim como a política fazia parte das atividades daqueles que preferiam o teatro ou o jornalismo universitário. Mesmo assim, não posso dizer que tenha trabalhado para o semanário estudantil *Granta*, do qual acabei sendo redator-chefe, primordialmente por motivos políticos, nem que esse tenha sido algum dia um jornal especialmente interessado em política. Revendo hoje antigos exemplares, devo confessar tristemente que como jornal não era dos melhores, embora meu antecessor na redação, Charles Wintour, o tivesse utilizado com êxito para entrar para o grupo de Lord Beaverbrook e acabasse sendo redator-chefe do *Evening Standard*, de Londres. Na verdade, o jornal era bastante ruim, mas passávamos horas maravilhosas tomando chá, mexericando e contando piadas nos escritórios da Market Square, e além disso o jornal nos dava a oportunidade de ouro de obter entradas grátis para o cinema: exceto tornar-se redator-chefe do *Granta*, a principal ambição de um colaborador potencial era ser o editor de cinema do jornal. As críticas cinematográficas proporcionavam até mesmo um território neutro para amigos de tendências políticas diferentes, como o jovem Arthur Schlesinger Jr., que conheci ali, e que na época, tal como mais tarde, era firme adepto anticomunista do New Deal.

8. Contra o fascismo e a guerra

Qualquer coisa que acontecesse em Cambridge naqueles anos era matizada pela percepção de que vivíamos tempos de crise. Antes que Hitler chegasse ao poder, a modesta radicalização estudantil da época foi quase certamente precipitada pela crise econômica mundial, pelo penoso colapso do governo trabalhista de 1929-31 e pelas demonstrações dramáticas do significado da pobreza e do desemprego em massa, como as Marchas da Fome das áreas industriais paralisadas e silenciosas. A partir de 1933 foi se tornando cada vez mais um movimento de resistência ao avanço da ditadura fascista e à nova guerra mundial que esse avanço certamente provocaria, isto é, um movimento dirigido contra governos britânicos pusilânimes, tanto quanto imperialistas e capitalistas, que nada faziam para deter a deriva em direção ao fascismo e à guerra. Na segunda metade da década de 30, e especialmente após a eclosão da Guerra Civil espanhola, essa foi sem dúvida a principal força propulsora do extraordinário crescimento do Clube Socialista: o efeito de Munique em Cambridge foi o recrutamento, em uma única semana, de trezentos novos membros pelo Clube Socialista da Universidade de Cambridge (CUSC).[1]

Ao longo da década a nuvem negra da Guerra Mundial iminente dominavam nossos horizontes. Poderia ser evitada? Se não, que deveríamos fazer?

Lutaríamos "pelo Rei e pela Pátria", como o sindicato de Oxford ostensivamente se recusara a fazer em 1933? Certamente não, mas deveríamos lutar de qualquer modo? O pacifismo dividia a esquerda em Cambridge, ou melhor, dividia a incerta combinação entre os movimentos antifascista e antibélico, pois o pacifismo se estendia muito além dos que se interessavam pela política de partidos e de movimentos, e até mesmo além dos limites da religião organizada. Como grande parte desse pacifismo apolítico desapareceu após a queda da França em 1940, sua força na década de 1930 tem sido freqüentemente esquecida. Com efeito, o pacifismo era o único tema importante que cindia a esquerda em Cambridge, pois no âmbito do Clube Socialista a linha de ampla união antifascista do Partido Comunista tinha apoio virtualmente unânime. Somente um membro proeminente, Sammy Silkin, do Trinity Hall, apoiava a posição oficial do Partido Trabalhista e conseqüentemente era admirado como prova da amplitude ideológica do clube (o que o diferenciava do próprio Partido Trabalhista, que afastava qualquer organização de que participassem comunistas).

Para quase todos os efeitos, o cusc significava a "Cambridge Vermelha" dos anos 30. Isso não era literalmente verdadeiro, pois mesmo no ápice de sua força, no início de 1939, não possuía mais do que mil filiados dentre pouco menos de 5 mil estudantes de graduação, e quando fui para Cambridge, no outono de 1936, eram somente cerca de 450.[2] O Partido nunca teve muito mais do que cem filiados. Mesmo assim, considerando as origens familiares, o meio sociopolítico e os costumes tradicionais dos estudantes de graduação nas universidades antigas, assim como a esmagadora inclinação política direitista dos estudantes universitários da Europa Ocidental e Central no entreguerras, o domínio da esquerda tanto em Oxford quanto em Cambridge durante a década de 30 é surpreendente. Ainda mais porque, com exceção da London School of Economics, a esquerda não era especialmente forte em nenhum dos demais centros britânicos de educação superior.*

---

* A London School of Economics necessitava menos explicação. Fundada pelos grandes fabianos Sidney e Beatrice Webb, dedicada exclusivamente às ciências políticas e sociais, dirigida pelo futuro idealizador do sistema de segurança social britânico, William Beveridge, com um corpo docente cujos professores mais preeminentes e carismáticos eram socialistas nacionalmente conhecidos — Harold Laski, R. H. Tawney —, colocava-se à esquerda quase *ex officio*. Isso era o que atraía os estrangeiros de dentro e de fora do império. Se não fosse necessária-

O que é mais relevante, a transformação política de Cambridge veio de baixo. As tendências políticas típicas dos professores de Cambridge eram sem dúvida de centro moderado, mais do que (como em Oxford) fortemente conservadoras, mas adeptos importantes do Partido Trabalhista eram raros, ao passo que os professores comunistas podiam ser contados nos dedos de uma das mãos. Até mesmo uma campanha tão pouco controvertida como a que foi nominalmente organizada pelo Conselho de Paz de Cambridge — que conseguiu levantar a então enorme soma de mil libras para levar alimentos a mulheres e crianças da Espanha republicana no outono de 1938 — foi apoiada oficialmente por apenas dois reitores (St. John's e King's), seis professores — dos quais somente um de história, M. M. Postan —, um eminente professor eclesiástico pacifista, e Maynard Keynes.[3] Nas ciências naturais, o que tornou Cambridge vermelha foram jovens físicos e bioquímicos das duas fortalezas intelectuais, a Cavendish e o laboratório de bioquímica. Mas a ciência em Cambridge tinha caminhos políticos próprios, organizando suas campanhas em torno do Grupo Antibelicista dos Cientistas de Cambridge, que ampliava a tomada de consciência principalmente demonstrando a inadequação das defesas do governo contra incursões aéreas e gases venenosos na guerra seguinte. Somente no final de 1938 foi estabelecido um grupo de "cientistas" do Clube Socialista. Fora das ciências naturais, foi sem dúvida a conversão dos estudantes de graduação a responsável por Cambridge se tornar vermelha.

Quem eram os comunistas de Cambridge? É mais fácil aos menos numerosos comunistas responder a essa pergunta do que ao CUSC. Antes da era do antifascismo e da Frente Popular houve alguns aristocratas ocasionais, como A. R. Hovell-Thurlow-Cumming-Bruce, com seu esplêndido nome, mais tarde generoso juiz, que em criança havia brincado em Chatsworth, onde quebrou um dos grandes vasos orientais do duque; mas provinham principalmente das classes médias altas de profissionais prósperos ou mais raramente da comunidade de negócios. (Para usar a conveniente diferenciação do romance

---

mente essa a causa da atração de seus estudantes britânicos — que na esmagadora maioria constituíam uma elite de moças e rapazes que pela primeira vez ganhavam bolsas de estudos e vinham de famílias londrinas na fronteira entre as classes operárias e a classe média baixa —, pelo menos provavelmente os influenciava ao chegarem.

Howard's End de E. M. Forster, vinham mais dos Schlegel do que dos Wilcox.) A "aristocracia intelectual" de Noel Annan estava representada por ninguém menos do que o carismático John Cornford, bisneto de Charles Darwin, mas não era dominante. A proporção de ex-alunos de escolas públicas era bastante menor no meu tempo — isto é, após a eclosão da Guerra Civil espanhola, quando o número de membros tanto do Partido quanto do CUSC cresceu muito. As escolas secundárias da Inglaterra e do País de Gales (mas não suas equivalentes na Escócia) eram quase certamente mais bem representadas no Partido, e sem dúvida em sua liderança, do que no conjunto geral de estudantes de graduação de Cambridge. O principal comissário local do partido estudantil na época era um matemático magro e de aspecto faminto de uma família de operários, George Barnard, do Colégio St. John's, que terminou a carreira como presidente da Real Sociedade de Estatística e numa cátedra na Universidade de Essex, e cuja irmã mais moça, Dorothy (Wedderburn), a quem conheci depois da guerra, se tornaria para sempre amiga íntima minha e de Marlene. Igualmente proeminente, um pouco mais tarde, foi Ralph Russell, estudante de classe operária de férreos modos bolcheviques. Nós o chamávamos de "Georgi" por causa de Georgi Dimitrov, secretário do Komintern. Os oriundos das "escolas progressistas" (Bedales, Dartington, etc.) também tendiam para a esquerda, assim como os jovens de famílias de quaker. Mencionou-se que os judeus estavam ligeiramente super-representados, mas não é isso que recordo. O comunismo, irreligioso e anti-sionista, atraía muito poucos do pequeno grupo de estudantes judeus em Cambridge, ainda que tendessem a simpatizar com os liberais e os trabalhistas. Se havia alguém de meu tempo considerado eminente esquerdista judeu entre os estudantes, esse era o sul-africano Aubrey Eban (Abba Eban), destinado à proeminência política em Israel e cujo sionismo o manteve a salvo da tentação comunista. Os poucos membros judeus do Partido tampouco pensavam em seu judaísmo, até que, creio que em 1937, a King Street resolveu que deveríamos formar em Londres um "grupo judeu", ou comitê, o que fizemos. "Ram" Nahum e eu o freqüentamos relutantemente algumas vezes, acabando por chegar à conclusão de que tinha pouca relevância para o que estávamos fazendo. Lembro-me do comitê devido a meu primeiro encontro com comunistas do bairro de East End, que não paravam de contar anedotas (muito engraçadas) sobre judeus, prática que não era característica das reuniões do Partido em Cambridge.

Sem dúvida esse tipo de análise socioeconômica ajuda a esclarecer a distinção entre a esquerda e a direita em Cambridge, mas é menos reveladora do que outro fenômeno que ainda carece de explicação. Mais de um observador poderia, com Henry Ferns, concordar que "o único elemento comum a todos os comunistas que encontrei [em Cambridge] era a elevada inteligência".[4] Na década de 1930 a esquerda atraía os membros intelectualmente mais brilhantes da geração estudantil nas universidades de elite do país.

Embora muito mais numerosos, os membros do CUSC eram também, caracteristicamente, pessoas de interesses intelectuais, ainda que o clube tivesse suficiente sensibilidade para as necessidades sociais da vida a ponto de organizar aulas de dança. Possuía a considerável vantagem — de que não dispunham muitas associações de estudantes de graduação — de contar com grande número de sócias tanto em Girton quanto em Newnham, cujas idéias a respeito do ativismo político, embora tão sérias quanto as dos rapazes, eram muitas vezes menos duras. (O primeiro cartão de Valentine's Day que recebi na vida foi coletivo, do grupo de Newnham do Partido Comunista, onde eu era instrutor político.) Levavam a sério os estudos. "O comitê deseja a todos os membros do CUSC êxito em seus Tripos (exames finais)", registrava o boletim, antes dos exames de 1937. "Fiquemos na vanguarda do front acadêmico tanto quanto na do político."[5] A começar pelos lingüistas modernos e pelos historiadores, o clube organizou grupos de "docentes" para discutir problemas de suas matérias, e no final de 1938 havia doze desses grupos, inclusive em áreas politicamente tão pouco promissoras quanto a agricultura, a engenharia e o direito.[6] Por outro lado, o desprezo pelos esportes organizados (porém, não, naturalmente, pelas tradicionais atividades da progressista Cambridge, tais como longas caminhadas e alpinismo) fazia parte da consciência política do CUSC. O clube se rejubilava com os (freqüentes) êxitos dos socialistas ou comunistas no sindicato, no teatro ou no jornalismo — em certo momento, os presidentes do sindicato, da ADC (a principal associação teatral) e o redator-chefe do *Granta* eram todos membros do Partido —, mas não recordo haver-se interessado muito em converter qualquer dos célebres astros esportivos da universidade — tarefa considerada difícil por consenso — ou nos feitos de seus próprios membros nos esportes ou no alpinismo.

Mas a grande atividade do CUSC eram as campanhas: constantes, passionais, feitas com uma fé que me surpreende quando agora, idoso, recordo meus anos de estudante de graduação em Cambridge, os anos em que a Europa (mas ainda não o mundo) descambava para a catástrofe.

O resumo mais breve das manchetes da política européia na década de 30 mostra que, do ponto de vista da esquerda, houve uma sucessão de desastres. Compreende-se, como nos diz a canção "Gaudeamus igitur", que o tempo de estudante não é época para baixo-astral, mas não deveríamos ter nos preocupado um pouco mais? Não o fizemos. Ao contrário do movimento antinuclear pós-1945, não nos sentíamos lutadores de uma campanha de retaguarda, provavelmente destinada ao fracasso, contra inimigos muito além de nosso alcance. Vivíamos de crise em crise, organizando-nos como equipes de futebol que iam de jogo em jogo, cada partida exigindo os melhores esforços. No que respeitava a Cambridge, estávamos ganhando nossos jogos. Cada temporada era melhor do que a anterior. De certa forma, a esquerda estudantil partilhava do alheamento da universidade em relação ao centro nacional, sem mencionar seu tradicional ensimesmamento. Na prática de todos os dias, para os camaradas de Cambridge "o Partido" e a Internacional significavam o Partido estudantil de Cambridge, pois antes da guerra nosso único contato constante com a liderança nacional vinha por meio do organizador estudantil Jack Cohen, sabidamente não autoritário, cujo comando político naturalmente aceitávamos sem questionar, mas que sabia que um trabalhador com pouca escolaridade formal, que viesse ao encontro dos estudantes tendo trabalhado para o Partido no noroeste industrial, teria muito o que aprender a respeito das universidades.

Mesmo assim, como poderíamos esquecer que nosso maior triunfo, a Semana Espanhola, foi conseguido no momento em que a República Espanhola se encontrava visivelmente em suas últimas forças, virtualmente sem esperanças? Além disso, embora arquitetássemos como evitar a guerra por meio da firme resistência coletiva a Hitler, na verdade não acreditávamos em nossos planos. Sabíamos, interiormente, que uma Segunda Guerra Mundial estava chegando, e não esperávamos sobreviver a ela. Lembro-me de uma terrível noite num quarto de hotel, possivelmente em Lyon, no meio da crise de Munique de 1938 — eu regressava de uma longa viagem de férias e estudo na África do Norte francesa —, quando a idéia de que a guerra poderia estourar em poucos dias me assaltou. Iam se tornar realidade os pesadelos de bombardeios aéreos em massa e de nuvens de gás venenoso, contra os quais não havia proteção, conforme muitas vezes tínhamos sido avisados. Não houve histeria comparável em setembro de 1939. O ano que transcorreu entre Munique e a invasão da Polônia permitiu que nos acostumássemos com a perspectiva da guerra.

Creio que mantivemos o entusiasmo por duas razões. Primeiro, tínhamos somente um conjunto de inimigos — o fascismo e aqueles que (como o governo britânico) não queriam resistir a ele. Segundo, havia um campo de batalha real — a Espanha —, e lá estávamos nós. Nosso herói particular, o carismático John Cornford, caiu na frente de Córdoba no dia de seu vigésimo primeiro aniversário. É verdade que ele e mais um ou dois outros que haviam partido no verão de 1936 seriam nossos únicos participantes diretos na guerra, pois curiosamente — o fato não foi muito notado — uma decisão do Partido no mais alto nível desestimulava o recrutamento de estudantes para as Brigadas Internacionais, a menos que tivessem qualificações militares especiais, sob a alegação de que o primeiro dever para com o Partido era obter titulação acadêmica elevada, a fim de que, presumivelmente, lhe fossem mais úteis. Finalmente, achávamos saber como seria o novo mundo depois que o antigo acabasse. Nisso, como todas as gerações, estávamos enganados.

Assim, para nós os anos 30 estavam muito distantes da "década baixa e desonesta" do desencantado poeta Auden. Para nós foi a época em que a boa causa enfrentou seus inimigos. Isso nos dava prazer, mesmo que, como para a maioria dos radicais de Cambridge, não ocupasse todo o nosso tempo; reservávamos um tempinho para salvar o mundo, porque era o que se tinha a fazer. "Por outro lado, evitávamos aquela tensão da infelicidade que hoje em dia frustra as pessoas cujo instinto as faz sentir-se exatamente como nós quanto às questões mundiais, mas que não conseguem transformar seus sentimentos em ação, como fazíamos então."[7]

Nessa tarefa "distribuíamos nossas emoções e energias nos setores público e privado do panorama", ou melhor, não fazíamos distinção precisa entre esses dois setores. De fato cantávamos, usando uma melodia de Cole Porter:

Vamos liquidar o amor
Vamos dizer daqui em diante
Que toda a nossa afeição
É somente para os trabalhadores.

Vamos liquidar o amor
Até a revolução
Até esse momento o amor será
Uma coisa não bolchevique.

No entanto, como a camaradagem íntima entre homens e mulheres emancipados fazia parte da causa, não realizávamos essa aspiração, ainda que a vida particular dos comunistas de Cambridge, pelo menos entre os políticos mais especializados, pareça haver sido menos colorida do que a de seus contemporâneos de Oxford. O caráter do CUSC e do Partido era, naturalmente, esmagadoramente heterossexual, assim como entre os estudantes de graduação em geral, fora dos círculos teatrais e do King's College. Na década de 30 até mesmo os Apóstolos haviam deixado para trás a era da "alta sodomia" eduardiana. Sem dúvida alguns de nós não eram tão ingênuos quanto Henry Ferns, que diz "nunca encontrei um comunista de Cambridge que fosse homossexual", mas a verdade é que dentro do Komintern (e ainda menos no CUSC) ninguém propalava ser membro do "Homintern". O assunto era tratado de ambos os lados como coisa privada. Posso lembrar pelo menos dois amigos que conheci inicialmente no Partido antes da guerra e cuja homossexualidade eu simplesmente desconhecia até depois que o conflito terminou.

Não havia muita diferença entre o tempo das aulas e o das férias. Os estudantes ainda não aceitavam empregos de férias, exceto os de lingüística, que trabalhavam como guias turísticos. Ocasionalmente havia bolsas — uma delas pagou minha viagem de estudos à Argélia e Tunísia em 1938 —, e financiei as longas férias de 1939 com minha parte nos lucros da edição de *Granta*, que representou cerca de cinqüenta libras. (Graças ao número da Semana da Primavera, a melhor época para ser editor era o período de verão. O que sobrasse depois de pagos os proprietários, a gráfica de Messrs Foister e Jagg, a produção e a distribuição ficava para o editor após o término de cada período escolar.)

Em termos gerais, minhas próprias férias se dividiam entre a London School of Economics e a França. A LSE, ou pelo menos seu edifício principal na Houghton Street, em Aldwych, ainda se parece com o que era há sessenta anos; até mesmo ainda existe um pequeno estabelecimento à esquerda da entrada principal, que naquele tempo era conhecido como Marie's Café e no qual os estudantes ativistas costumavam discutir política ou procurar converter adeptos, em geral observados por um silencioso e solitário centro-europeu um tanto mais velho do que nós, aparentemente um desses "eternos estudantes" que freqüentam os campi urbanos, mas que na verdade era o totalmente desconhecido e ainda não apreciado Norbert Elias, prestes a publicar na Suíça sua grande obra, *O processo civilizador*. A Grã-Bretanha acadêmica da década de 30 era extraordinariamente cega para o brilhantismo dos refugiados judeus intelectuais e antifascistas da Europa Central, a menos que trabalhassem nos campos convencionalmente reconhecidos como os clássicos ou a física. A LSE era provavelmente o único lugar em que eram aceitos. Até mesmo depois da guerra a carreira acadêmica de Elias na Inglaterra foi marginal, e o valor de eruditos como Karl Polanyi somente foi reconhecido depois que cruzaram o Atlântico.

Eu achava simpática a atmosfera da LSE, e sua biblioteca, que na época ficava ainda no edifício principal, era um bom lugar para estudar. Estava cheia de centro-europeus e naturais das colônias, e portanto era francamente menos provinciana do que Cambridge, no mínimo por sua dedicação a ciências sociais como a demografia, a sociologia e a antropologia social, que no Cam não despertavam interesse. Curiosamente, a matéria que dava o nome à escola era naquele tempo — e na verdade sempre havia sido — menos ilustre e menos ativa do que em Cambridge, embora tenha atraído muitos talentos jovens, os quais infelizmente não encontraram lugares duradouros na Houghton Street.

Devo ter ficado de certa forma mais à vontade na atmosfera estudantil da LSE, e certamente com as estudantes do sexo feminino, pois estabeleci uma longa amizade com duas das jovens que ali conheci e depois casei-me com outra — o casamento durou menos que as amizades. Três de meus contemporâneos estudantes da LSE se tornaram amigos para toda a vida: o historiador John Saville (na época ainda conhecido como Stamatopoulos, ou "Stam"), sua companheira, e mais tarde esposa, Constance Saunders, e o impressionante James B. Jefferys, que fez a transição de um doutorado em história econômica para a coordenação, durante a guerra, de representantes de trabalhadores na fábrica Dunlop e retornou, com menor êxito, à pesquisa, pois foi vítima do banimento dos acadêmicos comunistas durante a Guerra Fria. Por meio de outro contemporâneo da LSE mantive, ou melhor, restabeleci contatos com a Áustria: o esportivo e encantador Tedy Prager, de cabelos encaracolados, que mais tarde obteve seu doutorado em economia sob a supervisão de Joan Robinson em Cambridge, mais sintonizada com suas idéias do que Robbins e Hayek, da LSE. Mandado pela família para fora de Viena por motivos de segurança — pois havia encontrado problemas ao resistir ao regime austrofascista após a guerra civil de 1934 —, abandonou carreiras promissoras na Inglaterra e nas ruínas da Viena do pós-guerra, para onde, como quase todos os comunistas austríacos, voltara de seu exílio britânico.

Nas férias de verão os estudantes de Cambridge militantes do Partido iam para a França trabalhar com James Klugmann. Junto com Margot Heinemann, James era meu elo com a fase heróica do comunismo em Cambridge antes de meu tempo. (Ambos continuaram comunistas até o fim de suas vidas.) Margot, uma das pessoas mais extraordinárias que conheci, havia sido o derradeiro amor de John Cornford, e para ela ele escreveu, da Espanha, um de seus últimos poemas, que se tornou antológico. Mais tarde foi companheira de J. D. Bernal. Ao longo de toda uma vida de camaradagem, exemplo e conselhos, ela provavelmente teve maior influência sobre mim do que qualquer outra pessoa que eu tenha conhecido.

Junto com John, James era reconhecidamente o co-líder do Partido. Para a maioria dos estudantes militantes de Cambridge ele foi — e por muito tempo continuou a ser — pessoa de imenso prestígio, até mesmo uma espécie de guru. Presumo que de todos os estudantes comunistas de seu tempo ele tenha sido o que manteve contato mais próximo com a Internacional, pois após a formatura abandonou um futuro acadêmico para o qual estava admiravelmente preparado e mudou-se para Paris como secretário do Rassemblement Mondial des Étudiants (RME — Assembléia Mundial dos Estudantes), uma organização estudantil internacional ampla porém controlada pelo Partido. Numa das vezes que para lá viajei a fim de vê-lo recordo haver cruzado o caminho de um certo Raymond Guyot, peso-pesado francês que durante muitos anos foi secretário-geral da Juventude Comunista Internacional. Funcionava em um desses pequenos e empoeirados escritórios balzaquianos tão característicos da política não oficial de antes da guerra, na mal denominada Cité Paradis, um sombrio beco sem saída no décimo *arrondissement*, e mais tarde em localização mais ambiciosa na Rive Gauche. Sua atividade pública mais evidente era a organização de congressos mundiais periódicos, em cuja preparação Cambridge e outros voluntários estudantes auxiliavam. Trabalhei como tradutor no congresso de 1937, que coincidiu com a Grande Exposição Mundial de Paris, a última antes da Segunda Guerra Mundial, numa série maravilhosa que tinha começado com a Grande Exposição do Príncipe Alberto, de 1851. Não recordo maior colaboração com James em 1938 — na maior parte daquele verão viajei à África do Norte — e nem posso confirmar o relato de que fui mobilizado para uma reunião com estudantes árabes e judeus, organizada por James no feriado de Páscoa de 1939, a fim de formar uma frente comum contra o fascismo, pois Mussolini acabara de ocupar a Albânia, país em grande parte muçulmano.[8] Passei todo o verão de 1939 trabalhando na preparação técnica do que seria o maior de todos esses congressos, encerrado alguns dias antes que Hitler invadisse a Polônia.

Em quase todos os aspectos, exceto a inteligência e a dedicação política, James Klugmann era o oposto da imagem romântica, heróica, altamente colorida de seu parceiro na liderança, John Cornford. De óculos, voz suave, reservadamente talentoso, parecendo sempre estar prestes a sorrir, morava sozinho num quarto de hotel junto ao teatro Odéon. Pelo que sei, prosseguiu sua existência monástica como homem sem ligações durante o resto da vida, cercado, quando surgia a ocasião, por admiradores mais jovens. Disseram-me que contava anedotas sexuais aos amigos íntimos — o que nunca fui — e, como havia freqüentado a escola Gresham, berço de mais de um homossexual eminente de seu tempo, poderia perfeitamente ter sido um deles, mas nunca ninguém o ligou a qualquer tipo de atividade sexual. Sua única paixão evidente, pelo menos em sua vida britânica do pós-guerra, quando o vi com mais freqüência, era colecionar livros. Seu modo reservado aumentava o respeito que sentíamos por ele, assim como a maior parte daqueles que com ele tratavam. Que se sabia sobre ele? Ele nada revelava. A única coisa óbvia era sua capacidade de exposição notavelmente lúcida e simples, e o ar de autoridade que exalava, até que o rompimento entre Stalin e Tito o arruinou. Não consigo recordar muitas conversas políticas com James na Paris de antes da guerra, nos intervalos do trabalho, quando nos sentávamos em cafés para jogar xadrez — ele explicava competentemente por que ganhava de nós — ou então descansando das reuniões e do mimeógrafo em bares, jogando futebol de mesa, os judeus contra os asiáticos.

Provavelmente foi o RME que proporcionou a base para a extraordinária carreira de James durante a guerra, como figura central nas relações britânicas com os *partisans* de Tito. Os movimentos estudantis de esquerda significativos eram bastante raros na Europa continental, onde a postura política típica dos estudantes (mas não necessariamente dos professores universitários) na década de 30 era um nacionalismo de direita, que beirava o fascismo. A grande exceção eram os estudantes comunistas da Iugoslávia, especialmente os da universidade de Belgrado; um de seus líderes, Ivo (Lolo) Ribar, figura central do que se tornaria o movimento dos *partisans*, era personagem conhecido no RME. Talvez ninguém a oeste de Moscou, e certamente ninguém no Cairo, conhecesse melhor quem era quem no comunismo iugoslavo e como entrar em contato com eles.

Após Stalin romper com Tito, ele foi obrigado, quase certamente por pressão direta de Moscou, a fazer também seu próprio rompimento irreparável, escrevendo um livro absolutamente implausível e insincero: *De Trotsky a Tito*. Jamais recuperou a reputação de único intelectual de primeira categoria (além de Palme Dutt) a chegar à liderança do Partido. A partir dali ele não correu riscos nem tomou iniciativas, sem nada dizer, deixando de ser força significativa mesmo no seio do pequeno CPGB (Partido Comunista da Grã-Bretanha). O Partido o encarregou da educação (auxiliado por nosso antigo organizador estudantil Jack Cohen), função que desempenhou com brilhantismo, pois era um professor nato. Era demasiado inteligente e perceptivo para não sentir nossa decepção — e na verdade a pena de seus admiradores, desde a década de 30, por alguém de quem se esperava tanto. Tinham-lhe roubado a essência. Somente em 1975 houve um último lampejo do antigo James Klugmann. O serviço de inteligência britânico, que periodicamente o perturbava desde que Burgess e Maclean haviam partido para Moscou em 1951, sugeriu que finalmente ele poderia estar preparado para ajudar os espiões ingleses, como outros haviam feito. Talvez algum incentivo tenha sido oferecido.[9] A idéia de que os serviços de inteligência britânicos, que ele conhecia bem — afinal, participara deles durante a guerra —, julgassem-no capaz de deslealdade à causa feriu-o muito. Recusou-se. Morreu não muito depois, numa casa sem graça da parte sul de Londres, cheia de livros.

Meu derradeiro período, maio-junho de 1939, foi bastante bom. Trabalhei como redator-chefe do *Granta*, fui eleito para os Apóstolos e ganhei uma aprovação em primeiro grau com estrelas no Tripos, o que me trouxe também uma bolsa no King's. Houve apenas um acontecimento ruim. Na primavera de 1939 o tio Sidney, demasiado idoso para qualquer tipo de serviço militar, desistiu da longa luta para ganhar a vida na Grã-Bretanha e resolveu emigrar para o Chile com Nancy, Peter e as poucas centenas de libras que conseguira levantar para iniciar vida nova. Nunca se levantou a hipótese de eu acompanhá-los, algumas semanas antes do Tripos, e de qualquer forma eu não deixaria o país com uma guerra iminente. Naquele tempo o Chile era ainda muito distante da Europa. Levei-os até o navio em Liverpool e tomei o trem de volta para Edgware, a fim de dormir ainda uma noite no chão da casa então totalmente vazia em Handel Close, onde deixara minha mochila. A garrafa de um bom Tokai, que eu guardara da casa antiga, tinha desaparecido durante minha ausência. Dali voltei a Cambridge.

Durante o verão morei num hotel austero mas bem situado em Paris, na rue Cujas, vivendo dos lucros da edição do *Granta* e trabalhando no grande congresso de James. Tenho diante de mim uma foto desse congresso; uma mistura de brancos (a maior parte de Cambridge) com indianos, indonésios, um asiático ocasional e outro do Oriente Médio, e um solitário africano. Reconheço uma jovem de boa vontade, de Amsterdã — mais tarde morreu na Resistência holandesa. Ali, entre multidões de rostos juvenis esquecidos, está o elegante javanês Satjadjit Soegono, que se tornou grande líder sindical na Indonésia após a guerra e acabou morto na insurreição comunista de 1948, em Madiun. Ali, ao lado de James, estão Pieter Keunemann, futuro secretário-geral do Partido Comunista do Sri Lanka, e P. N. Haksar, futuro chefe de gabinete da sra. Gandhi. Ali estão os refugiados espanhóis — o pequeno Miggy Robles, que trabalhava duramente no mimeógrafo com Pablo Azcarate, do Partido Comunista espanhol. Vejo o rosto pequeno e intenso, de traços bengaleses, de Arun Bose. Foi um congresso de grande êxito, com apenas um problema: a Segunda Guerra Mundial começou menos de duas semanas depois.

Eu precisava descansar e, então, viajei de carona durante alguns dias até Concarneau, na Bretanha. Voltei no dia 1º de setembro. Uma mulher francesa bem vestida, mas um tanto preocupada, num carro esporte me deu carona em algum lugar depois de Angers. Eu não sabia? Hitler havia invadido a Polônia. Fomos de carro até Paris, parando em algum lugar para ouvir as últimas notícias no rádio, conversando erraticamente sobre a guerra iminente. Como estávamos na França, era inconcebível não parar para almoçar, mas num dia como aquele isso não ficou na memória. Alguns parisienses já se dirigiam no sentido oposto, em carros carregados. Quando saltei, eu e ela nos desejamos mutuamente boa sorte. Fui para o banco Westminster, na Place Vendôme, entrando na fila com os outros ingleses. Um homem irritado, de queixo visivelmente recuado, estava na minha frente, e por seu passaporte soube que se tratava do escritor e pintor Wyndham Lewis. Não havia muito para colocar na mala antes de ir para St. Lazare para comprar os bilhetes — se os conseguisse — no trem noturno para Londres. A estação estava cheia de louras altas, de longas pernas: as dançarinas inglesas do Folies Bergère e do Casino de Paris voltavam a suas casas em Morecambe ou Nottingham. Se bem me lembro, saltei na estação Victoria na última manhã de paz tendo dormido pouco, mas numa Londres ensolarada. Já não tinha casa na cidade, mas creio que passei a última noite de paz no apartamento onde morava Lorna Hay, sozinha ou com alguém. Era uma estudante escocesa que se formara em Newnham e buscava emprego no jornalismo em Londres. Mohan Kumaramangalam, voltando para a Índia, tinha acabado de dizer-lhe que seu futuro de revolucionário profissional o impedia de levá-la consigo.

Assim terminou para mim a década de 1930.

9. Ser comunista

I

Tornei-me comunista em 1932, embora somente tenha me filiado ao Partido quando fui para Cambridge, no outono de 1936. Nele fiquei durante cerca de cinqüenta anos. O motivo pelo qual permaneci por tanto tempo é matéria para uma autobiografia, mas não tem interesse histórico geral. Por outro lado, a razão pela qual o comunismo atraiu tantos dos melhores homens e mulheres de minha geração e o que significava para nós ser comunista são sem dúvida temas centrais na história do século xx. Isso porque nada é mais característico desse século do que aquilo que meu amigo Antonio Polito chama de "um dos grandes demônios do século xx: a paixão política". A expressão quintessencial disso era o comunismo.

Hoje em dia o comunismo está morto. A União Soviética e a maioria dos Estados e sociedades construídos segundo seu modelo, filhos da Revolução de Outubro de 1917, que nos inspiraram, desmoronaram tão completamente, deixando atrás de si um panorama de ruína moral e material, que hoje em dia deve ser evidente que desde o início essa empresa continha as sementes de seu fracasso. Mas as realizações daqueles que se inspiraram nessa convicção e a crença correlata de que "não há fortalezas que os bolcheviques não possam conquistar" eram realmente extraordinárias. Dentro de pouco mais de trinta anos a contar da chegada de Lenin à Estação Finlândia, um terço da raça humana e todos os governos, do rio Elba ao mar da China, viviam sob governos de partidos comunistas. A própria União Soviética, ao derrotar a mais temível máquina de guerra do século XX, que pulverizara a Rússia czarista, emergiu da Segunda Guerra como uma das duas superpotências mundiais. Nunca houve triunfo comparável de uma ideologia desde as (mais lentas e menos globais) conquistas do Islã nos séculos VII e VIII de nossa era.

Isso foi conseguido por pequenos e autodenominados "partidos de vanguarda", quase sempre relativa ou absolutamente mínimos, pois, ao contrário dos partidos da classe trabalhadora que surgiram no final do século XIX, igualmente inspirados e estimulados em grande parte pelas idéias de Karl Marx, o comunismo não pretendia ser um movimento de massa, coisa que ocorreu, por assim dizer, somente por acidente histórico. Nesse aspecto contrariava — e até mesmo rejeitava — a abordagem clássica da social-democracia marxista, na qual se esperava que todos os que se considerassem "trabalhadores" se identificassem com partidos cuja essência (muitas vezes expressa em seus próprios nomes, como o Partido Trabalhista) era serem partidos de trabalhadores. Apoiar o partido do trabalho era para essas pessoas não tanto uma escolha política quanto a descoberta de sua existência social, que necessariamente tinha conseqüências públicas. Inversamente, suas menores atividades políticas eram imbuídas da percepção daquilo que definia a existência social de uma pessoa, de maneira que os clubes que se reuniam nas salas privadas dos pubs na Viena Vermelha — recordo ter visto anúncios nesse sentido na cidade ainda na década de 70 — praticavam seus passatempos não como colecionadores de selos, mas sim como Trabalhadores Filatelistas, ou Trabalhadores Amestradores de Pombos. Por vezes podiam-se encontrar tais partidos também no movimento comunista, especialmente na Itália do pós-guerra. Lá, o Partido, enraizado na família e na comunidade local, combinava a tradição do antigo movimento socialista com a organização eficiente do leninismo e a autoridade moral de uma Igreja católica secular. (Como disse Palmiro Togliatti em 1945: "Em cada casa uma estampa de Marx ao lado de uma de Jesus Cristo".) Era o tipo de partido no qual uma jovem de Módena podia pedir com naturalidade a sua *federazione* partidária que fizesse indagações à *federazione* de Pádua para saber se o jovem *carabiniere* daquela cidade, que lhe fazia a corte, tinha "intenções sérias". (Infelizmente, verificou-se que ele já era casado em Pádua.[1]) Aqui, o público e o privado, aperfeiçoar-se como pessoa e construir um mundo melhor eram indivisíveis.

Os partidos comunistas da era do Komintern eram de tipo inteiramente diverso, mesmo quando afirmavam, às vezes corretamente, estar enraizados na classe operária e exprimirem seus interesses e aspirações. Eram os "revolucionários profissionais" de Lenin, isto é, necessariamente um grupo seleto, relativa ou absolutamente reduzido. Entrar para essa organização era essencialmente uma decisão individual, reconhecida como algo que mudava as vidas, tanto pelos que convidavam um "contato" a entrar para o Partido como para o homem ou a mulher que o abraçava. Era uma dupla decisão, pois a permanência no Partido (pelo menos fora dos países de governo comunista) implicava a nunca abandoná-lo, coisa que era facilmente possível e que poderia acontecer a qualquer momento. Para muitos dos que se filiaram, ser membro do Partido constituiu episódio temporário em suas vidas políticas. No entanto, ao contrário da geração de 1968, poucos comunistas do entreguerras se dedicaram à revolução como se entrassem para um Club Med político (o qual, aliás, foi fundado como uma miniutopia para férias por um jovem ex-resistente do Partido Comunista após a Segunda Guerra Mundial).

Giorgio Amendola, um dos líderes comunistas italianos da geração anterior à guerra, deu ao primeiro volume de sua autobiografia, maravilhosamente bem escrita, o título de *Una scelta di vita* (Uma escolha de vida). Para os que, como eu, se tornaram comunistas antes da guerra, e especialmente antes de 1935, a causa do comunismo era em verdade algo a que pretendíamos dedicar nossas vidas, e alguns de fato o fizeram. A diferença crucial veio a ser entre comunistas que passaram a vida na oposição e aqueles cujos partidos tomaram o poder, e que portanto se tornaram direta ou indiretamente responsáveis pelo que ocorreu em seus regimes. O poder não corrompe necessariamente as pessoas como indivíduos, embora não seja fácil resistir a sua corrupção. O que o poder faz, especialmente em tempos de crise e de guerra, é tornar-nos capazes de realizar e justificar coisas inaceitáveis se fossem feitas por indivíduos privados. Para os comunistas como eu, cujos partidos nunca estiveram no poder nem metidos em situações que exigissem decisões sobre a vida ou a morte de outras pessoas (resistência, campos de concentração), as coisas foram mais fáceis.

Entrar para um desses "partidos de vanguarda" leninistas era, portanto, uma profunda escolha pessoal, mas não abstrata. Para a maioria dos comunistas do entreguerras que ingressavam no Partido tratava-se de um passo a mais nesse caminho para alguém que já se encontrava "à esquerda" ou era "antiimperialista", nas partes do mundo em que isso era apropriado. Naturalmente era mais fácil para os que provinham de ambientes politicamente homogêneos do tipo correto — por exemplo, em Nova York, onde certa vez ouvi por acaso um colaborador do *The New Yorker* dizer meditativamente a outro: "Na verdade, a gente nunca encontra adeptos do Partido Republicano", a não ser em Dallas, no Texas. Era ainda mais fácil para os que vinham de comunidades — em geral marginais em relação ao resto da sociedade —, cuja situação as colocava fora do consenso político nacional. Inversamente, ainda que o número de comunistas de minha geração seja vasto, é incomum encontrar entre eles pessoas que passaram para a extrema direita política. O caminho tomado pelos comunistas politicamente decepcionados costumava levar, quando suficientemente jovens, ou a algum outro ramo da esquerda política ou a um liberalismo militante e anticomunista da Guerra Fria, em geral de maneira gradual. Mesmo nos Estados Unidos, foi necessário o decurso de toda uma geração até que os intelectuais (anti-stalinistas) de Nova York abandonassem as antigas lealdades familiares e sinceramente se declarassem "neoconservadores".

Isso é especialmente claro entre os intelectuais, pois as convenções prevalecentes de pensamento racional sobre a sociedade têm raízes no Iluminismo racionalista europeu do século XVIII. Como a direita política jamais deixou de se queixar, isso fez com que os intelectuais se inclinassem por simpatizar com causas como a liberdade, a igualdade e a fraternidade. Até mesmo meu amigo Isaiah Berlin, com seu comprometimento visceral com uma identidade judaica não negociável, que o fez defender — ou pelo menos tentar compreender — os críticos do Iluminismo, percebeu ser impossível não se comportar como um liberal iluminista. Fora da Alemanha quase não existia uma tradição intelectual secular adequada à direita. Na primeira metade do século XX, a esquerda atraía visivelmente maior número de intelectuais do que a direita. Mesmo nas principais artes criativas, nas quais o pensamento racional é menos relevante, prevalecia o antifascismo. A última palavra sobre essa questão foi dita com admirável concisão por "Simon Leys", pseudônimo de um eminente sinólogo belga, inigualável desconstrutor dos mitos do maoísmo: "Todos nós, no mundo intelectual, conhecemos pessoas que foram comunistas e mudaram de idéia. Quantos de nós já encontramos ex-fascistas?". A verdade é que, quer tenham após a guerra mudado de idéia ou não, simplesmente nunca houve muitos.

Não quero dizer que o comunismo atraísse um tipo ou tipos específicos de personalidades inclinadas ao extremismo, autoritarismo e a outros traços "não democráticos" — embora na era da Guerra Fria isso tenha sido argumentado por autores ansiosos por demonstrar a semelhança entre comunismo e fascismo; mas não devemos nos deter por causa de uma psicologia social politicamente direcionada. De qualquer forma, há pouca base para a crença liberal em uma afinidade fundamental entre "extremismos" de direita ou de esquerda, que facilitasse a passagem de um extremo ao outro. Como o Partido Comunista britânico era pequeno, os trabalhadores e estudantes comunistas, pelo menos no fim da década de 30, eram excepcionais, porém não atípicos. Não sou capaz de detectar traços comuns de personalidade em meus contemporâneos de Cambridge filiados ao PC que os distingam daqueles que não se filiaram, exceto talvez uma maior vivacidade intelectual. Com efeito, em anos posteriores, ao rever algum antigo camarada em sua existência pós-comunista como profissional de classe média respeitável, porém raramente conservador, às vezes eu dizia a mim mesmo: "E pensar que um dia eu o recrutei para o Partido, assim como a outros iguais a ele!". Menos surpreendente é o fato de que os operários que ingressaram no Partido, pelo menos na Inglaterra, eram jovens e mais "antenados" do que a maioria, porém em outros sentidos eram típicos de sua classe e seus ofícios — especialmente mecânica, construção e, em certas regiões, mineração. Entre as décadas de 30 e 50, antes que níveis mais elevados de instrução e acesso ao ensino superior chegassem ao alcance de sua classe, era por meio do Partido que os jovens aprendizes inteligentes ou os ativistas dinâmicos das oficinas obtinham educação política e intelectual. O Partido formou os futuros líderes nacionais do sindicalismo britânico e naturalmente forneceu a si próprio quadros competentes vindos das classes trabalhadoras, coisa que um partido conscientemente "proletário" considerava essencial. Ao contrário da opinião geral, os intelectuais não desempenharam papel importante na liderança do Partido até que a revolução educacional transpôs das oficinas para as faculdades os jovens potencialmente capazes de serem aprovados nos exames, o que portanto se transformou na via de entrada na política ou em melhores empregos, e não apenas de ingresso nos partidos comunistas.

Assim, o comunismo não era uma forma de separar as personalidades "extremistas" das "não extremistas", embora ambos os pólos do espectro político possam às vezes atrair a mesma clientela — isto é, pessoas em geral jovens que possuam gosto natural por operações aventurosas ou violência política, o tipo de pessoa atraída pelo terrorismo ou pela ação direta. Talvez os "Rambos" tenham sido mais atraídos para a extrema esquerda a partir do crescimento das confrontações de rua e dos grupos armados, na esteira da revolta estudantil de 1968, com sua retórica de "guerreiros de rua". No entanto, uma vida dedicada a fazer a revolução não é o mesmo que uma vida que busca emoções na guerrilha ilegal ou na aventura.

Considerando a tradição e a importância das atividades clandestinas nos partidos comunistas — os quais, com raríssimas exceções (tais como a Grã-Bretanha), foram ilegais por pelo menos uma parte de sua história —, evidentemente havia espaço para uma vida de aventuras no movimento comunista internacional de meu tempo, mas o bolchevismo, cujo lema era a impiedosa eficiência, mais do que o romance, não favorecia a cultura do ladrão de banco ou dos ataques de comandos. Inventou a supremacia do "comissário político" (isto é, um civil) por desconfiar dos impulsos do soldado. Em teoria, era hostil ao terrorismo individual. A reação de Lenin a tais gestos era absolutamente típica. Ele não compreendia o motivo pelo qual em 1916 o social-democrata Friedrich Adler matara em público com um tiro o primeiro-ministro do Império dos Habsburgo, como protesto contra a Primeira Guerra Mundial. Não teria sido mais eficaz se ele, como secretário do Partido, mandasse uma circular às seções convocando uma greve?

Conheci diversos comunistas cujas carreiras interessariam — e em alguns casos interessaram — a escritores de romances de aventura, mas em termos gerais o ideal da clandestinidade, embora perigoso, não era o banditismo nem a autodramatização. Permitam-me comparar o caráter de Alexander Rado, chefe da rede de espionagem soviética na Suíça durante a guerra, que era extremamente importante, o único grande espião com quem passei um Natal um tanto bizarro em Budapeste, com o caráter de seu operador de rádio Alexander Foote, aparentemente agente duplo britânico, tal como descrito na literatura. Foote "não se tornou inicialmente agente secreto por ideologia, dinheiro ou patriotismo. Ganhou muito pouco com a espionagem, as idéias políticas abstratas o aborreciam, e o M15, a agência central britânica de informação, não o considerava patriota, quando finalmente voltou à Inglaterra. Mas era um aventureiro nato".[2] Rado não dava a impressão de estar louco para entrar em ação e mais parecia um tranqüilo homem de negócios de meia-idade cujo hábitat natural de lazer era uma mesa de café na Europa Central. Quando o encontrei, em 1960, tendo regressado a uma cátedra na Universidade de Economia Karl Marx em Budapeste, após vários anos nos campos de concentração de Stalin, ele era o que sempre quis ser: geógrafo e cartógrafo. Havia passado a vida política inteira, desde 1918, entre atividades clandestinas ou inconfessáveis, sempre regressando a sua vocação. Nem a luta armada — organizara as brigadas armadas de trabalhadores que deveriam liderar a (abortada) revolução alemã de 1923 — nem dirigir redes de espionagem o desviaram de seu caminho. Sem dúvida também lhe agradavam as emoções desse tipo de vida, mas não me parecia que ele a tivesse escolhido por esse motivo. Fez o que era preciso fazer. "Quando éramos jovens", disse-me ele, "Rakosi [ex-líder comunista húngaro, ditador e, no momento dessa conversa, exilado na União Soviética] costumava dizer-me: 'Sandor, por que você não se torna revolucionário profissional de tempo integral?'. Bem, olhe para ele e olhe para mim. Foi muito bom eu ter uma profissão de verdade, que nunca abandonei." Os partidos comunistas não eram para românticos.

Eram, ao contrário, lugares de organização e rotina. Por isso, grupos de poucos milhares de membros — como o PC vietnamita ao final da Segunda Guerra Mundial — eram capazes de ser construtores de Estados se tivessem oportunidade para isso. O segredo do Partido Leninista era não sonhar nem com barricadas nem com a teoria marxista. Pode ser resumido em duas frases: "as decisões devem ser verificadas" e "disciplina do Partido". A diferença do Partido e que o tornava mais atraente era que, ao contrário dos demais, conseguia realizar coisas. A vida no Partido era quase visceralmente anti-retórica, o que deve ter facilitado a produção daquela cultura de "relatórios" infinitos, quase agressivamente chatos e sensacionalmente impossíveis de ler quando reproduzidos nas publicações do Partido, que os partidos no estrangeiro haviam tomado da prática soviética. Até mesmo na Itália das óperas, os intelectuais comunistas jovens do pós-guerra ridicularizavam o estilo tradicional dos discursos nas grandes reuniões públicas, das quais os fiéis ainda faziam questão. Não que a oratória poderosa não nos emocionasse, e reconhecíamos sua importância em ocasiões públicas e no "trabalho de massas". Mesmo assim, os discursos não fazem parte importante de minhas recordações comunistas, a não ser um que ouvi em Paris nos primeiros meses da Guerra Civil espanhola, feito pela Pasionaria, alta e negra em seu traje de viúva, no silêncio carregado de emoção da multidão que enchia a arena coberta do Velódromo de Inverno. Embora quase ninguém dentre os ouvintes entendesse espanhol, sabíamos exatamente o que ela nos dizia. Lembro ainda as palavras *y las madres, y sus hijos* ("e as mães, e seus filhos") flutuando lentamente dos microfones sobre nossas cabeças, como sombrios albatrozes.

O "partido de vanguarda" leninista era uma combinação de disciplina, eficiência executiva, completa identificação emocional e um sentimento de dedicação *total*. Um exemplo para ilustrar: em 1941, presa sob uma viga caída, nossa camarada Freddie pensou que ia morrer no incêndio causado pela única bomba inimiga despejada em Cambridge durante a Segunda Guerra Mundial. Meu amigo Tedy Prager, que procurou em vão libertá-la até a chegada dos bombeiros — ele morava no que fora minha antiga casa na Round Church Street, quase ao lado da explosão —, conta o que ocorreu:

> Ela gritava que o fogo estava queimando seus pés, e eu continuava a dar machadadas na viga, mas nada acontecia. Pobre Freddie... não adianta, ela agora gritava, vou morrer. E então, enquanto as lágrimas me vinham aos olhos devido ao desespero e à fumaça, tão exausto que não conseguia mais levantar o machado, ela bradou: Viva o Partido, viva Stalin... Viva Stalin, gritava ela, e adeus rapazes, adeus Tedy.[3]

Freddie não morreu, mas teve as pernas amputadas abaixo dos joelhos. Na ocasião, nenhum de nós consideraria surpreendente que as últimas palavras de um membro moribundo do Partido fossem para o Partido, para Stalin e para os camaradas. (Naquele tempo, a idéia de Stalin entre os comunistas estrangeiros era tão sincera, tão natural, tão imaculada pelo que se soube depois, e tão universal quanto a genuína dor que sentimos em 1953 por ocasião da morte de um homem que nenhum cidadão soviético desejaria — ou ousaria — chamar por um apelido como "tio Joe" na Inglaterra ou "Bigodudo" [Baffone] na Itália.) Nossas vidas eram para o Partido. Dávamos tudo o que tínhamos e recebíamos de volta a certeza de nossa vitória e a experiência da fraternidade.

Ao Partido (sempre pensávamos nele com letras maiúsculas) pertenciam em primeiro lugar nossas vidas, ou, mais precisamente, ele era o único verdadeiro proprietário delas. Suas exigências tinham absoluta prioridade. Aceitávamos sua disciplina e hierarquia. Aceitávamos a absoluta obrigação de seguir a "linha" que nos era proposta, mesmo se discordássemos dela, embora fizéssemos esforços heróicos para nos convencer de sua "correção" intelectual e política a fim de "defendê-la", como se esperava de nós. Ao contrário do fascismo, que exigia abdicação automática e submissão à vontade do líder ("Mussolini sempre tem razão") e o dever incondicional de obedecer a ordens militares, o Partido — mesmo no auge do absolutismo de Stalin — apoiava sua autoridade, pelo menos em teoria, no poder de convencimento da razão e do "socialismo científico". Afinal de contas, supunha-se que fosse baseado numa "análise marxista da situação", que todos os comunistas deveriam aprender a fazer. A "linha", por mais predeterminada e imutável, tinha de ser justificada a partir dessa análise, e, a não ser em circunstâncias em que isso fosse fisicamente impossível, "debatida" e aprovada em todos os níveis do Partido. Nos partidos comunistas fora do poder, nos quais os membros não tinham tanto medo de seguir a antiga tradição esquerdista do debate, a liderança era obrigada a utilizar o procedimento de repetir sua argumentação em favor da linha oficial até que não houvesse dúvida sobre como deveríamos votar. (O termo técnico para esse processo era "explicação paciente".) Após o voto, o "centralismo democrático" exigia que o debate cedesse à ação unânime.

Fazíamos o que o Partido nos mandava fazer. Em países como a Grã-Bretanha ele não nos requisitava nada de muito dramático. Na verdade, não fosse sua convicção de que aquilo que faziam estava salvando o mundo, os comunistas poderiam sentir-se entediados com as atividades rotineiras de seu Partido, conduzidas segundo o ritual costumeiro dos movimentos trabalhistas ingleses (camarada presidente, minutas de reuniões, relatório do tesoureiro, resoluções, contatos, vendas de livros, e tudo o mais) em casas particulares ou salas de reunião pouco acolhedoras. Mas obedeceríamos a quaisquer ordens que o Partido nos desse. Afinal, a maioria dos quadros soviéticos e do Komintern, no período do terror stalinista, que sabiam o que os esperava, acataram a ordem de regressar a Moscou. Se o Partido mandasse abandonar o amante ou o cônjuge, obedecia-se. Após 1933 o Partido alemão no exílio ordenou a Margaret Mynatt (mais tarde inspiradora dos *Obras completas de Marx e Engels* em língua inglesa) que fosse de Paris para a Inglaterra, pois precisava de alguém em Londres, e, como a entrada de comunistas alemães conhecidos era negada, foi necessário contar com um camarada com documentação britânica válida. Sem um momento de hesitação ela abandonou o amor de sua vida (assim me disse ela mais tarde) e partiu. Nunca mais o viu (ou seria *a* viu?) novamente. As contribuições devidas ao Partido em Auschwitz, ao que me contou um antigo interno depois da guerra, eram pagas em cigarros, moeda inconcebivelmente preciosa, o que dá uma idéia da capacidade de resistência coletiva que o Partido pôde proporcionar a seus filiados.

Era impensável qualquer relacionamento sério com quem não fosse membro do Partido ou estivesse pronto para ingressar (ou reingressar). Admitindo-se que os filiados também pudessem ser emancipados em relação ao sexo, é de supor que nem todos os militantes evitassem o sexo apolítico, porém, mesmo para o agente do Komintern no extraordinário poema de Brecht "An die Nachgeborenen" ("Aos que nasceram mais tarde"), suas relações fortuitas ("der Liebe pflegte ich achtlos") fornecem mais uma prova de que o serviço do Partido vinha antes de qualquer coisa pessoal. Confesso que no momento em que percebi ser capaz de imaginar uma verdadeira relação com alguém que não fosse recruta potencial do Partido compreendi que já não era mais comunista no sentido integral de minha juventude.

Olhando para o passado, é fácil descrever como nos sentíamos e o que fazíamos como membros do Partido meio século atrás, porém é muito mais difícil explicá-lo. Não me é possível recriar a pessoa que fui. O panorama daquela época está soterrado pelos escombros da história mundial. Até mesmo a imagem — se é que havia — das maravilhosas esperanças que tínhamos para a vida humana foi coberta pela gama de bens, serviços, perspectivas e opções pessoais que hoje estão à disposição da maioria dos homens e das mulheres nos países ocidentais, incrivelmente ricos e tecnologicamente adiantados. Marx e Engels sabiamente se abstiveram de descrever como seria a sociedade comunista, mas a maior parte do pouco que disseram sobre a forma que teria a vida individual no comunismo parece agora ser o resultado, sem comunismo, daquela produção social de abundância quase ilimitada e daquele miraculoso progresso tecnológico que eles esperavam para um futuro indeterminado, mas que hoje em dia vemos como algo normal.

Em vez de reconstruir aos oitenta e poucos anos de idade o que nos tornou comunistas, prefiro citar brevemente algo escrito pouco depois da crise de 1956, quando eu me encontrava mais próximo das convicções da juventude. Escrevi que mesmo os revolucionários mais sofisticados partilham "daquele utopismo, ou 'impossibilismo' que faz com que até os mais modernos sintam quase que uma dor física ao perceber que a vinda do socialismo não eliminará todos os pesares e tristezas, amores infelizes ou luto, e não resolverá nem tornará solúveis *todos* os problemas". Observei que "os movimentos revolucionários [...] parecem provar que quase nenhuma mudança está fora de seu alcance".

> A liberdade, a igualdade e acima de tudo a fraternidade podem tornar-se reais momentaneamente nos estágios das grandes revoluções sociais que os revolucionários que as viveram descrevem em termos normalmente reservados para o amor romântico. Não apenas os revolucionários colocam para si próprios um padrão de moralidade mais alto do que os de qualquer pessoa, exceto os santos, mas nesses momentos os põem verdadeiramente em prática [...]. Nesses tempos a sociedade deles é uma versão em miniatura da sociedade ideal, na qual todos os homens são irmãos e sacrificam tudo pelo bem comum sem abandonar sua individualidade. Se isso é possível no âmbito do movimento, por que não será possível em toda parte?

A essa altura eu havia reconhecido, com Milovan Djilas, que tratou extraordinariamente bem da psicologia dos revolucionários, que "essa é a moralidade de uma seita", mas que isso é precisamente o que lhes deu tanta força como impulsores da mudança política.[4]

Durante e entre as guerras mundiais era bastante fácil na Europa concluir que somente a revolução poderia dar um futuro ao mundo. De qualquer forma, o velho mundo estava acabado. No entanto, três outros elementos distinguiam o utopismo comunista de outras aspirações a uma nova sociedade. Primeiro, o marxismo, que demonstrava com métodos científicos a certeza de nossa vitória, predição testada e confirmada pelo êxito da revolução proletária sobre um sexto da superfície da Terra e pelos avanços da revolução na década de 1940. Marx mostrava os motivos pelos quais ela não poderia ter ocorrido antes na história da humanidade e por que razão podia e estava destinada a ocorrer agora, como efetivamente ocorreu. Hoje os fundamentos dessa certeza de sabermos para onde se dirija a história desmoronaram, principalmente a crença de que a classe operária industrial seria o agente da mudança. Na "Era da Catástrofe" esses alicerces pareciam firmes.

Segundo, havia o internacionalismo. Nosso movimento era para *toda* a humanidade e não para um segmento específico dela. Representava o ideal de transcender ao egoísmo, tanto individual como coletivo. Freqüentemente jovens judeus que haviam começado como sionistas se tornaram comunistas porque, embora os sofrimentos dos judeus fossem óbvios, eram apenas uma parte da opressão universal. Ao descrever sua conversão ao socialismo em Viena, no início do século, Julius Braunthal escreveu: "Tive pena de haver desertado meus amigos sionistas, mas esperava ser capaz de algum dia persuadi-los a compreender que o objetivo menor tem de dar lugar ao maior".[5] Com amargura retrospectiva disfarçada de cinismo, minha colega de Nova York, a filósofa Agnes Heller, descreve sua conversão ao comunismo num campo de trabalho sionista na Hungria, em 1947, com a idade de dezoito anos:

> Vivíamos em comunidade e sentíamos fazer parte de uma mesma coisa. Não precisávamos de dinheiro nem dos ricos [...] eu não gostava dos ricos, e hoje me envergonho disso. Abominava os negociantes do mercado negro, os especuladores de dólar, os homens vorazes e gananciosos. Sem problemas! Eu permaneceria eternamente leal para com os pobres. Portanto, como a menina louca que eu era, entrei para o Partido Comunista a fim de estar com os pobres.[6]

Na prática, as identidades nacionais, ou outras identidades coletivas ou históricas, eram muito mais importantes do que supúnhamos. Com efeito, o comunismo provavelmente causou maior impacto fora da Europa, onde não havia rival eficaz na luta contra a opressão nacional ou imperial. Ho Chi Minh, libertador do Vietnã, escolheu para seu nome de guerra no Komintern "Nguyen, o Patriota". Chin Peng, que liderou a insurgência comunista e as guerrilhas na selva da Malásia, embora com menor êxito, começou como jovem patriota que se voltou para o comunismo ao abandonar a esperança de que o Partido Kuomintang pudesse libertar a China. Ele próprio, cavalheiro chinês de interesses intelectuais cuja aparência nada tem de líder guerrilheiro, me disse essas coisas no improvável ambiente do salão de café do Ateneu. Ainda assim, mesmo para os que começaram com objetivos limitados, mesmo para aqueles que abandonaram as esperanças maiores quando o Partido frustrou as menores, como os muitos judeus comunistas que o deixaram sob o impacto das campanhas anti-semitas de Stalin, o comunismo representou o ideal de transcender o egoísmo e servir a toda a humanidade sem exceção.

Mas ainda havia um terceiro elemento nas convicções revolucionárias dos comunistas do Partido. O que os esperava no caminho do milênio era a tragédia. Na Segunda Guerra Mundial os comunistas estavam amplamente super-representados na maioria dos movimentos de resistência, não simplesmente porque fossem eficientes e corajosos, mas porque sempre estiveram prontos para o pior: espionagem, clandestinidade, interrogatórios e ação armada. O partido de vanguarda de Lenin nasceu perseguido, a Revolução Russa surgiu da guerra, e a União Soviética, da guerra civil e da fome. Até a revolução os comunistas não podiam esperar que suas sociedades os recompensassem. O que os revolucionários profissionais esperaravam era a cadeia, o exílio e, muitas vezes, a morte. Ao contrário dos anarquistas, do IRA ou dos movimentos dos homens-bomba islâmicos, o Komintern não criou um culto poderoso de mártires individuais, embora o PC francês, após a liberação, apreciasse a capacidade de atração do fato (verdadeiro) de que durante a Resistência fora o *parti des fusillés* ("partido dos fuzilados"). Sem dúvida os comunistas eram o inimigo quintessencial de quase todos os governos, inclusive os relativamente poucos que permitiam existência legal ao Partido, e constantemente nos recordavam o tratamento que poderíamos esperar em cadeias ou campos de concentração. Mesmo assim, nos víamos menos como sofredores ou como baixas potenciais do que como combatentes numa guerra onipresente. Como escreveu Brecht em sua grande elegia da década de 30 aos profissionais do Komintern, "An die Nachgeboren":

Alimentava-me entre uma batalha e outra
Dormia entre assassinos.

A qualidade do soldado é a dureza, que atravessava nosso próprio jargão político ("inflexível", "rígido", "duro como aço", "monolítico"). Dureza, até mesmo falta de piedade, fazer o que tinha de ser feito, antes, durante e depois da revolução, era a essência do bolchevique. Era a reação necessária aos tempos. Brecht escreveu:

Tu, que emergirás da enchente
Na qual perecemos,
Lembra-te também
Quando falares de nossas fraquezas
Dos tempos negros
Dos quais escapaste.

Mas o sentido do poema de Brecht, que fala aos comunistas de minha geração como nenhum outro, é que a dureza foi imposta aos revolucionários.

Nós, que queríamos preparar o terreno para a bondade,
Não podíamos ser bondosos.

Evidentemente não percebemos, nem podíamos perceber, a escala do que estava sendo imposto aos povos soviéticos sob Stalin na época em que nos identificávamos com ele e com o Komintern, e relutávamos em acreditar nos poucos que nos contavam o que sabiam ou suspeitavam.[7] Ninguém poderia predizer a escala de sofrimento humano da Segunda Guerra Mundial até que ela aconteceu. No entanto, é anacrônico supor que somente a ignorância genuína ou voluntária nos impedisse de denunciar as desumanidades perpetradas pelo nosso lado. De qualquer forma, não éramos liberais. O que havia falhado era o liberalismo. Na guerra total em que estávamos metidos, não nos perguntávamos se deveria haver limites aos sacrifícios impostos a outrem, mais do que a nós mesmos. Como não estávamos no poder, nem era provável que chegássemos a ele, esperávamos ser prisioneiros, mais do que ser carcereiros.

Havia partidos comunistas e seus funcionários, como André Marty, que aparece em *Por quem os sinos dobram*, de Hemingway, que se orgulhavam de seu bolchevismo "duro como o aço", e não menos o Partido Comunista soviético, no qual este se juntava à tradição absolutista de poder ilimitado e à brutalidade da existência russa cotidiana para produzir as hecatombes da era stalinista. O PC britânico não estava entre aqueles, mas a patologia do Partido se revelava em formas mais masoquistas e pacíficas. Um exemplo é o caso do falecido Andrew Rothstein (1898-1994). Andrew era um tipo pequeno-burguês, maçante, de rosto redondo, que defendia tudo o que necessitasse ser defendido na União Soviética. Era filho de um velho bolchevique russo, mais dramático, Theodore Rothstein, que tinha sido diplomata soviético e escrevera um livro pioneiro sobre história operária marxista. Certa vez dormimos no mesmo quarto frio em uma conferência da Associação de Professores Universitários, e ainda me lembro dele retirando cuidadosamente da mala seus apetrechos de toalete e chinelos. Possivelmente eu tinha recebido o encargo de protestar contra a Escola de Estudos Eslavos da Universidade de Londres, onde ele ensinava Instituições Soviéticas, que não havia renovado seu contrato de conferencista. Membro fundador do PC britânico e evidentemente com bons contatos na Rússia, fora figura de relevo no Partido na década de 20, mas em 1929-30 sua oposição ao rumo ultra-esquerdista do Komintern, para não mencionar seu temperamento cáustico e a ausência de credenciais proletárias, o levaram a cair em desgraça. Foi exilado (sem a mulher e os filhos) para Moscou e sua filiação foi transferida para o Partido Comunista da União Soviética. Felizmente para sua sobrevivência, em breve foi-lhe permitido regressar à Inglaterra e ao PC britânico, com a condição de que pelo resto da carreira ocupasse somente funções locais no Partido. Mesmo assim, continuou a ser um comunista totalmente leal, totalmente comprometido. Na verdade, penso que para ele, como para outros como ele, a prova de sua devoção à causa era sua disposição de defender o indefensável. Não era o credo cristão *Credo quia absurdum* ("acredito porque é absurdo"), e sim o constante desafio: "Podem me experimentar mais; como bolchevique, eu não sucumbo". Finalmente, quando o PC britânico deixou de existir, em 1991, ele passou a ser o primeiro filiado ao Partido Comunista da Grã-Bretanha, muito pequeno e de linha dura, que o sucedeu.

Duvido que a carreira de Rothstein inspirasse qualquer comunista de minha geração a entrar para o Partido ou nele permanecer. No entanto, tínhamos nossos heróis e modelos: George Dimitrov, no julgamento sobre o incêndio do Reichstag em 1933, que se ergueu sozinho no tribunal nazista desafiando Hermann Göring e defendendo a reputação do comunismo e incidentalmente a do pequeno porém orgulhoso povo búlgaro ao qual pertencia. Se não deixei o Partido em 1956, foi em boa parte porque produzia homens e mulheres como esses. Penso primordialmente em uma dessas figuras, quase desconhecida em vida, de quem somente amigos e camaradas se recordam hoje. Ainda o vejo, pequeno, de olhos argutos, zombeteiro, caminhando comigo numa manhã de domingo pelas trilhas banhadas de sol e cuidadosamente sinalizadas das colinas dos bosques de Viena, entre casais de outros caminhantes conhecidos, homens e mulheres de cabelos grisalhos, que haviam organizado reuniões ilegais socialistas e do Partido nas partes mais remotas desses bosques, antes de serem mandados a campos de concentração aos quais sobreviveram. O ambiente característico dos revolucionários austríacos sempre havia sido o ar livre. Provavelmente não há ninguém que eu admire mais do que esse homem.

Em meados de agosto de 1944 ele escrevera suas últimas palavras na cela 155 do bloco 2 e na cela 90 do bloco 1 da prisão de Fresnes, em Paris:

Franz Feuerlich, comunista
Franz Feuerlich, austríaco
Será executado em 15 de agosto de 1944
Na véspera da libertação?[8]

Mas Ephraim Feuerlicht (1913-79), a quem todos conhecíamos por seu nome do Partido, Franz Marek, teve sorte. A libertação de Paris o salvou. Tinha sido figura de destaque na organização MOI (Main d'Œuvre Immigrée) do Partido Comunista francês, dirigida pelo tcheco Artur London (mais tarde vítima dos julgamentos stalinistas), em que espanhóis, judeus, italianos, poloneses e outros desempenharam papel desproporcionalmente imenso e heróico na resistência armada na França. (Aqueles para quem a imagem dos judeus sob o fascismo é de eternas vítimas deveriam lembrar o desempenho dos judeus socialistas e comunistas como lutadores, desde os 7 mil que lutaram nas Brigadas Internacionais até o MOI e seus equivalentes em outros países ocupados.) Entre outras coisas, Franz tinha a seu cargo o trabalho com as próprias tropas alemãs. Não falava sobre aquela época, exceto uma vez a meu filho Andy, que então tinha dez anos e queria saber o que se fazia na Resistência. Ele respondeu que principalmente se esquivava dos que queriam prendê-lo, mas que algumas vezes escapara por um triz. Nascido em Przemysl, que hoje fica na

Ucrânia, cresceu em extrema pobreza na Viena de entreguerras — dizia que jamais possuíra calças e paletó novos até se tornar revolucionário profissional — e foi politizado como sionista aos quinze anos, convertendo-se ao marxismo ao pertencer ao mais marxista dos grupos sionistas, o Hashomer Hazair, embora somente se filiasse ao Partido Comunista após a guerra civil austríaca de 1934. Não admira que isso fosse a conseqüência imediata de alguns meses passados na Alemanha pré-hitlerista em 1931-32. Tornou-se profissional quase desde o início, havendo demonstrado claramente capacidade excepcional para o trabalho clandestino ao camarada que fora mandado instruir os austríacos na situação inusitada de ilegalidade. Embora afirmasse que o segredo desse tipo de trabalho fossem a pontualidade e a exatidão nos detalhes, em suma, as estritas "regras de conspiração" dos bolcheviques, aos vinte e poucos anos também tinha prazer nos aspectos românticos de suas atividades. Gostava de recordar que ocupara o que anteriormente fora o escritório de Dimitrov no nono distrito — Viena sempre fora o centro da Internacional para os Bálcãs. Em pouco tempo organizou um escritório vienense para o PC romeno (com todos os seus trezentos membros) para participar no iminente VII Congresso Mundial, antes de ser promovido a chefe do "Apparat" do Partido austríaco ilegal — comunicações, casas de segurança, travessias de fronteiras e fornecimento e distribuição de literatura — e mais tarde de todas as atividades de *agitprop*. Sem dúvida fora isso o que o levara a Paris após o *Anschluss*.

Regressou à Áustria depois da guerra como membro do bureau político do PC austríaco, escreveu um livro curto e revelador sobre a França e editou o jornal teórico do Partido. Em 1968 teve êxito efêmero em dissociar o PC austríaco da União Soviética após condenar a invasão da Tchecoslováquia por essa última, mas Moscou logo retomou o controle. Marek foi expulso, mas continuou como redator-chefe de um mensário independente de esquerda, o *Wiener Tagebuch*. Junto comigo e alguns outros, foi também organizador e editor da ambiciosa *Storia del marxismo*, de Giulio Einaudi; sua renda nessa época provinha integralmente dessa fonte. No verão de 1979 sucumbiu a um ataque de coração longamente esperado. Morreu comunista. O Partido Comunista italiano esteve representado em seu enterro. O que deixou ao morrer, com exceção de alguns livros, cabia em duas maletas.

Homem de força, inteligência lúcida e notável erudição, poderia ter sido um pensador, escritor ou acadêmico eminente. Mas escolhera não interpretar o mundo, e sim transformá-lo. Se vivesse num país maior e em outra época, poderia ter sido importante figura política num comunismo humanizado. Continuou em seu caminho até o fim, resistindo às tentações de um refúgio pós-político na literatura ou nos seminários de graduação. A sua maneira, foi um herói de nossos tempos, que não foram e não são bons tempos.

II

Até agora falei de comunistas fora do poder. Que dizer dos membros do Partido os quais conheci e que encontraram situações muito diferentes nos regimes comunistas, que traziam não a perseguição, e sim privilégios? Não eram forasteiros, mas gente da casa, governantes e não oposicionistas, freqüentemente de países onde a maioria dos habitantes os detestava. A polícia não era sua inimiga, mas sua agente. Para eles, o futuro glorioso após a revolução não era um sonho, e sim a realidade.

Não possuíam a vantagem, que sustentava nossa moral, de inimigos contra os quais lutar com convicção e com a consciência tranqüila: o capitalismo, o imperialismo, a aniquilação nuclear. Ao contrário de nós, não podiam fugir à responsabilidade pelo que se fazia em seus países em nome do comunismo, inclusive as injustiças. Isso foi o que tornou o Relatório Kruchev de 1956 extremamente traumático para eles. "Se as 'leis da história' já não podiam ser culpadas por esses terrores, e sim a pessoa de Stalin, que dizer de nossa própria co-responsabilidade?",[9] escreveu um tcheco exilado que conheço, comunista dissidente. Nos anos 50 havia estado no serviço de promotoria pública.

Durante minha vida houve três gerações de comunistas que cruzaram os umbrais do poder: os "velhos bolcheviques" pré-stalinistas — poucos deles sobreviveram aos anos 30 e não conheci nenhum —; os que fizeram ou experimentaram a grande mudança, isto é, as gerações de comunistas do entre-guerras e da Resistência; e finalmente os que cresceram sob os regimes que desmoronaram em 1989. Nada há a dizer sobre esses últimos. Ao entrar para o que constituía uma elite pública, conheciam as regras do jogo segundo as quais seus países viviam. Tampouco há o que dizer sobre a União Soviética. Tenho relacionamento pessoal de fato somente com um membro da geração soviética, embora não fosse um russo e sim um comunista estrangeiro de segunda geração que cresceu na União Soviética antes de retornar a seu próprio país: o falecido Tibor Szamuely, da Hungria.

Era um historiador brilhante, atarracado, feio e espirituoso, sobrinho de uma das figuras mais eminentes da República Soviética húngara de 1919, que havia crescido na URSS, onde seu pai foi executado e sua mãe deportada. Ele próprio, depois de quase morrer de fome no cerco de Leningrado, afirmou também ter passado o tempo habitual em um campo de concentração durante as derradeiras loucuras do ditador. Voltou à Hungria após a morte de Stalin, cínico porém oficialmente comunista, como secretário do Partido no corpo docente de história da universidade, onde pertencia à linha ultradura, porém nenhum estudante ou colega foi expulso nem penalizado. No entanto, quando o conheci em Londres por volta de 1959 ele estabeleceu contatos extremamente anticomunistas. Como tantos judeus da Europa Central, era apaixonadamente anglófilo. Talvez já estivesse se preparando para abandonar o barco como amante da liberdade — o que fez alguns anos depois, transformando-se em escritor anticomunista para publicações conservadoras e fazendo amizade íntima com o escritor e beberrão Kingsley Amis, igualmente reacionário e mais engraçado, porém visivelmente menos inteligente. Apesar do que ele deve ter considerado ilusões minhas, simpatizamos um com o outro e nos demos muito bem. Por seu intermédio viajei pela primeira vez à Hungria em 1960, embora, como alto funcionário — creio que na época era vice-reitor da universidade —, não lhe agradou minha insistência em visitar o grande filósofo marxista George Lukács, que os russos recentemente tinham permitido regressar a Budapeste. Lukács havia sido preso e exilado após a revolta de 1956 e então permanecia em seu apartamento com vista para o Danúbio, novamente como antigo grande sacerdote em trajes profanos, fumando charutos havana. Meu memorável jantar de Natal com o grande espião ocorreu no apartamento de Tibor. E foi para nosso apartamento em Bloomsbury que ele resolveu ir diretamente do aeroporto com mulher e filhos quando finalmente conseguiu (mediante uma missão em Gana) levar, para sempre, a família para longe do socialismo.

Não foram os horrores do socialismo que finalmente o fizeram sair, mas o excesso de cinismo. Embora fosse recebido na Inglaterra como vítima da repressão soviética, na verdade não participara da revolução de 1956. Com efeito, após a derrota da revolta ele restabeleceu a unidade do Partido na universidade. Por isso a carreira de Szamuely progrediu rapidamente nos anos seguintes. Infelizmente, durante esses anos, sob os olhos benevolentes do governo de Kadar, os simpatizantes do movimento de 1956, isto é, a maior parte dos intelectuais e acadêmicos comunistas, discretamente retomaram suas posições. A carreira do colaborador dos soviéticos, que avançara tão vertiginosamente depois de 1956, começava agora a declinar. Porém, naturalmente, ele tinha tanto desprezo pelas ilusões dos revolucionários de 1956 quanto pelo regime soviético. Dando mais um passo para longe do mundo do Partido de minha juventude, resisti bravamente nos anos seguintes à tentação de dizer qualquer coisa em público sobre o que o grande amante da liberdade fizera em 1956. Era algo mais do que uma relutância em marcar um efêmero ponto de debate político à custa de causar embaraço a um amigo pessoal. Marlene e eu reconhecemos que havia uma questão de princípio: há momentos em que é necessário traçar um limite entre relações pessoais e opiniões políticas. Mesmo assim, embora a companhia dele fosse muito agradável, com seu encanto e talento, nós e os Szamuely fomos nos afastando. Talvez as vidas públicas e privadas não sejam tão separáveis assim.

Os acadêmicos tchecos, alemães orientais e húngaros foram os membros do Partido no bloco soviético que eu mais freqüentei. Encontrei rapidamente um ou dois dos principais personagens políticos desses regimes, especialmente Andras Hegedüs, o último primeiro-ministro húngaro no governo Rakosi, que se reciclou como sociólogo acadêmico depois de 1956, viajou, protegeu dissidentes mas falou pouco, embora deixando transparecer que a qualidade da liderança do Partido havia declinado depois de seu tempo. Nenhum de meus amigos era importante no Partido, embora Ivan Berend haja recusado um convite para ser ministro da Educação em seu país, a Hungria. Era, e ainda é, magnífico historiador, presidente da Academia de Ciências de seu país no tempo do comunismo, e seus méritos foram reconhecidos, após o fim do regime, pela eleição para presidente do Comitê Internacional de Ciências Históricas. Quase todos os tchecos que conheci, alguns dos quais vinham do tempo da emigração para a Inglaterra de antes da guerra, apoiaram a Primavera de Praga de 1968, e alguns deles desempenharam papel importante nesse movimento, como meu amigo Antonin Liehm, que foi redator-chefe do principal jornal político-cultural da época, o *Literarny Listy*. Conhecemo-nos não por meio da política, mas como amantes do jazz num festival em Praga; porém o jazz, como a reabilitação de Kafka, era uma atividade de oposição no caminho para 1968, embora eu não tenha consciência de qualquer conotação política na publicação de meu livro *História social do jazz*, única de minhas obras traduzida para o tcheco sob o comunismo. Depois de 1968 os reformistas do Partido ou foram obrigados a emigrar ou passaram a ser lavadores de janelas, carvoeiros ou ter outras atividades semelhantes, se não fossem suficientemente idosos para se aposentar. Alguns, como Edward Goldstücker, figura importante na Primavera de Praga como presidente do sindicato de escritores, já tinha sido preso durante anos na perseguição stalinista do início dos anos 50. (Nós o vimos em Praga em 1996, pouco antes de sua morte; as autoridades da nova Tchecoslováquia lhe haviam negado o status de perseguido pelo comunismo.) Perderam seu país para sempre, pois quando o comunismo acabou já ninguém mais os queria.

Os húngaros que conheci melhor, demasiado jovens para haver participado das políticas de resistência de antes da guerra — Ivan Berend e seu constante colaborador George Ranki regressaram de campos de concentração nazistas em 1945 diretamente para a escola secundária —, eram comunistas reformadores, com exceção do brilhante Peter Hanak, jovem astro de história marxista da Hungria em 1955, insurreto na revolução de 1956 e fortemente anticomunista dali em diante. Mas o clima pós-1956 na Hungria era ao mesmo tempo modestamente reformista e tolerante, até mesmo de alguma dissidência. De todos os regimes do Partido, provavelmente o da Hungria tenha sido o que mais se aproximou de uma vida intelectual normal no comunismo, talvez em grande parte graças à riqueza de talento intelectual, reforçado pelas boas relações com os emigrados para o Ocidente. Algumas de suas mentes não políticas mais notáveis rejeitaram a emigração até mesmo nas piores épocas, como o gênio matemático Erdös, que fez questão de manter seu passaporte húngaro ao mesmo tempo que procurou visitar os departamentos de matemática em várias partes do mundo, jamais permanecendo no mesmo lugar por mais de alguns meses e levando consigo, numa mala, tudo o que possuía. Conseguiu essa façanha extraordinária e talvez única para um cidadão privado no auge da Guerra Fria graças ao apoio unânime da máfia internacional dos matemáticos. Certa vez em que, incapaz de conversar com ele sobre a teoria dos números, perguntei-lhe numa agradável tarde em Cambridge por que desejava manter permanentemente o direito de regressar a Budapeste, ele respondeu: "Boa atmosfera matemática". A Hungria, naturalmente, era a única região da Europa Central que não perdera a maior parte de seus judeus.

Em alguns países de "verdadeiro socialismo", como por exemplo a Polônia, era possível evitar o Partido no relacionamento com colegas e amigos. Isso não ocorria na República Democrática Alemã, onde nada estava além de sua supervisão, muito menos os contatos de seus cidadãos com comunistas estrangeiros. Além disso, não havia espaço para dissidência, nem sequer para dúvidas sobre a linha decidida do alto da liderança. Em alguns aspectos, e não menos por motivos lingüísticos, foi-me mais fácil, portanto, descobrir nesse país o que significava ser membro do Partido no socialismo.

Os comunistas alemães orientais, ou pelo menos os que eu conheci, eram crentes, e a maior parte permaneceu assim, fossem eles quadros mais antigos do velho KPD anteriores a 1933; jovens entusiastas que se filiaram na época de ruínas de 1945 a fim de construir um novo futuro, como Fritz Klein, filho do redator-chefe de um dos jornais conservadores mais respeitados da República de Weimar; comunistas de segunda geração, como meu amigo Siegfried Bünger, filho de um operário de Mecklenburg, na zona rural; ou ainda Gerhard Schilfert, convertido quando prisioneiro de guerra dos soviéticos, homem incapaz de outra coisa a não ser deixar-se convencer pela autoridade, nova ou antiga, e a ela manter-se leal. (Todos esses eram historiadores.) De certa forma, escolheram-se a si próprios. Os que não conseguiam segurar a barra saíam, o que na verdade era bastante fácil até a construção do Muro de Berlim, em 1961.

Tive pouco contato direto com a Velha-Guarda, a não ser a família Kuczynski, e, por meio de meu amigo, o pintor Georg Eisler, com seu respeitado pai Hanns, parceiro de Brecht e compositor oficial do Estado na RDA, a quem conheci no ambiente pouco proletário do hotel Waldorf. Hanns abandonara a mulher e o filho, cujo exílio os levara de Viena a Moscou e Manchester e finalmente de volta a Viena. Perdera uma esposa mais recente, Lou, para outro veterano comunista de Moscou, o brilhante e encantador romântico Ernst Fischer, filho de um general Habsburgo e astro da cultura e do PC austríacos no pós-guerra, até que o Partido o expulsou após a Primavera de Praga. Tenho uma dívida intelectual com Fischer, que reconheci em meu livro *A era das revoluções*. Todos permaneceram em contato amistoso, como fez Fischer com sua primeira mulher, uma bela jovem aristocrática da Boêmia que se tornou agente soviética e cujas credenciais revolucionárias remontavam à insurreição comunista alemã de 1921. Os Eisler, de Leipzig e Viena, representavam quase a quintessência de uma família do Komintern. Tia Elfriede (conhecida na história como Ruth Fischer) tinha sido a jovem comunista que acreditara no amor livre e fizera Lenin criticar o sexo fortuito (a "teoria do copo d'água"). Alguns anos mais tarde, surgiu como participante da liderança ultra-esquerdista do KPD antes que a expulsão e o exílio a fizessem desaparecer, pois havia escolhido o lado perdedor na política soviética e do Komintern. Depois da guerra reemergiu nos Estados Unidos, entre outras coisas como denunciante de seu irmão Gerhart Eisler. Este, também líder derrotado (porém mais moderado) do KPD, tornara-se agente do Komintern de certa importância na China, nos Estados Unidos e em outros lugares. Foi expulso dos Estados Unidos, desertando a caminho da Grã-Bretanha, e regressou à Alemanha Oriental, onde, durante a mania do final do período stalinista, foi acusado de traidor potencial e sem dúvida mais tarde traidor confesso, num julgamento para as arquibancadas. Felizmente o regime alemão-oriental, embora o país estivesse ocupado por forças soviéticas, jamais se juntou à moda assassina do stalinismo, ainda que raramente essa moderação lhe seja reconhecida. Gerhart Eisler passou o resto da vida em posições políticas menores na RDA, tais como a de chefe dos serviços de radiotransmissão, esquivando-se sorrateiramente das perguntas do sobrinho a respeito de seu passado. Se tivesse escrito memórias, o que se recusava a fazer, teriam sido tão desimportantes quanto as da maioria dos diplomatas: sua geração não falava. Hollywood, onde Hanns passou o tempo de exílio, era o lugar adequado para esse músico gordo, espirituoso e cínico, que teve muito mais êxito ali do que seu parceiro Brecht, mas assim mesmo voltou e escreveu o hino nacional do novo Estado. Não se pode realmente acusá-los de haver nutrido muitas ilusões sobre a realidade do comunismo do Komintern, da União Soviética e menos ainda da RDA. Permaneceram — controlados e fustigados por uma rígida hierarquia política à qual eram de tempos em tempos denunciados por rivais e jovens ambiciosos — constantemente vigiados, mesmo quando recebiam honras públicas, pelo mais amplo sistema de polícia permanente jamais operado por um Estado moderno, a Stasi. Mesmo assim, permaneceram.

De certa forma, a situação peculiar da RDA tornava isso mais fácil. O regime alemão-oriental sofria do fato evidente de não possuir legitimidade, não ter no início quase nenhum apoio, e jamais seria capaz de vencer uma eleição livre em toda a sua existência. O sucessor do SED (Partido da Unidade Socialista) tem hoje provavelmente apoio popular mais genuíno do que quando o antigo regime apregoava os habituais 98% dos votos. Assim, os comunistas alemães-orientais ainda estavam, falando em termos gerais, em oposição acirrada, especialmente sob a ameaça e tentação do avassalador vizinho, a República Federal, muito maior. Isso justificava medidas que de outra forma horrorizariam os comunistas, mesmo descontando a rejeição do Partido à democracia liberal. Recordo o amargo gracejo de Brecht sobre os governos que deveriam dissolver o povo e eleger outro. Naquela mesma ocasião, em 17 de junho de 1953, meu amigo Fritz Klein, dedicado comunista de 29 anos de idade, apoiou a intervenção soviética após a grande revolta dos trabalhadores, por acreditar que o regime era socialmente mais justo e politicamente mais confiável em seu antifascismo do que a República Federal. Da mesma forma, aprovou em 1961 a construção do Muro de Berlim. "Minha opinião naquela época", escreve ele, "era de que tinha de ser aceita como o mal menor, diante da inevitável alternativa: o abandono da experiência ainda legítima de construção de uma nova sociedade."[10] O máximo que podiam esperar era que a sociedade socialista que construíam funcionasse e acabasse por cativar o povo. Sem dúvida os melhores e mais inteligentes entre os membros do Partido tanto eram críticos do sistema e esperançosos reformadores, e assim foram até o fim. Eram, porém, impotentes. Naturalmente era mais fácil para os membros do Partido abdicar de seu julgamento e agir segundo as regras (isto é, no nível mais alto, pedir o conselho de Moscou), ou simplesmente fazer o que o Partido lhes ordenasse. E o Partido era controlado pelos velhos linha-dura de antes de 1933 ou por seus sucessores da geração seguinte.

As paixões da Guerra Fria apresentaram os regimes europeus orientais como gigantescos sistemas de terror e gulags. Na verdade, após os anos de ferro e fogo sob Stalin (que tinha dúvidas sobre se deveria existir uma RDA ou não), o sistema de justiça e repressão da Alemanha Oriental, deixando de lado as vítimas do Muro de Berlim, foi competentemente descrito por um historiador de Harvard como "sempre esfarrapado, mas relativamente pouco sanguinário".[11] Era uma burocracia monstruosa que abarcava tudo, não aterrorizava e sim constantemente acossava, recompensava e punia seus súditos. A nova sociedade que construíam não era má: trabalho e carreiras para todos, educação universal aberta em todos os níveis, saúde, segurança social e pensões, férias em uma comunidade firmemente estruturada de pessoas trabalhando honestamente, acesso de todos ao melhor da alta cultura, esportes e lazer ao ar livre, igualdade entre classes. Em seus melhores aspectos, conformava-se — outra vez nas palavras de Charles Maier — com algo entre "o socialismo e a *Gemütlichkeit*", ou um "coletivismo à la Biedermeier".[12] O aspecto negativo — descontando o fato, inocultável para seus cidadãos, de que a situação geral era muito pior do que a da Alemanha Ocidental — era isso ser imposto aos cidadãos por um sistema de autoridade superior, como o de pais severos do século XIX a crianças recalcitrantes ou pelo menos teimosas. Não tinham controle sobre suas vidas. Não eram livres. Como a televisão da Alemanha Ocidental era acessível a todos, a presença constante da obrigação e da censura era evidente e causava ressentimento. No entanto, era tolerável, sempre que desse a impressão de ser permanente.

Tudo isso afetava os membros do Partido tanto quanto os demais, e talvez mais do que a esses. Suas conversas eram não somente registradas por rivais ou pelos onipresentes informantes da Stasi, mas também, caso fossem consideradas inaceitáveis, provocavam exigências de autocrítica pública ou rebaixamento, a cargo de funcionários, obstinados mas não convincentes, do gueto fechado de governantes nacionais ditando rigidamente as regras. Os dissidentes se resignavam ao conformismo mais por preocupação do que por serem perseguidos. Nos piores casos, eram acossados ou expulsos para o Ocidente, como Wolf Biermann, de quem me lembro visitar com Georg Eisler, em seu quarto nos fundos de um pátio em Berlim Oriental, onde cantava as canções de protesto que já o tinham tornado famoso.

A maioria dos membros do Partido na RDA — e quase certamente a maioria de seus intelectuais — acreditou até o fim em alguma forma de socialismo. É difícil encontrar entre eles, assim como entre os emigrantes soviéticos, comunistas reformadores que se tenham transformado em lutadores da Guerra Fria cem por cento pró-Estados Unidos. No entanto, sentiam-se cada vez mais desanimados. Em que momento terão os comunistas começado a suspeitar — ou acreditar — que a economia socialista "realmente existente", visivelmente inferior à capitalista, absolutamente não funcionava?

Markus Wolf, chefe da espionagem da RDA, homem de impressionante e evidente competência que conheci quando um canal de televisão holandês organizou um debate entre nós dois sobre a Guerra Fria, disse-me que no final da década de 1970 chegara à conclusão de que o sistema da RDA não funcionaria. Mesmo assim, nos derradeiros momentos da RDA ele veio a público como reformador comunista — posição inusitada para um chefe de serviços de inteligência. Em 1980, o livro do húngaro Janos Kornai, *A economia da escassez*, já fornecia a análise clássica do funcionamento autocontraditório das economias de estilo soviético. Nos anos 80, década em que essas economias visivelmente se deterioravam (ao contrário da economia chinesa pós-Mao), comunistas dos países do bloco soviético que dispunham de certa margem de manobra — a Polônia e a Hungria — já se preparavam claramente para uma mudança. Os regimes linha-dura de Praga e Berlim nada tinham para se sustentar a não ser a intervenção potencial do exército soviético, o que já não era provável depois que Gorbachev assumira na União Soviética. Na Europa Oriental, assim como no Ocidente, os partidos comunistas se deterioravam. Em pouco tempo a própria União Soviética se deterioraria. Terminava uma era histórica. O que restava do antigo movimento comunista internacional jazia como uma baleia numa praia na maré baixa.

Na última parte da década de 1980, quase no fim, um dramaturgo alemão-oriental escreveu uma peça chamada *Os cavaleiros da Távola Redonda*. Qual seria seu futuro?, perguntava Lancelote. "O povo lá fora já não quer mais saber do Santo Graal e da Távola Redonda [...] já não acreditam em nossa justiça e em nosso sonho [...] para o povo, os cavaleiros da Távola Redonda são um monte de tolos, idiotas e criminosos." E ele próprio, ainda acredita no Graal? "Não sei", diz Lancelote. "Não posso responder a essa pergunta. Não sei dizer nem sim nem não..." Não, talvez nunca encontrem o Graal. Mas não terá razão o rei Artur, ao dizer que o importante não é o Graal, e sim a sua busca? "Se desistirmos do Graal, desistiremos de nós mesmos." Somente de nós? É possível à humanidade viver sem os ideais de liberdade e justiça, ou sem aqueles que dedicam suas vidas a eles? Ou talvez mesmo sem a memória daqueles que assim fizeram no século XX?

10. Guerra

I

Regressei à Inglaterra a tempo para o começo da guerra. Já a esperávamos. Nós — ou pelo menos eu — até mesmo a temíamos, porém já não mais em 1939. Nessa época sabíamos já estar nela. Nem um minuto após ouvirmos a voz seca e idosa do primeiro-ministro ao declarar a guerra, ouvíramos o som ondeante das sirenes, que até hoje fazem qualquer pessoa que tenha morado em cidades durante a Segunda Guerra Mundial recordar os bombardeios noturnos. À nossa volta víamos o cenário da guerra aérea: o ferro corrugado dos abrigos, os balões de barragem amarrados como manadas de vacas prateadas no céu. Era tarde demais para ter medo. Porém para a maioria dos jovens de minha geração a eclosão da guerra significava uma repentina suspensão do futuro. Durante semanas e meses flutuamos entre os planos e as perspectivas de nossas vidas de antes da guerra e um destino desconhecido como soldados. Por enquanto a vida tinha de ser provisória, ou até mesmo improvisada, e nenhuma mais do que a minha.

Até meu regresso à Inglaterra eu ainda não me havia conformado com as conseqüências da emigração da família. Agora me via não apenas sem futuro certo, durante um período imprevisível, mas também sem poder discernir claramente o presente, sem arrimo e sozinho. O lar familiar desaparecera, e a família também. Fora de Cambridge eu não tinha qualquer lugar específico para onde ir, embora não me faltassem camaradas e amigos para alojar-me e sempre fosse bem-vindo na única casa de parentes em Londres, a do sempre confiável tio Harry. Namorada eu não tinha. Na verdade, durante os três anos seguintes, ao ir a Londres eu levava uma espécie de existência nômade, dormindo em camas ou no chão de diversos apartamentos em Belsize Park, Bloomsbury e Kilburn. A partir do momento em que fui convocado, minha única base permanente eram algumas caixas de livros, documentos e outros pertences, que o chefe dos zeladores do King's me deixou guardar em um galpão. Empacotei-os quando fui chamado e imaginei-os reemergindo após a guerra, como um Rip van Winkle cuja vida estancasse em 1939 e que agora tinha de se acostumar a um novo mundo. Que mundo seria esse?

    A guerra começava a esvaziar Cambridge. Como a equipe do *Granta* já se dispersara, pedi aos impressores que fechassem temporariamente o jornal, enterrando assim um componente essencial da Cambridge de antes da guerra. A pesquisa sobre meu tema proposto, a África do Norte francesa, havia perdido o sentido, embora eu continuasse a fazer o que tinha de ser feito, lendo a respeito do assunto, viajando de carona ao Museu Britânico quando necessário e quando as nevascas de um inverso inusitadamente gelado permitiam.

    Além disso, devido à mudança de linha ocorrida em agosto de 1939, a guerra não era a que esperávamos, em prol da causa para a qual o Partido nos preparara. Moscou reverteu a orientação que o Komintern e todos os Partidos europeus haviam seguido desde 1935 e continuaram a seguir depois da eclosão da guerra, até a chegada da mensagem de Moscou. A recusa de Harry Politt de aceitar a mudança demonstrou a aberta cisão na liderança do Partido britânico a respeito do assunto. Mais do que isso, a linha segundo a qual a guerra deixara de ser antifascista em todos os aspectos e de que a França e a Inglaterra eram tão perversas quanto a Alemanha nazista não fazia sentido emocional nem intelectual. Naturalmente aceitamos a nova orientação, pois a essência do "centralismo democrático" não era cessar o debate após ser alcançada uma decisão, estivéssemos ou não de acordo? Evidentemente tinha havido uma decisão no mais alto escalão. Ao contrário da crise de 1956 (vide capítulo 12), a maioria dos membros do Partido, inclusive até mesmo os intelectuais estudantes, parecia não se haver perturbado com a decisão de Moscou, embora diversos tenham se desgarrado durante os dois anos seguintes. Não sou capaz de recordar ou reconstruir o que pensei na ocasião, mas um diário que mantive durante os primeiros meses de meu serviço militar em 1940 mostra que não tive reservas à nova linha. Felizmente a falsa guerra, o comportamento do governo francês, que imediatamente colocou fora da lei o Partido Comunista, e a conduta tanto do governo francês quanto do inglês após o início da guerra de inverno dos soviéticos contra a Finlândia nos tornaram mais fácil engolir a orientação de que na verdade as potências ocidentais, como os imperialistas que eram, estavam mais interessadas em destruir o comunismo do que em lutar contra Hitler. Recordo argumentar sobre esse ponto, caminhando no gramado do jardim do reitor de King's com um cético bem-intencionado, o economista matemático David Champernowne. Afinal, enquanto tudo parecia tranqüilo, até mesmo sonolento, no front ocidental, os únicos planos de ação do governo britânico contemplavam o envio de tropas ocidentais através da Escandinávia para ajudar os finlandeses. Com efeito, um dos camaradas, o entusiástico J. O. N. ("Mouse") Vickers — na verdade parecia mais uma doninha do que um rato, pois era magro, rápido e móvel — que vinha de escola particular e lutava boxe pela universidade, deveria seguir para lá com seu destacamento, mas a guerra russo-finlandesa terminou. A Finlândia proporcionou alento aos intelectuais comunistas. Escrevi na época um panfleto sobre o assunto, em parceria com Raymond Williams, o futuro escritor, crítico e guru da esquerda, que era ainda recruta novo do Partido estudantil, militante e evidentemente ambicioso. Infelizmente esse texto se perdeu nos alarmas e andanças do século. Não consegui localizar nenhum exemplar. Finalmente, em fevereiro de 1940, fui convocado.

A melhor maneira de resumir minha experiência pessoal da Segunda Guerra Mundial é dizer que ela roubou seis anos e meio de minha vida, seis dos quais no exército britânico. Para mim não foi nem uma "boa guerra" nem uma "guerra ruim", e sim uma guerra vazia. Nada fiz de importante nela, nem me pediram que fizesse. Foram os anos menos satisfatórios que vivi.

Embora eu evidentemente não fosse do tipo militar, e muito menos potencial comandante de homens, a principal razão pela qual perdi meu tempo e o de meu país durante a maior parte dos anos entre os vinte e os trinta de idade foi quase certamente uma razão política. Afinal de contas, eu possuía algumas das qualificações relevantes em uma guerra contra a Alemanha nazista, inclusive o conhecimento da língua alemã como nativo. Além disso, como estudante de história um tanto brilhante no King's — faculdade cujas melhores cabeças os veteranos da Primeira Guerra Mundial receberam a incumbência de recrutar para a futura equipe de Bletchley, e que mandou para lá dezessete de seus professores —, é inconcebível que meu nome não tenha atraído a atenção de algum dentre esses. É verdade que me faltava pelo menos uma qualificação convencionalmente aceita para o serviço de informações, isto é, fazer as palavras cruzadas do *Times*. Como centro-europeu, não era coisa que eu conhecesse desde criança, e na verdade isso não me interessava. Também é fato que não tinha grande competência na outra qualificação tradicional, que havia levado meu tio Sidney à equipe de decifradores de códigos na Primeira Guerra Mundial, isto é, o jogo de xadrez. Eu era jogador entusiasta, porém estava muito longe de distinguir-me. Mesmo assim, se não tivesse sido bolchevista tão proeminente e ostensivo durante o tempo de estudante de graduação, creio que não teria simplesmente ficado em Cambridge à espera das decisões das autoridades do recrutamento militar em East Anglia.

Por outro lado, pode haver pesado a opinião oficial de que alguém de proveniência e vivência continental tão sabida e recente não poderia, apesar de ter passaporte britânico, assim como seu pai, ser um *verdadeiro* inglês cem por cento. (Essa idéia estava longe de ser incomum na Cambridge dos anos 30 e talvez meus supervisores concordassem com ela.) Afinal de contas, muitos membros do Partido trabalharam nos serviços de informações durante a guerra, inclusive alguns que não ocultaram sua filiação partidária. Sem dúvida essa foi a razão pela qual foi abortada minha indicação, algumas semanas após a convocação, para um curso de cifração (dois oficiais, dois oficiais subalternos e três outros militares). "Nada de pessoal, mas sua mãe não era britânica", disse-me o capitão, ao me instruir a tomar o trem seguinte de Norwich para voltar a Cambridge. "Naturalmente o senhor agora é contra o sistema, mas sempre poderá haver alguma simpatia pelo país onde nasceu sua mãe. É natural. O senhor compreende, não é?" "Sim, senhor." "Quer dizer, não tenho preconceito contra nacionalidades. Para mim não importa o que façam os países, desde que se comportem bem, e os alemães agora não estão fazendo isso." Concordei. Ele prometeu me recomendar para uma função de intérprete. Nunca mais ouvi falar no assunto. Curiosamente, minha memória havia obliterado completamente esse episódio, embora na época eu o tivesse registrado.

Teria eu já uma ficha no serviço secreto quando estava em Cambridge? Não há como saber. Certamente já era fichado em meados de 1942, quando um sargento amistoso da área de segurança me disse que eu tinha de ser vigiado. É possível que a ficha tenha sido feita em 1940, pouco depois de minha convocação, pois como bom comunista tomei providências para manter contato com o Partido, o que significa que, estando em Londres, conheci Robbie (R. W. Robson), funcionário do PC de tempo integral desde os anos 20, de aspecto doentio, enrugado, fumante inveterado, num daqueles pequenos e poeirentos escritórios maltratados no fim de uma escadaria escura na área central de Londres, onde esse tipo de pessoa pode ser encontrada. Provavelmente o local era grampeado pelo sistema de segurança.

Independentemente de qual tivesse sido a época em que fui fichado, eu era evidentemente considerado suspeito e por isso deveria ser mantido longe de zonas sensíveis, como o exterior, mesmo depois que a União Soviética se tornou aliada da Grã-Bretanha e o Partido se dedicou a ganhar a guerra. Enquanto durou a guerra (e na verdade desde 2 de setembro de 1939 até minha primeira visita a Paris no pós-guerra, em 1946) jamais deixei o solo britânico. Foi o período mais longo que passei sem cruzar alguma fronteira marítima ou terrestre. A partir de maio de 1940 ninguém parecia interessado em meu conhecimento de idiomas. Em certo momento cheguei a comparecer a uma entrevista sobre o assunto num lugar que me pareceu ser uma repartição do serviço secreto no topo do Whitehall, mas nada mais aconteceu. Relutantemente, acostumei-me com a idéia de que não participaria da queda de Hitler.

Que poderiam fazer os oficiais ao se verem às voltas com um sujeito desajeitado e estranho, intelectualmente superqualificado, mas sem utilidade prática e de mínima aptidão para a vida militar? Por saber dirigir fui colocado como motorista, mas não dirigi os caminhões de 1500 libras nem os de três toneladas requisitados pela companhia, e nem mesmo as motocicletas, e em pouco tempo nada mais fui do que um par de braços sem uso. Que poderia ser feito com uma figura assim? Presumivelmente eu era considerado improvovível. Afinal, a 560ª Companhia de Campo de Engenheiros Reais encontrou uma forma de livrar-se de mim. Recomendou minha transferência para o Corpo de Instrução do Exército, o qual se expandia rapidamente, pois essa era uma guerra de todo o povo. Fui mandado para o curso exigido, num edifício atrás da cadeia em Wakefield, levando comigo — por que me lembro disso tão distintamente? — o *Lotte em Weimar*, de Thomas Mann. Lá descobri a imensa superioridade do *fish and chips* do norte em relação ao que estava acostumado, e passei no teste, em companhia de outro historiador e futuro vice-chanceler da universidade de Londres.

Minha transferência ocorreu algum tempo depois, no início do outono de 1941, poucos dias depois de nos mudarmos para Hay-on-Wye, na fronteira do País de Gales, próximo ao lugar onde exatamente cinqüenta anos depois me vi comprando a casa em Breconshire na qual escrevo estas linhas. Ser transferido poderá ter salvo minha vida, pois nesse ínterim a unidade foi mandada para o exterior, e já tínhamos tirado uma licença antes de embarcar. Passei esses dias em Londres, em meio aos bombardeios, como de costume. Naturalmente não se sabia para onde ia seguir a companhia, embora o Oriente Médio fosse o destino mais provável. Porém a 15ª Divisão de East Anglia, inclusive a 560ª Companhia de Campo de Engenheiros Reais, não navegou para o Oriente Médio, e sim, via Cidade do Cabo e Mombaça, para Cingapura, onde foi capturada pelos japoneses em fevereiro de 1942. Os sobreviventes passaram os três anos seguintes construindo uma estrada de ferro na Birmânia. Cerca de um terço pereceu. Nunca mais revi meus companheiros. Teria eu sobrevivido? Quem sabe. De qualquer forma, somente muito mais tarde fiquei sabendo da sorte que tive.

II

Minha carreira no exército se compõe, portanto, de duas partes distintas. A primeira, o período dos Engenheiros Reais, foi de longe a mais interessante. Como se poderia esperar, uma companhia de sapadores era uma unidade puramente de trabalhadores, com exceção dos poucos oficiais. Eu era o único intelectual que fazia parte dela e sem dúvida o único soldado que habitualmente lia as páginas de notícias dos jornais diários antes — ou em vez — das páginas sobre corridas de cavalos. Esse costume estranho me valeu um apelido durante as semanas do colapso da França: "Sam, o

Diplomata". Pela primeira vez na vida me vi como membro, ainda que não muito característico, do proletariado cuja emancipação traria a liberdade ao mundo. Para ser mais exato, vi-me vivendo onde a maioria do povo britânico passava suas vidas, com contato apenas marginal com o mundo das classes superiores à sua. O fato de ter sido chamado em Cambridge realçava o contraste, pois durante dois ou três meses habitei os dois mundos. Depois dos exercícios (isto é, principalmente aprender os elementos da ordem unida na grama verde de Parker's Piece), eu passava de um universo para o outro ao caminhar para o centro da Cambridge universitária vindo da rua do bairro operário em que as autoridades militares tinham me alojado junto com um assistente de barbeiro e antigo carregador de malas de um hotel de Lowestoft, chamado Bert Thirtle, em casa de uma viúva idosa, a sra. Benstead. Dormiamos no que tinha sido o leito matrimonial dos Benstead, que felizmente era largo. Não era uma iniciação ideal no mundo do proletariado, pois Thirtle não tinha os reflexos sociais que eu considerava tão surpreendentes em meus outros companheiros, os quais em outros aspectos eram politicamente decepcionantes, o que explica grande parte do sindicalismo britânico. Quase todos os meus colegas se consideravam essencialmente civis de uniforme, como tinham sido seus pais em 1914-18. Não viam virtudes especiais na vida ou no aspecto marcial; queriam voltar a ser paisanos tão pronto possível. Mas Thirtle sempre sonhara secretamente em usar uniforme, embora isso não o fizesse ter mais sorte com as mulheres (nós nos referíamos a qualquer mulher como "puta") que ele conseguia em Petty Cury. A noiva, de dezessete anos, que trabalhava de ajudante de cozinha, mandava-lhe diariamente cartas e pacotes com os jornais locais, *The Wizard*, *Comic Cuts* e histórias em quadrinhos americanas.

Em retrospecto, admiro-me do poder do sentimento instintivo, ou da tradição, de ação coletiva existente num grupo de jovens trabalhadores, que iam desde os não-qualificados até alguns formados em ofícios, principalmente construtores, que se juntavam na mesma cantina ou salão de jogos do NAAFI* por ocasião do recrutamento. Isso me causou menos impressão na época do que a vacilante incerteza deles — e também minha — a respeito do

---

* Sigla da organização que administrava as cantinas e os refeitórios militares no tempo da guerra. (N. T.)

que deveríamos fazer nas ocasiões em que era preciso agir de alguma forma, e do sentimento geral de desamparo diante da autoridade. Mesmo assim, ao reler as notas em meu diário, o que me impressiona é a familiaridade com os procedimentos de ação coletiva, o constante potencial para a militância, quase intuitivo. Sentiam-se à vontade na "esfera pública" da classe operária britânica. Alguém, durante um protesto, chegara a sugerir que organizássemos uma reunião de verdade, no The Locomotive, como se fosse um sindicato, com mesa, campainha e copo d'água.

A experiência proletária era novidade também em outros aspectos. Creio poder afirmar que em 1940 poucos estudantes do King's tinham tido oportunidade de trabalhar com uma britadeira, e descobri que era uma experiência cansativa porém divertida. Os sapadores constituíam essencialmente um grupo de trabalhadores especializados e menos especializados, que vinham em maior número dos ofícios de manufaturas e da construção civil (pois muitos metalúrgicos estavam em outras ocupações e os que iam para o exército eram colocados em unidades mais especializadas), oriundos de muitas partes da Grã-Bretanha — de Black Country, Londres, Nottingham, alguns do nordeste e da Escócia —, porém principalmente dos condados orientais, pois nossa divisão era essencialmente da East Anglia. Na tropa havia alguns recrutas anômalos de Cambridge: eu próprio, alguns amigos e conhecidos um pouco mais velhos, como Ian Watt — mais tarde ilustre professor de literatura, cujo trabalho sobre as origens do romance inglês os estudantes marxistas já debatiam —, e outros um pouco mais jovens, como o espirituoso caricaturista e desenhista do *Granta*, Ronald Searle. Ambos voltaram, marcados para o resto da vida pelos campos de concentração japoneses. Ronald, a quem eu encontrava de vez em quando enquanto estivemos juntos na divisão, já estava sendo descoberto pelo admirável Kaye Webb, na época editor contratado do *Lilliput*, revista de bolso inovadora muito apreciada por nossa geração, fundada por uma emigrante centro-européia que mais tarde se casou com ele. (Ela também aceitou alguns artigos meus durante a guerra e depois, até que a revista desapareceu.) Enquanto isso, Ronald tornou-se um dos cartunistas de maior êxito de seu tempo, em grande parte graças à criação de St. Trinian, uma escola de moças cujas alunas eram horrendas, inspirada, ao que se percebia, pelos pequenos e aterrorizantes japoneses de suas prisões na guerra.

Em linhas gerais durante o tempo em que estive com os sapadores convivi com operários — operários predominantemente ingleses — e com isso adquiri uma admiração permanente, ainda que muitas vezes exasperada, por sua inteireza, sua desconfiança em relação a mentiras, seu sentimento de classe, camaradagem e ajuda mútua. Eram pessoas boas. Sei que os comunistas devem acreditar nas virtudes do proletariado, mas senti-me aliviado por constatar isso na prática, tanto quanto na teoria.

Então Hitler invadiu a Noruega e a Dinamarca e a guerra realmente começou. Logo que os alemães — quase não podíamos acreditar — começaram a avassalar os Países Baixos, a 560ª Companhia de Campo passou a ter alguma coisa real para fazer. Até mesmo durante catorze horas diárias, virtualmente isolados da vida civil de Norfolk que continuava a nosso redor, improvisávamos defesas da East Anglia contra um potencial invasor. Empilhávamos sacos de areia, revestíamos as paredes de imensas trincheiras antitanque em volta da cidade, que iam sendo abertas adiante de nós por uma escavadeira civil. Éramos inexperientes e desajeitados, e além disso não nos convencíamos de que a trincheira seria capaz de deter tanques, especialmente porque não havia canhões antitanque nem de outro tipo. Nossa tarefa principal, entretanto, era colocar minas e prender cargas explosivas em pontes, prontas para serem detonadas em caso de necessidade. A primavera transformou-se em verão e tivemos um clima realmente milagroso para esse tipo de trabalho. Ainda sinto a maravilhosa exaltação de escalar (um tanto nervoso) a parte lateral das colunas da grande ponte que atravessa Breydon Water, saindo de Great Yarmouth, para trabalhar na seção elevada entre o céu azul e a água salgada, a sensação (enganosa) de poder proporcionada pelo manuseio rotineiro de explosivos, fusíveis e detonadores. Lembro o lazer ocioso dos feriados passados em pequenos destacamentos de dois ou três de nós, de serviço em alguma remota eclusa ou ponte, com uma tenda e duzentas libras de explosivos, esperando os invasores. O que teríamos feito, se eles chegassem? Éramos calouros, sem experiência militar e até mesmo sem armas: além de nossos desajeitados rifles Lee-Enfield, a companhia dispunha exatamente de seis metralhadoras Lewis, que serviriam para manter distantes os aviões inimigos. Como primeira linha de defesa não teríamos impressionado a *Wehrmacht*.

A reação dos rapazes à invasão da Dinamarca e Noruega pelos alemães foi de profunda indignação. Abatimento, depressão e até mesmo derrotismo havia sido o clima quando da invasão dos Países Baixos, em meio à crise política que acabou por expulsar Neville Chamberlain. "Que diabo de soldados ingleses são vocês?", disse o irlandês da companhia, Mick Flanigan, em meio a afirmações na caserna de que o exército alemão obviamente era muito melhor do que o nosso e de como seriam as coisas com um governo alemão. A queda de Chamberlain trouxe-lhes novo ânimo, pois evidentemente ele fora uma das principais causas do desalento geral. O novo governo Churchill foi claramente bem recebido por nossa companhia. (Notei na época a estranheza de que os heróis dos trabalhadores ingleses eram Churchill, Duff Cooper e Eden, "aristocratas, nem sequer demagogos".)

O abatimento cresceu novamente durante as semanas seguintes de extenuante trabalho físico e isolamento virtualmente total em nossos acampamentos. Qualquer que tivesse sido o efeito sobre os civis dos famosos discursos de Churchill pelo rádio — os que diziam "Lutaremos nas praias" —, inclusive presumivelmente os de Norfolk, foi pronunciado num momento em que não os podíamos ouvir. Com efeito, na época descrevi como "horrível" o clima entre os rapazes. Trabalhávamos todas as horas do dia e da noite, praticamente confinados aos alojamentos e ao local de trabalho ("nossa maior diversão", escrevi, "é ir tomar o banho de chuveiro semanal"), sem explicação, reconhecimento ou agradecimento e acima de tudo anônimos e inferiores, recebendo ordens. Os recrutas de classe média sonhavam em partir para a frente de batalha, onde "esqueceriam os detestados produtos de limpeza de uniformes e distintivos e estaríamos todos lutando juntos". A maior parte de meus companheiros simplesmente concluía: "Isso não é vida para um ser humano. Se a guerra terminar, melhor. Quero sair daqui e voltar à vida civil". Falavam a sério? Evidentemente não, como provou a reação deles à queda da França, em 17 de junho.

Ouvi a notícia em um pub próximo de nosso posto, perto da pequena ponte que vigiávamos na estrada plana como uma mesa, que leva a Great Yarmouth. Nenhum de nós tinha dúvidas sobre o que aquilo representava. A Grã-Bretanha agora estava só. Transcrevo o que escrevi algumas horas mais tarde em meu diário:

"Quem foi o responsável?" Meia hora depois do anúncio no rádio os ingleses já estão fazendo essa pergunta. No pub em que ouvi a notícia, no carro que me deu carona de volta à ponte, na tenda com os dois companheiros. Somente uma resposta: foi o velho Chamberlain. A opinião unânime: quem for o culpado tem de pagar de alguma forma. É alguma coisa, ainda que seja somente um impulso passageiro [...].

Parou um carro em nossa ponte. O motorista, de óculos e dentadura, poderia ser um caixeiro-viajante. "Ouviram a notícia no rádio?", perguntou. "Sim, ouvimos", respondi. "Mau, mau", disse o homem, sacudindo a cabeça. "Mau mesmo, terrível." Prosseguiu sua viagem. Gritamos para ele: "Obrigado, de qualquer modo" e voltamos a nos deitar na grama alta da margem, comentando a notícia, lentamente, abatidos.

Os outros dois não conseguem acreditar.

Não apenas meus companheiros não compreendiam o que acontecera. Não conseguiam aceitar, nem sequer imaginar que aquilo poderia significar o fim da guerra, ou fazer as pazes com Hitler. (Na verdade, ao interpretar minha própria reação imediata à queda da França, e apesar da linha oficial do Partido desde setembro de 1939, eu tampouco aceitava. A vitória de Hitler não era o que tínhamos imaginado.) Eles podiam contemplar a derrota ao final de uma guerra em que lutassem — nada era mais fácil em junho de 1940. Também era claro para qualquer pessoa próxima à costa da East Anglia que se Hitler invadisse, como todos esperavam que fizesse, não havia muito com que detê-lo. O que não podiam contemplar era não prosseguir a guerra, embora fosse evidente para qualquer pessoa com algum senso de realidade política (ainda que reduzido a ocasionalmente olhar o *Daily Telegraph* num alagadiço) que a situação da Grã-Bretanha era desesperadora. Esse sentimento de que a Inglaterra ainda não estava derrotada, que era *natural* prosseguir a guerra foi o que Winston Churchill exprimiu em palavras para eles, embora num tom de heróico desafio que, com toda a certeza, nenhum de meus companheiros sentia. Churchill falava para um povo britânico composto de gente comum, como os soldados da 560ª Companhia de Campo, os quais (ao contrário de muitos dentre os bem informados) simplesmente não podiam imaginar que a Grã-Bretanha desistisse.

Como hoje sabemos, nas palavras do chefe do Estado-Maior Geral de Hitler, general Halder, "o Führer está perplexo pela persistente falta de disposição da Inglaterra de concluir a paz", pois imaginava estar oferecendo condições "razoáveis".¹ Naquele momento ele não via vantagem em invadir e ocupar a Grã-Bretanha, o que (para citar outra vez Halder) "não beneficiaria a Alemanha. Sangue alemão seria derramado para conseguir algo em proveito unicamente do Japão, dos Estados Unidos e outros". Com efeito, Hitler oferecia permitir que a Grã-Bretanha conservasse seu império de uma forma que Churchill, escrevendo a Roosevelt, descreveu corretamente como sendo a de "um Estado vassalo do império de Hitler".² Na década de 90 uma escola de jovens historiadores conservadores argumentou que a Grã-Bretanha deveria ter aceito essas condições. Se lorde Halifax e o poderoso grupo pacifista do Partido Conservador em 1940 tivessem prevalecido, não é impossível — e na verdade não é improvável — que a maioria dos britânicos os tivesse apoiado, como a maioria dos franceses apoiou o marechal Pétain. No entanto, ninguém que agora recorde esse extraordinário momento de nossa história poderia acreditar que os derrotistas tenham tido oportunidade de prevalecer. Eram vistos não como pacificadores, mas como "culpados", que tinham levado o país àquela situação. Confiantes nesse maciço apoio popular, Churchill e os ministros trabalhistas puderam manter suas posições.

Não sabíamos de nada disso — nem da existência de um partido pacifista no governo de Churchill (embora a esquerda suspeitasse), muito menos das ofertas e hesitações de Hitler. Felizmente, em agosto de 1940, Hitler iniciou os ataques aéreos em massa contra a Grã-Bretanha, até chegar ao bombardeio de Londres todas as noites, no início de setembro. Éramos um povo que continuava a guerra porque não imaginava outra coisa a fazer, mas com isso nos transformamos em um povo consciente de nosso próprio heroísmo. Todos nós, até mesmo os que não eram diretamente afetados, podíamos nos identificar com os homens e as mulheres que prosseguiam sua vida cotidiana sob os projéteis. Não teríamos usado os termos bombásticos de Churchill ("Esse foi seu melhor momento"), mas havia considerável satisfação em enfrentar Hitler sozinhos.

Mas como iríamos prosseguir? Não havia a menor possibilidade de voltar ao continente no futuro previsível, sem falar em ganhar a guerra. Entre a batalha da Grã-Bretanha e o momento em que a divisão de East Anglia foi mandada para sua perdição, percorremos vastas regiões da Grã-Bretanha, de Norfolk a Perthshire, da fronteira da Escócia aos pântanos galeses, mas durante todo esse tempo nada que a 560ª Companhia de Campo fez pareceu a seus integrantes ter qualquer relação com a luta contra a Alemanha, com exceção da ocasião, em 1941, em que nos encontramos aquartelados em Merseyside durante os grandes ataques aéreos alemães a Liverpool, e fomos conseqüentemente mobilizados para a desobstrução das ruínas nas manhãs seguintes aos bombardeios. (Minha primeira aparição em um jornal deve ter sido a de uma foto com capacete de metal, tomando chá numa cantina de rua em Liverpool pelas mãos de senhoras amáveis.) Por outro lado, Hitler tampouco tinha como tirar a Grã-Bretanha da guerra, nem podia deixar que as coisas permanecessem como estavam. Na verdade, como hoje sabemos, a impossibilidade de derrotar a Inglaterra no oeste o fez resolver voltar-se para o leste contra a União Soviética, e, ao fazê-lo, a vitória da Grã-Bretanha na guerra outra vez passou a ser possível.

Seja como for, a partir do verão de 1940 uma coisa estava clara até mesmo para os membros do Partido passionais e dedicados como eu: no exército ninguém daria ouvidos à linha oficial do PC contra a guerra. Cada vez ela fazia menos sentido e, a partir do momento em que os alemães invadiram os Bálcãs na primavera de 1941, tornou-se óbvio para mim (e também até mesmo para a maioria dos líderes do Partido) que efetivamente já não fazia sentido algum. Hoje sabemos que Stalin foi a principal vítima dessa falta de realismo, *recusando-se* obstinada e sistematicamente a aceitar a acumulação de provas detalhadas e absolutamente confiáveis do plano de Hitler de atacar a União Soviética, mesmo depois que os alemães já haviam cruzado suas fronteiras. A probabilidade de um ataque de Hitler contra a Rússia era tão grande que o próprio Partido britânico parece tê-lo esperado pelo início de junho de 1941, preocupando-se apenas com a reação de Winston Churchill.[3]

Tanto comunistas quanto não-comunistas, portanto, tiveram a mesma sensação de alívio e esperança quando Hitler invadiu a União Soviética em 22 de junho de 1941. Numa companhia essencialmente operária como a nossa, houve mais do que alívio. As gerações que cresceram durante a Guerra Fria não sabem o quanto os trabalhadores britânicos e até mesmo os líderes do Partido Trabalhista antes da guerra consideravam a Rússia soviética em certo sentido "um Estado de trabalhadores" e também como a grande potência comprometida com a oposição ao fascismo, na verdade *ex officio*. E naturalmente todos sabiam que seu apoio contra Hitler era indispensável. Não faltavam observadores e críticos profundamente hostis, mas até a Guerra Fria a imagem dominante da União Soviética no movimento trabalhista britânico não foi a de totalitarismo, terror em massa e gulags. Assim, em junho de 1941, os membros do Partido, suspirando de alívio, retornaram ao que vinham dizendo antes da guerra, juntando-se novamente às massas de britânicos comuns. Por sugestão minha, consegui uma bola de futebol assinada por todos os membros da 560ª, a começar pelo sargento-maior da companhia, e mandei-a à embaixada soviética em Londres para ser remetida a uma unidade equivalente de engenheiros no Exército Vermelho. Creio que o *Daily Mirror*, que já era o jornal mais ligado às forças armadas, publicou uma foto. Após 22 de junho de 1941 a propaganda comunista se fez mais ou menos por si mesma.

III

Ainda que eu tenha contribuído muito pouco para a derrota de Hitler ou para a revolução mundial, há muito mais que dizer por haver servido nos Engenheiros Reais do que no Corpo Educativo do Exército (AEC). Não se sabe o que pensaria o exército tradicional a respeito de uma unidade que dizia ensinar aos soldados coisas que não precisavam saber como soldados, e debater assuntos não militares (ou quaisquer outros). Isso era tolerado porque seu chefe, o coronel Archie White, era um militar profissional que havia sido condecorado com a Cruz da Vitória e porque a maioria dos que serviam na guerra era inegavelmente de antigos e futuros civis, cuja moral exigia mais do que a inculcação de lealdade e orgulho regimental. O exército não apreciava a ligação do AEC com o novo Escritório do Exército para Assuntos Correntes (ABCA), que publicava panfletos mensais de debate de assuntos políticos, os quais podiam ter sido ou não escritos por simpatizantes do Partido Trabalhista. Políticos conservadores mais tarde responsabilizaram o ABCA pela radicalização das forças armadas que, em 1945, votaram maciçamente em favor dos trabalhistas.

Mas isso será superestimar o interesse da maior parte dos homens e das mulheres das forças armadas pela literatura especificamente política. O ABCA interessava à minoria leitora e a ela se dirigia, mas não entusiasmava as massas. Se havia algum material de leitura que influenciava a visão política dos pelotões, dentro do Reino Unido ou em seu âmbito, era o *Daily Mirror*, tablóide competentemente produzido e certamente simpatizante do Partido Trabalhista, mais amplamente lido e debatido pelos soldados do que qualquer outro. Tampouco posso afirmar que tenha feito alguma contribuição relevante para a radicalização política do Comando Sul do exército britânico, assim como não fiz para a derrota de Hitler. Depois de junho de 1941, a linha do Partido estava ganhando a guerra, e isso colocou os comunistas em consonância com os demais, embora os tornasse mais relutantes nas críticas ao governo do que esquerdistas menos alinhados e disciplinados, a não ser nos temas sugeridos pela União Soviética, como o de pedir uma invasão da Europa Ocidental muito antes do que Roosevelt e o ainda mais relutante Churchill desejavam. A opinião pública não tinha necessidade do Partido para suscitar admiração e entusiasmo apaixonados pelo Exército Vermelho e por Stalin. Durante a guerra, meu então sogro, sargento-maior reformado e apolítico dos Guardas de Coldstream (embora votasse nos trabalhistas em 1945), gostava de dizer orgulhosamente aos visitantes que se parecia com Vishinsky, o notório promotor dos julgamentos espetaculares de Stalin na década de 1930.

Como o exército não sabia bem o que fazer com o AEC, os sargentos-instrutores como eu (o grau mais baixo do Corpo) se viram em um curioso limbo militar, um pouco como os capelães militares, embora sem as estrelas de oficial e as ocasiões rituais em que a presença de sacerdotes era obrigatória. Distribuíamo-nos individualmente ou em pares pelos campos de treinamento ou nas bases militares, ou éramos agregados às formações operacionais, sem funções muito claras. Não pertencíamos na realidade às unidades tecnicamente responsáveis por nossas rações, nosso alojamento e soldo, e ninguém nos perturbava muito. Tínhamos armas, mas eram tão irrelevantes que quando fui finalmente desmobilizado não existia procedimento para a restituição de meu rifle. Por outro lado, onde quer que estivesse servindo, não tinha dificuldade em encontrar lugar para minha máquina de escrever e meus livros. Não recordo ninguém na Divisão Blindada de Guardas, à qual estive agregado durante algum tempo, que tivesse feito comentários sobre a aparência de um sargento que não procurava adequar sua maneira de vestir e seu comportamento às exigências notoriamente rígidas da Brigada Real. Ninguém podia fazer isso impunemente, a não ser um sargento do Corpo Educativo. Pelo menos até que a Grã-Bretanha passasse a lutar no exterior, o exército nos deixou viver uma vida de semi-alheamento. Não recordo quantas vezes fui a Londres a partir dos diversos lugares do sul da Inglaterra a que o AEC me levou, mas no final — especialmente depois que me casei, na primavera de 1943 — praticamente passei todos os fins de semana na cidade.

Assim, para todos os fins práticos me vi cada vez mais levando a vida de um morador dos subúrbios que passa os fins de semana na capital. Com efeito, houve vezes em que até mesmo era difícil distinguir minha vida diária da dos civis, excetuando o fato de que eu usava uniforme. Dessa forma, durante os últimos dezoito meses morei em Gloucester, hospedado com uma sra. Edwards, agradável senhora de classe média, amiga e eleitora de antigos e futuros parlamentares trabalhistas da região, cuja sala de visitas continha um Matisse de qualidade média que seu conselheiro financeiro — evidentemente dos bons — a havia convencido a comprar como investimento, em 1939, por novecentas libras. Na campanha eleitoral de 1945 cheguei a trabalhar ali pelo Partido Trabalhista, supreso como muitos outros pelo inesperado apoio maciço que encontrei de porta em porta. Vi-me até mesmo, representando o exército, discursando para os trabalhadores de uma grande fábrica de aviões na estrada de Gloucester a Cheltenham, que eram os baluartes do Partido Comunista local. Cheguei à conclusão de que não era um orador natural para as massas.

Porém era em Londres que eu realmente vivia como ser humano adulto. De qualquer maneira, era onde passava minhas licenças, nos tempos da Blitz de 1940-41, descobrindo em caminhadas noturnas que somente certo grau de insensibilidade fatalista ("só vai cair em você se tiver seu nome escrito nela") torna possível conduzir as atividades normais da vida sob bombardeios. Também por poder ir até lá com tanta freqüência, Londres foi o lugar onde uma vida menos irregular e imprevisível se tornou possível. Em maio de 1943, casei-me com Muriel Seaman, que eu vagamente conhecera e da qual me lembrava como uma bela jovem comunista da LSE, e que então trabalhava na Câmara de Comércio. Isso me permite dizer que estive casado com uma das poucas verdadeiras *cockneys* ("nascida ao alcance do som dos sinos de Bow"), pois nascera na Torre de Londres. Sua mãe era filha de um *Beefeater* (os zeladores da Torre), e seu pai, sargento de um destacamento dos Guardas Coldstream designado para vigiar seus tesouros. Isso me ajudou também a esclarecer meu futuro no pós-guerra. Casado com uma funcionária pública graduada de tempo integral, eu teria de mudar meu campo de pesquisa depois da guerra ou deixar a mulher em Londres enquanto passasse um par de anos no norte da África francesa. Após consultar meu antigo professor Mounia Postan, então também funcionário público temporário em Londres, interessei-me pela história da Sociedade Fabian, cujas fontes eram praticamente todas na capital. O tema acabou sendo decepcionante. Mas esse também foi o caso de meu casamento, como muitos outros casamentos do tempo da guerra, embora na época eu não pensasse assim. Felizmente, não tivemos filhos.

Eu voltara a encontrar Muriel por meio de meus melhores amigos de Londres, Marjorie, antiga paixão na LSE, e seu companheiro, o encantador economista Tedy Prager, outro velho comunista da LSE, que voltara de um exílio temporário (na ilha de Man e no Canadá), para onde o governo britânico havia mandado quase automaticamente muitos dos jovens refugiados austríacos e alemães, fervorosos antinazistas. Após seu doutorado em Cambridge, ele trabalhou em algo que hoje em dia seria chamado de *think-tank*, o PEP (Planejamento Econômico e Político), e em seguida voltou à Áustria em 1945, como membro leal do Partido, já nessa época com outra esposa. Do ponto de vista de sua carreira — profissional ou talvez mesmo política —, teria lhe sido melhor haver ficado. Era um dos raros casais de minha geração de estudante, ou faixa etária, que moravam em Londres durante a guerra e ali trabalharam permanentemente — meu primo Denis Preston e sua mulher eram o outro exemplo —, pois a maioria dos homens fisicamente aptos fora convocada e em Londres estavam baseados somente alguns militares, principalmente nos serviços de estado-maior ou de inteligência. Por outro lado, a cidade estava cheia de mulheres que havíamos conhecido nos tempos de estudante, pois a guerra proporcionava a elas muito mais empregos importantes do que antes. Em termos de idade, saúde e sexo, os amigos e contemporâneos que viviam em Londres constituíam uma comunidade curiosamente assimétrica. Os homens iam e vinham em visita, morando fora da cidade, como eu. Os residentes constantes, além das mulheres, eram homens incapazes para o serviço militar ou mais idosos. Havia, porém, uma outra presença constante: os estrangeiros, o que para mim significava aqueles que falavam em alemão. Portanto, era natural que Tedy Prager me levasse para o amplo âmbito do Movimento de Libertação da Áustria, no qual ele, sendo comunista, estava — claro — profundamente envolvido.

Imagino que, estando solteiro e visitando Londres regularmente, eu acabaria mais cedo ou mais tarde integrando-me ao ambiente dos refugiados. Na verdade, já os encontrava desde o início de meus deveres militares na planície de Salisbury, pois era muito fácil encontrar nos banheiros e nas bibliotecas aquela mescla de músicos, antigos arquivistas, diretores teatrais e aspirantes a economista da Europa Central que a Grã-Bretanha utilizava como trabalhadores sem qualificação no Corpo de Pioneiros (com o tempo, muitos deles foram utilizados mais racionalmente nas forças armadas). Embora eu não tivesse absolutamente quaisquer laços emocionais com a Alemanha, e poucos com a Áustria, o alemão havia sido minha língua, e desde que eu deixara Berlim em 1933 havia feito imenso esforço para não a esquecer em um país onde já não precisava usá-la. Era ainda minha língua particular. Meus volumosos diários de adolescente tinham sido escritos em alemão, e até mesmo durante a guerra eu o usava nos diários que de vez em quando fazia. Mesmo sendo o inglês meu idioma literário usual, o próprio fato de que meu país se recusou a utilizar meu bilingüismo na guerra contra Hitler me fazia desejar provar que ainda era capaz de escrever em alemão. Com efeito, em 1944 tornei-me colaborador eventual de um semanário mal impresso para exilados alemães, financiado pelo Ministério da Informação, *Die Zeitung*, para o qual escrevi diversas peças literárias. Fossem quais fossem os objetivos políticos ou propagandísticos desse jornal, não foram alcançados, e por isso seus patrocinadores, desapontados, o fecharam logo que a guerra terminou. O jornal sofria forte oposição tanto dos exilados alemães socialistas e social-democratas como dos emigrados comunistas. Daí depreendo que não poderia ter consultado o Partido a respeito dele, ou, em outras palavras, que eu absolutamente não o considerava "político". Num impulso, escrevi ao editor literário do jornal, "Peter Bratt", que se revelou ser na verdade Wolfgang von Einsiedel, homossexual admiravelmente culto e de rosto suave, parente de Bismarck e de numerosos generais prussianos, que fora editor literário do *Vossische Zeitung* antes de 1933. Tratou-me com exemplar generosidade, compreensão e amizade, sem dúvida corrigindo meu alemão. Costumávamos nos encontrar para conversar nos pubs do Soho durante a guerra. Perdi o contato quando ele se mudou para Munique, mas talvez este livro seja a oportunidade ideal para agradecer a uma das poucas pessoas com quem tenho uma dívida pessoal do tempo da guerra, excetuando-se minha família e o Partido Comunista.

O Movimento de Libertação da Áustria, para o qual Tedy Prager me levou, era coisa muito mais séria, política e culturalmente. Embora nos bastidores fosse organizado pelos comunistas — e portanto operado com grande eficiência —, conseguiu mobilizar a grande massa da comunidade emigrante austríaca, não muito politizada (inclusive meu futuro sogro em Manchester), com base em um slogan simples e poderoso: "Os austríacos não são alemães". Tratava-se de um dramático rompimento com a tradição da primeira República Austríaca (1918-38), na qual todos os partidos, com exceção dos poucos leais seguidores dos Habsburgo — e desde cerca de 1936 também os comunistas — tomaram posição oposta e enfatizaram que seu país era a Áustria *alemã*, e (até Hitler) desejavam uma futura unificação com a Alemanha. Por isso, o *Anschluss* de Hitler, em março de 1938, desarmou os opositores: o velho líder socialista Karl Renner (que se tornaria o primeiro presidente da segunda República da Áustria em 1945) recebeu-o com satisfação. Durante algum tempo os comunistas desenvolveram interessante argumentação em favor da separação histórica e até mesmo cultural entre a Áustria e a Alemanha, para o que eu fui em certo momento mobilizado, por ser ao mesmo tempo comunista e historiador qualificado à disposição. (De abril de 1945 até minha desmobilização em 1946, escrevi uma série de artigos históricos segundo essas linhas nas publicações do Movimento, provavelmente meu primeiro trabalho histórico publicado.) Não ser alemães era uma argumentação que naturalmente atraía a comunidade emigrante austríaca, esmagadoramente judia, a qual, com sua gratidão e admiração pela Grã-Bretanha, de qualquer forma parece haver tido mais dificuldade para assimilar-se à sociedade local do que os alemães emigrantes. A argumentação se aplicava também à política aliada do pós-guerra, o que significava que o Movimento de Libertação da Áustria — de longe o segmento mais bem organizado dos refugiados continentais — gozava de certo respeito oficial e estava em grande parte isento das querelas públicas, tão típicas da vida política dos emigrados. Teve também grande sucesso em proporcionar — por meio do *Kindertransporte* de 1938-39 — às crianças e aos adolescentes austríacos refugiados um sentido de comunidade e de futuro em sua "Jovem Áustria". Em grande parte regressaram à Áustria com lembranças carinhosas de seu exílio britânico. Diversos de meus amigos posteriores, especialmente o poeta e tradutor Erich Fried e o pintor Georg Eisler, vieram desse meio.

A vida em semidesligamento do exército era portanto bastante aceitável, ainda que nada exigente. Eu tinha esposa, amigos e um cenário cultural em Londres, e (graças a meu primo Denis, que estava ligado a um pequeno periódico dirigido aos fãs intelectuais, a maioria de esquerda, chamado *Jazz Music*), passei a conhecer a pequena comunidade de aficionados do jazz e do blues em Londres e arredores, e com ela a aprender. Com efeito, um de meus empreendimentos educacionais de maior êxito no exército foi um grupo de gravações de jazz que organizei para uma unidade de treinamento denominada Jovem Soldados no interior mais profundo de Dorset, trabalho para o qual eu viajava regularmente a Bournemouth a fim de tomar discos emprestados, aperfeiçoando meus próprios conhecimentos com um dos participantes, Charles Fox. Além disso, embora eu não estivesse organizado em nenhuma filial do Partido, tanto quanto recordo, havia muita matéria política a discutir, pois em 1943 Moscou parece haver questionado o futuro do movimento comunista, ao dissolver a Internacional Comunista. No mesmo ano, a reunião de Stalin, Roosevelt e Churchill em Teerã levou o primeiro a anunciar a perspectiva de continuação da colaboração entre capitalismo e socialismo após a guerra. Conseqüentemente, foi dissolvido o Partido Comunista dos Estados Unidos. O líder comunista norte-americano Earl Browder afirmou que "o capitalismo e o socialismo começaram a encontrar um caminho para a coexistência pacífica e colaboração num mesmo mundo",[4] proposição que nenhum comunista manteria em público sem licença prévia de Stalin enquanto o PC britânico baseava seus planos para o futuro na suposição de que esse era o significado da "linha de Teerã". Com efeito, alguém da King Street — creio que deve ter sido Emile Burns, o comissário cultural da época — chegou a me pedir que preparasse um memorando para os debates deles sobre as possibilidades econômicas do desenvolvimento capitalista-comunista no pós-guerra. Embora leais e disciplinados, nem todos os revolucionários engoliam com facilidade essas "novas perspectivas", mesmo que compreendêssemos a sensatez da dissolução do Komintern e não tivéssemos dúvida de que o socialismo não chegaria aos Estados Unidos em nosso tempo de vida.

Mesmo assim, o que não era surpreendente, cada dia dessa existência me recordava que eu nada fazia para ganhar a guerra e que ninguém me permitia uma aproximação de qualquer ocupação, por mais modesta que fosse, em que minhas qualificações e meus talentos pudessem ser úteis a esse objetivo. A divisão a que eu estava ligado preparava-se para embarcar, mas sem mim. Dos penhascos da ilha de Wight eu podia ver o que evidentemente eram os preparativos para a frota de invasão da França, mas eu nada tinha de melhor a fazer senão vagar como turista uniformizado na residência de campo Osborne, da rainha Victoria, e comprar um exemplar de segunda mão do *Spirit of the Age*, de Hazlitt, numa livraria. Apresentei-me como voluntário para embarcar, mas ninguém me deu ouvidos. Fui mandado para Gloucester. Para a maior e mais decisiva crise da história do mundo moderno, eu não fazia falta.

No entanto, embora eu não percebesse, afinal de contas veria indiretamente algo da guerra. Fui destacado para a Ala Militar do Hospital Geral da cidade de Gloucester, onde atuei como uma espécie de oficial de ligação com organizações civis que ofereciam colaboração. O hospital se especializava em ferimentos graves, que aumentavam cada vez mais com a batalha da Normandia e principalmente no tratamento de queimaduras severas. Havia penicilina, transfusões de sangue e transplantes de pele, membros envoltos em celofane e homens caminhando com coisas que pareciam salsichas penduradas em seus rostos, vestidos com o "azul-hospital" curiosamente ofuscante e os laços vermelhos dos pacientes militares. Todos recebiam tratamento, inclusive alemães feridos (um oficial que me explicaram não ser nazista, mas que fizera um juramento pessoal de lealdade ao Führer), e também italianos (um deles, na cama, lendo uma tradução italiana de Strindberg, falava sem parar e não me deixava sair, embora eu mal entendesse italiano: falava de oficiais italianos, Grã-Bretanha e Itália, o futuro da Itália, a guerra, qualquer coisa). Naturalmente tínhamos mais orgulho de nossos "aliados", que eu registrei num boletim quinzenal: um polonês de Torun, que lutara em ambos os exércitos, desertara dos alemães na Normandia e voltara com os poloneses depois de passar uma noite em Edinburgo; e a maior atração da enfermaria, um pequeno marroquino de rosto berbere, fino e de queixo alto, com a roupa azul que lhe sobrava, e que lançava continuamente uma citação de bravura a "*le jeune spahi* Amor ben Mohammed" em Himeimat, comunicando-se conosco por meio de um argelino francês, o Soldado Colleno dos Franceses Livres.

Era um lugar de desastre. No entanto, o mais extraordinário naquele campo de sangue era que cada morte nos surpreendia. Era um lugar de esperança, mais do que de tragédia. Citarei o que escrevi na época:

A surpresa de ver pessoas com apenas metade do rosto e outras salvas de tanques em chamas já passou. De vez em quando chega alguém cuja mutilação é um pouco mais repulsiva, e prendemos a respiração quando o olhamos, receando que nossa expressão traia a repulsa. Agora podemos refletir tranqüilamente que assim deve haver parecido Marcias quando Apolo terminou com ele, ou na instabilidade do equilíbrio da beleza humana, quando a ausência de um maxilar inferior a transforma completamente.

A razão dessa indiferença é que a mutilação já não é uma tragédia irrevogável. Os que aqui chegam sabem, em geral, que acabarão saindo mais ou menos como seres humanos. Pode levar meses ou anos — e, na verdade, levará. O processo de restaurá-los, delicada escultura vivente, exigirá dezenas de operações e eles passarão por fases em que parecerão absurdos ou ridículos, o que pode ser até pior do que parecer horrendo. Mas têm esperança. O que têm diante de si não é mais uma eternidade encerrados em algum asilo, e sim vida humana. Ficam deitados em banheiras de água salgada porque estão sem pele e fazem brincadeiras uns com os outros porque sabem que vão recuperar um pouco dela. Caminham pela enfermaria com rostos que parecem zebras e pedículos pendentes da face como salsichas.

Somente num hospital como esse se pode começar a compreender o significado da Esperança.

Não apenas esperança para o corpo. À medida que se aproximava o fim da guerra, com a certeza da vitória, a esperança no futuro enchia o ambiente. Eis duas notícias do boletim que eu publicava na Ala Militar:

Eu trabalhava em agricultura, mas perdi os dois pés e já não posso fazer esse trabalho. Mr. Pitts perguntou-me o que gostaria de fazer e eu disse que fui mecânico de motores no exército, que tal? Por isso estou indo para uma escola de treinamento em Bristol [...] para me aperfeiçoar em motores de combustão interna, 45 *shillings* por semana se morar em casa, e não serei obrigado a permanecer no emprego [...] acho muito bom esse plano para trazer de volta à ativa os soldados mutilados.

Outro: "O debate de sexta-feira da ABCA será aberto pelo sargento Owen, R. A., da cabana 9, que dirá o que pensa sobre 'Como fazer na reconstrução'".

O sargento Owen, mestre-de-obras e antigo delegado de seu sindicato, queria saber "se outros homens de construção têm idéias a apresentar". O fim da guerra estava próximo, haveria uma eleição geral (algumas enfermarias chegaram a pedir as cédulas antes que fossem distribuídas) e as coisas seriam diferentes. Quem não acreditaria nisso em 1944 e 1945, mesmo que nossa primeira preocupação após o fim da guerra fosse a desmobilização?

Era também a minha preocupação. Embora meu serviço militar fosse inócuo, era normal e necessário enquanto a guerra durasse. Eu não tinha queixas. Logo que terminasse a guerra, cada dia que passasse no exército seria um desperdício, na minha opinião. O verão de 1945 transformou-se em outono e depois em inverno e eu chegava a meu sexto ano uniformizado, mas o exército não dava sinais de querer se livrar de mim. Pelo contrário. No início de 1946, para minha completa estupefação, propôs agregar-me, imagine-se, a uma unidade aerotransportada, a um lugar absurdo, a Palestina. O exército parecia acreditar que ser mandado guerrear contra judeus ou árabes era uma compensação por não ter ido lutar contra os alemães.

Isso foi a gota d'água. Os judeus comunistas, naturalmente, eram anti-sionistas por princípio. Mesmo assim, quaisquer que fossem minhas simpatias, antipatias ou lealdades, a situação de um soldado judeu lançado em meio a uma disputa tripartite entre judeus, árabes e britânicos tinha demasiadas complicações para mim. Assim, pela primeira vez apelei para meus contatos. Telefonei a Donald Beves, tutor no King's, dizendo que queria sair do exército para retomar minha pesquisa que deixara em 1939. Ele mandou as cartas necessárias, afirmando que meu retorno a Cambridge era indispensável, e isso resolveu o assunto. Em 8 de fevereiro de 1946 entreguei o uniforme, mas conservei uma bolsa para máscara contra gases que se revelou útil mochila, recebi minhas roupas civis e 56 dias de licença de desmobilização. Aos 28 anos e meio de idade, regressei a Londres e à vida humana.

11. Guerra Fria

I

Em 1948 as fronteiras entre o Oriente e o Ocidente na Alemanha se transformaram em linhas de frente da Guerra Fria. Durante a "crise de Berlim", que começou quando os russos cortaram as comunicações terrestres com aquela cidade no início de abril, e os longos meses da subseqüente ponte aérea para Berlim, o Leste e o Oeste entraram em uma perigosa e exasperante confrontação de forças. Os comunistas ocidentais, embora insignificantes, ficaram "do outro lado". No que dizia respeito a mim, a Guerra Fria portanto começara em maio de 1948, quando o Ministério do Exterior me informou que infelizmente não confirmaria o convite que me fora feito para participar pela segunda vez do curso da Comissão Britânica de Controle para "reeducar" os alemães. Os motivos eram políticos, como estava escandalosamente evidente. Naquela época iniciou-se um esforço silencioso, porém abrangente, para eliminar de quaisquer posições ligadas à vida pública britânica os membros conhecidos do Partido. Embora não fosse nem tão histérico ou abrangente como nos Estados Unidos, onde na altura de meados dos anos 50 os comunistas, e até mesmo os que se intitulavam marxistas, haviam virtualmente desaparecido dos corpos docentes das faculdades e universidades, nas profissões intelectuais o clima não era bom para os comunistas. As políticas de governo estimulavam a discriminação e nos tratavam como traidores potenciais ou reais, tornando-nos altamente suspeitos a nossos colegas e empregadores. O anticomunismo dos liberais não era coisa nova, mas na Guerra Fria, com amplo auxílio da propaganda financiada pelas autoridades americanas e britânicas, a aversão ao stalinismo e a crença (não partilhada pelo governo britânico[1]) de que a União Soviética visava à imediata conquista do mundo ganharam uma dimensão histérica.

Até então a temperatura política, pelo menos na Grã-Bretanha, havia permanecido muito menos superaquecida. O Partido Trabalhista agora governava o país, e ninguém, nem os derrotados conservadores, desafiava seriamente as profundas reformas instituídas pelo novo governo. Havia um consenso geral de que uma volta à década de 30 era impensável ou pelo menos não mencionável, o governo de 1945 gozava de indiscutível legitimidade moral e eleitoral e, além disso, não era mais "revolucionário" do que o esforço de guerra dos seis anos anteriores, dirigido pelo Estado, que proporcionara ao povo britânico uma vitória que este considerava pertencer-lhe profundamente. Internacionalmente, a grande aliança entre a Grã-Bretanha, a União Soviética e os Estados Unidos havia ganho a guerra, e, sem falar nos diplomatas e serviços secretos, os atritos entre os aliados do tempo de guerra não haviam apagado a consciência da luta comum.[2] Em 1945-47 os partidos comunistas estavam representados por ministros nos governos da maior parte dos países beligerantes e ocupados da Europa Ocidental, assim como nos não comunistas da Europa Oriental.

Homens e mulheres retornavam da guerra, ou de ocupações do tempo de guerra, para a vida civil, a fim de retomar carreiras e planos, ou refletir sobre o que fazer. Amigos que não se encontravam havia anos voltavam a se ver. A maioria estaria ainda viva, pois para a Grã-Bretanha a guerra fora relativamente branda, comparada ao que ocorrera a russos, poloneses, iugoslavos e, naturalmente, alemães. A guerra de 1914, ainda conhecida, com razão, como "a Grande Guerra", matara um quarto dos estudantes de Oxford e Cambridge que serviram nas forças armadas, mas não me recordo mais do que cinco ou seis dos cerca de duzentos contemporâneos meus de Cambridge que eu conhecia, ou fiquei sabendo, que não tivessem regressado na Segunda Guerra. Era um tempo de comparar reflexões, e para os comunistas um tempo de se perguntar: "Você ainda está no Partido?". Grande número de estudantes de antes da guerra já não eram mais filiados.

Ao retornar do exército, tive inicialmente, durante cerca de um ano, uma curiosa dupla existência em Londres e durante vários dias por semana fui pesquisador-estudante em Cambridge, mas de fevereiro de 1947 a setembro de 1950 passei a ser habitante de Londres em tempo integral. Morávamos em Gloucester Crescent, um lugar de classe média na fímbria de Camden Town — o limite ocidental da vasta zona do East End londrino, bombardeado e ainda não ocupado pelas famílias de classe mais alta —, que atraía os intelectuais tanto por ser ainda extraordinariamente barato quando maravilhosamente acessível: dez minutos da universidade e do Britsh Museum pelo sistema de transporte público. (Naquele tempo ninguém que conhecêssemos tinha carro.) O bairro ainda não se tornara o quartel-general de um bando de ex-estudantes altamente brilhantes de Oxbridge na década de 1950 (na verdade, mais "bridge" do que "Ox"), que foram bondosamente satirizados nas tiras dos jornais quando os intelectuais de classe média começaram a lançar o estilo de vida na década de 60. Muitos deles eram amigos do tempo de Cambridge na época da Guerra Fria. Em 1946 o Gloucester Crescent não era um lugar da moda, mas como escrevi em um artigo carinhoso sobre Camden Town, encomendado para o *Liliput* por Kaye Webb (na época casada com o cartunista Ronald Searle, que acabava de regressar do gulag japonês), lá era possível imaginar ouvir o rugido dos leões do zoológico de Regent's Park. Em 1947 nos mudamos para um apartamento muito mais elegante, por trás de uma fachada do início do século XVIII no lado norte de Clapham Common, em frente à igreja onde a seita de Clapham praticava seu culto, um celeiro com torre. Do lado de fora, lembro-me de ter visto meu novo colega da Faculdade Birkbeck, Nikolaus Pevsner, perambulando pelo bairro na preparação de seu grande *Buildings of England*, como um examinador dando notas ao passado. Do lado de dentro, eu lutava, finalmente com êxito, com minha dissertação de doutorado e, finalmente sem sucesso, com o que não percebi bem serem os problemas de meu primeiro casamento. Ocorreu que quinze anos mais tarde eu me mudaria para uma casa vitoriana a poucos minutos de distância dali — a primeira em que morei como proprietário e não como inquilino — com Marlene.

Os comunistas intelectuais e os simpatizantes que seguiam sua linha sem pertencer ao PC ainda não estavam marginalizados. Com efeito, quando a BBC começou a transmitir seu pioneiro Terceiro Programa, um historiador de antes da guerra (não comunista) de Cambridge, Peter Laslett, que funcionava como descobridor de talentos para o programa, apresentou-me a Anna ("Nyuta") Kallin, idosa, mundana, observadora da cultura, que era a produtora das palestras em russo da rádio, e que me ajudou nos primeiros e inicialmente hesitantes passos no mundo dos microfones. (Naturalmente não era coisa importante: no máximo se falava para algumas dezenas de milhares de pessoas.) Fiz diversos programas para ela em 1947, inclusive o que deve ter sido a primeira palestra em inglês pelo rádio sobre Karl Kraus.

Os membros do Partido ainda não tinham dificuldade em conseguir funções acadêmicas, e diversos historiadores (inclusive eu) assim fizeram, ou poderiam ter feito. Tornei-me conferencista da Faculdade Birkbeck em 1947, embora o diretor de meu departamento conhecesse bem minhas convicções políticas. (Os estudantes o tranqüilizaram, quando ele perguntou se eu estava procurando doutriná-los.) Fui ao Festival Mundial da Juventude em Praga com minha esposa de então, que pediu licença de seu emprego de diretora da Câmara de Comércio, o que quer dizer que fazia parte da pequena elite formuladora de política no serviço público. Naturalmente ela era também comunista; filiou-se novamente ao Partido quando casamos — naquela época eu consideraria inconcebível casar com quem não fosse membro do Partido — e as reuniões de seu grupo, composto de altos funcionários do serviço público, eram em nosso apartamento de Clapham.[3] Ao que recordo, na época ela nem pensou que seria melhor para sua carreira no serviço público não fazer a viagem a Praga. Dez anos depois, quando ofereci sublocar metade de meu apartamento em Blomsbury a um amigo de Cambridge, que trabalhava no Tesouro, ele me disse com tristeza que devido a minhas conhecidas convicções políticas ele simplesmente não poderia correr esse risco.

No meu caso, o fim da guerra provocou breve relaxamento do anticomunismo. O governo britânico, que recusara terminantemente utilizar meus conhecimentos da língua alemã para quaisquer finalidades durante meus seis anos no exército, agora considerava-os úteis. Em 1947 fui convidado — presumivelmente por meio de alguém que eu conhecera em Cambridge antes da guerra e que então talvez estivesse no Ministério do Exterior — a auxiliar na "reeducação" de alemães, no que havia sido um pavilhão de caça imperial em Lüneburger Heide, no norte da Alemanha, a poucos quilômetros da zona de fronteira com o Leste, onde a estrada de ferro transportava viajantes e contrabandistas nos dois sentidos, com um tráfego de vários milhares de pessoas por dia, visivelmente com a conivência das autoridades britânicas e russas.[4] A equipe "democratizadora", que continha pelo menos uma pessoa que no ano seguinte foi banida, não poderia ser descrita como política ou mesmo economicamente "saudável". Os estudantes formavam um grupo heterogêneo, tanto do Ocidente quanto — ainda — do Leste. Foi minha primeira experiência com alemães que tinham ficado na Alemanha. Olhando para trás, percebo que os "reeducadores" britânicos, em grande parte judeus — na verdade, era um tanto embaraçosa a idéia de que vínhamos do outro lado do Canal, ao encontro dessas pessoas inteligentes, trazendo uma fórmula para um futuro democrático —, não sentiam aquela espécie de reação visceral antigermânica que a consciência de Auschwitz e dos campos de extermínio, que já era comum, hoje se acredita haver provocado. Nós, ou pelo menos eu, não sentíamos isso.

Certamente não era possível deixar de imaginar a todo momento (conforme escrevi): "O que essas pessoas aparentemente inofensivas poderiam ter feito entre 1933 e 1945?". Todos os judeus asquenazes perderam parentes nos campos: em meu caso, o tio Victor Friedmann, transportado de algum lugar da França para o Leste com a tia Elsa, pequena senhora sefardita; o tio Richard Friedmann e a tia Julie, que se recusaram a deixar seu bazar na agradável Marienbad; e a tia Hedwig Lichtenstern. (Como ocorreu freqüentemente entre os judeus austríacos e alemães, mas não entre os do Leste europeu, os velhos morreram, mas os jovens escaparam a tempo.) Seus nomes foram inscritos no único memorial digno do genocídio judeu que conheço: as paredes caiadas de Altneuschul, a antiga sinagoga de Praga. Essas paredes, que circundam um interior vazio, estavam completamente tomadas com os nomes de todos os judeus tchecoslovacos que haviam perecido sob Hitler, em linhas superpostas de escrita clara, com nomes, datas e lugares, em ordem alfabética, do teto ao assoalho. Nada mais, a não ser os incontáveis nomes dos mortos. Entre lágrimas, li os nomes do tio Richard e da tia Julie, não muito tempo antes da Primavera de Praga de 1968. Em algum momento nos anos 70 o regime tcheco tomou a espantosa decisão de profanar o memorial cobrindo com nova pintura todas as inscrições. Diz-se que a desculpa oficial foi que nenhum grupo específico entre as vítimas do fascismo deveria ser singularizado com homenagem especial. Após o fim do comunismo foram restauradas com alguma demora.

Naquele tempo eu não havia conhecido sobreviventes dos campos de Buchenwald e Auschwitz. Alguns deles iriam se tornar colegas e amigos, aparentemente não marcados por sua experiência, e até mesmo, muito depois, dispostos a falar da época em que a cada dia o preço da vida de um sobrevivente era a morte de alguma outra pessoa. Não deixavam de estar marcados, como Primo Levi. Pelo menos um deles, o querido, espirituoso e entusiástico Georges Haupt, que havia entrado em Auschwitz quando era jovem estudante na Romênia, repentinamente sofreu um colapso e morreu aos cinqüenta anos de idade. Ainda assim, a convicção e o realismo impediram-nos de virar o anti-semitismo racista dos nazistas pelo avesso, transformando-o em um antiteutonismo equivalente. Mesmo mais tarde, nós (eu, certamente) não culpávamos os alemães, e sim o nacional-socialismo, especialmente devido ao fato de que a primeira descrição e análise séria do *univers concentrationnaire* que li — o notável *Der SS-Staat* (Frankfurt, 1946), de Eugen Kogon — foi escrito por um alemão, a respeito de um campo de concentração – Bruchenwald – que desumanizou, torturou e matou muitas pessoas, mas cujo alvo primordial não eram os judeus. Além disso, bastava olhar as cidades da Alemanha Ocidental (gigantescos campos de escombros mal removidos), ou o colapso aparentemente completo da economia no período anterior à reforma monetária, ou ainda as pessoas de rostos amarelados que viviam de escambo e acampavam nas plataformas ferroviárias com sacos de batatas, para imaginar que em 1947, o que quer que tivessem feito sob Hitler, os alemães comuns estavam pagando pelo que fora perpetrado por eles ou em seu nome.

Conforme escrevi na época, não era difícil "entender o que [tais homens e mulheres] haviam sofrido nos últimos oito anos [...] ataques, expulsões, fome etc. Homens, mulheres e crianças". Qualquer pessoa que tivesse regressado de um campo de prisioneiros de guerra russo ou que simplesmente tivesse experimentado "o terrível choque do comportamento dos russos nas primeiras semanas após a libertação" poderia falar de tempos difíceis. Não porque os russos necessariamente se vingassem dos alemães — embora a soldadesca do Exército Vermelho indubitavelmente tivesse razões para fazê-lo, e efetivamente o tenha feito. ("Não demonstravam qualquer temor, e sua visão do futuro era a violação e pilhagem de Berlim."[5]) Como me explicou um de nossos estudantes, que regressava do cativeiro e que depois se tornou um dos mais eminentes historiadores alemães:[6] "Não nos trataram pior do que tratavam a si próprios. Simplesmente eram fisicamente muito mais fortes do que nós. Resistiam melhor ao frio. Isso nos assustava, quando estávamos na frente de batalha, e sofremos com isso por sermos prisioneiros. Eles nos largaram numa planície da Ásia central no inverno e disseram: construam um acampamento. Comecem a cavar".

Não admira que o ódio e o temor à Rússia penetrassem a atmosfera da Alemanha, tanto entre os nativos quanto no grande número de refugiados — especialmente grande em nossa parte da Baixa Saxônia — que tornaram a Rússia responsável pelas fugas e expulsões em massa. Em 1947 havia uma curiosa combinação de sentimentos, às vezes esquizofrênica: repulsa, superioridade, mas também respeito pelo vencedor, além do contraste entre a imagem da descontrolada desintegração social no Ocidente e a vaga sensação de que a disciplina "do lado de lá" (na zona soviética) fazia com que as pessoas trabalhassem, controlava o mercado negro etc. O Plano Marshall e a reforma monetária de 1948 iriam em breve modificar esse panorama, mas no verão de 1947 um sentimento de completa impotência e indefinição do futuro ainda dominava a opinião pública na zona britânica. Não poderia haver reconstrução da Alemanha sem uma Terceira Guerra Mundial, era o que se ouvia em Hamburgo. Eu próprio sentia esse desamparo. "Francamente, quanto mais fico aqui, mais deprimido fico", escrevi. "Esperança? Não vejo nenhuma." Trata-se de uma avaliação espetacularmente errada das perspectivas da Alemanha Ocidental, mas a Alemanha não parecia nada encorajadora em 1947.

Mas como se sentia um comunista ocidental em relação à União Soviética, cuja sombra obscurecia tão visivelmente o cenário alemão? Nenhuma ilusão poderia sobreviver ao contato imediato do pós-guerra com a ocupação soviética, direta ou indireta, assim como as esperanças de amizade internacional após a guerra, que não eram restritas aos comunistas, tiveram grande dificuldade em sobreviver aos atritos do pós-guerra entre militares e funcionários ocidentais e orientais no campo. Os jovens refugiados austríacos emigrados para Londres durante a guerra — que haviam seguido a orientação de seu

Partido de retornar e reconstruir seu país em meio ao odor de gente faminta nos bondes no inverno, ou nos escritórios confiscados, de pé-direito alto — esperavam provações físicas, mas poucos haviam previsto o generalizado clima anti-russo. Para aqueles que viviam sob as realidades da Europa Central ocupada pelos soviéticos, ou simplesmente tinham contato direto com ela, ser comunista já não era tão simples como antes da guerra. Não havíamos perdido nossa fé e nossa confiança na superioridade final do socialismo sobre o capitalismo, nem nossa crença no potencial da disciplina do Partido Comunista para modificar o mundo, mas nossas esperanças, ou pelo menos as minhas, agora estavam eivadas por aquele sentimento de tragédia inevitável do "anjo da história" de Walter Benjamin.[7] Paradoxalmente, o que facilitava — ou para muitos possibilitava — a manutenção da antiga fé era, mais do que qualquer coisa, a cruzada global anticomunista do Ocidente na Guerra Fria.

II

Voltemos, porém, à época da ponte aérea para Berlim. Com o rompimento da aliança do tempo da guerra, terminou também a esperança de cooperação entre as duas superpotências no pós-guerra. Em 1947 os ministros comunistas nos governos ocidentais começaram a ser empurrados para fora de seus cargos, e o mesmo acontecia com os ministros não comunistas nos países governados pelo comunismo. Uma nova Internacional Comunista (o chamado Escritório Comunista de Informação, ou Kominform) foi organizada com objetivos puramente europeus, a fim de publicar um jornal que, mesmo segundo os severos padrões da era soviética, deve ter sido o perene campeão da ilegibilidade.[8] Os regimes orientais, propositalmente *não* organizados como comunistas e sim como "democracias pluripartidárias 'novas' ou 'populares'", com economias mistas, já estavam assimilados à "ditadura do proletariado", isto é, ao padrão das ditaduras do Partido Comunista. Para o Ocidente, à medida que a confrontação se tornava mais ostensiva, os comunistas se transformavam em quinta-coluna.

Na Grã-Bretanha as coisas começavam a mudar, mas de forma relativamente moderada, cavalheiresca. Não houve um expurgo ostensivo dos membros do Partido que pertenciam ao serviço público, embora os que eram conhecidos fossem transferidos de cargos que tinham a acesso a informações delicadas. Os membros da classe "administrativa", politicamente sensível, foram discretamente informados de que não tinham futuro no serviço, mas que não haveria publicidade se aceitassem demitir-se por livre e espontânea vontade. Os que preferiram permanecer passaram o restante da carreira em um daqueles cantos esquecidos que as grandes burocracias reservam para os que não podem ser demitidos nem receber encargos de mínima responsabilidade.

Nas universidades não houve um verdadeiro expurgo. A Faculdade de Birkbeck, onde eu mal começara a ensinar, era excepcional — pelo menos até a chegada de um novo mestre ambicioso em 1951 —, pois não demonstrava sinais perceptíveis de anticomunismo entre os funcionários e estudantes. Seus alunos ganhavam a vida durante o dia, e a pouca tradição política existente era de esquerda. O clima na sala de estar dos professores, pequena, sempre cheia e em geral amigável, dava a impressão de que a maioria do corpo docente era de eleitores do Partido Trabalhista. Os conservadores que havia — suponho que meu colega e mais tarde chefe Douglas Dakin fosse um deles — nada tinham de típico. Dakin fora secretário da seção local do sindicato, a Associação de Professores Universitários, nos intervalos de seu trabalho em tempo parcial como diretor de matrículas (com uma secretária), o que equivalia a cuidar de toda a parte estudantil da faculdade, e ainda jogava críquete e dava aulas. Logo que cheguei, ele me passou o cargo no sindicato. Além disso, o mais prestigioso membro do corpo docente era comunista e empregava membros do Partido em seu departamento. Esse era J. D. Bernal, intimamente identificado com a União Soviética, cristalógrafo e gênio universal (embora negação completa para a música), que não conseguia concentrar-se em um tema por tempo suficiente para ganhar um Prêmio Nobel, embora tivesse inspirado diversos ganhadores. Mesmo os que duvidavam de sua lealdade a Moscou não podiam deixar de admirar aquele homem baixo, de cabelos crespos, cuja aparência lembrava os cientistas de histórias em quadrinhos, e que caminhava como um marinheiro em terra firme, um perna-de-pau, dizia ele, e divertia a sala dos professores com histórias oportunas sobre o tempo em que servira com extraordinária distinção como conselheiro científico nas Operações Combinadas durante a guerra. Ninguém menos do que Picasso, impedido pelas autoridades de comparecer a uma reunião patrocinada pelos soviéticos em Sheffield, havia desenhado um incisivo mural na parede do apartamento de Bernal em Torrington Place, que muitos anos mais tarde se tornou uma espécie de logotipo de Birkbeck. O grande artista não apenas partilhava o comunismo de Bernal, mas também sua lendária poligamia, com a única diferença de que Bernal tratava as mulheres atraídas por ele como parceiras iguais, tanto sexual quanto intelectualmente. Essa reputação de igualdade dos sexos foi o que atraiu a brilhante Rosalind Franklin a Birkbeck, abandonando o King's College de Londres, por insatisfação com o tratamento recebido dos demais colegas (do sexo masculino) — os que ganharam o Prêmio Nobel — na famosa pesquisa sobre a dupla hélice. Embora ela fosse sabidamente sensível aos preconceitos machistas dos colegas (o que era compreensível), sempre elogiava Bernal como homem e como cientista, pelo menos quando conversávamos, até mesmo quando ridicularizava os fiéis à linha do Partido que havia no departamento dele.

Tive sorte em lecionar em uma faculdade que proporcionava proteção interna e espontânea contra as pressões externas da Guerra Fria. No entanto, a situação acadêmica não era boa. Tanto quanto eu podia saber, todos os comunistas que haviam sido nomeados para cargos acadêmicos antes do verão de 1948 permaneceram em seus lugares, e tampouco houve tentativas de demiti-los, a não ser mediante a não-renovação de contratos de curto prazo, o que naquele tempo era extremamente raro. Por outro lado, pelo que eu soube, nenhum comunista conhecido foi nomeado para cargos em universidades durante cerca de dez anos a partir de 1948, tampouco foram promovidos, se já estivessem em posições docentes. Durante aquela década, por exemplo, fui recusado para diversos postos de história econômica em Cambridge — eu havia supervisionado e examinado essa matéria nos Tripos de economia — e somente em 1959 obtive uma promoção para um leitorado em Londres. Foram prejudicadas até mesmo pessoas cuja ligação com o Partido havia durado somente alguns meses, como o historiador econômico Sidney Pollard. Isso era frustrante, mas estava longe de ser a caça às bruxas nos Estados Unidos. (Pelo que sei, na Grã-Bretanha nenhum cargo acadêmico foi condicionado à abjuração formal de pecados passados, como ocorreu quando alguns anos depois a Universidade de Berkeley ofereceu uma cadeira a Pollard, o qual se recusou a aceitar a condição.) Curiosamente, houve certo expurgo na educação de adultos, campo que atraía número significativo de vermelhos e outros radicais por motivos ideológicos, especialmente na delegação extra-muros da Universidade de Oxford, que durante vários anos vinha sendo dirigida por Thomas Hodgkin, membro especialmente encantador da aristocracia intelectual britânica (do ramo dos *quakers*), que havia sido expulso da Palestina por haver-se filiado ao Partido Comunista durante a época em que fora ajudante-de-ordens do embaixador britânico; o Partido era o único lugar em que judeus e árabes se misturavam como amigos e iguais. Infelizmente, o extraordinário Ernest Bevin, secretário do Exterior e ainda chefe do Sindicato Geral de Trabalhadores em Transportes, acusou a delegação de acolher ativistas vermelhos que fomentavam greves no que era então a principal fábrica Morris em Cowley — naquele tempo Oxford podia ser considerada "o Quartier Latin de Cowley".[9] No entanto, lá tampouco houve expurgo geral de comunistas.

Aceitávamos essa "discriminação tácita e muitas vezes semiconsciente, semelhante à exclusão dos social-democratas dos cargos universitários na Alemanha antes de 1914, embora menos sistemática",[10] considerando-a relativamente suave e concentrando-nos em denunciar o macarthismo acadêmico americano — nessa época o governo dos Estados Unidos recusou visto de entrada até mesmo ao grande físico P. A. M. Dirac — e alertar para os perigos que adviriam se o modelo americano fosse imitado pela Grã-Bretanha. Mesmo assim, em 1950 ficou-se sabendo que o historiador E. H. Carr acreditava, corretamente, que "Tinha se tornado muito difícil [...] falar desapaixonadamente sobre a Rússia, a não ser 'de modo cristão muito confuso', sem colocar em risco, se não o pão de cada dia, pelo menos as esperanças legítimas de progresso pessoal". De qualquer forma, não há dúvida de que o princípio da liberdade de expressão não se aplicava ao comunismo e às opiniões marxistas, pelo menos nos meios oficiais de comunicação.[11]

Os intelectuais comunistas se sentiam como uma minoria perseguida não tanto pela vitimização oficial ou quase-oficial, e sim devido à exclusão. Naturalmente estávamos convencidos — e por vezes tínhamos evidências — de que nossas cartas eram lidas e nossos telefones grampeados, e de que no caso de uma verdadeira guerra seríamos internados, preferivelmente com tempo suficiente para ler e trabalhar, em alguma ilha menor do arquipélago britânico. Ressentíamo-nos disso, ainda que não pudéssemos negar que, diante da Guerra Fria, esse era um comportamento lógico para o governo. Afinal, éramos inimigos da OTAN. O que tornava intolerável a retórica dos liberais da Guerra Fria era sua convicção de que todos os comunistas eram simplesmente agentes do inimigo soviético e de que portanto nenhum comunista poderia, de boa-fé, ser membro da comunidade intelectual.

Talvez a amizade pudesse sobreviver às convicções políticas — afinal de contas, eu continuava a ter boas relações com Mounia Postan, embora soubesse que suas recomendações para posições acadêmicas eram flechas envenenadas —, mas para isso é necessário mais do que uma pequena mudança na vida social. E até mesmo o gosto da amizade genuína poderia trazer o travo amargo da desconfiança causada pela Guerra Fria. Quando recebi meu primeiro convite para ir aos Estados Unidos, imaginei que teria problemas e perguntei a um colega e amigo (na época adepto moderado do Partido Trabalhista) se poderia escrever uma carta atestando minhas credenciais acadêmicas. "Claro que sim", respondeu ele. Recordo ainda a sensação momentânea de abandono quando ele acrescentou: "Naturalmente isso nada tem a ver com o assunto, mas diga-me — não que tenha a mínima importância —, você ainda é filiado ao Partido Comunista?".

Por esse motivo o maior ressentimento de que me recordo na Guerra Fria não se deve a posições que perdi, ou a cartas evidentemente violadas, mas a meu primeiro livro. Em 1953 eu o propusera aos editores Hutchinsons — hoje de há muito sepultados em algum conglomerado transatlântico — para a coleção "Biblioteca Universitária", em forma de uma série de textos compactos dirigidos a estudantes: um volume curto e comparativo intitulado *The rise of the wage worker*. A proposta foi aceita, mas, quando apresentei o manuscrito terminado, ele foi recusado por sugestão anônima de um leitor — ou leitores — que presumivelmente tinha autoridade. Disse o editor que o livro era muito tendencioso e portanto inaceitável segundo o contrato. Não houve sugestões de modificações. Protestei. A empresa admitiu que eu havia trabalhado muito no livro e ofereceu-me uma compensação de 25 guinéus.[12] O que ficou atravessado em minha garganta não foi apenas a desprezível importância oferecida — até mesmo nos anos 50 seria o equivalente a duas ou três críticas literárias —, mas a quase certeza de que o livro fora recusado por conselho de algum colega mais importante, provavelmente — dado o tema — adepto do Partido Trabalhista. E eu nada podia fazer a respeito. Fiquei suficientemente furioso a ponto de consultar meu advogado, o experiente Jack Gaster, sobre a possibilidade de acionar a empresa Hutchinsons. Ele me aconselhou a esquecer o assunto. "Você encontrará quem ateste sua qualidade acadêmica, mas eles encontrarão mais pessoas que atestarão suas tendências." Tinha razão. Nunca publiquei o livro, embora tenha usado algumas partes em outras publicações. O que torna esse incidente típico dessa fase infeliz da Guerra Fria é que alguns anos depois meu editor na época, George Weidenfeld, após pedir meu conselho, publicou um livro igualmente extenso exatamente sobre o mesmo tema — e na minha opinião mais obviamente controvertido do ponto de vista ideológico — como parte de uma das séries globais em co-produção que na ocasião ele promovia.

Nessas circunstâncias, e embora em 1958 a temperatura ideológica da Guerra Fria haja se tornado um pouquinho menos gélida, foi admirável e bastante corajosa a decisão de George (hoje lorde) Weidenfeld de encomendar-me, mediante um adiantamento de quinhentas libras, um volume de uma gigantesca história da civilização, ainda não completada, que naquela época ele planejava. Esse livro foi *A era das revoluções — 1789-1848*, o primeiro volume de uma história dos séculos XIX e XX, em quatro tomos. Minha identificação com o Partido Comunista era bem conhecida. Ele era um editor comercial que tinha algum interesse em boas relações com o establishment social e político. Devo-lhe gratidão eterna. Quem terá me recomendado a ele? Somente posso especular, pois o próprio lorde Weidenfeld diz não se recordar. Suspeito que tenha sido J. L. Talmon, da Universidade Hebraica, de Jerusalém, que fora o primeiro a ser escolhido para o livro em apreço mas recusou. Talmon e eu certa vez debatemos a natureza da democracia e os jacobinos na Revolução Francesa, e nos respeitávamos mutuamente, embora discordássemos sobre muitas outras coisas, especialmente sobre o sionismo.

III

O período mais sombrio do anticomunismo público, os anos da Guerra da Coréia e, incidentalmente, o episódio inicial da grande série dos "Espiões de Cambridge" — a defecção de Burgess e Maclean em 1951 — coincidiram com um momento difícil em minha própria vida. No verão de 1950 meu primeiro casamento, tempestuoso já havia algum tempo, desfez-se em circunstâncias que me magoaram e me deixaram profundamente infeliz durante alguns anos. Depois que saí de nosso apartamento no Clapham Common, nunca mais vi Muriel novamente, a não ser no momento do divórcio. Felizmente no ano anterior eu me tornara *fellow* do King's, e a faculdade — essas coisas eram possíveis naquela época — rapidamente encontrou para mim um apartamento no excelente edifício Gibbs, ao lado da capela. Durante os cinco anos seguintes o King's foi minha base permanente, embora eu continuasse a ensinar em Birkbeck, ou voltando a Cambridge num trem noturno ou passando uma ou duas noites no quarto que aluguei em casa de amigos em outra parte de Clapham. Foram tempos tenebrosos, tanto política quanto pessoalmente. Que seria mais doloroso: meu divórcio ou a execução dos Rosenberg, que muitos comunistas na época sentiram como derrota e tragédia pessoal? É difícil separar as duas correntes que se misturavam em uma disposição comum de superá-las, por meio do trabalho e de viagens, e até mesmo de desafio político, como quando convidei para uma festa no King's o físico Alan Nunn May, que acabava de sair da prisão onde estivera por espionagem nuclear. Devo acrescentar que, como em muitas outras ocasiões, o King's comportou-se impecavelmente, da mesma forma que fez Cambridge quando um ex-prefeito e proprietário do jornal local exigiu a dispensa da Oficial Médica Assistente das Escolas, a refugiada austríaca Hilde Broda, sob a alegação de que ela se casara com Alan Nunn May depois de ser nomeada para o cargo. A proposta foi rejeitada sem oposição. A Grã-Bretanha não era os Estados Unidos.

 Relembrando o que passou, meus sentimentos a respeito dos anos Cambridge no pós-guerra são confusos. Por um lado eu não participava da vida da cidadezinha — mesmo sendo uma cidade de professores universitários —, onde o âmbito das relações sociais era tão restrito quanto, até certo ponto, obrigatório. Meus instintos são — e eram — metropolitanos, e em Cambridge não havia anonimato nem privacidade, a não ser em meu próprio quarto por trás da porta exterior fechada, ou *sported oak*. (Naquela época todas as portas dos alojamentos de estudantes ou professores não costumavam ficar trancadas, a não ser que o inquilino ou não estivesse em Cambridge ou desejasse mostrar que não queria ser perturbado.) Mais ainda, cada dia que eu lá passava me recordava do fato de que a universidade não me queria. As posições a que me candidatei, na época e também mais tarde, foram dadas a outros. Na verdade, candidatei-me somente por orgulho. Nem eu nem Marlene, depois que me casei novamente, teríamos desejado morar permanentemente em Cambridge ou em outra cidade pequena dominada por uma universidade. Os únicos lugares em que estivemos por algum tempo como visitantes e dos quais gostamos foram grandes cidades: Paris e, acima de tudo, Manhattan. Em suma, quando voltei a morar em Londres após seis anos como *fellow*, senti-me retornando a meu próprio território.

Por outro lado, morando solteiro na faculdade, Cambridge me permitiu gozar outra vez as delícias da vida estudantil. Naturalmente não era a mesma vida dos anos 30: por exemplo, meus contemporâneos que haviam passado ao corpo docente tinham mudado suas opiniões e a despolitização geral entre os estudantes de graduação era altamente deprimente. O tipo de estudante politizado que eu recordava, e com os quais me sentia à vontade, existia agora somente entre os do sul da Ásia e os chineses, que aliás não eram raros na faculdade de economia, que eu supervisionava e examinava: estudantes como o jovem Amartya K. Sen, que viera para Trinity como estudante de graduação da Faculdade Presidency, de Calcutá, discípulo de Maurice Dobb e Piero Sraffa, e cujo brilho já era evidente. É claro que, como *fellow*, eu via a vida estudantil de maneira diferente e era tratado também de maneira diferente pelos estudantes, mesmo na descontraída atmosfera do King's. (O clima de homossexualidade cultivada, anterior à guerra, ainda era forte na faculdade, embora a partir de 1952 ficasse evidente uma tendência à heterossexualidade, quando recém-chegados que visivelmente preferiam mulheres passaram a ditar a moda no King's, como o futuro jornalista e escritor Neal Ascherson, e com a transformação de jovens como o futuro estilista Mark Boxer, os quais, começando pelo padrão antigo, passaram para o novo.) No entanto, eu possuía um trunfo que me aproximou mais do estilo de vida e do clima dos estudantes do sexo masculino dos anos 50 do que de outra forma teria sido possível — porém não nessa época — em relação às moças (embora me ajudasse o fato de ser supervisor das estudantes de história e economia em Newnham). Eu era membro dos Apóstolos e, portanto, tinha relações estreitas com alguns dentre eles. Talvez seja essa a ocasião de dizer algo a respeito dessa estranha instituição de Cambridge, que até hoje existe e floresce e ainda conserva em segredo seus filiados ativos, embora a maior parte de sua história anterior a 1939 seja hoje conhecida publicamente e poucos dos membros que se retiraram mantenham sigilo sobre seu "apostolado". Era, e ainda é, uma pequena comunidade, essencialmente de estudantes de graduação ou recém-graduados mais brilhantes, que cooptam outros para manter-se em existência, com o objetivo de ler e debater trabalhos escritos pelos membros em reuniões semanais. O cerne dos Apóstolos era composto de estudantes de graduação. Com efeito, por definição são eles os que constituem "a Sociedade", pois os que abandonaram o "mundo real" de suas reuniões pelo "mundo dos fenômenos" externo, mediante a graduação ou por deixarem Cambridge ("criando asas", e por isso denominados "Anjos"), necessariamente tinham de passar o bastão aos irmãos ativos.

Em meu derradeiro período como estudante de graduação, em 1939, eu fora eleito para a Sociedade de conversazione de Cambridge, juntamente com outro estudante do King's, o falecido Walter Wallich da BBC, filho do diretor do Deutsche Bank e descendente de seu fundador, o qual, após a *Kristallnacht** de 1938, havendo oportunamente mandado mulher e filhos para fora do país, tomou um trem de Berlim para Colônia e saltou da ponte no rio Reno. Era um convite que dificilmente um estudante de graduação de Cambridge recusaria, pois até mesmo os revolucionários gostam de fazer parte de tradições adequadas. Quem não gostaria de estar ligado aos nomes de antigos Apóstolos, que foram em grande parte os grandes nomes de Cambridge no século XIX: o poeta Tennyson, o maravilhoso físico Clerk Maxwell, Frederick Maitland e Bertrand Russell, os maiores entre todos os historiadores de Cambridge, e as glórias de Cambrige no período eduardiano — Keynes, Wittgenstein e Moore, Whitehead e, na literatura, E. M. Forster e Rupert Brooke. Somente faltava o maior dos nomes de Cambridge no século XIX, Charles Darwin, da Faculdade Christ's. Na verdade, a maior parte dos Apóstolos vitorianos e eduardianos, analisados exaustiva e agudamente por um professor americano,[13] não eram de forma alguma dessa categoria, e, como a grandeza das realizações intelectuais (ou em outros campos) freqüentemente exige correr o risco de aborrecer os amigos cujos interesses não sejam exatamente os nossos — e nenhum Apóstolo desejaria aborrecer outros irmãos —, muitos deles sofreram na vida posterior, devido à incapacidade de chegar à altura dos exemplos de sua grande tradição.

---

* Episódio da ascensão do nazismo, quando as vitrines (*Kristall*, em alemão) das lojas judias de Berlim foram quebradas por manifestantes nazistas. (N. T.)

É importante observar que o comunismo nada teve a ver com minha eleição, embora quatro comunistas figurem na famosa foto de seis Apóstolos que aparece em todos os livros sobre os espiões de Cambridge. Não admira que o Partido estivesse numerosamente representado na sociedade nos anos da Guerra Civil espanhola. No entanto, nem John Cornford nem James Klugmann, nem nenhum dos líderes do Partido na minha época foram membros dos Apóstolos, muito menos qualquer dos professores marxistas dos anos 30 (com uma exceção). O critério para ser eleito para a sociedade era — e presumivelmente ainda é — nem temático, nem de crença, nem mesmo distinção intelectual, e sim "ser apostólico", o que quer que isso significasse e isso era incessantemente debatido entre os irmãos, como certamente continua a ser. Aliás, os espiões de Cambridge não foram recrutados primordialmente por meio dos Apóstolos (exceto por intermédio de Anthony Blunt): dos Cinco de Cambridge, três nada tinham a ver com a sociedade (Philby, Maclean e Cairncross).

A guerra deixara em suspenso o "mundo real" em Cambridge, embora certo número de Anjos mais antigos continuasse residindo intermitentemente como professores. Se não me engano, somente dois irmãos ativos de antes da guerra regressaram a Cambridge como estudantes-pesquisadores: eu próprio e o falecido Matthew Hodgart, literato escocês de cabelos escuros, cara de lua e bom bebedor, talvez o mais brilhante dos estudantes de graduação meus amigos, que já não era mais comunista. Fomos encarregados, ou melhor, como ele não estava presente, eu recebi da reunião dos Anjos o encargo de reviver a sociedade, no primeiro jantar anual depois da guerra, em 1946 (no restaurante Kettners, no Soho). Fizemos isso recrutando amigos do pré-guerra que haviam regressado a Cambridge e estudantes que eu supervisionava no King's. Quando me tornei *fellow*, arrebanhei um amigo dos tempos da faculdade, o economista canadense Harry Johnson. Como eu também supervisionava os alunos de economia na cadeira de história econômica, os Apóstolos do pósguerra prosseguiram dessa forma a tradição de Maynard Keynes. No entanto, cada vez mais os estudantes de humanidades, isto é, história e inglês, tenderam a engrossar a sociedade na década de 1950, juntamente com o múltiplo brilho de Jonathan Miller, que estudava ciências naturais. Antes da guerra de 1939 muitos deles teriam se dirigido ao serviço público, porém agora os não-economistas dentre eles seguiam em bandos para duas ocupações em expansão:

a mídia e o magistério universitário, às vezes uma coisa após a outra. Somente nos anos 60 começou-se a eleger mulheres como membros dos Apóstolos.

Depois da guerra o mais famoso dos Apóstolos vivos, o romancista E. M. Forster, mudou-se para o King's College e, leal à sociedade como sempre, ofereceu seu apartamento para as reuniões vespertinas dos domingos, sentando-se tranqüilamente a um canto — ele provavelmente não falava muito nem quando mais novo — e ouvindo os jovens irmãos que falavam literalmente "do tapete da lareira" (usando a gíria da sociedade), pois as lareiras alimentadas por alçapões de carvão eram ainda a principal defesa de Cambridge contra os rigores do clima do Leste. Morgan, que não escrevia habitualmente, àquela altura já praticamente parara de escrever, embora tomasse extraordinário cuidado para evitar qualquer sombra de lugar-comum nos poucos textos que ainda compunha. Não tinha família, exceto o velho policial seu amante. Não creio que se sentisse tão à vontade quanto gostaria, no mundo do pós-guerra, mas se consolava pela natureza imutável da juventude que o rodeava. No início da década de 1960, certa vez procurei apresentá-lo à segunda parte do século XX levando-o a assistir ao monologuista — já não se poderia chamá-lo "comediante" — americano Lenny Bruce, que se apresentava em curta temporada no Establishment, um clube no Soho de duração efêmera, a caminho da rápida autodestruição. Como sempre, Morgan foi cortês e incansavelmente educado, mas aquela não era a praia dele.

Um observador arguto do primeiro século da sociedade afirmou que "os Apóstolos se dedicavam acima de tudo a duas coisas, e o faziam com uma intensidade tão pura que poderia parecer absurda a olhos malévolos, porém absolutamente admirável a olhos bondosos. Por um lado, a amizade, e, por outro, a honestidade intelectual".[14] Ambas as coisas ainda eram essenciais para os Apóstolos no meu tempo, embora, por serem mais velhos, os professores que participavam dessas sessões provavelmente injetassem uma dose de diplomacia na "honestidade intelectual" que traziam a suas relações pessoais. De qualquer forma, ambas as coisas cruzavam as barreiras da idade e dos temperamentos, e tanto eu quanto minha família devemos aos Apóstolos que eram estudantes de graduação no início dos anos 50 (e aos jovens de ambos os sexos que conheci por meio deles) um grande número de amizades duradouras.

IV

Não posso dizer que a primeira metade da década de 1950 tenha sido uma época feliz em minha vida pessoal. Preenchi-a com trabalho, escrevendo e refletindo, ensinando, viajando muito durante as férias na universidade e, obedientemente, com o serviço do Partido. Felizmente, ao mudar-me para fora de Londres, afastei-me do tipo de trabalho da seção londrina — organização, proselitismo, venda do *Daily Worker* (redenominado *Morning Star* a partir de 1956) —, coisas para as quais eu não tinha pendor natural nem temperamento adequado. Dali em diante, na verdade, operei integralmente em grupos acadêmicos ou intelectuais.

Do ponto de vista intelectual, entretanto, foram anos bons. As mentes da maioria das pessoas são mais aventureiras e agudas aos vinte anos, mas eu voltara do exército passionalmente decidido a recuperar as idéias dos tempos perdidos na guerra, e era suficientemente jovem para poder fazê-lo. Não há nada melhor para a auto-educação dos acadêmicos do que preparar conferências, e, como os quatro ou cinco de nós que integrávamos o departamento de história de Birkbeck tínhamos de cobrir toda a história, desde a Antigüidade, eu era obrigado a ter conhecimento amplo como conferencista, mesmo sem as exigências adicionais decorrentes do fato de ser supervisor em Cambridge. É possível dificultar carreiras acadêmicas, mas não o mundo histórico. O que ocorreu no universo mais amplo dos historiadores naqueles anos é tema de outro capítulo. Por ora basta mencionar que comecei a publicar em revistas profissionais a partir de 1949, a participar de congressos internacionais e da Sociedade de História Econômica (para cujo conselho fui eleito em 1952). Acima de tudo, de 1946 a 1956, nós — um grupo de camaradas e amigos — mantivemos um seminário marxista permanente para nós mesmos no Grupo de Historiadores do Partido Comunista, mediante documentos de discussão incessantemente reproduzidos e reuniões regulares, principalmente no salão superior do restaurante Garibaldi em Saffron Hill e ocasionalmente nas então muito modestas instalações da Casa Marx, em Clerkenwell Green. Os que conhecem apenas o movimentado e elegante Clerkenwell do ano 2000 não podem imaginar as ruas vazias, frias, cinzentas e úmidas nos fins de semana há cinqüenta anos, quando o fog de Dickens, que desapareceu depois de 1953, ainda caía sobre Londres como uma grande venda cinza-amarelada. Talvez tenha sido ali que nos tornamos verdadeiramente historiadores. Outros falaram do "estarrecedor impacto [dessa] geração de historiadores marxistas", sem os quais "seria inconcebível a influência mundial da erudição histórica britânica, especialmente a partir da década de 1960".[15] Entre outras coisas, o grupo fez surgir em 1952 uma publicação histórica bem-sucedida e que terminou por ser influente, mas *Past & Present* não nasceu em Clerkenwell, e sim no ambiente mais agradável do University College, na Gower Street.

O Grupo de Historiadores se dissolveu no ano da crise comunista, em 1956. Até ali nós — certamente eu — continuamos a ser membros leais, disciplinados e politicamente alinhados do Partido Comunista, sem dúvida auxiliados pela furiosa retórica da cruzada anticomunista do "Mundo Livre". Mas não foi nada fácil.

Deus sabe que a União Soviética dificultava as coisas cada vez mais. Naturalmente os intelectuais se sentiam especialmente pressionados, pois desde 1947 as convicções com que haviam se comprometido estavam reduzidas a um catecismo de ortodoxias, algumas apenas vagamente relacionadas com o marxismo, e diversas outras absurdas, especialmente nas ciências naturais. Após o triunfo oficial do "lisenkoísmo" na União Soviética, isso se tornou um grave problema para a ramificação graduada em Cambridge; vários de seus membros mais idosos, ou talvez a maioria, eram cientistas naturais. Iriam desligar-se discretamente do Partido, como fez o grande geneticista J. B. S. Haldane, por não poderem aceitar inverdades? Estariam dispostos a arruinar sua reputação pública, como J. D. Bernal, ao tentar, inutilmente, defender os soviéticos? Fechariam simplesmente os olhos, em silêncio, continuando seu trabalho como antes? As peculiaridades da ciência stalinista não foram tão danosas em outros domínios. Os psicólogos comunistas, por exemplo, consideraram menos restritiva a insistência de Moscou sobre Pavlov ("reflexos condicionados"), em parte devido à tendência experimental, positivista, comportamentalista e fortemente antipsicanalista dos departamentos de psicologia britânicos. Mas esses eram os problemas específicos dos intelectuais, e por diversos motivos não afetaram seriamente os historiadores comunistas britânicos que não tratavam de história russa ou da do Partido Comunista. Obviamente, nenhum de nós acreditou na versão da história do partido soviético contida no texto, pedagogicamente brilhante, da *História do Partido Comunista da União Soviética (b) — Curso rápido*, de Stalin. Porém havia problemas de ordem mais geral, mesmo se deixarmos de lado os horrores dos campos de concentração soviéticos, cuja extensão os comunistas na época não reconheciam.

Que deveriam pensar os comunistas britânicos, e ainda mais os de Cambridge, que haviam estado profundamente envolvidos com os *partisans iuguslavos* durante a guerra, a respeito do rompimento entre Tito e Stalin, em 1948? Estávamos próximos do comunismo iugoslavo. Jovens britânicos haviam convergido às centenas ao país a fim de construir a chamada "Ferrovia da Juventude", inclusive especialmente Edward Thompson, que ainda não era historiador, e cujo irmão Frank esteve baseado com os *partisans* da Macedônia até partir para lutar e morrer com os búlgaros. Como seria possível acreditar na linha oficial soviética de que Tito deveria ser excomungado por haver-se preparado durante muito tempo para trair os interesses do internacionalismo proletário segundo os interesses dos serviços estrangeiros de inteligência? Podíamos compreender que James Klugmann tivesse sido forçado a repudiar Tito, mas não tínhamos acreditado nele; e, como ele próprio até recentemente nos dizia o contrário — e o mesmo fizera o recém-formado Kominform, cuja sede inicial era em Belgrado —, sabíamos que ele tampouco acreditava. Em suma, continuamos leais a Moscou porque a causa do socialismo mundial poderia dispensar o apoio de um país pequeno, embora heróico e admirado, mas não o da superpotência de Stalin.

Ao contrário do que ocorreu na década de 30, não recordo quaisquer esforços sérios para obrigar os membros do Partido a justificar a sucessão de julgamentos espetaculares que desfiguraram os últimos anos de Stalin, mas isso pode significar simplesmente que os intelectuais como eu haviam desistido do esforço de ser convencidos. Poucos entre nós conheciam alguma coisa da Bulgária, e portanto lamentei o primeiro dos julgamentos, contra Traicho Kostov (executado em 1949), mas isso não me tornou cético. O julgamento de Laszlo Rajk na Hungria, no outono de 1949, foi diferente. Entre os "agentes do Serviço Secreto Britânico" que alegadamente haviam solapado o comunismo, a acusação mencionava (e as confissões adequadas sem dúvida confirmaram) alguém que eu conhecia pessoalmente: o jornalista Basil Davidson. Eu simplesmente não acreditava nisso. Homem corpulento, arguto, de cabelo encaracolado já começando a ficar grisalho, mulherengo e casado com mulher muito bonita, Basil fazia o que se costuma chamar uma guerra "boa" porém inortodoxa. Lutara com os *partisans* iugoslavos na plana e fértil Vojvodina, adjacente à Hungria — temível território guerrilheiro —, e em seguida com os *partigiani* italianos nas montanhas da Ligúria, escrevendo um bom livro, *Partisan picture*, sobre ambas as experiências. (Isso lhe deu o necessário treinamento para mais tarde marchar com os lutadores da liberdade africanos no interior da Guiné portuguesa e de Angola.) Tornamo-nos amigos, e até hoje o somos. A acusação húngara não era apenas incrível em si mesma. De fato, embora eu na ocasião não o soubesse, Davidson havia em seu tempo sido recrutado, como outros jornalistas britânicos no continente, pelo Serviço Secreto de Informações e mandado para a Hungria. Não me surpreenderia se nessa ocasião tivesse conhecido Rajk. O que me fez duvidar, além de minha opinião pessoal sobre ele, foi o fato de que sua carreira jornalística piorara muito com a Guerra Fria. Depois de deixar o *Times* de Londres foi, com efeito, empurrado para fora do *New Statesman and Nation*, que estava então no auge como o órgão da esquerda respeitável, para o qual era colaborador itinerante. Ninguém o queria. Estava prestes a encetar uma nova carreira de freelancer como historiador pioneiro da África altamente respeitado, além de perito em movimentos antiimperialistas de libertação ao sul do Saara. A acusação simplesmente não fazia sentido.

A última série de julgamentos espetaculares, e a maior delas, na Tchecoslováquia, deu impressão ainda menos convincente, além de ter tido marcado laivo anti-semita, semelhante ao da notória "conspiração dos médicos" de 1952 contra Stalin, na própria União Soviética. Os estudantes de minha geração conheceram muitos dos jovens tchecos emigrados para a Grã-Bretanha. Conhecíamos bem pelo menos um dos "traidores" executados: Otto Sling, casado com a sempre confiável Marion Wilbraham do Movimento Juvenil Pró-Paz, de antes da guerra, que havia regressado a seu país para ser chefe do Partido em Brno, a segunda cidade da Tchecoslováquia. Por essa altura até mesmo a esperada defesa oficial do julgamento tcheco feita pelo Partido demonstrou certa falta de convicção.

Evidentemente, pessoas como eu não permaneceram no Partido Comunista por ter muitas ilusões sobre a União Soviética, embora indubitavelmente tivéssemos algumas. Por exemplo, visivelmente subestimamos os horrores do que ocorrera na União Soviética sob Stalin, até que isso foi denunciado por Kruschev em 1956. Como existia muita informação disponível sobre os campos de concentração soviéticos — que não podia ser facilmente ignorada —, não é desculpa assinalar que até 1956 mesmo os críticos ocidentais não haviam documentado a amplitude[16] do sistema. Além disso, depois de 1956 muitos de nós deixamos o Partido. Mas, então, por que ficamos?

Talvez a melhor maneira de recuperar o sentimento dos anos do auge da Guerra Fria — essencialmente o período entre Hiroshima e Panmunjom — seja por meio de um episódio da vida de Bertrand Russell, que o grande filósofo não gostava de ver recordado em seu tempo de ativista anti-nuclear. Pouco depois que as bombas foram jogadas em Hiroshima e Nagasaki, Russell concluiu que o monopólio norte-americano de armas atômicas seria apenas temporário. Enquanto fosse, os Estados Unidos deveriam explorá-lo, se necessário mediante um ataque nuclear preventivo contra Moscou. Isso impediria que a União Soviética se lançasse à conquista mundial iminente na qual ele acreditava que estivesse engajada, e destruiria, ao que ele esperava, um regime que considerava absolutamente repulsivo. Em suma, no que respeita ao povo soviético, ele acreditava no slogan então costumeiro na Guerra Fria: "É melhor estar morto do que ser comunista". Na prática, esse slogan literalmente insensato se aplicaria somente aos *outros* povos. Se fizesse sentido, significaria não que os cubanos, vietnamitas ou, se isso ocorresse, os italianos devessem cometer suicídio em vez de viver sob um governo comunista, mas que deveriam ser mortos pelas armas do Mundo Livre a fim de impedir essa terrível contingência. (Nenhuma pessoa em seu juízo perfeito esperaria seriamente um suicídio em massa na Grã-Bretanha ou nos Estados Unidos.)

Felizmente, embora a possibilidade de ataques nucleares preventivos norte-americanos preocupasse Whitehall,[17] ninguém deu ouvidos a Russell, que de qualquer forma mudou de idéia quando ambas as superpotências passaram a possuir a capacidade de destruir-se uma à outra, transformando assim a guerra global em suicídio global. Porém antes disso as pessoas, inclusive alguns políticos sérios, sem dúvida falavam em algo como uma luta de classes apocalíptica global. Eram questões colossais. Qualquer que fosse a posição que se tomasse, não havia limite para o preço a ser pago. A guerra, especialmente a partir de Hiroshima e Nagasaki, acostumara o mundo aos sacrifícios humanos em centenas de milhares, até mesmo milhões. Os que se opunham às armas nucleares eram acusados de privar o Ocidente de uma arma necessária, indispensável. Nós também — e digo isso com arrependimento retrospectivo — não reconhecíamos limites ao preço que nos dispúnhamos a exigir que outros pagassem. Dizer que nós próprios estávamos dispostos a pagá-lo não é atenuante.

Por um lado, os comunistas consideravam que os Estados Unidos e seus aliados ameaçavam a destruição total de uma União Soviética ainda cercada e vulnerável, a fim de deter o avanço global das forças da revolução, a partir da derrota de Hitler e Hirohito. Ainda consideravam a União Soviética sua garantia indispensável. Por outro lado, para os Estados Unidos e seus aliados, a URSS era tanto uma ameaça ao mundo quanto um sistema a ser rejeitado. Tudo seria muito mais simples se ela não fosse uma superpotência. Tudo seria ainda mais simples se ela não existisse. Para nós era evidente que a União Soviética não estava em situação de conquistar o mundo para o comunismo. Alguns de nós nos sentíamos mesmo decepcionados, pois ela parecia não o desejar. Era um sistema com defeitos graves — como pelo menos muitos intelectuais comunistas ocidentais pensavam, ainda que não o dissessem —, mas que conseguira realizações titânicas e que ainda possuía o ilimitado potencial do socialismo. (Embora isso hoje pareça incrível, na década de 50 a União Soviética não parecia um grotesco gigante econômico em decadência, e sim uma economia que poderia ultrapassar a produção ocidental, e isso não só aos olhos de simpatizantes.) Para a maior parte do mundo, ela não parecia ser o pior de todos os regimes possíveis, e sim uma aliada na luta pela emancipação em relação ao imperialismo ocidental, antigo e novo, e um modelo para o desenvolvimento socioeconômico não europeu. O futuro tanto dos comunistas como dos regimes e movimentos do mundo descolonizado e em descolonização dependia de sua existência. No que dizia respeito aos comunistas, apoiar e defender a União Soviética era ainda a prioridade internacional essencial.

Assim, engolimos nossas dúvidas e reservas mentais e a defendemos. Ou melhor, o que era mais fácil: atacamos o campo capitalista por preferir uma Alemanha Ocidental governada por antigos nazistas — e em breve rearmada contra a União Soviética — a uma Alemanha Oriental governada por antigos prisioneiros dos campos de concentração nazistas; por preferir o antigo imperialismo aos movimentos de libertação antiimperial, e por apoiar os Estados Unidos, que faziam da Espanha de Franco sua base militar contra aqueles que haviam apoiado a República.

Mesmo assim, não era fácil. Ser comunista no Ocidente não era problema. O problema era a experiência do comunismo no Oriente; mas isso eu veria em breve. Ocorreram os primeiros sinais de um ligeiro degelo nas fímbrias da camada congelada da União Soviética de Stalin. Em 1952, antes mesmo que o terrível velho morresse, o historiador E. A. Kosminsky foi autorizado a visitar brevemente a Grã-Bretanha com a esposa, pela primeira vez desde que muito antes, em 1920, havia pesquisado em Londres sobre problemas da história senhorial da Inglaterra na Idade Média, trabalho que o tornara famoso no mundo erudito da história. Levei-o ao British Museum, onde ele desejava utilizar novamente o grande salão redondo de leitura. Poderia conseguir uma admissão de curta permanência? Uma bibliotecária perguntou se ele já freqüentara a biblioteca anteriormente. Claro que sim. "Ah", disse ela, procurando o nome dele nos arquivos. "Claro, não há problema nenhum. O senhor ainda mora em Torrington Square?" Para ele foi um momento de grande emoção. Poucos meses mais tarde, depois da morte de Stalin mas antes do pós-stalinismo, ele organizou uma visita de um grupo de historiadores marxistas britânicos à União Soviética, a convite da Academia Soviética de Ciências. Foi minha primeira experiência no país da Revolução de Outubro, mas não seria a única. Não tive vontade de voltar outra vez lá. Aquela visita me preparou para o momento crucial da vida de todos os intelectuais comunistas — e de todo o movimento comunista mundial —, que é o principal tema do próximo capítulo: a crise de 1956.

12. Stalin e depois

I

Sou dos poucos habitantes da Terra que realmente viram Stalin, com exceção dos que viviam no que era então a União Soviética; confesso que o vi não mais em vida, e sim em uma caixa de vidro no grande mausoléu na Praça Vermelha, em Moscou. Era um homem baixo, que parecia ainda menor do que sua verdadeira estatura (cerca de 1,61 metro), em contraste com a aura de poder autocrático, inspirando temor, e que mesmo na morte o circundava. Ao contrário de Lenin, que ainda pode ser visto, e que até agora (2002) já resistiu a onze anos pós-soviéticos de tentativas para retirá-lo, Stalin foi exibido somente no breve período entre sua morte em 1953 e o ano de 1961. Quando o vi, em dezembro de 1954, ele ainda dominava o país e o movimento comunista mundial. Ainda não havia um sucessor efetivo, embora Nikita Kruchev, que inaugurou a "desestalinização" não muitos meses depois, já ocupasse o lugar de secretário-geral e se preparasse para afastar seus rivais. No entanto, nada sabíamos do que ocorria nos bastidores em Moscou.

Éramos quatro membros do Grupo de Historiadores do Partido Comunista britânico convidados pela Academia Soviética de Ciências durante as férias acadêmicas de Natal de 1954-55, como parte do processo, ainda dolorosamente lento, de retirar de seu isolamento a vida intelectual soviética: Christopher Hill, já bem conhecido como historiador da Revolução Inglesa, o bizantinista Robert Browning, eu próprio e o erudito freelance Leslie (A.L.) Morton, cuja *História popular da Inglaterra*, de orientação marxista, obtivera o *imprimatur* das autoridades soviéticas. Talvez apenas Robert Browning, escocês de erudição extraordinariamente ampla e competência lingüística, que escrevera uma monografia sobre a recente decifração das inscrições cretenses denominadas "Linear B", compreendesse o quanto os estudiosos soviéticos estavam desligados da literatura em língua inglesa. (Os contatos com a França nunca haviam estado tão deteriorados.) Como nenhum dos visitantes fosse especialista em história russa, que era naturalmente o ponto forte de nossos anfitriões, provavelmente eles tiraram mais proveito de nossas conversações do que nós.

Que esperávamos encontrar na União Soviética? Não estávamos totalmente dependentes dos guias/tradutores oficiais postos a nosso serviço pela Academia, pois dois de nós sabiam russo — Christopher Hill, que passara um ano na União Soviética em meados dos anos 30 e tinha amigos lá, e Robert Browning, que aparentemente quase não tinha sotaque. No entanto, dois anos após a morte de Stalin, e na verdade durante vários anos ainda, a União Soviética não era dada a comunicação informal com estrangeiros, mesmo em russo. De qualquer maneira, uma "delegação" oficial convidada pela Academia, instituição que dispunha de considerável status e influência na sociedade soviética da época, não tinha muito espaço para contatos informais ou tempo livre. Até mesmo o programa de entretenimento e visitas culturais era dimensionado pela importância da organização anfitriã e, por extrapolação, de seus hóspedes estrangeiros. Fora dos espaços cobertos, nossos pés mal tocaram o solo.

Em resumo, como VIPs intelectuais — papel inusitado — certamente recebemos maior exposição à cultura do que outros estrangeiros visitantes, assim como uma quantidade embaraçosa de produtos e privilégios em um país visivelmente pobre. Por exemplo, ao chegar a Leningrado no famoso trem noturno Flecha Vermelha, vindos de Moscou, logo nos levaram a uma representação matinal para crianças do *Lago do Cisne* no Teatro Kirov e instalaram-nos no camarote do diretor, ao qual, depois do espetáculo, a primeira bailarina — creio que era Alla Shelest — foi trazida diretamente do palco, ainda suando, *para ser apresentada a nós*, quatro estrangeiros sem importância especial que se encontravam momentaneamente no assento do poder. Quase meio século mais tarde, ainda tenho uma sensação curiosa de vergonha ao lembrar-me da reverência dela a nós, enquanto as crianças de Leningrado se preparavam para voltar a suas casas e os músicos — esmagadoramente judeus — iam saindo do poço da orquestra. Não era uma boa propaganda do comunismo. Mas da Rússia e da vida russa pouco vimos, a não ser mulheres de meia-idade, presumivelmente viúvas de guerra, limpando as ruas no inverno.

Além disso, até mesmo o recurso básico dos intelectuais, "procurar informação", não era possível. Não havia catálogos de telefone, nem mapas, publicações com horários de meios de transporte, nenhuma forma básica de referência para o cotidiano. Causava impacto a falta de aspectos práticos numa sociedade em que um temor quase paranóico da espionagem transformava em segredo de Estado a informação necessária para a vida diária. Em suma, ao visitar a Rússia em 1954, muito pouco se podia aprender sobre o país que não fosse possível saber fora dele.

Mesmo assim, havia algo. Havia a evidente arbitrariedade e imprevisibilidade da organização. Havia a surpreendente realização do metrô de Moscou, construído na era de ferro da década de 30 sob um dos lendários "durões" do stalinismo, Lazar Kaganovich, sonho de uma futura cidade de palácios para um presente faminto e pauperizado, mas um sistema de transporte subterrâneo que funcionava como um relógio — e, ao que me dizem, ainda funciona. Havia a diferença básica entre os russos que tomavam e os que não tomavam decisões, e brincávamos entre nós que podiam ser reconhecidos pelos cabelos. Os que agiam tinham os cabelos em pé nas cabeças, ou os haviam perdido devido ao esforço, e os demais eram reconhecíveis pela flacidez dos cabelos acima das frontes. Havia o extraordinário espetáculo de uma sociedade intelectual que estava a uma geração de distância dos antigos camponeses. Lembro-me da festa de ano-novo no Clube dos Cientistas em Moscou. Entre os costumeiros brindes à paz e à amizade, alguém sugeriu um concurso de provérbios — não *quaisquer* ditos antigos, mas provérbios ou expressões sobre coisas sagazes, como "um remendo a tempo economiza nove" (agulhas) ou "enterrar a machadinha".* Os recursos combinados dos ingleses esgotaram-se rapidamente, mas os competidores russos, todos cientistas de renome, pros-

---

* No original, respectivamente, "a stitch in time saves nine (needles)" e "burying the hatchet" [reconciliar-se]. Naturalmente é tarefa ingrata tentar traduzir provérbios literalmente. (N. T.)

seguiram a confrontação entre si com peças da sabedoria interiorana sobre facas, machados, foices e instrumentos afiados ou agudos e seu funcionamento, até que a competição teve de ser encerrada. Aquilo, afinal de contas, era o que haviam trazido consigo das aldeias analfabetas em que haviam nascido.

Para intelectuais comunistas estrangeiros, foi uma viagem interessante mas também inquietadora, pois quase não conhecemos ninguém como nós. Ao contrário das "democracias populares" e dos "socialismos realmente existentes" do restante da Europa, onde os comunistas que lutaram contra a opressão haviam passado da perseguição ao poder, nos vimos em um país há muito governado pelo Partido Comunista da União Soviética, no qual ter uma carreira significava ser membro do Partido ou pelo menos conformar-se com suas exigências e seus pronunciamentos oficiais. Provavelmente alguns dos que conhecemos também estivessem convencidos, como comunistas leais, mas a convicção deles era soviética e internalizada, e não uma convicção ecumênica, embora fosse possível que tivéssemos mais em comum com algumas das pessoas que pedimos para encontrar mas que "infelizmente não podiam vir a Moscou por motivos de saúde", ou estavam "temporariamente ausentes em Gorki", ou talvez não tivessem ainda voltado dos gulags. Era muito mais fácil perceber o significado da "Grande Guerra Patriótica", particular e emocionalmente, para as pessoas que encontramos — especialmente em Leningrado, que sobrevivera ao grande cerco no tempo da guerra — do que saber o que o comunismo significava para eles. De todo modo estou certo de que, de pé na Estação Finlândia na maravilhosa luz de inverno daquela cidade miraculosa que jamais me acostumarei a chamar de São Petersburgo, o que pensávamos sobre a Revolução de Outubro não era o mesmo que pensavam nossos guias da seção de Leningrado da Academia de Ciências.

Regressei de Moscou sem haver mudado minha opinião política, porém deprimido e sem desejo de voltar lá novamente. Na verdade voltei, embora muito brevemente, em 1970, para um congresso histórico mundial, e nos últimos anos de existência da União Soviética para rápidas excursões turísticas a partir de Helsinque, onde passei vários verões num instituto de pesquisas das Nações Unidas.*

---

* Vale mencionar de passagem que nenhum de meus livros jamais foi traduzido para o russo ou qualquer outra língua soviética durante o período comunista, e que também as únicas línguas "realmente socialistas" em que foram vertidos antes da queda do Muro de Berlim foram o húngaro — diversos deles — e o esloveno. No entanto, meu livro sobre jazz foi traduzido para o tcheco.

A viagem à União Soviética em 1954-55 foi meu primeiro contato com os países do que mais tarde foi denominado "o socialismo realmente existente", pois minha visita ao Festival Mundial da Juventude em Praga em 1947 ocorreu antes que o Partido chegasse ao poder total nas novas "democracias populares". Com efeito, na Tchecoslováquia o Partido acabava de emergir como de longe o maior, com 40% do eleitorado, numa eleição multipartidária genuína. Apesar de haver conhecido pessoalmente diversos dos historiadores de outros países socialistas, somente fiz contato direto com esses países depois do xx Congresso do Partido Comunista soviético, que inaugurou a crise do movimento comunista, embora a minha primeira visita à República Democrática Alemã, em abril-maio de 1956, ocorresse antes da publicação do ataque público de Kruchev contra Stalin. Mas naquela época tudo havia mudado.

II

Existem dois "dez dias que abalaram o mundo" na história do movimento revolucionário do século passado: os da Revolução de Outubro, descritos no livro de John Reed com esse título, e o xx Congresso do Partido Comunista soviético (14-25 de fevereiro de 1956). Ambos a dividem repentina e irrevogavelmente em "antes" e "depois". Não posso imaginar nenhum acontecimento comparável na história de qualquer movimento ideológico ou político importante. Em poucas palavras, a Revolução de Outubro criou um movimento comunista internacional; o xx Congresso o destruiu.

O movimento comunista internacional havia sido construído, nas linhas de Lenin, como um único exército disciplinado dedicado à transformação do mundo sob um comando centralizado e quase militar, situado no único país em que o "proletariado" (isto é, o Partido Comunista) havia tomado o poder. Transformou-se em movimento de importância global somente por estar ligado à União Soviética, que por sua vez se tornou o país que estripou a Alemanha nazista e emergiu da guerra como superpotência. O bolchevismo transformara em superpotência um regime fraco num país imenso porém atrasado. A vitória da causa em outros países, a libertação do mundo colonial e semicolonial, dependia de seu apoio e de sua proteção real, ainda que às vezes relutante. Quaisquer que fossem suas fraquezas, sua própria existência provava que o socialismo era mais do que um sonho. E o anticomunismo passional dos cruzados da Guerra Fria, que consideravam os comunistas exclusivamente como agentes de Moscou, uniu estes últimos mais fortemente à União Soviética.

À medida que passava o tempo, e especialmente durante as batalhas contra o fascismo, a esquerda revolucionária efetivamente organizada se tornou virtualmente identificada com os partidos comunistas. Estes haviam absorvido ou eliminado outros tipos de revolucionários sociais. Embora a Igreja Comunista Universal tivesse feito surgir diversos grupos de cismáticos e hereges, nenhum dos grupos rebeldes que ela gerou, expeliu ou matou jamais conseguiu estabelecer-se além do âmbito local como rival, até que Tito o fizesse em 1948 — porém, ao contrário de qualquer dos outros, o iugoslavo já era chefe de um Estado revolucionário. No início de 1956, as forças reunidas dos três grupos trotsquistas rivais na Grã-Bretanha eram estimadas em menos de cem pessoas.[1] Na prática, desde 1933 os partidos comunistas haviam virtualmente açambarcado a teoria marxista, em grande parte devido ao zelo soviético na distribuição das obras dos "clássicos". Para os marxistas ia se tornando cada vez mais evidente que "o Partido" — onde quer que vivessem, e com todas as possíveis reservas que tivessem — era a única coisa existente. O grande classicista francês J. P. Vernant, que já era comunista antes da guerra, rompeu com o PC ao juntar-se desde o começo à resistência gaullista contra o que era então a linha do Partido, e lutou com distinção na guerra com o pseudônimo de "Coronel Berthier" e *compagnon de la Libération*, mas voltou ao Partido depois da guerra, por haver permanecido revolucionário. Para onde mais poderia ter ido? O falecido Isaac Deutscher, biógrafo de Trotski, mas no fundo líder político frustrado, disse-me quando o encontrei no auge da crise comunista de 1956-57: "Faça o que quiser, mas não deixe o Partido Comunista. Deixei que me expulsassem em 1932 e desde então me arrependo". Ao contrário de mim, ele jamais se reconciliou com o fato de que sua importância política vinha somente por haver se tornado escritor. Afinal de contas, não seria o objetivo dos comunistas *mudar* o mundo, e não apenas interpretá-lo?

III

Por que a implacável denúncia de Stalin feita por Kruchev destruiu os alicerces da solidariedade global dos comunistas com Moscou? Afinal, ela era o prosseguimento de um processo de desestalinização controlada que vinha avançando constantemente durante mais de dois anos, ainda que os demais partidos comunistas se ressentissem do conhecido hábito soviético de repentinamente, sem informação prévia, confrontá-los com a necessidade de justificar alguma inesperada mudança de política. (Em 1955, a reconciliação de Kruchev com Tito exasperou especialmente os camaradas que, sete anos antes, haviam sido obrigados, quase certamente contra a vontade, a louvar sua excomunhão da Verdadeira Igreja.) Com efeito, até o vazamento do discurso de Kruchev a um público mais amplo, inclusive o dos partidos comunistas, o XX Congresso parecia ser simplesmente mais um passo, sem dúvida maior, para longe da era stalinista.

Creio necessário fazer aqui uma distinção entre seu impacto sobre a liderança dos partidos comunistas, especialmente aqueles que já governavam países, e sobre os comunistas comuns. Naturalmente, ambos haviam aceitado os deveres compulsórios do "centralismo democrático", que discretamente abandonara o pouco de democracia original que possuía.[2] E todos eles, com a exceção talvez do PC chinês, que mesmo assim reconhecia a primazia de Stalin, aceitavam Moscou como comandante do disciplinado exército do comunismo mundial na Guerra Fria global. Ambos partilhavam da admiração extraordinária, voluntária e genuína por Stalin como líder e personificação da Causa, e o verdadeiro sentimento de pesar e perda pessoal que sem dúvida os comunistas experimentaram com sua morte em 1953. Embora isso fosse perfeitamente natural para os comunistas comuns, que o consideravam uma imagem longínqua do triunfo e libertação dos pobres — o "bigodudo" que ainda poderia vir algum dia para livrar-nos dos ricos para todo o sempre —, era sem dúvida também compartilhado por líderes experimentados como Palmiro Togliatti, que conhecia de perto o terrível ditador, e até mesmo por suas vítimas reais ou possíveis. Molotov permaneceu leal a ele durante 33 anos após sua morte, embora em seus últimos e paranóicos anos Stalin o tivesse obrigado a divorciar-se de sua mulher, mandado prendê-la, interrogá-la e exilá-la, e visivelmente estivesse preparando para o próprio Molotov um julgamento espetacular.

Anna Pauker, do Komintern da Romênia, chorou ao saber da morte de Stalin, ainda que não o estimasse e na verdade o temesse, pois na época estava sendo preparada para ser atirada aos lobos como acusada de nacionalismo burguês, agente de Truman e do sionismo. ("Não chore", disse-lhe o interrogador. "Se Stalin estivesse vivo você estaria morta."[3]) Não admira que o ataque emocional contra seu legado e contra o "culto da personalidade" feito por Kruchev tivesse reverberado por todo o movimento comunista internacional.

Por outro lado, por mais que seus líderes admirassem Stalin e aceitassem o "papel de guia" do Partido soviético, os partidos comunistas, no poder ou fora dele, nem eram "monolíticos", para usar a expressão de Stalin, nem simplesmente agentes executivos da política do PCUS. Pelo menos desde 1947 Moscou os mandara fazer coisas às vezes politicamente prejudiciais, as quais eles, ou pelo menos segmentos substanciais de suas lideranças, jamais teriam ordenado. Enquanto Stalin viveu e o poder e a liderança de Moscou permaneceram "monolíticos", não havia discussão. A desestalinização reabriu opções que estavam fechadas, especialmente porque os homens do Kremlin evidentemente não possuíam a antiga autoridade e ainda enfrentavam forte oposição dos velhos stalinistas. Moscou já não se encontrava (por breve período) sob uma direção monolítica. Em resumo, as fendas na estrutura da região sob controle soviético agora podiam se abrir. Foi o que visivelmente ocorreu poucos meses após o XX Congresso, na Polônia e na Hungria. E isso por sua vez agravou as crises nos partidos comunistas que não estavam no governo.

O que perturbou a grande massa de seus membros foi o fato de que a brutal e impiedosa denúncia dos crimes de Stalin não vinha da "imprensa burguesa", cujos artigos, ainda que fossem lidos, sempre podiam ser rejeitados como calúnias e imposturas, mas sim da própria Moscou. Era impossível não tomar nota, mas era também impossível saber como os crentes leais deveriam interpretá-la. Mesmo aqueles que "tinham fortes suspeitas [...] [sobre os fatos revelados] que equivaliam a certeza moral durante os anos anteriores à fala de Kruchev"[4] ficaram chocados com a simples extensão, até então não completamente percebida, dos assassinatos em massa de comunistas perpetrados por Stalin. (O Relatório Kruchev nada dizia sobre os outros.) Nenhum comunista pensante poderia deixar de fazer a si mesmo, ou a si mesma, algumas graves perguntas.

Mesmo assim, creio ser lícito dizer que no início de 1956 nenhuma liderança de Partido Comunista não estatal pensou seriamente que a desestalinização implicasse uma revisão fundamental do papel, dos objetivos e da história desses partidos. Nem esperavam problemas provenientes de seus filiados, pois as pessoas que permaneceram como membros do Partido eram aqueles que durante anos haviam resistido à propaganda dos lutadores da Guerra Fria. Porém, talvez devido à sua própria confiança, dessa vez não conseguiram levar consigo parte significativa de seus membros.

Em retrospecto, o motivo é óbvio. Não nos haviam dito a verdade a respeito de algo que afetaria a própria natureza das convicções de um comunista. Além disso, podíamos perceber que as lideranças teriam preferido que não soubéssemos a verdade — esconderam-na até que o discurso não publicado de Kruchev foi vazado para a imprensa não-comunista — e manifestamente desejavam encerrar qualquer debate a respeito tão prontamente quanto possível. Quando a crise estourou na Polônia e na Hungria, continuaram a esconder o que nossos próprios jornalistas informavam. Era possível entender por que, como organizadores do Partido, eles achavam que isso era conveniente, porém aquilo não era marxismo nem política genuína. Quando o conhecido chamado à lealdade inabalável fracassou, seu instinto imediato foi colocar a culpa nas infelizes hesitações dos conhecidos elementos de instabilidade e fraqueza, os intelectuais pequeno-burgueses. As autoridades do Partido levaram de março a novembro para reconhecer o que o Comitê do Grupo de Historiadores do Partido Comunista percebera quase imediatamente, ou seja, que isso era "a situação mais grave e mais crítica em que o Partido se encontrava desde sua fundação".[5] Com efeito, após a Revolução Húngara e a intervenção armada soviética mais tarde no mesmo ano, nem mesmo os membros mais cegamente leais do Partido poderiam razoavelmente negá-lo. Quando a liderança se reafirmou em 1957, após haver debelado uma explosão de aberta oposição sem precedentes, o Partido Comunista britânico perdera um quarto de seus membros, um terço da equipe do jornal, o *Daily Worker*, e provavelmente o grosso do que restava da geração de intelectuais comunistas das décadas de 1930 e 1940. Mas embora perdesse diversos de seus principais sindicalistas, rapidamente restabeleceu sua influência nacional sobre a indústria, que chegou ao auge na década de 70 e no começo de 80.

É difícil reconstruir não somente o clima, mas também a memória desse ano traumático, que ao longo de uma sucessão de crises menores desembocou no clímax assustador da reconquista da Hungria pelo exército soviético, e, em seguida, cambaleando e combatendo, acabou exausto e derrotado após muitos meses de discussões febris predestinadas ao fracasso. A peça de Arnold Wesker, *Sopa de galinha com cevada,* que trata da luta de uma família judia de classe trabalhadora com suas convicções comunistas, dá uma boa idéia do que foi chamado "a dor de perdê-lo e a dor de lutar para conservá-lo".[6] Mesmo depois de praticamente meio século, ainda sinto um nó na garganta ao recordar as intoleráveis tensões sob as quais vivemos mês após mês, os intermináveis momentos de decisão sobre o que dizer e fazer, dos quais nossas vidas futuras pareciam depender, os amigos que agora se agarravam uns aos outros ou que se enfrentavam amargamente como adversários, a sensação de deslizar com a avalanche, involuntária porém irreversivelmente, em direção ao despenhadeiro fatal. E isso enquanto todos nós, com exceção de alguns funcionários do Partido em tempo integral, tínhamos de prosseguir, como se nada importante tivesse acontecido, com nossas vidas e empregos exteriores, que temporariamente pareciam desvios indesejados daquela coisa monstruosa que dominava nossos dias e noites. Deus sabe que 1956 foi um ano dramático na política britânica, mas na memória dos que eram comunistas na época tudo o mais esmaeceu. Naturalmente nos mobilizamos contra as mentiras do governo de Anthony Eden na crise de Suez, junto com uma esquerda pelo menos uma vez totalmente unida de membros dos Partidos Trabalhista e Liberal. Mas Suez não tirou nosso sono. Talvez a melhor maneira de expressar o que quero seja dizer que durante mais de um ano os comunistas britânicos viveram à beira do equivalente político de um ataque de nervos coletivo.

O que piorava as coisas era que o Partido Comunista britânico, do tamanho de uma família, era em grande parte, para citar uma crítica apócrifa do Komintern, um "partido de bons amigos". Ao contrário de outros, não possuía uma história de clamorosas expulsões e excomunhões. Faltava-lhe a versão particular do tipo de liderança "bolchevique" de estilo caseiro, que criara brutamontes impiedosos e complacentes como André Marty no PC francês. Nós em geral conhecíamos nossos líderes e conversávamos com eles, gostávamos da maioria deles e pelo menos alguns de nós compreendíamos as pressões que suportavam. Nenhum dos críticos desejava deixar o Partido, e este não desejava perder-nos. Para onde quer que nos levasse nosso futuro político — e mesmo aqueles que saíram do Partido ou foram expulsos permaneceram esmagadoramente na esquerda —, todos nós atravessamos a crise de 1956 como comunistas convictos.

De qualquer maneira eu estaria imerso no âmago da crise, mas estava próximo a seu centro, pois em 1956 eu presidia o Grupo de Historiadores do Partido Comunista — uma das poucas vezes em que fui presidente de alguma organização —, e o grupo surgiu quase imediatamente como núcleo da oposição vocal à linha do Partido quando ela nos foi trazida por um porta-voz da King Street em 8 de abril de 1956, pouco depois do discurso de Kruchev, ou melhor, depois do subseqüente Congresso do Partido britânico que tentara (em vão) esquivar-se da questão. Rebelamo-nos, e por duas vezes o grupo desafiou o Partido dramaticamente. Na primeira, um dos principais membros do grupo, Christopher Hill, atuou como porta-voz do Relatório Minoritário da Comissão de Democracia Intrapartidária, isto é, como líder virtual da oposição no Congresso do Partido de maio de 1957. Em meados de julho, John Saville, da Universidade Hull, e E. P. Thompson, então conferencista no departamento extramuros de Leeds, lançaram um boletim de oposição inédito no Partido e inteiramente ilegítimo segundo as convenções vigentes, *The Reasoner*. (Depois que ambos deixaram o Partido o boletim foi retomado, em 1957, com o título *The New Reasoner* e com contribuições de muitos colaboradores simpáticos a ele, inclusive eu mesmo.) A intervenção soviética na Revolução Húngara levou muitos de nós a uma segunda quebra de disciplina partidária ainda mais patente, tecnicamente punível com a expulsão: uma carta coletiva de protesto, assinada pela maioria dos historiadores mais conhecidos (inclusive o legalista habitualmente silente Maurice Dobb), rejeitada pelo *Daily Worker* e publicada ostensivamente pela imprensa não partidária.[7] Somente os membros do Partido daquela geração saberão quão imperdoável era essa quebra de disciplina. Poucos anos mais tarde essa carta me permitiu, numa tarde emotiva em um bar austríaco, dar um xeque-mate em Arthur Koestler, bêbado e irritado, que queria saber se gente como eu jamais havia se oposto aos russos por causa da Revolução Húngara.

Os historiadores haviam constituído o segmento mais florescente dos "grupos culturais" do Partido, e eram notavelmente leais do ponto de vista político. Por que nós — mais do que os escritores, mais do que os cientistas, ainda estonteados pelo impacto dos absurdos de Lysenko e da ideologia oficial soviética — desde o começo nos vimos na linha de frente da oposição?

Essencialmente, porque tínhamos de enfrentar a situação não apenas como indivíduos privados e militantes comunistas, mas também em nossa qualidade de profissionais. O problema do que havia sido feito no tempo de Stalin, e os motivos de seu ocultamento, era literalmente uma questão histórica. O mesmo se aplicava às questões abertas, porém não debatidas, sobre episódios na história de nosso próprio Partido que tinham ligação direta com decisões de Moscou na era de Stalin, notadamente o abandono da linha antifascista em 1939-41. Na verdade, se aplicava igualmente à nossa própria atitude e política. Como disse alguém, no dia de nossa primeira rebelião: "Por que devemos simplesmente aprovar Kruchev? Não sabemos, somente podemos endossar uma política — mas os historiadores precisam de provas".[8]

Isso explica nossa única intervenção coletiva como grupo nos assuntos do Partido em 1956. Exigíamos uma história séria do PC. King Street, que, agora compreendo em retrospecto, desejava desesperadamente aplacar um grupo problemático de intelectuais que ainda assim considerava um trunfo, concordou em constituir uma comissão para discutir o assunto. Harry Pollitt, presidente e líder indiscutível do Partido durante nossas vidas, Palme Dutt, o guru ideológico, e James Klugmann representavam a liderança, eu, como presidente do grupo, além de Brian Pearce, defendemos os historiadores. (Brian, que fora especialista da era Tudor, e era agora magnífico tradutor do francês e do russo, havia por muito tempo criticado os mitos e silêncios da história do PC. Iria deixar o Partido Comunista, passando para um dos grupos trotsquistas.)

Recordo reuniões frustrantes. Não que os historiadores enfrentassem uma única linha coordenada. Harry admirava Stalin e, como muitos dos antigos líderes do Partido, nem concordava com Kruchev nem o respeitava. Era um líder da classe trabalhadora de grande estatura, com mais carisma do que qualquer líder do Partido Trabalhista, com exceção de Bevan, e, como antigo agitador, com muito mais percepção que Bevan sobre o que representavam os sindicatos. Seus instintos e longa experiência o haviam tornado cético em relação aos pesquisadores da história do Partido. Como político, sabia que os inquéritos dos médicos-legistas sobre desentendimentos anteriores, especialmente entre camaradas ainda vivos, tendiam a causar problemas. Como antigo colaborador do Komintern, percebia que havia muita coisa que não podia ser dita, e que era melhor algumas outras ficarem sem ser ditas. Naquela época nenhum de nós poderia saber que em 1937 Pollitt interviera em Moscou em defesa de um antigo representante do Komintern na Inglaterra e sua mulher, os quais tinham acabado de ser presos — e possivelmente havia chegado até Stalin. Aquele gesto extraordinariamente corajoso e honesto causou-lhe graves problemas naquele tempo de terror paranóico. O Komintern chegou a pensar em substituí-lo na liderança do Partido, e desenhou-se o cenário de um possível julgamento espetacular. Foi salvo do pior por Dimitrov, com auxílio do passaporte britânico, e talvez pela obstinada recusa, sob tortura, do antigo chefe de organização do Komintern, Osip Piatnitsky, de fazer a "confissão" que lhe exigiam para implicar as vítimas designadas.[9] Teria sido bom para o movimento se alguém tivesse publicado esse episódio da história do Partido, ainda que sem dúvida lhe seja favorável e ilustre, especialmente a reputação de Pollitt? Ele deixou claro que em sua opinião o único tipo de história que servia ao Partido era o tipo regimental — um relato das batalhas havidas, dos feitos heróicos, dos sacrifícios pela causa e das bandeiras vermelhas agitadas, a fim de encher de orgulho e esperança os camaradas.

O intelectual indo-escandinavo Palme Dutt, uma daquelas figuras de estatura implausivelmente alta da classe mais elevada que de vez em quando se encontra entre os naturais de Bengala, pertencia por parte de mãe a uma família sueca eminente; Olaf Palme, o primeiro-ministro socialista assassinado em 1986 também era da família.* Ao contrário de Harry, Dutt era um intelectual nato, assim como adepto instintivo da linha-dura. Muitos anos antes, ao passar uma noite em minha casinha em Cambridge após uma reunião, ele me deixara eterna admiração por sua mente aguda e a convicção duradoura de que a verdade não lhe interessava, mas seu intelecto era utilizado exclusivamente para justificar e explicar a linha do momento, qualquer que fosse. Agora creio haver sido injusto para com os instintos intelectuais ainda sepultados em algum lugar profundo dentro dele, ou talvez para com sua esperança de reconhecimento póstumo como algo melhor do que um bem-

---

* Também o professor Sven Ulric Palme, da Universidade de Estocolmo, que me indicou para meu primeiro grau honorífico, coroado por uma grinalda de louro verdadeira que mais tarde nossa faxineira em Clapham atirou ao lixo. (Os acadêmicos suecos se levam suficientemente a sério para considerar absolutamente normal um grupo de eruditos de meia-idade vestidos de terno escuro com coroas de louro nas cabeças, conversando com taças de champanhe nas mãos, como numa produção de *Júlio César* com trajes modernos.)

dotado sofista a serviço da autoridade. Ele concordou em que uma história genuína do Partido Comunista seria a história de suas políticas, isto é, das modificações da linha. Isso certamente deve envolver considerações críticas, e, se necessário, julgamento negativo. Mas teria já chegado esse momento? Ele acreditava que não.

E nosso antigo herói James Klugmann? Ficou sentado na extremidade direita da mesa sem nada dizer. Sabia que tínhamos razão. Se não produzíssemos uma história de nosso Partido, inclusive os pedaços problemáticos, estes não desapareceriam. A história seria simplesmente escrita por intelectuais anticomunistas, e, com efeito, não se passaram dois anos até que essa história fosse escrita.[10] Mas faltava-lhe o que o grande Bismarck certa vez chamou "Zivilcourage", coragem civil, diferente da militar. Sabia o que era correto, mas esquivava-se de dizê-lo em público. (Nisso se parecia com uma figura política um tanto diversa, Isaiah Berlin, quanto às políticas do Estado de Israel.) Ele ficou em silêncio e concordou em escrever uma história oficial aceitável do PC britânico, tarefa que sabia ser impossível. Doze anos mais tarde publicou um primeiro volume, que ia até 1924. Minha demonstração bastante violenta de que ele perdera seu tempo não prejudicou nossas relações.[11] Antes de morrer publicou um segundo volume, que ia até 1927, justamente antes do período em que teria de enfrentar os episódios mais controvertidos. Ele nunca teria escrito mais. Nesse meio-tempo editou *Marxism Today*, fundado para acalmar os críticos que permaneceram no Partido em 1957, sem chegar a estimular o debate mas sem tampouco desencorajá-lo.

IV

Quando reflito a respeito do efeito do XX Congresso sobre o panorama histórico mais amplo, sinto-me um tanto envergonhado em insistir nas tempestades no copo d'água britânico. Em seguida a greves de operários poloneses e demonstrações de católicos daquele país — poderosa combinação, mesmo na época —, uma nova liderança comunista chegou ao poder com Vladislav Gomulka, expurgado em 1949 e só recentemente libertado da prisão. (Felizmente os poloneses haviam evitado organizar os julgamentos e as execuções predeterminados que desfiguraram a Bulgária, a Hungria e a Tchecoslováquia, e portanto foi-lhes possível "reabilitar" pessoas vivas e não cadáveres.) Os chineses, que ainda faziam parte do movimento internacional, convenceram os russos a evitar a ação militar. A Revolução Húngara, que veio logo depois, teve menos sorte, quase certamente porque a nova liderança foi além do que se poderia esperar que os soviéticos tolerassem, ao abandonar a aliança militar oriental do Pacto de Varsóvia e declarar-se neutros na Guerra Fria. Nada disso, muito menos o próprio Kruchev, impressionou os chineses, cujas relações com a União Soviética começaram então a se deteriorar rapidamente. Em um ou dois anos os dois gigantes comunistas estavam rompidos. Havia agora dois movimentos comunistas rivais, embora na verdade quase todos os partidos comunistas existentes permanecessem leais ao centro soviético. O chamado "maoísmo" da década de 1960 não criou verdadeiros partidos, e sim pequenas seitas ativistas que brigavam entre si. Até mesmo o grupo mais ostensivamente pró-chinês, o Partido Comunista da Índia (Marxista), que se separou do PCI, não era realmente maoísta. Levou consigo o que havia de apoio de massas para o comunismo na Índia, especialmente no estado de Kerala, em cujas estradas do interior ainda podem ser vistos caminhões enfeitados com a imagem de Stalin, e na Bengala Ocidental, cujos 68 milhões de habitantes o PCI(M) tem governado sob firme apoio popular durante décadas até hoje (2002).

Na Grã-Bretanha o principal efeito do grande terremoto de 1956 foi que os cerca de 30 mil filiados ao Partido Comunista se sentiram muito mal, e as forças da pequena extrema esquerda se dispersaram. A maioria daqueles que deixaram o Partido provavelmente se afastou discretamente do ativismo político. (O mesmo fizeram alguns dos que permaneceram, como eu, convencidos de que como o Partido não se reformara, não teria futuro político de longo prazo no país.) Alguns se juntaram aos três principais grupos trotsquistas, embora esses tenham crescido não tanto devido a membros transferidos do PC quanto pelo fracionamento geral do monolito comunista mundial e pela perda do virtual monopólio do PC sobre o marxismo. Os jovens militantes podiam agora escolher sua esquerda. A maioria dos críticos do Grupo de Historiadores, que não conseguiu sobreviver eficazmente à crise, tateou em busca de uma "Nova Esquerda", ou melhor, procurou construí-la, sem que ficasse conspurcada pelas más recordações do stalinismo.

O *New Reasoner* de Saville e Thompson (1957-59) acolheu a maior parte dos ex-intelectuais do PC. Finalmente fundiu-se com o *Universities and*

Left Review, fundado pelo mais jovem ex-membro do Grupo de Historiadores, Raphael Samuel, ao lado de outro ex-comunista, Gabriel Pearson, e dois impressionantes jovens radicais não engajados de Oxford, o teórico cultural jamaicano Stuart Hall e o filósofo canadense Charles Taylor. A média de idade dos editores era de 24 anos. A partir do início da década de 60, essa *New Left Review* desajeitadamente mesclada passou a ser dirigida por uma nova equipe de jovens marxistas de Oxford pós-PC, cujo cerne vinha do antigo meio anglo-irlandês da República da Irlanda. Seu líder era o altamente competente Perry Anderson (de 22 anos de idade), que também em grande parte o financiava. Ao contrário dos pequenos britânicos das anteriores "Novas Esquerdas", seus interesses eram visivelmente internacionais, mais teóricos e muito menos ligados ao movimento operário ou à política socialista. Embora se aproximasse da órbita da Quarta Internacional, conseguiu estabelecer-se como o principal periódico de uma nova geração de marxistas anglo-saxônicos.

Em termos práticos, essas "Novas Esquerdas" eram insignificantes, embora intelectualmente produtivas. Não reformaram o Partido Trabalhista (a respeito do qual se mantiveram ambivalentes) nem o Partido Comunista (como ocorreu na Suécia). Não produziram novos partidos de esquerda (como na Dinamarca) nem novas organizações duradouras significativas ou mesmo líderes nacionais individuais. O próprio Thompson chegou a ter fama nacional como porta-voz do desarmamento nuclear, embora a Campanha para o Desarmamento Nuclear, de longe o mais importante movimento da esquerda britânica pós-1945, tenha sido fundada mais ou menos na mesma época (1958), nada tinha a ver com a crise do PC.

Em certos aspectos o breve episódio do Café Partisan simboliza a combinação de ideologia, impraticabilidade e esperança sentimental dessas "Novas Esquerdas" iniciais pós-1956. Como muitas outras coisas, o Café foi fruto da imaginação de Raphael Samuel, que, com Edward Thompson, outro grande romântico nato, surgiu como a influência mais original entre os intelectuais saídos do PC. Qualquer pessoa que tenha conhecido Raphael durante sua vida passional, ceifada pelo câncer, tem dele exatamente a mesma lembrança: um rosto fino e entusiástico, de olhos suaves e vivos sob uma cascata de cabelos escuros que começavam a escassear, correndo para cá e para lá sozinho, levando consigo para onde quer que fosse uma vasta coleção de notas e arquivos com os quais lutava a fim de recuperar o papel adequado. Tudo o que publicou fazia parte de uma infinita obra em formação, que abarcava tudo. Para ele era impossível escolher entre as muitas maravilhas do passado (esmagadoramente britânico), razão pela qual nunca foi muito longe na tese de doutorado que eu deveria supervisionar — creio que era sobre os operários irlandeses na Londres vitoriana — e qualquer outro projeto. Encontrou um lugar na Faculdade Ruskin, o que não era surpreendente para um ativista tão arraigado, e lá ensinava a sindicalistas ao alcance dos ouvidos dos professores em grande parte despreocupados da Universidade de Oxford. Sua história não tinha estrutura nem limites. Era uma incessante e extraordinariamente erudita perambulação pelos maravilhosos cenários da memória e das vidas de pessoas comuns, com um mergulho intelectual ocasional sugerido por alguma visão fascinante vislumbrada no caminho.

Essa figura vagabunda e ávida, absoluta negação da eficiência administrativa e executiva, trazia dentro de si uma carga explosiva de energia, uma capacidade infinita de gerar idéias e iniciativas e, acima de tudo, uma assombrosa capacidade para convencer os demais de que deviam realizá-las. A *Universities and Left Review* foi uma delas, e outra foi o movimento "History Workshop", origem do *History Workshop Journal* (o mais influente ponto de encontro dos historiadores pós-marxistas de esquerda). Uma terceira foi o Café Partisan. Com duas gerações de judeus revolucionários marxistas da Europa do leste atrás de si, ele sonhava em substituir o autoritarismo stalinista do Partido por uma mobilização espontânea e criativa de mentes políticas — que melhor lugar para isso do que um café? Não um desses balcões neobarrocos, para consumo rápido, que na época enchiam as ruas secundárias do West End com as novas máquinas Gaggia de café expresso, mas um verdadeiro café no Soho, onde as pessoas pudessem discutir temas teóricos, jogar xadrez, comer strudel e celebrar reuniões políticas numa sala dos fundos, como se fazia no continente na época anterior à perda da inocência. Os lucros do café pagariam a *Review*, cujos escritórios ficariam na sobreloja. O Partisan exprimiria tanto o novo espírito da política quanto o novo espírito das artes. Seria projetado pelos arquitetos mais em voga no momento, que obviamente simpatizariam com o projeto. Não recordo se o sonho também comportava sessões de jazz. Talvez sessões de música popular. Para assegurar a respeitabilidade (e talvez ganhar o apoio da geração mais idosa), algumas personalidades adequadas da esquerda o presidiriam. Eu me deixei convencer a ser um dos diretores, contra meu julgamento mais sensato. Outro foi um arquiteto bem vestido, ex-membro do PC, que tinha casa em Keats Grove. Não recordo mais nenhum. Raph não deu a mínima atenção a qualquer de nós.

Em retrospecto, parece incrível que esse desatinado projeto tenha passado da idéia inicial. Mas foi o que aconteceu. Nem mesmo o gênio de Raphael como vendedor poderia ter levantado a considerável importância necessária sem que antes tivesse acontecido o colapso da chamada "Seção de Negócios" do Partido Comunista, que anteriormente proporcionara a maior parte da renda do Partido. Até 1956 ela havia sido um firme bastião de ortodoxia leal, que pedia aos conferencistas visitantes do Partido (na verdade, eu, quando falei lá) que abordassem temas como a "Comuna de Paris de 1871". Hoje estão prósperos, alguns deles muito ricos, e a revelação do que havia acontecido aos judeus soviéticos nos últimos anos de Stalin fora demasiado para esses habitantes do East End esmagadoramente judeus que haviam sido recrutados para o Partido durante a era antifascista. Quem quer que fosse o sustentáculo financeiro do Partisan deve ter percebido que não se tratava de uma proposta séria de negócio, mas alguma coisa na juventude e confiança simples e utópica de Raph deve haver convencido os homens de meia-idade cujo universo moral se desintegrara em ruínas. De alguma forma Raph conseguiu o dinheiro, uma casa foi comprada ou alugada na Carlisle Street, Soho, de onde se podia ver a antiga residência de Marx na Dean Street, e o Café Partisan foi instalado.

Era um plano fadado ao desastre. A moda então dominante entre os arquitetos preferia interiores austeros que pareciam salas de espera de estações ferroviárias. Esse cenário atraía os vagabundos mais desmoralizados e a periferia dos freqüentadores do Soho — que os estabelecimentos com decoração mais elaborada não desejavam e que tampouco lhes agradavam, especialmente à noite —, assim como a Polícia Metropolitana, em busca de centros de drogas. As grandes e caras mesas com assentos estofados tinham sido imaginadas para que se rascunhassem capítulos de teses e para longos debates sobre tática, minimizando o espaço e o consumo dos freqüentadores que deveriam gerar a renda do café. De qualquer maneira, o forte da gerência do Partisan não era a conferência dos recibos do caixa e a contabilidade. Em suma, embora Raphael procurasse explicar tudo aos diretores cada vez mais acabrunhados, o estabelecimento teve de fechar em menos de dois anos.

Somente a nostalgia e a necessidade de manter contato entre as gerações da esquerda pré e pós-1956 poderá explicar o motivo pelo qual me envolvi nessa empresa lunática. Mesmo assim, seu fracasso não era mais previsível do que o de vários outros empreendimentos políticos daqueles que deixaram o Partido em 1956-57. Tais como o Café Partisan, os projetos políticos da "Nova Esquerda" de 1956 hoje constituem uma nota de pé de página meio esquecida.

Intelectualmente, 1956 deixou um pouco mais em seu rastro — nada menos que o notável impacto de E. P. Thompson, que seria registrado pelo *Índice de citações de artes e humanidades* (1976-83) como um dos cem autores do século XX mais citados em qualquer dos campos cobertos pelo *Índice*. Antes de 1956 ele era pouco conhecido fora do PC, no qual passara os anos a partir de seu regresso da guerra como ativista brilhante, bem-apessoado, apaixonado e excelente orador em Yorkshire. Seus alunos nas classes para adultos o recordam como "um sujeito alto e magro", sobrecarregado de energia nervosa, explicando poemas de William Blake.[12] Sua paixão original havia sido a literatura, e não a história como tal, embora houvesse estado marginalmente ligado ao Grupo de Historiadores. Foi o ano de 1956 que o transformou primordialmente em historiador. Sua fama posterior se baseia especialmente no *A formação da classe operária inglesa* (1963), um vulcão histórico em erupção de 848 páginas que foi imediatamente aceito como uma obra capital até mesmo pelo mundo dos historiadores profissionais, e que do dia para a noite cativou os jovens leitores radicais dos dois lados do Atlântico e pouco depois também os sociólogos e historiadores sociais da Europa continental. Isso apesar de seu âmbito cronológico agressivamente breve e de seu estreito tema inglês — nem sequer britânico. Escapando da gaiola da antiga ortodoxia do Partido, o livro lhe permitiu ainda juntar-se a um debate coletivo com outros pensadores de esquerda até então isolados, velhos e novos, também freqüentemente enraizados no movimento de educação de adultos, notadamente a outra figura principal da primeira "Nova Esquerda", o erudito literário Raymond Williams.

Edward era realmente uma pessoa de dotes extraordinários, entre os quais não era menor o tipo de "qualidade de estrela" palpável que fazia com que todos os olhos se voltassem para sua figura atraente, cada vez mais enrugada, sempre que se apresentava em qualquer ambiente. Seu "trabalho combinava a paixão com o intelecto, os dons do poeta, do narrador e do analista.

Foi o único historiador que conheci que não possuía simplesmente talento, brilho, erudição e o dom da escrita, mas [...] 'gênio no sentido tradicional da palavra'",[13] o que era ainda mais evidente porque sua aparência, sua vida e sua obra se adequavam à imagem romântica do gênio — especialmente com a oportuna imagem das colinas de Gales por trás dele.

Em suma, era um homem a quem no berço as fadas cumularam de todos os dons possíveis, com exceção de dois. A natureza deixou de proporcionar-lhe internamente um subeditor e uma bússola. Apesar de seu calor, encanto, humor e ira, por vezes ficava inseguro e vulnerável. Como tantos de seus outros livros, *A formação* havia começado como o primeiro capítulo de um pequeno livro de texto sobre a história trabalhista britânica de 1790 a 1945, e simplesmente escapara ao controle. Poucos anos mais tarde ele suspendeu os notáveis estudos sobre a sociedade do século XVIII começados depois que *A formação* o transformara temporariamente em acadêmico ortodoxo, o que não se coadunava com seu estilo, e mergulhou em anos de luta teórica contra a influência de um marxista francês, o falecido Louis Althusser, que na época inspirou alguns dos mais brilhantes entre os jovens esquerdistas contemporâneos. No fim dos anos 70 toda a sua energia se voltou para o movimento antinuclear, do qual se tornou a estrela nacional. Jamais voltou a tratar de história até que ficou demasiadamente enfermo para poder terminar seus projetos. Morreu em 1993, em seu jardim em Worcestershire.

Não se pode culpar um intelectual por deixar de escrever em prol da campanha antinuclear do início dos anos 80, mas o episódio de Althusser não tinha essa justificação. Na ocasião eu disse a Edward que seria criminoso desviar-se de sua obra histórica, que poderia marcar época, para rebater um pensador cuja influência morreria em dez anos. Com efeito, Althusser naquele momento já estava chegando à data de sua expiração no meio *marxisant* francês. Embora naquele tempo ele tivesse ajudado a abertura do debate teórico da esquerda, hoje em dia sobrevive não como filósofo, mas principalmente devido a sua trágica trajetória pessoal. Era um maníaco-depressivo que iria matar a mulher. Mas nem isso era previsível então, embora encontrar Althusser em suas fases maníacas já fosse uma experiência um tanto perturbadora. Pouco antes da tragédia ele veio a Londres, oficialmente para um seminário no University College, e extra-oficialmente para mobilizar apoio para uma iniciativa extravagante e estratosférica na qual queria envolver o

Marxism Today e a mim. Seu anfitrião o passou a nós depois de uma noite de hospedagem e Marlene cuidou dele durante uma manhã, na qual, inspirado por nosso modesto instrumento, fez questão de encomendar um piano de cauda em uma loja local, para ser entregue em Paris. Quando seu hospedeiro seguinte o acolheu, ele expressou imediato interesse em um Rolls-Royce (ou talvez um Jaguar) de um salão de exposição de automóveis em Mayfair, que fez questão de visitar. Parecia evidente que aquela mente brilhante já estava acelerando a motocicleta mental em torno de algum paredão da morte em direção a um clímax fatal.

A verdade é que Edward sofreu amargamente com o fracasso da "Nova Esquerda" de 1956. Nenhum membro da geração ex-comunista esperava muito do Partido Trabalhista. A nova geração de jovens intelectuais, com quem ele desejava a todo custo não perder o contato, movia-se em direções novas, para ele indesejáveis. Perceberiam eles a força moral da classe operária britânica, como ele próprio e Raymond Williams? O novo marxismo continental, teoricamente orientado, não era o dele, e ele detectava uma "burguesia revoltante" e "irracional" por trás do novo movimento internacional estudantil. Estava na periferia da política. Isso o machucava. Creio que essa foi uma das razões pelas quais se atirou com tanta paixão ao movimento antinuclear.

Embora permanecesse no PC, ao contrário da maioria dos meus amigos do Grupo de Historiadores, minha situação como homem desligado de suas âncoras políticas não era substancialmente diversa da deles. De qualquer modo, minhas relações com eles se mantiveram iguais. O Partido me pediu que as modificasse, mas eu me recusei. Sensatamente, preferiram não me expulsar, mas essa foi decisão deles, e não minha. A filiação ao Partido já não representava para mim o mesmo que em 1933. Na prática, reciclei-me passando de militante a simpatizante, ou simpatizante ativo, ou ainda, para dizer de outra maneira, de membro efetivo do Partido Comunista britânico a algo como membro espiritual do PC italiano, que se adequava melhor à minha idéia do comunismo. (O PC italiano foi recíproco à minha simpatia.)

De qualquer maneira, as atividades políticas individuais de qualquer de nós já não tinham grande importância. Tínhamos influência como professores, como eruditos, como escritores políticos ou, no melhor dos casos, como "intelectuais públicos", e para isso — pelo menos na Grã-Bretanha — nossa participação em algum partido ou organização era irrelevante, exceto para quem tivesse fortes sentimentos a priori sobre o PC. Se mantivemos ou adquirimos influência entre os jovens de esquerda, foi porque nosso passado de esquerdistas e nosso atual marxismo ou comprometimento com a erudição radical nos dava o que hoje se chama "credibilidade das ruas", porque escrevíamos sobre coisas importantes e eles gostavam do que escrevíamos. Do ponto de vista desse público leitor, velho ou jovem, as diferenças políticas e ideológicas entre Thompson, Raymond Williams e Hobsbawm eram menos importantes do que o fato de que todos os três pertenciam à mesma minoria de "nomes" — pensadores e escritores de boa reputação intelectual conhecidos como pertencentes à esquerda.

Mesmo assim, permanece a questão de saber por que continuei no Partido, ao contrário de muitos de meus amigos, por mais dissidente que eu fosse. Ao longo do tempo tive de responder muitas vezes a essa pergunta. Ela me foi feita por quase todos os jornalistas que me entrevistaram, pois a maneira mais rápida de identificar um personagem em nossa sociedade saturada pela mídia é mediante uma ou duas peculiaridades distintivas: as minhas são ser um professor que gosta de jazz e alguém que permaneceu no Partido Comunista por mais tempo do que a maioria. Dei substancialmente a mesma resposta com extensão variável.[14] Ela representa minha justificativa nas décadas subseqüentes de minha permanência no Partido, e não necessariamente o que senti na época. É impossível reconstruir agora esses sentimentos, embora, assim como mais tarde, a idéia de ficar em companhia dos ex-comunistas que se tornaram anticomunistas fanáticos me repugnasse, porque somente podiam se libertar do serviço do "Deus que fracassou" transformando-o em Satã. Houve muitos deles na era da Guerra Fria.

Em retrospecto, e vendo a pessoa que eu era em 1956 como historiador e não como autobiógrafo, creio que duas coisas explicam o motivo pelo qual permaneci no Partido, embora, evidentemente, eu tenha pensado em deixá-lo. Eu não havia entrado para o comunismo como jovem britânico na Inglaterra, e sim como centro-europeu no tempo do colapso da República de Weimar. E entrei para ele quando ser comunista não significava simplesmente luta contra o fascismo, mas sim a revolução mundial. Ainda pertenço ao fim da primeira geração de comunistas, aqueles para quem a Revolução de Outubro era o ponto de referência central no universo político.

A diferença em vivência anterior e em história de vida era suficientemente real. Havia sido evidente para mim e para outros, mesmo dentro do Partido. Nenhum intelectual criado na Grã-Bretanha poderia tornar-se comunista com sentimento igual ao de alguém nascido na Europa Central em relação a

> *o dia em que os céus desabaram*
> *a hora em que os alicerces da Terra desapareceram*

porque, com todos os seus problemas, simplesmente essa não era a situação da Grã-Bretanha na década de 30. Mesmo assim, em alguns aspectos, ter me tornado comunista antes de 1935 era ainda mais significativo. Politicamente, tendo me filiado a um Partido Comunista em 1936, pertenço à era da unidade antifascista e da Frente Popular. Isso continua a determinar meu pensamento estratégico em política até hoje. Mas, emocionalmente, como alguém que se converteu ainda adolescente na Berlim de 1932, eu pertencia à geração ligada por um cordão umbilical quase inquebrável à esperança da revolução mundial, e de seu lar original, a Revolução de Outubro, por mais cético ou crítico da União Soviética que eu pudesse ser. Para alguém que se juntou ao movimento de onde eu vim e quando o fiz, era simplesmente mais difícil romper com o Partido do que para aqueles que vieram mais tarde, e de outras origens. Em última análise suspeito de que foi por isso que me deixei ficar. Ninguém me obrigou a sair e as razões para fazê-lo não eram suficientemente fortes.

Mas — e aqui falo como autobiógrafo mais do que como historiador — não quero esquecer uma emoção particular: o orgulho. Perder a desvantagem de ser membro do Partido melhoraria minhas perspectivas de carreira, principalmente nos Estados Unidos. Teria sido fácil desligar-me discretamente. Mas eu tinha sido capaz de provar-me a mim mesmo, por haver tido êxito sendo comunista conhecido — o que quer que "êxito" queira dizer — apesar desse empecilho, e no meio da Guerra Fria. Não defendo essa forma de egoísmo, mas tampouco posso negar sua força. E por isso fiquei.

13. Divisor de águas

Alguns momentos na história — a eclosão das duas guerras mundiais, por exemplo — são reconhecidamente catastróficos, como terremotos ou erupções vulcânicas. Na vida particular há ocasiões semelhantes, ou, pelo menos, como se viu em capítulos anteriores, houve momentos assim na minha vida. Se quisermos manter as similaridades geográficas, há outros momentos que se assemelham mais a divisores de águas. Nada muito evidente ou dramático parece estar acontecendo, porém depois de cruzarmos um território pouco definido, percebemos haver deixado para trás uma época histórica, ou uma era de nossas vidas. Os anos anteriores e posteriores a 1960 — na altura de meus quarenta e poucos — foram um desses períodos divisórios em minha vida. Talvez isso tenha ocorrido também na história social e cultural do mundo ocidental. Certamente foi assim na Grã-Bretanha.[1] Creio ser esta uma boa ocasião para interromper minha longa caminhada pelo curto século XX e fazer uma pausa para apreciar o panorama.

A segunda metade da década de 50 foi um interregno curioso em minha vida. Concluído o período como *fellow* do King's, retomei residência permanente em Bloomsbury, num apartamento grande, um tanto escuro, cheio de livros e discos, com vista para Torrington Place, o qual dividi, até me casar em 1962, com uma série de amigos comunistas ou ex-membros do PC: sucessivamente, Louis Marks e Henry Collins, do Grupo de Historiadores, o velho crítico literário marxista Alick West e o refugiado espanhol Vicente Girbau. Como era central e tinha lugar suficiente, meu apartamento atraiu também visitantes metropolitanos e de outras cidades, além de outras ligações temporárias. Para ser franco, era muito mais divertido do que morar em uma faculdade em Cambridge, ainda que aquele fosse um dos piores períodos da crise do comunismo e do rompimento das raízes políticas na universidade. O lugar tinha ainda a vantagem de ser tão perto de Birkbeck que eu podia, se necessário, passar em casa entre uma conferência e outra. Londres era um bom lugar para morar, e foi nesse cenário que passei o tempo do divisor de águas.

É evidente que minha vida pessoal e profissional mudou nesses anos. Conheci uma moça nascida em Viena, vestida com um casaco de onça, num ambiente de política mundial. Apaixonamo-nos. Ela acabava de regressar da tentativa frustrada das Nações Unidas de intervir no Congo, eu ia visitar a Havana de Castro, e Marlene e eu nos casamos durante a crise dos mísseis de Cuba em 1962. Isso aconteceu três anos depois da publicação de meus primeiros livros e algumas semanas antes de *A era das revoluções, 1789-1848*. Eu começava a adquirir alguma reputação internacional, e portanto a viajar para além do que fora meu âmbito costumeiro na década de 50: França, Península Ibérica e Itália. Na década de 60 iniciei minhas viagens acadêmicas aos Estados Unidos e a Cuba, descobri e comecei a explorar a América Latina, vi-me em Israel e na Índia e voltei à Europa Central, que não via desde a infância. Mais do que isso, comecei a perceber que já não vivia na constante expectativa de uma catástrofe sísmica como faziam os centro-europeus no tempo de minha juventude. Comecei a notar — não recordo exatamente quando — que eu funcionava baseado em décadas mais do que em anos ou mesmo meses, como antes de 1945. Não abandonei conscientemente as precauções básicas do refugiado potencial que as pessoas na minha condição aprendiam a observar, seja como judeus ou como comunistas, contra os riscos súbitos da vida política e econômica entreguerras: ter um passaporte válido, dinheiro disponível em quantidade suficiente para comprar de um momento para o outro uma passagem para o país escolhido como refúgio, um estilo de vida que permitisse fugas rápidas e uma idéia aproximada do que levar consigo, se fosse preciso partir. Na verdade, ao ter de viajar para o exterior pouco depois de casar com Marlene, e em meio à crise cubana de outubro de 1962, reagi de acordo. Fiz alguns arranjos financeiros, marquei um encontro provisório com ela em Buenos Aires, onde deveria estar dentro de uma ou duas semanas, para o caso de as coisas ficarem difíceis, e deixei-lhe dinheiro suficiente para a viagem. No entanto, embora fosse evidente que a crise cubana era questão de vida ou morte globais, não devo ter acreditado que fosse estourar uma guerra nuclear. Se tivesse, creio que logicamente deveria ter levado Marlene comigo sem demora, pelo menos para sair da linha de fogo imediata. Se acontecesse o pior, a América do Sul seria o campo de batalha menos provável. Já me via operando na suposição de que o perigo para o mundo não vinha das ambições globais ou da agressividade dos Estados Unidos (a União Soviética era demasiado fraca para isso), mas dos riscos inerentes aos políticos e generais de ambos os lados, num jogo de boliche com bolas nucleares que eles sabiam ser suicídio empregar, mas que poderia facilmente escapar ao controle. De fato, hoje sabemos que essa foi precisamente a lição que tanto Kennedy como Kruchev — nenhum dos quais desejava a guerra — aprenderam na crise cubana dos mísseis em 1962. Em suma, tanto quanto eu podia compreender, a partir de 1960 a Guerra Fria não terminara, mas se tornara dramaticamente *menos* perigosa.

Qualquer pessoa que se case não pode evitar o planejamento de longo prazo, ainda que queira. Eu já tinha sido obrigado a tratar do problema poucos anos antes, por ocasião do nascimento iminente de um filho fruto de um relacionamento anterior — o meio-irmão de meus filhos, Joshua —, e somente por haver a mulher em apreço se recusado a deixar o marido o menino saiu de minha vida e passou para as vidas de outros. Na altura da metade dos anos 60 eu já era pai de Andy e Julia, dono de um carro novo no qual os transportava a uma casa de férias no norte do País de Gales, e pela primeira vez proprietário de uma casa grande numa parte de Clapham que começava a ser povoada por gente de mais posses. A casa, que Marlene e eu compramos em sociedade com o taciturno Alan Sillitoe e sua mulher, a poeta Ruth Fainlight, foi dividida em duas partes por um austero arquiteto amigo. Um repórter local perguntou a Marlene se Alan tinha ganhado na loteria, pois naquele tempo de pleno emprego ele não podia entender como uma pessoa obviamente saudável e ainda jovem, de aspecto respeitável, não saía de casa de manhã para trabalhar e voltava à tarde, como os outros homens. Embora Alan fosse viciado em trabalhar como a maioria dos escritores, a pergunta não era completamente equivocada, pois ele tinha escrito *Noite de sábado e domingo de manhã* e *A solidão do maratonista*, os quais, graças a seus próprios méritos e ao grande desenvolvimento da educação secundária, tornaram-se clássicos contemporâneos exigidos para os exames secundários de nível O e de nível A, gerando um fluxo contínuo de direitos autorais. Ele vivia de seus livros, evitando o esforço do jornalismo freelance. Embora eu escrevesse em casa, estava mais próximo do estereótipo, pois ia trabalhar em Birkbeck, pelo trem da linha norte, e voltava de lá tarde da noite. Por outro lado, eu continuava estranho, pois não demonstrava entusiasmo pela jardinagem, e, ao contrário dos eletricistas de origem caribenha e trabalhadores em transportes que habitavam a ruazinha que levava à Wandsworth Road, em frente a nossa casa, não passava as manhãs de domingo lavando o carro.

Eu estava visivelmente adiantado na vida cotidiana da respeitabilidade acadêmica e de classe média. Nesse ponto, exceto no que diz respeito às viagens, nada mais acontece quanto ao aspecto autobiográfico, a não ser dentro de nossas próprias cabeças, ou nas dos outros. Isso é também verdadeiro quanto aos biografados, como várias gerações de escritores das vidas de intelectuais aprenderam a suas próprias expensas. Por mais importantes que tenham sido as realizações de Charles Darwin, depois de regressar da viagem do *Beagle* e casar-se, não há muito mais que dizer sobre os acontecimentos materiais de sua vida durante os quarenta anos seguintes, a não ser que "passava seu tempo em Down, Kent, como um aristocrata rural",[2] e especular sobre os motivos de sua pouca saúde. A vida do acadêmico respeitável não é cheia de dramas, ou melhor, seus dramas, como os da política interna dos escritórios, somente têm interesse para os que estão diretamente envolvidos neles. Igualmente, embora a vida de família esteja repleta de dramas, especialmente nos confrontos entre pais e filhos adolescentes, em geral os terceiros, tais como leitores de biografias, costumam empolgar-se menos pelos dramas de outras famílias do que pelos seus próprios. Esse roteiro é conhecido. Portanto, os anos em torno de 1960 são um divisor de águas não apenas em minha vida, mas também no formato desta autobiografia.

As vidas privadas, no entanto, estão condicionadas pelas circunstâncias mais amplas da história. Destas, a mais poderosa foi a inesperada prosperidade dos tempos. Ela foi chegando lentamente à minha geração e nos tomou de surpresa, especialmente os socialistas entre nós que estavam despreparados para uma era de espetacular êxito capitalista. No início dos anos 60 já era difícil deixar de notá-la. Não posso dizer que a tivéssemos reconhecido como o que chamei "A Era de Ouro" em meu *Era dos Extremos*. Isso somente foi possível depois de 1973, quando ela já havia terminado. Como todos os demais, os historiadores são mais perceptivos depois que as coisas acontecem. Mesmo assim, no início da década de 1960 era evidente, para a minha geração na Grã-Bretanha, isto é, para as pessoas comuns que tinham visto o fim da guerra aos vinte e poucos anos, que estávamos vivendo muito melhor do esperávamos na década de 1930. Quem pertencesse às camadas sociais em que se esperava que as pessoas do sexo masculino tivessem "carreiras", em vez de simplesmente "ir trabalhar" (naquela época as mulheres não participavam muito desse jogo), descobriria que estava bem melhor, em alguns casos consideravelmente melhor, do que seus pais, especialmente se tivéssemos estudado mais do que eles. É verdade que isso não se aplicava a dois segmentos de nossa geração: aqueles cujas carreiras haviam atingido o auge durante a guerra e que portanto viam com nostalgia a relativa planície da vida civil no pós-guerra, e os membros do estrato superior, cujos pais, como grupo, já tinham tanta riqueza, privilégios, poder ou distinção profissional quanto seus filhos poderiam esperar herdar ou conseguir. Com efeito, poderiam considerar-se frustrados caso se encaminhassem para os campos em que seus pais haviam sido excepcionalmente bem-sucedidos: a política, as ciências, as profissões antigas ou qualquer outra. Quem não sentiu pena de filhos ofuscados por seus pais — Winston e Randolph Churchill são o exemplo clássico —, ou de filhos cientistas, satisfatórios porém comuns, cujos pais eram membros da Real Sociedade ou ganhadores do Prêmio Nobel? Como qualquer acadêmico de Cambridge, também passei um pouco por isso.

Para a maioria de nós, porém, a vida no pós-guerra foi como uma escada rolante que, sem esforço maior, nos levou para mais alto do que esperávamos. Com ela subiram até mesmo pessoas como eu, cujo progresso profissional foi inusitadamente retardado pela Guerra Fria. É claro que isso só ocorreu em parte por uma sorte histórica de eu haver entrado para a profissão acadêmica num momento em que ela era ainda bem pouco numerosa, tinha status elevado e era conseqüentemente bem paga pelos padrões que os reformadores benthamitas, liberais e fabianos haviam estabelecido para o serviço público na época eduardiana e vitoriana. Embora, ao contrário de outros países europeus, os professores universitários não fossem funcionários públicos, estávamos colocados sob as asas do Estado, que proporcionava os recursos para o planejamento qüinqüenal das universidades mas se conservava alheio. Enquanto a profissão foi pouco numerosa e a ideologia do mercado livre foi mantida afastada, entendia-se que o salário, assim como o status, de um conferencista medianamente bem-sucedido deveria levá-lo ao nível equivalente ao de um servidor público médio-alto na carreira administrativa: não a riqueza, além dos limites da avareza, mas uma existência decente de classe média. Os custos eram ainda modestos, pelo menos para os que tinham opiniões progressistas e preferiam mandar os filhos para as escolas públicas, não vendo ainda motivos para não fazê-lo. O estado de bem-estar social beneficiava as classes médias mais do que os trabalhadores. Essa era a época em que, em grande parte por motivos de princípio — e ainda não desestimuladas pela experiência prática do Serviço Nacional de Saúde —, pessoas como eu se recusavam a aderir a seguros privados de saúde. O preço da moradia se manteve aceitável até o salto do início dos anos 70 e o aumento de seu valor nos proporcionou uma vantagem adicional. Pouco antes que os preços começassem a encaminhar-se para a estratosfera, era possível comprar uma casa em Hampstead por menos de 20 mil libras, em termos brutos, ou por 7 mil libras líquidas se se descontasse o lucro da venda da casa anterior. Para os que casavam e tinham filhos ainda jovens havia, sem dúvida, alguns anos de relativa estreiteza, férias em trailers e busca de rendimentos extras, mas um acadêmico sem filhos, como era meu caso, mais ou menos no meio da escala universitária, casado de novo aos quarenta e poucos anos, não tinha problemas para manter a família. Para falar a verdade, não me recordo de minha conta bancária ter em algum momento ficado negativa. Os problemas que surgiam eram geralmente contornados por maiores entradas de direitos autorais e outras atividades literárias, mas por volta de 1960 essas fontes ainda eram marginais em minha renda.

As gerações que se tornaram adultas antes da guerra podiam comparar suas vidas no pós-guerra com as de seus pais ou com suas próprias expectativas anteriores. Não era muito fácil para eles, principalmente ao enfrentar os imutáveis imperativos de sustentar uma família, perceber que sua situação na nova "sociedade afluente" ocidental era distinta da do passado na espécie e no grau. Afinal de contas, os trabalhos domésticos permanentes não haviam mudado, mas simplesmente haviam sido facilitados pela nova tecnologia. Após o casamento, ganhar a vida, cuidar dos filhos, da casa e do jardim, lavar a roupa e limpar a casa ainda preenchiam a maior parte do tempo e do planejamento de um casal. Somente os jovens que dispunham de mobilidade podiam reconhecer e utilizar todas as possibilidades de uma sociedade que pela primeira vez lhes proporcionava dinheiro suficiente para comprar o que quisessem e tempo suficiente para fazer o que quisessem, ou que de outras formas os tornava independentes da família. Juventude era o nome do ingrediente secreto que revolucionou a sociedade de consumo e a cultura ocidental. Isso ficou dramaticamente patente na ascensão do rock'n'roll, música que depende quase que exclusivamente de fregueses adolescentes ou no início de seus vinte anos, ou os que haviam sido convertidos a esse tipo de música naquela faixa etária. As vendas de discos nos Estados Unidos cresceram de 277 milhões de dólares em 1955, ano de nascimento do rock'n'roll, para mais de 2 bilhões em 1973, dos quais entre 75% e 85% representam vendas de rock e sons semelhantes.

Sem dúvida não pertenço à geração do rock. No entanto, tive a felicidade de estar presente e de reconhecer o surgimento dessa geração na Grã-Bretanha — pois nesse país uma forma de jazz criou uma ponte entre as antigas formas de música popular juvenil e a revolução do rock. A partir de 1955, quando concluí minha bolsa como *fellow* no King's e voltei a morar permanentemente em Londres, vi-me envolvido profissionalmente nos assuntos do jazz. Como agora tinha de pagar aluguel em Londres, tendo morado de graça na faculdade em Cambridge, procurei uma maneira de obter renda extra. Foi mais ou menos nessa época que o establishment cultural londrino, espicaçado pelo desafio dos chamados "jovens rebeldes" da década de 1950, considerou aconselhável dar atenção ao jazz, e deu publicidade a seu entusiasmo. O *Observer* contratou um deles, Kingsley Amis, como crítico de jazz. Ele já estava se afastando da juventude de esquerda e chegando à idade conservadora, mas ainda distante do reacionarismo em que mais tarde se acomodaria. Eu sempre havia me sentido inferior aos conhecedores eruditos de jazz desde o início dos anos 30, e sabia que não tinha qualificação para ser um deles, mas achava que pelo menos entendia tanto do assunto quanto Kingsley Amis e já era aficionado há muito mais tempo. Sugeri, portanto, a Norman Mackenzie, ex-camarada dos tempos da London School of Economics, que na época trabalhava no *New Statesman and Nation*, que esse jornal também precisava de um crítico de jazz. O jornal estava em sua época gloriosa com o grande redator-chefe Kingsley Martin, que não conhecia jazz nem se interessava por jazz mas compreendia a necessidade de acompanhar essa nova moda cultural, pelo menos com uma coluna mensal. Explicou-me que ao escrever para o jornal eu deveria ter em mente seu leitor típico ideal, funcionário público do sexo masculino com quarenta e poucos anos, e entregou-me à então chefe da seção cultural do periódico, a admirável Janet Adam Smith, que sabia quase tudo sobre literatura e alpinismo e muito sobre o restante das artes, mas não entendia de jazz. Como eu desejava manter separadas as personalidades do professor universitário e do crítico musical, escrevi durante os dez anos seguintes sob o pseudônimo de Francis Newton, em homenagem a Frankie Newton, um dos poucos músicos de jazz sabidamente comunista, excelente trompetista embora não superestrela, que tocara com Billie Holiday na grande sessão da Commodore Records na qual se produziu "Strange Fruit".

O jazz não é simplesmente "um certo tipo de música", e sim "um notável aspecto da sociedade em que vivemos",[3] para não mencionar que é também uma parte da indústria de entretenimento. Além disso, relativamente poucos leitores do *New Statesman* freqüentariam sessões de jazz ou comprariam discos de Thelonious Monk, embora eu tivesse descoberto, para meu imenso prazer, que a segunda metade dos anos 50 era uma nova idade de ouro para a música, e os artistas americanos começavam a vir à Grã-Bretanha após terem ficado fora de nossa ilha durante vinte anos devido a uma disputa sindical. Portanto, eu escrevia não apenas como crítico de concertos, discos e livros, mas também como historiador e repórter. Além disso, em pouco tempo me vi em contato (provavelmente por intermédio de meu primo Denis), com a pequena mas culturalmente moderna editora de McGibbon & Kee, então financiada por Howard Samuel, melancólico milionário e adepto do Partido Trabalhista que já publicara livros de autoria de Humphrey Lyttleton, provavelmente o único líder de banda de jazz ex-aluno de Eton, e de Colin MacInnes, o difícil, solitário e esquivo explorador social da Londres da década de 1950, conhecedor e guia da nova Londres dos negros e do início da cultura dos adolescentes, saturada de música. Sugeriram-me que escrevesse um livro sobre jazz. Em 1959 o livro foi publicado com o título de *História social do jazz*, no mesmo ano de meu primeiro livro de história, e foi bem recebido embora não produzisse muito dinheiro.[4] Isso me estimulou a explorar o panorama mais sistematicamente. Não era difícil, pois pelo menos alguns dos aficionados do jazz do início da década de 1930 haviam entrado para o mundo comercial musical como agentes ou promotores, inclusive ninguém menos que meu primo Denis, que estava se tornando provavelmente o principal produtor britânico de discos no campo do jazz doméstico e da música étnica. De fato, seu sucesso aumentou com o dos artistas que gravou, tais como Lonnie Donegan, cujo "Rock Island Line" (canção da prisão originalmente gravada pelo grande Leadbelly) explodiu na primavera de 1956. Também felizmente eu na época não estava casado, e como ensinava numa faculdade noturna cujas conferências começavam às seis da tarde, pude adaptar-me ao ritmo de vida das pessoas da noite que povoavam o mundo dos espetáculos e que dormiam tarde. Além disso, morava em Bloomsbury, a dez minutos a pé de qualquer acontecimento no West End. Assim, vi-me sem dificuldade em meu papel habitual de "observador participante", ou *kibitzer*.

O pessoal do jazz não era em absoluto constituído de adolescentes. Mesmo assim, tanto minha apreciação contemporânea do público do "trad jazz" e do "skiffle" como as fotografias de Roger Mayne para a primeira edição da *História social do jazz* mostram claramente que a música que faziam inspirava essencialmente uma cruzada infantil um pouco mais idosa. Eram parte da cultura jovem que por aquela época estava se tornando suficientemente visível para que aqueles dentre nós que, por qualquer motivo, estivessem vagando em sua orla pudessem reconhecer sua existência, embora somente alguém como Colin MacInnes, com afinidade particular especial com a rebelião e independência dos adolescentes, fosse capaz de sintonizar essa faixa de onda. No entanto, descontando um perceptível relaxamento das convenções sexuais femininas no ambiente dos músicos e cantores, ainda não se havia ligado a uma contracultura. Isso somente aconteceu na Grã-Bretanha na década de 1960.

Muito daquilo que simbolizou a contracultura juvenil dos anos 60, contudo, seria trazido do antigo panorama do jazz, notadamente as drogas e o que certa vez descrevi como "a comunidade flutuante e nômade de músicos profissionais negros [e brancos] vivendo em pequenas ilhas autolimitadas e auto-suficientes de artistas populares e outras pessoas da noite", os lugares onde as pessoas diurnas se libertavam de suas inibições depois do crepúsculo. Não era necessariamente uma contracultura no sentido que a palavra teve posteriormente, pois os músicos de jazz possuíam uma tolerância quase ilimitada para qualquer variante do comportamento humano, porém em geral não faziam propaganda disso. A coisa mais próxima a uma contracultura no cenário jazzístico existia em suas margens e entre os freqüentadores ou admiradores externos; entre as namoradas dos músicos capazes de ganhar algumas centenas de libras em algumas horas nas calçadas — bastante dinheiro na década de 1950 — e decolar para curtas férias no Marrocos; entre os que conscientemente rejeitavam as convenções tradicionais da classe média, como Ken Tynan, ou entre burgueses abastados de meia-idade querendo demonstrar comportamento boêmio no bar preferido do pintor Francis Bacon, o Colony Club de Muriel Belcher na Frith Street, no Soho. Não que a clientela predominantemente homossexual de Muriel fosse particularmente apreciadora do jazz, embora eu tenha sido levado pela primeira vez a essa sala modesta num primeiro andar por um crítico admirador da *História social do jazz*, e fosse provável encontrar lá Colin MacInnes, que elogiava o jazz mas não o compreendia, e George Melly, que cantava e compreendia o jazz. Melly fazia parte da margem do panorama jazzístico, composta por gente que se refugiava da respeitabilidade de classe média ou por pessoas que combinavam sua música com atividades no mundo das palavras e imagens. Os fãs o conheciam como cantor de blues que fazia paródias de si mesmo, como numa cena de cabaré, assim como Wally Fawkes era conhecido como clarinetista. No mundo normal ambos eram muito mais conhecidos como criadores conjuntos de uma história em quadrinhos que satirizava suavemente os membros reconhecíveis do que então ainda não se chamava o mundo da mídia.

    A terceira mudança, esta mais facilmente identificável, era a ocorrida no clima político e ideológico depois de 1956. Agora compreendo que o fator que o gerou foi o fim dos impérios, mas na Grã-Bretanha isso não se tornou claro senão na década de 1960.

    A Guerra Fria permaneceu, mas fora dos governos ocidentais o comprometimento do público com um anticomunismo emocional começou a declinar. Apesar de haver sido muito denunciado, a partir de 1960 o Muro de Berlim estabilizou a fronteira entre os impérios das superpotências na Europa, e não se esperava seriamente que qualquer dos dois a cruzasse. Ainda vivíamos sob a nuvem negra do apocalipse nuclear. Este andou perto

As três irmãs Grün: Mimi, Nelly e Gretl. (Viena, 1912)

Os três irmãos Hobsbaum: Percy, Ernest e Sidney. (Viena, início da década de 20)

Nelly e Percy Hobsbaum no Egito, c. 1917.

*Segunda mãe: tia Gretl.
(Inglaterra, c. 1934)*

Nelly com os filhos Nancy e Eric (os dois maiores) e o sobrinho Peter no jardim do sanatório alpino onde estava internada. (Áustria, 1930)

Explorando a Inglaterra com o primo Ronnie Hobsbawm. (1935)

Foto da turma do Prinz-Heinrichs-Gymnasium, sem a presença de Eric. (Berlim, 1936)

Paris, 1936: o governo da Frente Popular comemora a queda da Bastilha. Eric Hobsbawm (no alto, à direita) e tio Sidney (no centro) assistem a tudo do caminhão de filmagem do Partido Socialista.

Paris, 1937: congresso estudantil mundial com cartazes da Guerra Civil espanhola ao fundo. Como tradutor, Eric Hobsbawm (sentado).

Cambridge Vermelha: James Klugmann (última fileira, no centro da janela) com assistentes de Cambridge e representantes internacionais no Congresso da Assembléia Mundial de Estudantes, em agosto de 1939. À direita de James estão Pieter Keuneman (Sri Lanka) e P. N. Haksar (Índia).

Cambridge Vermelha: a foto de John Cornford (1915-36) que se via sobre tantas lareiras de Cambridge.

Moscou, 1954: grupo de historiadores do Partido Comunista britânico sob retratos de Stalin e Lenin. Do lado esquerdo da mesa (da esquerda para a direita), Christopher Hill, A. L. Morton e Eric Hobsbawm como tradutor.

URSS, 1954: historiadores em Zagorsk. Hill (o segundo à esquerda), Morton, o tradutor e Eric Hobsbawm.

Roma, 1958: Eric Hobsbawm no Congresso de Estudos de Gramsci.

Gênova, 1997: bolo de aniversário de oitenta anos. "O século é breve mas doce. Feliz aniversário, Eric."

Mântua, 2000: Lendo o jornal esquerdista Il Manifesto. (Vincenzo Cotinelli)

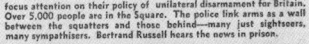

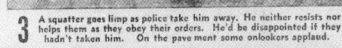

Trafalgar Square, 1961: protesto contra as armas nucleares. (Daily Herald, 18/9/1961)

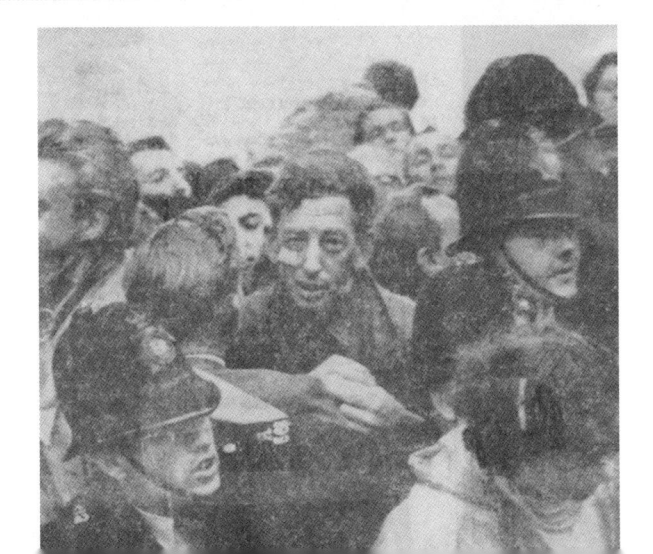

Trafalgar Square, 1961: historiador entre policiais. (Daily Herald)

O casal Marlene e Eric Hobsbawm em Castelgiuliano, 1971. (Enzo Crea)

Antes da era dos computadores, década de 70.

ALGUNS AMIGOS: Georg Eisler: criança, pintor e perspicácia do Komintern.
Pierre Bourdieu: como entender (e criticar) sociedades.
Ralph Gleason: "Dizzy Gillespie para presidente!".
Clemens Heller: amante da música e empresário intelectual.

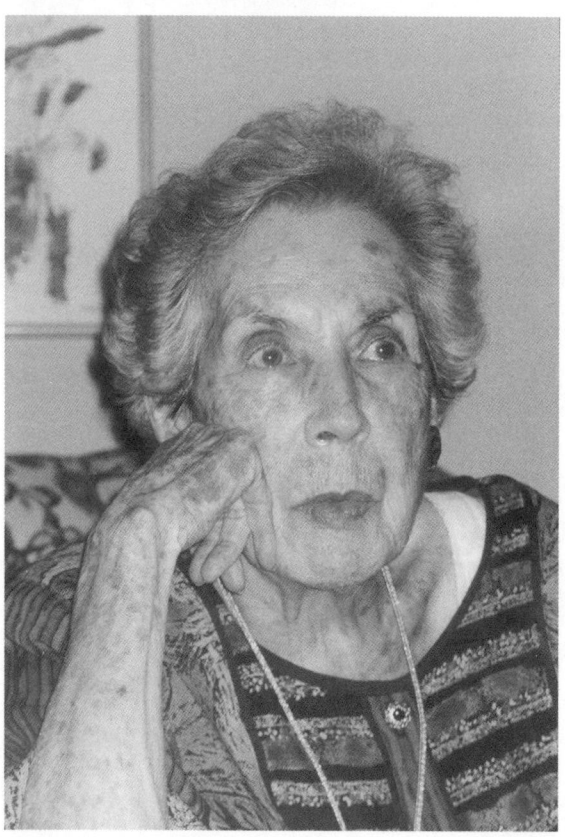

Brasília, 1995: com o então presidente Fernando Henrique Cardoso.

Santiago do Chile, 1998: Hortensia Allende, viúva de Salvador Allende.

Guadalajara, 1997: discursando sob murais de Orozco.

País de Gales: sobre Llyn Arddy, Gwynedd, na década de 80.

País de Gales: em Gwenddwr, Powys, na década de 90.

*Discutindo a Guerra Fria: Eric Hobsbawm e Markus Wolf
num debate organizado por um canal de TV holandês.*

Um historiador velho.

na crise cubana dos mísseis de 1962, e em 1963 Stanley Kubrick produziu sua versão definitiva, *Doutor Fantástico* — mas a essa altura o filme já podia servir de diversão, embora de humor negro. Porém a nova Campanha (unilateralmente britânica) pelo Desarmamento Nuclear (CND) de 1959, de longe a maior mobilização pública da esquerda na Grã-Bretanha, não visava afetar a corrida armamentista nuclear dos Estados Unidos e da União Soviética, e evidentemente não poderia fazê-lo, embora muitos britânicos se sentissem sinceramente atraídos pela idéia de dar um bom exemplo moral ao mundo. A Campanha tinha a ver com ficar de fora da Guerra Fria, ou talvez, mais exatamente, fazer com que a Grã-Bretanha se habituasse a não ser mais uma grande potência nem um império global. (O argumento de que a capacidade nuclear britânica própria era necessária para dissuadir um ataque soviético não tinha sentido, especialmente porque sabíamos que a bomba fora originalmente construída pelo governo britânico para manter seu status e independência em relação aos Estados Unidos, mais do que para assustar Moscou.)

No entanto, em retrospecto, é claro que o que cada vez mais plasmou a política da esquerda pós-1956 foi um subproduto da descolonização e, certamente na Grã-Bretanha, da imigração em massa proveniente da parte caribenha do antigo império. A crise da Quarta República na França teve pouco a ver com a Guerra Fria e muito com a luta dos argelinos pela libertação. Ainda me recordo de uma grande reunião pública na Friends' House em 1958, um protesto contra o golpe militar com que terminou a Quarta República, na qual falou o ruivo e exaltado jornalista Paul Johnson, na época católico de esquerda desgarrado, que denunciou o general De Gaulle como o novo ditador fascista. Foi sobretudo o chocante e amplamente publicado uso de tortura na Argélia pelos franceses que transformou a Anistia Internacional (1961) em uma organização ocidental ativista não interessada primordialmente nos abusos orientais dos direitos humanos.

Com os movimentos americanos em prol dos direitos civis e o influxo de imigrantes de cor para a Grã-Bretanha, o racismo se tornou para a esquerda um tema muito mais central do que anteriormente. Por meio do jazz me vi ligado a uma das primeiras campanhas anti-racistas na Grã-Bretanha, após os chamados distúrbios raciais de Notting Hill (na verdade, Notting Dale) de 1958, a chamada "Campanha dos Astros pela Amizade Inter-racial" (SCIF), que não era tanto uma verdadeira operação política (embora Colin MacInnes tenha percorrido a região, seu território favorito, disseminando sua folha de notícias pelas caixas de correio) quanto um exemplo de uma operação moderna de mídia, a qual, como outras de seu gênero, murchou depois de alguns meses de publicidade bastante bem-sucedida. Conseguiu, com efeito, mobilizar os "astros", principalmente do jazz — a maioria dos grandes nomes britânicos lá esteve: Johnny Dankworth e Cleo Laine, Humphrey Lyttleton e Chris Barber, assim como alguns artistas pop —, mas sua força estava nos operadores que conseguiam colocar artigos na imprensa e programas na televisão, produzindo idéias que faziam notícia como a festa de Natal infantil inter-racial de 1958, transmitida pela televisão. Enquanto durou, a Campanha teve o inestimável auxílio da extremamente competente e admirável Claudia Jones, funcionária do Partido Comunista americano nascida nas Índias Ocidentais e expulsa dos Estados Unidos como "não cidadã" no tempo da caça às bruxas, que fez o melhor que pôde, com sucesso indiferente, para trazer um pouco da eficiência do Partido e estrutura política aos imigrantes caribenhos do oeste de Londres e obter do PC britânico apoio adequado a seus esforços. Mulher impressionante, foi injustamente esquecida, exceto talvez como uma das inspiradoras do que se tornou o Carnaval Anual de Notting Hill, que deixou de ser acontecimento político.

As paixões do Terceiro Mundo não se tornaram inspiração importante para a esquerda até a década de 1960, enfraquecendo, incidentalmente, o domínio dos ideólogos da cruzada da Guerra Fria sobre os liberais ocidentais e social-democratas. Mesmo assim, no fim da década de 1950 a Revolução Cubana já estava no poder, prestes a acrescentar mais uma imagem à iconografia da revolução mundial, transformando os Estados Unidos em um Golias altamente visível enfrentando o desafio de um jovem Davi barbudo. Em 1961 a reação à tentativa de invasão na baía dos Porcos foi imediata — tão imediata quanto fora a reação à invasão soviética da Hungria em 1956, e estendeu-se muito além dos costumeiros partidos, signatários de petições, e do habitual elenco dos que protestavam. Ken Tynan me telefonou desesperado na manhã em que a notícia surgiu: era preciso fazer alguma coisa! O mais rápido possível. Como poderíamos organizar? Embora fosse um esquerdista genuíno, cuja sinceridade política Marlene e eu sempre defendemos contra os que o acusavam de fingimento, Ken estava longe do comum dos membros do "exército dos bons". Se fosse, ele mesmo saberia o que fazer. Depois que organizamos a costumeira comissão, reunimos os suspeitos costumeiros para as cartas de protesto e preparamos a marcha ao Hyde Park — juro que não me lembro de quem foram os oradores —; recordo haver notado, com agradável surpresa, como aquela demonstração era diferente das marchas usuais de esquerda, pelo menos na aparência. O chamado em defesa de Fidel Castro, por intermédio de Tynan, ou, mais provavelmente, do braço direito de Tynan, Clive Goodwin, ator, agente e ativista, havia mobilizado uma notável massa de homens e mulheres de teatro e jovens das agências de modelos. Foi a ocasião política mais bonita de que me lembro, linda de ver, ainda mais feliz porque ficamos sabendo que a invasão americana fora derrotada.

Portanto, quase sem perceber, vi a mim mesmo — e ao mundo — deslizando para um novo estado de espírito quando a década de 1950 passou para a de 1960. Até mesmo politicamente, embora, depois de 1956, eu ainda não havia resolvido deixar o PC nem fora expulso, já não me encontrava tão isolado quanto anteriormente haviam estado os membros do Partido. Os rótulos partidários já não eram decisivos para aqueles que apoiavam as novas campanhas políticas — antinuclares, antiimperialistas, anti-racistas, ou outras. Quando em 1952 alguns historiadores comunistas fundaram um novo periódico histórico, *Past & Present*, numa época tão negativa da Guerra Fria quanto se pode imaginar, nós o planjamos propositadamente não como um jornal marxista, mas como plataforma comum para uma "frente popular" de historiadores, e que deveria ser julgado não pelo distintivo na lapela ideológica dos colaboradores e sim pelo conteúdo de seus artigos. Desejávamos a todo custo ampliar a base de nossa junta editorial, que no início era naturalmente dominada por membros do Partido, pois somente os raros, em geral nativos, historiadores radicais que dispunham de base acadêmica segura, como A. H. M. Jones, antigo historiador de Cambridge, tinham coragem de sentar-se à mesma mesa que os bolcheviques. O eminente historiador da arte Rudolf Wittkower chegou a ser advertido de que não deveria aceitar nosso convite, e passaram-se dez anos antes que Moses Finley, vítima do macarthismo americano e acolhido em Cambridge, consentisse em escrever para nós. Queríamos também estender o âmbito de nossos colaboradores. Durante vários anos fracassamos na primeira tarefa, embora rapidamente progredíssemos na segunda, graças a nossa excelente reputação entre os acadêmicos mais jovens. Em

1958 conseguimos. Um grupo de historiadores não marxistas que em seguida se tornou eminente — liderados por Lawrence Stone, prestes a ir para Princeton, e o agora sir John Elliott, mais tarde professor régio de Oxford, que simpatizara com nossos objetivos mas considerara impossível juntar-se ao antigo establishment vermelho — ofereceu-se para acompanhar-nos coletivamente com a condição de que suprimíssemos do logotipo a frase ideologicamente suspeita "uma publicação de história científica". Era um preço barato a pagar. Não nos perguntaram nossas opiniões políticas — na verdade, já não era fácil encontrar comunistas ortodoxos na junta diretiva — e nós não perguntamos as deles, e desde então nunca surgiram na junta problemas de ordem ideológica. Até mesmo o Instituto de Pesquisa Histórica, que se recusava firmemente a incluir o periódico em sua biblioteca, terminou por ceder.

Assim, minha vida pessoal se tornou em certo sentido tão "normal" quanto o mundo em que eu vivia (apesar da retórica no sentido oposto), que ficou sendo — ou pelo menos parecia ser — um lugar menos inseguro e provisório, e sem dúvida mais próspero. A primeira observação era inegável, ainda que ao longo de minha carreira acadêmica levasse um certo tempo para desenvolver-se. Eu não conseguiria uma cátedra, nem as marcas costumeiras de reconhecimento oficial — filiação em academias, os primeiros graus honoríficos —, até a década de 1970, quando já estava bem entrado em meus cinqüenta anos. Em retrospecto, percebo que isso foi um golpe de sorte, pois nada é pior para uma carreira do que chegar ao topo cedo demais e enfrentar a longa marcha na planície do establishment, ou, ainda pior, a crescente distância entre as realizações atuais e a obra que anteriormente assegurou a reputação. Justamente porque eu começara mais tarde, e fora detido durante tantos anos, continuei a ter coisas melhores a ambicionar numa idade em que outros apenas podem esperar a procrastinação do declínio.

Quanto ao mundo, sabíamos perfeitamente que sua estabilidade era apenas aparente, embora fosse evidente seu extraordinário salto adiante, tecnológica e economicamente. Mesmo assim, para aqueles entre nós suficientemente afortunados para viver na Europa Central e Ocidental, não era uma ilusão. Podemos não haver ainda reconhecido nossa boa sorte, mas vivíamos na terra dos abençoados: uma região sem guerra, sem a perspectiva ou o temor de convulsões sociais, na qual a maioria das pessoas gozava de uma vida de riqueza, amplas escolhas na vida e no lazer e um grau de segurança social além do alcance individual de todos, exceto os muito ricos na geração de nossos pais, e até mesmo além dos sonhos dos pobres. A nossa parte do mundo era melhor para viver do que qualquer outra.

Logo eu descobriria que o mesmo não se podia dizer de outras partes do mundo. E tampouco isso satisfazia aos habitantes da terra dos abençoados, como a década de 1960 iria em breve demonstrar.

14. Sob o Cnicht

Em 1961, pouco depois de haver participado, com Bertrand Russell e talvez 12 mil outras pessoas, de um famoso protesto antinuclear em Trafalgar Square, felizmente sem ser preso pela polícia, meu amigo e irmão-apóstolo Robin Gandy me achou um pouco estressado e sugeriu que eu passasse uns dias com ele no norte do País de Gales. Ele possuía uma pequena cabana lá, quase primitiva, próxima a uma capela abandonada, na qual, entre caminhadas pelas colinas e desabamentos de rochas, meditava sobre os problemas da lógica matemática. Naquele tempo, antes da destruição do excelente sistema de pequenas ferrovias rurais da Grã-Bretanha, ainda era possível viajar tranqüilamente por entre árvores através do coração da parte central de Gales e, ao chegar à costa, alcançar Penrhyndeudraeth por meio do Expresso da Costa Cambriana, cujo nome não era inteiramente inadequado, lugar que os anglófonos ainda chamavam de condado de Merioneth, a última região das Ilhas Britânicas que ainda votava a favor da proibição da venda e do consumo público de álcool no dia do Senhor. Lá, Robin foi ao meu encontro em sua motocicleta, vestido com sua costumeira roupa de couro negra, a fim de poupar-me uma caminhada agreste de poucas milhas pela serra central e por uma planície lisa como uma mesa (o Traeth), que havia sido um golfo estreito até ser drenado no início do século XIX por meio de um dique construído por um certo mr. Maddocks, em cuja homenagem o novo porto de Portmadoc foi batizado. O empreendimento fora muito admirado por visitantes progressistas, entre os quais o poeta Shelley. Antes disso, era possível aos barcos chegar até o pé das montanhas, utilizando como guia o inconfundível triângulo do Cnicht (Cavaleiro). O nome mostra que a montanha lhes sugeria um elmo medieval. A fronteira do reino de Clough ficava no ponto onde a estrada deixava o Traeth e começava a subir suavemente até o vale elevado de Croesor, sob o Cnicht. Ali passei a maior parte das férias durante o quarto de século seguinte, e continuei a ir com Marlene e as crianças depois que voltei a me casar.

O governante, na verdade o construtor daquele reino, Clough Williams-Ellis, era uma figura alta, empinada, afável, de nariz romano, invariavelmente vestido de paletó de tweed, calça curta até os joelhos e meias longas amarelas — era o único que se vestia assim nas visitas ao Ateneu —, e que por essa época já tinha setenta e muitos anos. A melhor maneira de apresentá-lo a uma geração para a qual a Grã-Bretanha de onde ele vinha é mais desconhecida do que a Rússia de Tolstoi é dizer que quando se casou, durante a Primeira Guerra Mundial, os oficiais seus colegas perguntaram o que desejava como presente de casamento. O que ele quis foi construir uma loucura — um fragmento de imitação de fortaleza medieval com vista para o mar. A construção foi feita. Entrava-se por um portão de ferro, pintado com o "verde de Clough", a inconfundível cor da madeira e das ferragens no reino de Clough. O portão ficava diante da entrada principal da casa, cujo nome era Plas Brondanw, um pequeno edifício antigo com maravilhoso jardim formal que dava para o panorama do pico de Snowdon, limitado pelas características urnas e arcos de Clough. Do portão caminhava-se por uns duzentos metros em uma avenida em suave aclive, cujas árvores ele também tinha plantado. (As árvores eram uma de suas muitas paixões. Ficou tão irado quando foram propostos a venda e o loteamento da extraordinária Grande Avenida arborizada que leva ao casarão de Stowe, o qual planejava transformar em escola pública, que ele próprio comprou a propriedade e tomou providências para que fosse preservada. Foi talvez sua maior contribuição ao projeto.) Nossos filhos adoravam brincar na torre, subindo as escadarias que não davam em lugar algum, a não ser a uma vista para o mar e para um terreno alagadiço além do qual, algumas milhas adiante, viam-se a Pequena e a Grande Moelwyn, as outras duas montanhas do reino, nome que Clough havia dado ao filho que não voltara da guerra. Certa vez o cenário havia servido para um filme sobre a China. Clough ficara imensamente satisfeito com isso. Não era o mesmo que os absurdos românticos de que gostava, mas uma brincadeira, para não falar das celebridades. Além disso, era quase certo que a companhia cinematográfica havia ido a Merioneth não porque um pedacinho dela poderia parecer mais a China do que qualquer outra parte da Grã-Bretanha, mas sim porque os artistas e a equipe poderiam ficar hospedados na mais conhecida das criações de Clough, a maior de suas loucuras, chamada Portmeirion. Era e continua a ser uma cidade de brinquedo quase barroca, em tamanho natural, que finge estar na Riviera italiana, com todas as suas cores, e que repentinamente emerge das rochas cobertas de rododendros do outro lado das águas cinzentas do largo e raso estuário que leva à baía de Cardigan. Clough financiou sua constante ampliação transformando uma parte no tipo de hotel e vila de férias que os artistas meio boêmios do showbiz consideram irresistível (com fogos de artifício em vez de canchas de golfe) e finalmente, talvez com certa relutância, com o dinheiro gasto por visitantes diurnos. (Os amigos da família entravam de graça.) Nada em Portmeirion era ou é verdadeiramente real, embora esteja repleta de estátuas autênticas e pedaços de decoração arquitetônica salvas da destruição por Clough, mas tudo representava sonhos acordados, sem esquecer um certo potencial para pesadelos. Mais tarde foi escolhida para local de uma série de televisão cult britânica, *O Prisioneiro* em que uma vítima kafkiana se vê incapaz de escapar de um ambiente igualmente cheio de encanto e ameaças. Os autores da série tampouco escaparam, pois ela terminou repentinamente ao fim de dezessete episódios. De vez em quando ainda é bisada para uma grande comunidade de aficionados.

De certa forma Clough, orgulhoso de sua reputação de arquiteto profissional, também se tornou vítima do ambiente que criou e do qual não conseguiu escapar. Como filho mais novo de uma família de proprietários de terras, precisava ganhar a vida, e a arquitetura, que desde criança foi sua paixão, servia tanto a sua origem quanto a suas inclinações. Sua instrução formal nesse campo foi de apenas um período universitário. O que lhe faltava em qualificações profissionais sobrava em raízes locais, entusiasmo informado e o tipo de contatos que um jovem de boa aparência e encanto, de família reputada, era capaz de fazer facilmente no ambiente das festas de fim de semana na Grã-Bretanha eduardiana, que afinal de contas era a sua. Amigos, ou amigos de amigos, deram-lhe a oportunidade de construir estábulos, casas de campo, alas de casas maiores e escolas públicas, e até mesmo uma mansão eduardiana completa, Llangoed Hall, nas margens de Breconshire do rio Wye, que ainda existe como hotel. (Na verdade, a maioria de seus prédios era de tamanho modesto.) Portmeirion lhe trouxe a fama de "arquiteto pouco sério" pelos padrões do puritanismo profissional altamente desenvolvido da era de Le Corbusier e Mies van der Rohe. Obteve reconhecimento oficial com um título somente aos 87 anos, tornando-se sir (Bertram) Clough Williams-Ellis.

Foi uma maneira equivocada de compreendê-lo. Para ele, edifícios sem árvores, muros, vistas, caminhos levando a granjas, chalés ou água não tinham significado real. O que desejava criar, ou plasmar, não eram prédios, e sim pequenos mundos em que as pessoas vivessem e trabalhassem em uma unidade de tijolos, panoramas selvagens e domésticos, vistas, símbolos e monumentos, sem dúvida também para serem admirados em seu conjunto por viajantes que os visitassem. Não sendo um lugar onde as pessoas tivessem de fazer o que costumeiramente fazem, e sim um lugar de diversão, um *jeu d'esprit*, ou mais seriamente, um sonho utópico momentâneo, Portmeirion não era típico do que ele desejava. Seu ideal não era Lutyens, e sim Squire Headlong, proprietário e entusiástico modelador, além de guia, de uma quinta selvagem galesa no *Headlong Hall* de Thomas Love Peacock. (Os romances, ou melhor, os temas de conversação de Peacock, amigo de Shelley e divertido admirador do País de Gales, eram leitura exigida no reino de Clough.) A essência de uma propriedade como essa tem de ser a característica combinação de beleza natural selvagem, pobreza e a indiferença dos habitantes à estética visual, o que é surpreendente num povo tão receptivo à música e às palavras como os galeses. Embora ele considerasse importante adorná-las com obras simbólicas de tijolos e metal, chamando a atenção para seu potencial romântico, seus ambientes não eram feitos para serem belos, e sim para serem eles próprios. E, acima de tudo, permanecer sendo eles próprios. Suas campanhas para a conservação do panorama rural contra o "polvo" do "desenvolvimento" sem planejamento tinham começado na década de 1920. Em grande parte para preservá-los como eram, no período entre as guerras ele comprou as encostas nuas das colinas e os pântanos e as montanhas que constituíam seu reino. Felizmente na época o valor de mercado era insignificante, pois ele estava bem de vida, embora não fosse rico.

"Honorários de dez guinéus ganhos em Londres davam para pagar muitos hectares de terra nas colinas."[1]

Na verdade, embora contivesse coisas maravilhosas, o reino de Clough não era convencionalmente "belo". Como poderia sê-lo? Grande parte era constituída de extensões de terra espectrais, pedregosas, duplamente destruídas, que sempre haviam sido pobres e agora tornadas ermas pelo declínio de pequenas fazendas antieconômicas nas encostas das colinas e pelo colapso final das grandes jazidas de ardósia que haviam durante algum tempo proporcionado àquela região desolada um pouco mais do que a mera subsistência, abastecendo os construtores vitorianos com as placas para os telhados. Era, literalmente, um panorama de ruína pós-industrial. Era possível subir, vindo das enormes jazidas desertas de Blaenau Ffestiniog, até o panorama lunar da pedreira abandonada e os alojamentos dos operários que os corvos sobrevoavam, em Cwmorthin, e depois descer novamente ao longo dos trilhos sem uso da ferrovia que levava ao desnudo Cwm Croesor. Servindo também à pedreira abandonada de Croesor, uma de suas antigas cabanas foi nossa durante alguns anos, a trilha se dirigia ao longo declive pelo qual os caminhões cheios desciam por gravidade até o Traeth e depois o atravessavam para descarregar em Portmadoc. Era também um panorama de ruína pós-agrícola, como disse o grande poeta da região, R. S. Thomas, em seu "A terra das colinas Galesas":

> *O musgo e os fungos nas chaminés frias*
> *As urtigas entrando pelas frestas das portas*
> *As casas continuam vazias em Nant-yr-Eira*
> *Nos telhados, buracos tapados pela luz do sol*
> *Os campos voltam a ser charcos desolados*

> [The moss and the mould on the cold chimneys
> The nettles growing through the cracked doors
> The houses stand empty at Nant-yr-Eira
> There are holes in the roofs that are thatched with sunlight
> The fields are reverting to the bare moor]

Mesmo na década de 1960 o turismo apenas começava a ocupar o espaço, pois embora o Snowdon dominasse a paisagem, os pontos de maior beleza (e os centros de alpinismo) de Snowdonia ficavam a algumas milhas de distância. A arruinada ferrovia Ffestiniog, com seus trilhos de bitola estreita pelos quais antigamente viajavam duzentos homens por dia, de Llanfrothen e Penrhyndeudraeth até as grandes jazidas de Blaenau Ffestiniog, apenas começava a ser restaurada por amadores entusiasmados, em benefício dos turistas agradecidos que não sabiam o que fazer para distrair os filhos. Durante a maior parte do tempo que passamos no norte do País de Gales ela ainda era interrompida em uma encosta da montanha antes de regressar a Portmadoc.

Grande parte do trabalho de Clough como governante de seu reino era literalmente tornar as ruínas habitáveis e povoar paredes vazias em encostas ainda desertas. Nossa primeira cabana foi uma das quatro de uma fileira batida pelo vento, construída em algum ponto do vale escavado próximo à jazida de ardósia junto à qual ficava a vila de Croesor. Naquele tempo sua única habitante permanente era nossa querida Nellie Jones, que criara três filhos, de diversos pais, além de um cachorro, em algo que se aproximava a uma cozinha, e que servia de caseira para alguns visitantes ingleses igualmente barulhentos. (A vila, ou melhor, a aldeia de Croesor estava prestes a perder a subagência de correio, onde também funcionava o armazém, e somente uma constante batalha com as autoridades, auxiliada pela política de Clough de alugar as cabanas vazias a mães solteiras ou abandonadas impedia que a pequena escola fosse fechada.) Nossa segunda cabana era uma ruína do século XVI, anteriormente parte do conjunto de prédios da casa principal da família Anwyl, que passara por dificuldades no século XVIII, que Clough transformara em moradia habitável para gente de Londres que não se importava com o extremo desconforto, desde que os arredores fossem românticos. Tipicamente, conservara parte de um muro feito de blocos de pedra de quase um metro, no qual, durante os séculos de ruína, crescera árvore tão imensa que fizemos questão de ter no contrato de aluguel uma cláusula de seguro para nos proteger no caso de alguma tempestade a derrubar, destruindo a maior parte da casa. Duvido que houvesse algum prédio habitado em sua propriedade que não tivesse sido construído, restaurado ou adaptado para ocupação humana por ele próprio. Mas os habitantes pertenciam a duas espécies inteiramente diferentes que quase não se mesclavam: os forasteiros que passavam as férias e os galeses nativos.

Os que vinham de fora eram um grupo de intelectuais britânicos de classe média e alguns boêmios a eles ligados. De certo modo a maioria deles tinha alguma conexão com a família Williams-Ellis. A maior parte dessas ligações se originava em Cambridge, que também fora a universidade freqüentada por Clough e por seu falecido filho Kitto, cujos amigos do King's se tornaram visitantes constantes da paisagem de Brondanw. Um deles se tornou genro de Clough. Foi assim que Robin Gandy chegou ao vale pela primeira vez. Cada um dos que chegavam tendia a atrair amigos, contemporâneos, professores e alunos, que também vinham, viam e eram conquistados: os Hobsbawm, um a um, mais os dois filhos, seguidos pelo irmão de Marlene, Walter Schwarz, com a mulher e cinco rebentos, os historiadores E. P. e Dorothy Thompson, que ficavam nas encostas mais baixas do Moelwyns, e vários filhos e filhas da família Bennett, cujos pais, ambos professores de inglês, eram pilares da sociedade acadêmica de Cambridge. De uma forma ou de outra, uma quantidade considerável de nomes de Cambridge já tinha laços com o reino de Clough: o filósofo Bertrand Russell na península de Portmeirion; o físico ganhador do Prêmio Nobel Patrick Blackett, que ao aposentar-se foi morar no que fora uma cabana de férias logo acima de Brondanw, não longe da casa de sua filha em Croesor; Joseph Needham, o grande historiador da ciência chinesa, que passava regularmente suas férias em Portmeirion com uma de suas duas senhoras — a esposa presumivelmente permanecia na casa em Cambridge. John Maddox, que por muitos anos foi editor da revista *Nature*, passou uma temporada como inquilino de uma das cabanas de Clough no Traeth, e meu professor, o historiador econômico Mounia Postan, e sua mulher, lady Cynthia (Keppel), tinham uma casa, que já fora escola, na periferia de Ffestiniog. É um pouco exagerado falar de um "grupo galês de Bloomsbury", como dizia Rupert Crawshay Williams, filósofo residente local, encantador e tristonho, que havia trazido Bertrand Russell para a região. No entanto, uma vida social intensa florescia entre os anglófonos da península de Portmeirion, do vale de Croesor e de Ffestiniog. Um dos sons característicos das férias no norte do País de Gales era o de convidados sacudindo a água da chuva dos impermeáveis e o das botas caindo no chão quando os visitantes os tiravam para entrar nas casas de tetos baixos. E como muitos deles viviam da palavra escrita, existe ao menos verdade poética no gracejo de que no vale de Croesor, nas noites sem vento, podia-se escutar em qualquer lugar o ruído de alguma máquina de escrever.

Embora a ciência e Cambridge andassem juntas, suspeito que fosse a mulher de Clough, a escritora Amabel Williams-Ellis, quem derivasse maior satisfação com a acumulação de grandes cérebros no interior da localidade. Descendia da família Strachey (tanto de Oxford quanto de Cambridge), de proprietários de terras e intelectuais ligados desde há muito à Índia, e com conexões importantes com a política. O pai jornalista, Loe Strachey, havia tido considerável influência política, e o irmão, John Strachey, afastou-se da família primeiro para seguir o homem que era (então) a esperança do Partido Trabalhista radical, o ousado mulherengo sir Oswald ("Tom") Mosley, que se tornou líder do fascismo britânico; depois John se tornou o mais conhecido entre os intelectuais do Partido Comunista na década de 1930. Ao abandonar o comunismo em 1940, foi ministro proeminente, embora não de grande êxito, nos governos trabalhistas depois de 1945. A própria Amabel entrara extra-oficialmente para o Partido Comunista, e permanecera um tanto nostálgica dos tempos em que o Partido era um grupo semiconspiratório e aguerrido de irmãos e irmãs. Ela me recebeu com prazer porque eu lhe recordava essa época, pois era alguém com quem ela podia mexericar sobre os camaradas, porém talvez principalmente como alguém de confiança para conversarmos sobre temas intelectuais. Para isso ela vinha de carro a nossa cabana, cheia de lembranças, com o cuidado excessivo e a perigosa vagareza dos motoristas muito idosos. Como poucas pessoas usavam a estrada de Croesor, exceto a gente local, o tráfego parava para ajudá-la. A paixão de Amabel pelo intelecto era bem maior do que a de Clough. Quando jovem, sonhara em ser cientista, mas isso não era coisa para moças nas famílias como a dela. Na verdade, não freqüentou escola. Tornou-se escritora, mais conhecida por fim como escritora infantil, enquanto sua considerável contribuição aos escritos e idéias de Clough acabou subordinada à dele, como era comum em sua geração. Amabel não era do tipo trágico, e certamente aproveitava as coisas boas da vida e a nova emancipação feminina, inclusive (ao que parece) com uma visão bastante liberal da fidelidade conjugal; mas se não tivesse sido educada no sistema de orgulhosa resignação próprio de sua classe social, poderia ter demonstrado certa amargura. Se tivesse sido cientista, sem dúvida seria altamente profissional, e fez questão de que pelo menos uma das filhas estudasse biologia marinha. Eu tinha grande afeição pela idosa senhora, ainda que de vez em quando me esquivasse de suas expedições em busca de esclarecimento intelectual.

Conversávamos muito, especialmente em seus anos finais, depois da morte de Clough, quando ela ficava à espera de visitantes, desejando morrer. Não se queixava, mas não fazia segredo de que desejava terminar a vida sozinha, em seu leito de dor, por trás das grossas paredes de sua casa velha e úmida. Já tinha vivido bastante. No entanto, nem mesmo a solidariedade política conseguiu fazer com que ela me dissesse como encontrar a entrada dos subterrâneos, em algum lugar no subsolo do reino de Clough, onde os tesouros da National Gallery haviam sido ocultados durante a Segunda Grande Guerra. Ter um passado comunista era uma coisa, mas um segredo de Estado era diferente.

Além da minoria que vinha fazer alpinismo a sério, por que nós outros forasteiros vínhamos às montanhas de Gales? Certamente não seria pela busca de conforto. Em nossas cabanas galesas vivíamos voluntariamente nas condições que, com nossa condenação, o capitalismo impunha a seus trabalhadores explorados. Nenhum de nós, mesmo considerando o estilo espartano das classes médias dos anos 50, teríamos sonhado em aceitar tais padrões em nossas vidas cotidianas em Londres ou em Cambridge, nem mesmo meu cunhado Walter Schwarz, com seu ilimitado entusiasmo pelo desconforto primitivo que indicaria uma vida ambientalmente sadia, próxima à natureza. Mesmo assim, as únicas pessoas com quem podíamos constantemente contar para compartilhar dos desconfortos e maravilhas da Parc Farm eram amigos íntimos e persistentes como Dorothy Wedderburn. A fim de garantir uma primeira noite relativamente seca, era necessário deixar guardados todos os cobertores e roupas de cama em grandes sacos plásticos a cada vez que partíamos de volta a Londres. Depois da chegada, necessitávamos de dois ou três dias para secar a casa o suficiente para que fosse minimamente habitável, e mesmo assim era quase impossível esquentar-se a não ser em certos cantos, apesar dos aquecedores a parafina — equipamento básico, embora de pouco efeito nos banheiros externos — e da lenha para combustível das lareiras, que os intelectuais metropolitanos, vestidos como mendigos no estilo local, rachavam ao chuvisco nos quintais das cabanas. Talvez o próprio desconforto físico da vida no País de Gales fosse parte de sua atração: fazia-nos sentir mais perto da natureza, ou, pelo menos, daquela luta constante contra as forças do clima e da geologia que traz tanta satisfação. Minhas lembranças mais vívidas do norte do País de Gales são essas confrontações: levar nossos dois filhos pequenos por trilhas pedregosas cobertas de neve até um abrigo, dando-lhes chocolate em alguma caverna na montanha, ou voltar de uma longa caminhada com Robin numa chuva persistente e encharcante, ou ainda escalar caminhos nas encostas íngremes — se um carneiro podia subir, por que não um historiador de meia-idade? —, e, acima de tudo, caminhar, equilibrando-nos e escalando à volta do santuário rochoso do Arddy, a oeste da serra do Cnicht, recompensados pela paisagem conhecida mas sempre inesperada dos lagos frios ocultos em seus recessos.

Mas esses eram os prazeres dos visitantes. Nossa parte no norte de Gales atraía também uma curiosa população de colonos permanentes ou semipermanentes, ou melhor, refugiados: escritores free-lance, boêmios deslocados do Soho, gente em busca de salvação espiritual, com recursos financeiros reduzidos ou irregulares, e um ou outro intelectual anarquista. A presença de Bertrand Russell no reino de Clough, idoso guru da militância antinuclear, trouxe vários deles para a região, sem contar os membros de sua própria família disfuncional. Ralph Schoenman, o jovem militante americano que adquiriu notável influência sobre o velho filósofo nessa época, jamais se tornou parte do cenário local. Estava muito ocupado movimentando-se e afirmando que salvaria o mundo, o que dizia em nome de Russell. No entanto, após deixar essa batalha, Pat Pottle, secretário da organização ativista Comitê dos Cem (e co-libertador do espião soviético George Blake da prisão de Brixton), estabeleceu-se em Croesor, atraído por seu colega ativista antinuclear e revolucionário, o pintor Tom Kinsey (mais tarde o único anarquista conhecido que era dono de cães de caça, porém, sendo Snowdonia o que é, ia a pé e não cavalgando). Após a crise dos mísseis em Cuba, em 1962, ele organizou uma manifestação em Portmeirion para agradecer a Russell por ter salvado a paz mundial — pois foi em um telegrama a Russell (em resposta a outro, que Kinsey afirmava haver minutado) que Kruchev efetivamente anunciou em público que a crise terminara.

A comunidade de forasteiros vivia lado a lado com os galeses, porém separada deles não apenas pela língua, mas talvez ainda mais pela classe social, estilo de vida e o crescente separatismo dos habitantes locais. Fora o sexo, havia realmente muito poucas amizades estreitas que atravessassem a linha "inter-racial", e muito pouco daquela vizinhança espontânea e espírito aldeão que fez com que a vinda para nossa atual comunidade na parte mediana (anglófona) do País de Gales, igualmente remota e ainda mais agrícola, representasse um grande alívio, especialmente para a espontaneamente gregária Marlene, após as crescentes tensões de Croesor.

Ao contrário da pequena aristocracia nativa, apaixonadamente galesa porém cem por cento anglófona, como por exemplo os Williams-Ellis, na altura da década de 1970 os forasteiros permanentes começaram a aprender a língua de Gales, não para comunicar-se, mas em deferência ao óbvio sentimento crescentemente nacionalista na região. Já na década de 1960 todos os habitantes locais, exceto os muito idosos, já eram bilíngües, qualidade essencial para qualquer galês, até mesmo na mais *cymric* das aldeias, que desejasse assistir à televisão ou tratar com pessoas de fora da região, inclusive 80% dos habitantes que não falavam galês. Esse, na verdade, era o problema fundamental para as regiões de fala galesa como a nossa, e era a base do nacionalismo cada vez mais estridente. Mesmo a completa assimilação lingüística de algumas dúzias de estrangeiros nada representava comparada com a irresistível maré anglófona da civilização moderna.

Para a maior parte do povo da montanha, a língua gaélica era uma Arca de Noé, na qual conseguiam resistir à inundação como comunidade. Não desejavam tanto converter e conversar: as pessoas olhavam com desprezo para os galeses do sul, com seu "galês escolar". Ao contrário de Noé, não esperavam que a enchente acabasse. Voltavam-se para dentro, porque se sentiam na situação desesperada de permanente minoria, sitiada e sem esperanças. Mas para alguns havia uma solução: a "cymricização" obrigatória, imposta pelo governo nacionalista. Nesse meio-tempo, os invasores externos poderiam ser desestimulados pondo fogo em suas casas de campo. Os que diziam saber das coisas afirmavam que alguns dos ativistas vinham do reino de Clough, embora esse não fosse um dos centros de incêndios de cabanas. As pessoas faziam distinção entre os turistas de verão seus vizinhos, a quem conheciam, e "os ingleses" em geral. E embora nada possa ficar em segredo no interior, ao contrário das cidades grandes, nenhum caso de queima terrorista de cabanas jamais foi solucionado pela polícia.

Em alguns aspectos, os habitantes nativos do reino de Clough e das montanhas da parte norte do País de Gales em geral eram, portanto, tão deslocados quanto os visitantes por temporada ou mesmo os imigrantes ingleses permanentes que ocupavam as casas e pequenas fazendas abandonadas pelos nativos. Como uma casa construída em terreno movediço, os alicerces de sua sociedade cediam: ao contrário de tais casas, não tinham como ser reforçados. O isolamento havia mantido a sociedade coesa no passado, junto com a poesia, o puritanismo e a pobreza geral de uma sociedade essencialmente rural. Tudo isso agora desaparecia. As capelas ficavam vazias. (Não me lembro de haver encontrado sacerdotes em nossos anos no vale de Croesor, a não ser o altamente anômalo, por ser anglicano, R. S. Thomas, que veio para as exéquias de nosso vizinho Thomas Blackburn, conduzidas em inglês, em uma cova numa ladeira íngreme com vista inesquecível para o Snowdon.) Encontrava-se em retrocesso a abstinência total do álcool, que teria de ser o critério definidor do protestantismo puritano em uma população tão energicamente interessada no sexo extraconjugal (oficialmente inexistente). O lócus da nova cultura de nacionalismo galês militante não era a capela, e sim o pub. (Clough construíra um pub, chamado Brondanw Arms, com uma bela guirlanda de metal magnificamente trabalhado servindo de tabuleta, mas essa insígnia nada significava para os habitantes de Garreg e Llanfrothen, que a chamavam simplesmente "The Ring", o mesmo nome com que se referiam ao pub.) Somente permanecia o silêncio tolerantes sobre recém-nascidos ilegítimos, mesmo aqueles que não podiam ser discretamente disfarçados como inesperados irmãos mais jovens de suas mães. As habitações nas colinas iam sendo abandonadas em favor de casas na planície, com aquecimento central. Até mesmo o dinheiro agora dividia as comunidades: dentro da sociedade de língua gaélica a riqueza não havia sido decisiva no passado, pois os realmente ricos e poderosos eram, ou se tornaram, anglicizados, o que equivalia a não pertencer a ela.

A hierarquia do status que pudesse existir era espiritual ou intelectual — o do ministro religioso (isto é, o orador), poeta ou erudito —, e poderia ser representada por qualquer pessoa: um carteiro que tivesse o dom de improvisar a complexa métrica dos versos galeses, ou então alguém como o grande antiquário e erudito Bob Owen, orgulho de Croesor, cuja biblioteca hoje é parte da Biblioteca Nacional de Gales em Aberystwith, que era funcionário administrativo da jazida de ardósia. (O filho dele e sua família — Tuddwr, Gaynor e seus filhos Bob, Eleri e o bebê Deian — eram e permaneceram nossos amigos na aldeia.) Um status masculino menos cultural, mas também reconhecido com distinção, era o de pescador clandestino, esporte universalmente praticado e aprovado. Mesmo em nossa época, quando um amigo galês de uma das aldeias das pedreiras quis nos oferecer salmão no jantar e perguntou o preço ao vendedor ambulante de peixes, a resposta natural foi: "para vender ou para comprar?". Os grandes poemas de R. S. Thomas não nos devem iludir, fazendo-nos imaginar que a maioria dos fazendeiros das colinas do norte de Gales sejam brutamontes ignorantes. Houve muita leitura e reflexão sob aqueles tetos baixos, ancestralmente projetados para proporcionar ao mesmo tempo visão máxima de estranhos que se aproximassem e o máximo de proteção contra a chuva e as tempestades. Em muitos aspectos nosso vizinho Edgar, de Croesor Ychaf, ao explicar a costumeira busca coletiva que os fazendeiros locais faziam, com seus cães, de todos os carneiros soltos pela montanha, demonstrava tanto conhecimento da ecologia do terreno quanto o vigilante da natureza e nacionalista rabugento educado em universidade que se mudara para o antigo correio, e era tão articulado quanto ele.

Não saberia dizer se o reino de Clough era típico da parte montanhosa de Gales, mas era um lugar instável e infeliz, cheio de tensões subjacentes que se expressavam por meio de um sentimento antiinglês crescente, ressentido e às vezes rancoroso, um esquivamento de relações pessoais que vinha mais naturalmente aos adultos do que às crianças.[2] Havia também outros sinais de mal-estar social. No início da década de 1980 apareceram no vale os que localmente eram chamados "o povo alaranjado" (os "sanyasins", ou seguidores do guru indiano Shri Bhagwan), que converteram alguns dos *cymru* nativos, assim como membros da diáspora boêmia inglesa, coisa menos surpreendente. Isso certamente não se devia apenas ao fato de o caminho da salvação por eles indicado estimular o amor livre. Croesor era um lugar maravilhoso para férias de família, mas não era um vale feliz.

Quando me aposentei em Birkbeck, em 1982, já freqüentávamos o reino de Clough anualmente durante quase duas décadas. Bryn Hyfryd, e mais ainda a Parc Farm, adjacente à antiga Manor House (Big Parc), com seus visitantes, e a pequena Gatws, cheia dos primos Schwarz, faziam parte de nossas vidas e amizades, e mais ainda das de nossos filhos. Justamente por não serem cobertas pelas rotinas permanentes da vida profissional cotidiana, as lembranças associadas com o norte do País de Gales — até mesmo as rusgas domésticas familiares — aparecem com especial nitidez: a terrível notícia da invasão de Praga pelos russos em 1968, o aviso da morte da tia Mimi trazido por telegrama — essas coisas ainda existiam — a uma cabana sem telefone, a porta do carro arrancada por uma tempestade quando íamos para a festa de Ano-Novo de Edward Thompson pela trilha iluminada por tochas, nosso passeio de carro com Dorothy Wedderburn para um piquenique além de Aberdaron, na extremidade da península de Lleyn, num ensolarado dia de Natal, o antigo poço no Parc que nos forneceu água até mesmo na grande seca de 1976. A não ser a paisagem, não era um lugar perfeito: viver com desconforto de escoteiros foi ficando menos atraente (jamais atraiu Marlene) e o crescimento do nacionalismo azedou as relações com os galeses. Mas embora eu estivesse prestes a passar quatro meses por ano em Nova York, é provável que ficássemos no vale de Croesor até o fim de nossas vidas.

Depois da morte de Clough em 1978 e a de Amabel em 1984 as coisas mudaram. O neto de Clough, que passou a gerir a propriedade — seus pais estavam ocupados cuidando da fábrica de cerâmica em Portmeirion e do marketing de sua produção —, era um nacionalista galês entusiástico, que não se interessava pela coleção de gente antiquada de Cambridge que conhecera seus avós e que ocupava casas que deveriam ouvir a língua gaélica das famílias *cymric*. Em resumo, os contratos de aluguel dos forasteiros não foram renovados. A razão oficial foi que os aluguéis dali em diante seriam somente para residência permanente. Fomos autorizados a ficar de ano em ano, até aparecer algum inquilino galês adequado ou até que a propriedade tivesse dinheiro suficiente para fazer com que as casas de Parc Farm fossem habitáveis por qualquer pessoa que não fosse um forasteiro romântico querendo uma segunda casa. Permanecemos com essas condições ainda mais um ano ou dois enquanto procurávamos outra casa no País de Gales, porém não mais no norte. De qualquer modo, nossos amigos também estavam perdendo suas casas e eu ia chegando aos setenta anos, quando a subida ao Cnicht já não mais me atraía. Encontramos a nova casa no panorama mais suave de Powys, de cujas colinas é possível ver Cader Idris num dia claro.

Minha filha ainda vai ao vale de vez em quando. Marlene e eu nunca mais voltamos desde que nos mudamos em 1991. Não tenho coragem de ver o lugar outra vez. Mas não consigo esquecê-lo.

15. Os anos 60

I

Num dia do início de maio de 1968 eu estava em Paris, onde um dos órgãos subsidiários da Organização das Nações Unidas para a Educação, Ciência e Cultura (UNESCO) havia organizado uma gigantesca conferência sobre "Marx e o pensamento científico contemporâneo", para comemorar o sesquicentenário do nascimento do pensador. Como acontece com a maioria desses eventos, sua função evidente era proporcionar a acadêmicos uma viagem gratuita a um lugar turístico agradável, e como é o caso na maioria das conferências sobre Marx, especialmente aquelas para as quais um pelotão de burocratas ideológicos da União Soviética contribuía com monografias extremamente tediosas sem qualquer interesse, os participantes se sentiam estimulados a deixar o salão de conferências e ir passear nas ruas. Mas nos dias 8, 9 e 10 de maio as ruas de Paris — pelo menos as do 5º e 6º *arrondissements* — estavam cheias de estudantes que faziam manifestações. Por puro acaso a comemoração do aniversário de Marx coincidiu com o auge da grande rebelião estudantil parisiense. Em um ou dois dias ela se transformou, mais do que uma revolta de estudantes, em uma greve nacional de operários, causando profunda crise no regime do general De Gaulle.[1] Dentro de poucos meses os "acontecimentos de maio" foram entendidos como o epicentro de uma explosão bicontinental de rebelião estudantil, atravessando as fronteiras políticas e ideológicas de Berkeley e da Cidade do México, no Ocidente, a Varsóvia, Praga e Belgrado, no Leste.

Enquanto escrevo estas linhas, olho as fotos daqueles dias de 1968 em Paris, publicadas em um volume trinta anos mais tarde.[2] Diversas entre as mais impressionantes foram feitas no último dia da conferência sobre Marx — ainda recordo a ardência do gás lacrimogêneo depois do incêndio do Quartier Latin —, porém minha lembrança mais duradoura está fixada na fotografia sem data, feita por Henri Cartier-Bresson, de uma enorme marcha estudantil de protesto: uma vasta massa de jovens, predominantemente do sexo masculino, sem gravata e com os punhos fechados, quase sem exceção ainda com os cabelos cortados curtos à moda burguesa da época de antes dos hippies, quase ocultando a presença de um ou outro rosto adulto. Mas essas caras adultas são as que recordo mais claramente, porque representam ao mesmo tempo a unidade e a incompatibilidade da velha geração da esquerda — a minha própria — com a nova geração. Recordo meu velho amigo e camarada Albert ("Marius") Soboul, titular da cátedra de história da Revolução Francesa na Sorbonne, espigado e de aspecto solene, vestido com o terno escuro e a gravata dos acadêmicos eminentes, caminhando lado a lado com rapazes que podiam ser seus filhos, gritando palavras de ordem das quais ele, como membro legal do Partido Comunista francês, discordava profundamente. Mas como poderia alguém da tradição da Revolução e da República não "*descendre dans la rue*" em uma ocasião como aquela? Recordo Jean Pronteau, na época ainda membro importante do Partido, que comandara a insurreição de Paris em 1944 contra os alemães no Quartier Latin, dizendo-me o quanto se emocionara ao ver as barricadas sendo erguidas, espontaneamente, exatamente na mesma esquina da rue Gay-Lussac em que tinham sido levantadas em 1944, e sem dúvida onde haviam estado durante as revoluções de 1830, 1848 e na Comuna de Paris de 1871. Se *noblesse oblige*, com certeza isso se aplica à tradição revolucionária.

Certamente nada me chocou mais na época do que a reunião à qual eu e diversos outros visitantes marxistas do convescote da UNESCO fomos convidados — não sei bem se pelo Instituto Maurice Thorez ou se por outro agregado acadêmico ao Partido Comunista francês —, na qual seriam debatidos temas de interpretação marxista enquanto os estudantes marchavam. Ninguém parecia tomar conhecimento do que ocorria lá fora. Causei alguns momentos de embaraço ao dizer isso. Perguntei se nada tínhamos a dizer sobre o que estava acontecendo nas mesmas ruas em que havíamos passado a caminho da reunião. Não podíamos pelo menos declarar nosso apoio geral? E agora, 34 anos mais tarde, infelizmente não recordo se aqueles que sentiam o mesmo e eu conseguimos envergonhar suficientemente os participantes da reunião para fazê-los emitir tal declaração. Parece-me improvável.

A coleção de fotos da 1968 do Magnum contém outra imagem que resume pelo menos parte de meus sentimentos na época. (Quase não preciso acrescentar que também é de Henri Cartier-Bresson, esse gênio da preservação do momento histórico.) Um homem idoso de classe média, de pé, com os braços cruzados para trás, olha com ar pensativo um muro parisiense coberto de cartazes e uma porta rude de madeira, presumivelmente de algum quintal ou terreno. A camada superior dos cartazes foi parcialmente arrancada, deixando entrever tijolos de massa e velhos pôsteres cinematográficos. Na porta estão acumulados cartazes políticos — um do Partido Comunista por cima de um texto sobre poder estudantil, uma folha meio rasgada conclamando à luta por uma sociedade democrática que abra o caminho para o socialismo, e por cima de tudo um grande grafite escrito com o armamento básico dos revolucionários de 1968: a lata de spray. A inscrição diz "*Jouissez sans entraves*", que os editores timidamente traduziram por "Vamos mostrar tudo". (Na verdade significa "Que nada impeça o orgasmo".) Não sabemos o que o velho de Cartier-Bresson pensava sobre os muros de Paris, que foram as principais vítimas e testemunhas públicas da revolta estudantil. Minha própria reação foi de ceticismo. Como todos os historiadores sabem, pode-se reconhecer as revoluções pela vasta torrente de palavras que elas geram: palavras faladas, mas nas sociedades alfabetizadas também palavras escritas em enormes quantidades por homens e mulheres que normalmente não se expressam por escrito. Por esse critério, maio de 1968 foi algo como uma revolução estudantil, mas suas palavras registram um tipo estranho de revolução, como se podia ver ao observar os muros de Paris na época.

A verdade é que os grafites e os pôsteres característicos de 1968 não eram realmente políticos no sentido tradicional da palavra, a não ser pelas repetidas denúncias do Partido Comunista, presumivelmente por militantes de vários grupos e facções de esquerda, quase sempre oriundas de algum cisma leninista. No entanto, como eram raras as referências aos grandes nomes dessa ideologia — Marx, Lenin, Mao, até mesmo Che Guevara — nos muros de Paris![3] Mais tarde eles apareceriam em broches, como ícones que simbolizam a derrubada de sistemas. Os estudantes rebeldes recordaram aos teóricos um anarquismo bakuniniano há muito esquecido, mas talvez estivessem mais próximos dos "situacionistas" que haviam previsto uma "revolução da vida cotidiana" mediante a transformação das relações pessoais. Essa (e o brilhantismo gaulês na invenção de slogans memoráveis) é a razão pela qual eles se transformaram em porta-vozes de um movimento que de outro modo estaria incubado, embora seja quase certo que até então quase ninguém ouvira falar deles, a não ser um pequeno círculo de pintores de esquerda. (Eu certamente jamais ouvira falar.) Por outro lado, os slogans de 1968 não eram simplesmente a expressão de uma contracultura de alheamento, apesar de um evidente interesse em chocar a burguesia ("*LSD tout de suite!*"). Queriam *derrubar* a sociedade e não simplesmente escapar dela.

Para os esquerdistas de meia-idade como eu, maio de 1968, e na verdade toda a década de 1960 foram tempos extraordinariamente bem-vindos e extraordinariamente desconcertantes. Parecíamos usar o mesmo vocabulário, mas não parecíamos falar a mesma língua. Mais do que isso, ainda que participássemos dos mesmos acontecimentos, aqueles dentre nós com idade suficiente para ser pais dos jovens militantes não sentíamos o mesmo que eles. Vinte anos de pós-guerra haviam ensinado aos que viviam nos países de democracia capitalista que a revolução social nesses países não estava na agenda política. De qualquer maneira, depois dos cinqüenta anos já não se espera a revolução por trás de qualquer demonstração de massa, por mais impressionante e estimulante que ela seja. (Por isso, incidentalmente, nossa surpresa — e a de todos — pela eficácia política desproporcional dos movimentos estudantis de 1968, os quais, afinal de contas, derrubaram os presidentes dos Estados Unidos e da França, este último após um intervalo decoroso para salvar as aparências.) Além disso, para os que crescemos com a história de 1776, 1789 e 1917, e suficientemente idosos para haver atravessado as transformações a partir de 1933, a revolução deveria ter um objetivo político, por mais intensa que fosse como experiência emocional. Os revolucionários desejavam destronar antigos regimes políticos, domésticos ou estrangeiros, com a finalidade de substituí-los por novos regimes políticos que então instituiriam as bases de uma sociedade nova e melhor. No entanto, seja o que for que levou aqueles jovens às ruas, não era esse seu objetivo. Os observadores não simpatizantes, como Raymond Aron (vendo-se no papel de De Tocqueville ao comentar a Paris de 1848), concluíram que eles não tinham objetivo algum: 1968 deveria ser entendido como um teatro de rua coletivo, um "psicodrama" ou "delírio verbal", porque era simplesmente "uma colossal libertação de sentimentos reprimidos".[4] Os simpatizantes, como o sociólogo Alain Touraine, autor de um dos primeiros livros sobre essas semanas extraordinárias, ainda um dos mais esclarecedores, achou que o objetivo implícito era uma reversão às ideologias utópicas pré-1848.[5] Mas não seria realmente possível ver utopia na antinomia geral de slogans como "É proibido proibir", que provavelmente se aproximava do que sentiam os jovens rebeldes — tanto em relação ao governo, como em relação aos professores, aos pais ou ao universo. Na verdade, não pareciam estar muito interessados num ideal *social*, comunista ou de outro tipo, distinto do ideal individualista de livrar-se de tudo o que se arrogasse o direito e o poder de impedir-nos de fazer o que nosso ego ou id desejasse fazer. E, ainda assim, os poucos distintivos públicos que encontraram para as lapelas particulares eram os da esquerda revolucionária, certamente porque eram por tradição ligados à oposição.

A reação natural dos velhos esquerdinhas ao novo movimento foi a seguinte: "Esse pessoal ainda não aprendeu a atingir seus objetivos políticos". Presumivelmente por essa razão Alain Touraine, que simpatizava muito com os rebeldes de 1968, referindo-se ao título em francês para o meu *Rebeldes primitivos*, recentemente publicado em Paris,[6] escreveu na orelha do meu exemplar do seu livro: "Estes são os Primitivos de uma nova Rebelião". O objetivo de meu livro havia sido precisamente fazer justiça às lutas sociais — banditismo, seitas milenaristas, amotinados urbanos pré-industriais — que haviam sido esquecidas ou até mesmo consideradas pouco importantes simplesmente por haver tentado tratar dos problemas dos pobres numa sociedade capitalista utilizando equipamento inadequado ou historicamente obsoleto. Mas e se os "novos primitivos" não estivessem de forma alguma perseguindo os nossos objetivos, e sim outros muito diferentes? Por estar tão clara e entusiasticamente do lado dos eternos perdedores sobre os quais escrevi, meu livro, disponível em inglês desde 1959, tinha me proporcionado mais credibilidade das ruas, entre os membros das "novas esquerdas" anglófonas, do que a geralmente concedida aos membros do Partido. No entanto, fiquei espantado e um tanto perplexo quando um colega da Universidade da Califórnia em Berkeley, epicentro da erupção estudantil nos Estados Unidos, me disse que os jovens rebeldes mais intelectualizados dali haviam lido o livro com grande entusiasmo *porque se identificavam a si mesmos e a seu movimento* com os meus rebeldes.

Havendo dado aulas nos Estados Unidos no auge do movimento anti-Vietnã em 1967, e também observado os acontecimentos de Paris em 1968, escrevi em 1969 um artigo igualmente pouco perceptivo sobre "Revolução e sexo". Se havia alguma correlação entre as duas coisas, assinalei, seria negativa: os governantes mantinham calmos os escravos e os pobres estimulando a liberdade sexual entre eles, e poderia ter acrescentado também por meio das drogas, recordando o *Admirável mundo novo*, de Aldous Huxley. Como historiador, sabia que todas as revoluções possuem um aspecto libertário em que tudo é permitido, porém "tomadas em si mesmas, a revolta cultural e a dissidência cultural são sintomas, e não forças revolucionárias". "Quanto mais isso for visível" — como obviamente era o caso nos Estados Unidos — "mais podemos estar certos de que as grandes coisas não estão acontecendo."[7] Mas e se as "grandes coisas" não fossem a derrubada do capitalismo, ou mesmo de alguns regimes opressores ou corruptos, porém precisamente a destruição dos padrões tradicionais de relacionamento entre pessoas e comportamento pessoal *dentro da sociedade existente*? E se simplesmente estivéssemos equivocados ao considerar os rebeldes da década de 60 como nada mais do que outra fase, ou variante, da esquerda? Nesse caso, não teria sido uma tentativa malograda de fazer um tipo de revolução, mas a efetiva ratificação de outro: o que aboliria a política tradicional, e, no fim das contas, a política da esquerda tradicional, por meio do slogan "O que é pessoal é político". Olhando para trás depois de pouco mais de trinta anos, é fácil ver que interpretei mal o significado histórico da década de 1960.

Um motivo para isso foi o fato de que eu me encontrava imerso, desde 1955, no universo reduzido e principalmente noturno dos músicos de jazz. O mundo em que eu vivia nas horas tardias, na segunda metade da década de 50, já parecia prenunciar muito do espírito dos anos 60. Isso foi um engano, pois era muito diferente. Se há alguma coisa que simboliza os anos 60 é o rock, que começou a conquistar o mundo na segunda metade dos anos 50 e imediatamente abriu um profundo fosso entre as gerações pré e pós-1955.

Era impossível não perceber esse hiato, como na ocasião em que minha mulher e eu, passando alguns dias em Berkeley e São Francisco no auge do "flower-power" no ano de 1967, fomos visitar uma jovem que anteriormente se hospedara com meus filhos Andy e Julia em Haight-Ashbury, onde ela estava se descobrindo a si mesma. Era evidentemente maravilhoso para a moça, holandesa tão equilibrada quanto se poderia esperar, e era divertido observá-la, mas nada tinha a ver com o nosso cenário. Fomos levados ao Fillmore, o gigantesco salão de danças, palpitante de refletores de luz negra e amplificação excessiva do som. Nem consigo recordar os grupos da área da baía de São Francisco que se apresentaram — o único que me pareceu fazer algum sentido foi uma das bandas femininas da Motown — não sei se as Marvelettes ou as Supremes — cujo ritmo se assemelhava ao conhecido rhythm and blues negro. Talvez isso não seja surpreendente. Para aproveitar aquele ano em São Francisco era preciso estar permanentemente usando alguma droga, de preferência LSD, o que não era nosso caso. Na verdade, devido a nossa idade, éramos um perfeito exemplo da expressão "Se você se lembra de alguma coisa da década de 1960 é porque não participou dela".

Da mesma maneira, o mundo do jazz, com raríssimas exceções, não poderia entender o rock. Reagia ao rock com o mesmo tipo de desprezo com que tradicionalmente reagia à música Mickey Mouse das antigas bandas comerciais que tocavam em teatros. Talvez até com maior desprezo, pois os músicos que tocavam os mais aborrecidos temas dos *bar mitzva* pelo menos eram profissionais. Reciprocamente, em poucos anos o rock quase matou o jazz. Era virtualmente impossível vencer o hiato entre a geração daqueles para quem os Rolling Stones eram deuses e a daqueles para quem não passavam de uma boa imitação dos cantores negros de blues, ainda que ambas de vez em quando concordassem quanto ao talento de alguns. (Acontece que eu tinha admiração pelos Beatles e reconhecia fragmentos de gênio em Bob Dylan, um grande poeta em potencial demasiadamente indolente ou absorvido por si mesmo para conseguir manter a atenção da musa por mais de dois ou três versos de cada vez.) A despeito das aparências, minha geração continuaria deslocada na década de 1960.

E isso apesar do fato de que durante alguns anos na década de 1960 a linguagem, a cultura e o estilo de vida das novas gerações do rock ficaram politizadas. Falavam dialetos reconhecíveis como derivados da antiga linguagem da esquerda revolucionária, embora naturalmente não do comunismo de Moscou, desacreditado tanto pelos acontecimentos da era de Stalin quanto pela moderação política dos partidos comunistas. Qualquer pessoa que leia o melhor livro escrito na Grã-Bretanha sobre a década de 1960, *Promessa de um sonho*, de minha amiga e antiga aluna Sheila Rowbotham, compreenderá que durante alguns anos era realmente impossível a alguém de sua geração (ela nasceu em 1943) distinguir entre o que era pessoal e o que era político. Foi o "Alexis Korner de esquerda" — lembro-me dele, moreno e tranqüilo, em Bayswater — quem inspirou "a nítida sexualidade latejante das bandas de blues"[8] como a dos Rolling Stones, de onde vinha Mick Jagger, que compôs "Street Fighting Man" após uma dramática demonstração de solidariedade ao Vietnã em 1968 e a publicou no jornal radical do extravagante trotsquista paquistanês Tariq Ali, *The Black Dwarf* ("PARIS, LONDRES, ROMA, BERLIM. NÓS LUTAREMOS. NÓS VENCEREMOS"). Pink Floyd, "A Dialética da Libertação", Che Guevara, A Terra Média e o LSD eram companheiros. Não que as fronteiras estivessem totalmente apagadas. Um catedrático de economia em Cambridge mais tarde propôs que os socialistas do sexo masculino que tinham princípios deveriam protestar publicamente contra a proliferação de casas de strip-tease no Soho, por exemplo tirando a roupa do lado de fora delas. (Os homens da *New Left Review* lhe haviam dito que estava sendo "puritano e ultrapassado em sua visão do socialismo".) Os que vestiam "a sombria 'roupa de guerra' cada vez mais usada [...] pela esquerda" sacudiram negativamente as cabeças contra um militante igualmente dedicado que veio a uma ocupação da London School of Economics "com um terno de calça boca-de-sino verde-oliva comprado durante minhas extravagâncias de setembro".[9] A maior parte disso era independente da esquerda mais velha, ainda que os jovens radicais britânicos — talvez graças a minha geração de historiadores comunistas — estivessem mais impregnados de história, especialmente a história da classe trabalhadora, do que quaisquer outros. Conhecíamos muitos dos principais ativistas como colegas de protesto, alunos ou amigos. Não me preocupei em ler o *Black Dwarf*, embora me tivessem pedido que escrevesse um artigo para ele, o que naturalmente fiz. As pessoas como eu eram mobilizadas pelos jovens para coisas como os *teach-ins* sobre o Vietnã — fui companheiro do espetacularmente mal escolhido Henry Cabot Lodge, antigo *Big Brother* americano em Saigon, no *teach-in* do Sindicato de Oxford em 1965, organizado por Tariq Ali. Felizmente, em minha própria faculdade não enfrentei a dolorosa experiência da ocupação estudantil, geradora de considerável conflito entre gerações, embora tivesse sido convidado por um dos líderes, filho de velhos amigos, a falar para uma multidão de forças ocupantes no Old Schools de Cambridge. Creio que se decepcionaram quando sugeri que até mesmo a história de eras perdidas na névoa da Antigüidade, como o século xix, poderia ser "relevante" — palavra da moda na época.

Não compreendemos quão profundamente até inquestionavelmente *política* ultra-esquerda, isto é, os revolucionários e neoterroristas armados que emergiam da década de 1960, havia sido influenciada pela "contracultura", da qual na verdade fazia parte. O nome dos Weathermen dos Estados Unidos derivava de uma canção de Bob Dylan. A Facção do Exército Vermelho, mais conhecida como a Gangue de Baader-Meinhof, vivia, por sua própria escolha e comportamento, em uma versão alemã da contracultura de gente que vinha de fora.

Minha faixa etária não entendeu que as gerações ocidentais de estudantes na década de 1960 acreditavam, como antes havíamos acreditado, embora de maneira muito menos fácil de especificar como "política", que viviam em uma era em que tudo iria mudar por meio da revolução, porque à sua volta tudo já estava mudando. Nós, ou pelo menos os comunistas de meia-idade congenitamente pessimistas como eu, que já trazíamos as cicatrizes das decepções de metade da vida, não poderíamos compartilhar o otimismo quase cósmico dos jovens, que se sentiam "tragados pelo furacão da rebelião internacional".[10] (Um de seus subprodutos foi a moda do turismo revolucionário internacional, que faria com que intelectuais de esquerda italianos, franceses e britânicos convergissem simultaneamente para a Bolívia em 1967, por ocasião da morte de Che Guevara, e para o julgamento de Regis Debray.)

Naturalmente, nós todos fomos apanhados por essas grandes lutas globais. Na década de 1960 o Terceiro Mundo trouxera de volta ao Primeiro a esperança da revolução. As duas grandes inspirações internacionais eram Cuba e o Vietnã, triunfos não apenas da revolução mas de Davis contra Golias, do fraco contra o todo-poderoso. "Guerrilha", palavra emblemática da época, tornou-se a chave quintessencial da mudança do mundo. Os revolucionários de Fidel Castro, reconhecíveis como herdeiros de 1848 por sua juventude, seus cabelos longos, barbas e retórica — pensemos na famosa imagem de Che

Guevara —, quase poderiam ter sido projetados para ser símbolos mundiais de uma nova era de romantismo político. Mesmo hoje é difícil recordar e compreender as repercussões globais quase imediatas daquilo que em janeiro de 1959 era, afinal de contas, um acontecimento não inusitado na história de uma ilha latino-americana de dimensões modestas. Os pequenos e raquíticos vietnamitas em suas trilhas na floresta e campos de arroz puseram em xeque-mate a gigantesca força destruidora dos Estados Unidos. Desde o momento em que o presidente Johnson lançou suas tropas, em 1965, até mesmo os não utópicos de meia-idade como eu não tiveram a menor dúvida sobre quem seria o vencedor. Mais do que qualquer outra coisa, na década de 1960 a grandeza, o heroísmo e a tragédia da luta vietnamita emocionaram e mobilizaram a esquerda de língua inglesa e reuniram suas duas gerações e quase todas as suas seitas, que viviam em disputas. Encontrei contemporâneos e alunos na Grosvenor Square, protestando diante da embaixada americana. Participei de marchas com Marlene e as crianças ainda pequenas, cantando "Ho-Ho-Ho Chi Minh" como os demais. Sempre fui cético declarado da estratégia guerrilheira de Che Guevara, que de qualquer maneira se mostrou uniformemente desastrosa (ver capítulo 21), mas o Vietnã ficou gravado em nossos corações. Até os últimos dias do século a emoção ainda persistia, e foi palpável em Hanói, quando Marlene e eu contemplamos um grupo de homens baixotes, curtidos e idosos, envergando suas medalhas de campanha, que passavam sob as árvores para visitar a casa de Ho Chi Minh. Eles haviam lutado por nós, em nosso lugar.

Exceto por tomar parte na campanha da guerra do Vietnã, não tive contato especial com o país na época nem o visitei, a não ser um quarto de século após a vitória, e mesmo assim totalmente em férias. Por outro lado, como muitos outros esquerdistas inspirados pela Revolução Cubana, fui a Cuba diversas vezes na década de 1960, e assim, incidentalmente, vi uma parcela representativa da esquerda itinerante mundial. Minha primeira viagem foi em 1960, no irresistível período de lua-de-mel da jovem revolução. Encontrei-me coincidindo e juntando forças com dois amigos economistas que representavam esse raro fenômeno, a antiga esquerda marxista dos Estados Unidos que não se identificava nem com o PC nem com seus opositores: Paul Sweezy, de elevada estatura e ianque da Nova Inglaterra de fala arrastada, e Paul Baran. Como o pequeno e valente jornal de ambos, o *Monthly Review,* havia mantido a bandeira vermelha tremulando nos Estados Unidos da Guerra Fria, foram bem recebidos por Castro e pelos ex-guerrilheiros da Sierra Maestra. Meus próprios contatos foram obra de um importante líder do PC com dotes excepcionais de adaptação política, Carlos Rafael Rodriguez, cuja obstinação por uma causa comum com Fidel enquanto este se encontrava na Sierra Maestra rendeu dividendos após a vitória. Havana ainda estava suficientemente próxima do paraíso de vale-tudo para turistas escusos do musical *Guys and Dolls* para ser capaz de irradiar rumba e tolerância cultural, e a ilha parecia suficientemente fértil para proporcionar ao regime revolucionário o que parecia ser um futuro tranqüilo. Achamos que não teria dificuldade em alimentar seus 10 milhões de habitantes, com sobras suficientes para várias cubas-libres, charutos e aqueles maravilhosos e pequenos cafés de esquina que desapareceram quando a economia desmoronou. Dezoito meses após a vitória a lua-de-mel entre o povo e o governo revolucionário ainda era tangível. Esquivando-nos dos jovens radicais americanos que traziam filmadoras, passeamos pela ilha num véu de otimismo.

Minha segunda visita, em 1962, via Praga, Shannon e Gander, foi em companhia de uma delegação britânica de esquerda com a composição habitual: um parlamentar trabalhista de esquerda; promotores do desarmamento unilateral; um pragmático líder sindical, geralmente afinado com a linha do Partido, não sem interesse em fornicação no exterior; algum conspirador radical, funcionários do PC e outros tipos semelhantes. Um jovem africano que falava depressa tinha se juntado a nós alegando representar um indefinido "Movimento de Juventude" numa região vagamente definida do oeste da África, cuja primeira atividade ao chegar a Praga tinha sido dirigir-se ao Ministério do Exterior, onde esperava encontrar alguém que lhe proporcionasse recursos para financiar a revolução no Terceiro Mundo. Os cubanos nada quiseram com ele. Na ocasião eu o tomei por um exemplar desse curioso produto da época, um vigarista negro explorando a ignorância ou os reflexos antiimperialistas de progressistas brancos, um soldado Schwejks, um dos *pícaros* da Guerra Fria. A esquerda liberal se tornou íntima de tais figuras, pelas quais de vez em quando se deixava explorar; na Grã-Bretanha um antipático "Michael X", a meio caminho entre um mau começo como vigarista e um fim sombrio na forca em Trinidad e nas páginas da dura novela de V. S. Naipaul, era figura habitual nas festas de Londres. Certamente esses exemplos de restos de naufrágio de um império em desintegração eram menos impressionantes do que os militantes negros dos Estados Unidos que em breve foram buscar ajuda em Cuba. Entretanto, por trás dos contos do vigário pouco persuasivos de gente como o jovem africano, havia a tragédia de vidas exterminadas entre estrangeiros brancos, que eu não percebi bem. Quanto à delegação em si, somente me lembro de ver-me traduzindo para o Che, que nos recebeu (em lugar de Fidel) para o almoço no antigo Hotel Hilton. (Era realmente uma bela figura de homem, como se vê na famosa foto, mas nada disse de interessante.) No entanto, graças ao inestimável Argeliers León, perito em assuntos de sociedades secretas e cultos afro-cubanos e diretor do Instituto de Etnologia e Folclore que o novo regime acabava de instituir, consegui ouvir excelente música nos *barrios* negros de Havana.

Minha terceira visita foi para uma reunião um tanto extravagante, o Congresso Cultural de Havana em janeiro de 1968, "o último episódio do romance de Castro com a intelligentsia européia", ao qual Fidel, devido às frias relações com Moscou na época, havia ostensivamente omitido convites a figuras culturais do bloco soviético ou intelectuais ortodoxos de Partidos Comunistas (exceto da Itália, onde a cultura e o PCI ainda andavam juntos). Em vez disso, fez vir uma impressionante gama de esquerdistas independentes, dissidentes e heterodoxos de diversos cenários culturais, inclusive a maior parte da velha geração de grupos políticos esparsos da avant-garde parisiense. Sua contribuição mais memorável ao congresso foi produzir um "incidente" político-artístico, quando velhos surrealistas atacaram fisicamente o artista mexicano Siqueiros, que certa vez estivera associado a planos para assassinar Trotski na abertura de uma exposição de arte, embora não ficasse claro se o motivo era um desacordo artístico ou político. Mas o mais curioso dessa invasão do passado de parte do Quartier Latin era o pouco que tinha em comum com a rebelião estudantil que iria em breve avassalar Paris. No entanto, foi um acontecimento excitante, ainda que um tanto deprimente, considerando o evidente descalabro em que se encontrava a economia cubana. Em todo caso, deu-me a oportunidade de conhecer o notável Hans Magnus Enzensberger em sua fase fidelista, com sua mulher russa, a encantadora Masha, alma perdida cuja vida iria terminar tragicamente em Londres, vítima da noite negra da União Soviética stalinista. O pai dela era Alexander Fadeyev, secretário-geral do Sindicato de Escritores nos anos do Grande Terror, isto é, um burocrata que bebia enquanto administrava as vidas e as mortes de seus amigos, antes de cometer suicídio em 1955.

Não sei o que Fidel pensou desse estranho influxo de europeus. Presumivelmente sentia-se mais à vontade com Giangiacomo Feltrinelli, figura bigoduda e de aspecto curtido que recentemente havia sido expulso da Bolívia e, por via das dúvidas, do Peru, e que dizia aos cubanos "em um espanhol compreensível somente para um italiano" que "sua função como editor europeu estava terminando e que agora se considerava integralmente um combatente antiimperialista".[11] Felizmente ainda prospera a editora que fundou em 1955, igualmente ilustre em política e literatura, primeira a publicar o *Doutor Jivago* de Boris Pasternak e *O Leopardo* de Lampedusa. Não recordo se o encontrei nessa ocasião, embora já conhecesse ligeiramente esse intenso e jovem multimilionário desde o início da década de 1950, quando era entusiasmado ativista do Partido Comunista e financiador da cultura do PC. Recordo uma conversa de verão em seu escritório em Milão, no nervoso período da crise do comunismo internacional em 1956-57: falávamos sobre os rumos do movimento entre telefonemas para organizar um fim de semana com uma moça em algum castelo da costa do Adriático. Deve ter sido na ocasião em que ele estava se desligando do Partido. Sua dissidência o levou ao submundo da luta revolucionária armada. Como adolescente havia lutado com os *partisans* comunistas em prol da revolução, contra o fascismo e contra tudo o que sua família e a burguesia super-rica de Milão representavam. O espírito de Che Guevara reviveu essas lembranças. Pouco depois de 1968 ele passou à clandestinidade, ou tão clandestino quanto poderia ser um homem rico e socialmente proeminente que aparecia em manchetes de jornal, e foi morto em 1972, em circunstâncias obscuras, ao tentar dinamitar uma torre de alta-tensão em Segregate, no interior milanês.

Não sei se o próprio Fidel sabia da existência dos simpáticos intelectuais franco-canadenses que não conseguiram me convencer de que seu plano de criar uma nova Sierra Maestra nas florestas do Quebec beneficiaria a causa da revolução mundial. Creio que alguém em Cuba deveria saber. Telefonei várias vezes ao mais inteligente e agradável deles dois anos mais tarde, quando estive em Montreal. Não houve resposta. Minha falta de sintonia com o espírito dos tempos era tanta que somente muito depois me ocorreu que ele deve ter sido um dos terroristas da organização nacionalista Front de la Libération du Québec que raptaram o chefe do Escritório Comercial da Grã-Bretanha e estrangularam um ministro da província do Quebec, talvez um dos que foram libertados e mandados para Cuba em troca do diplomata britânico. Mas aquela era a época em que até mesmo os ultra do nacionalismo etnolingüístico, como os pioneiros do ETA, se apresentavam com as roupagens da revolução internacional.

II

Durante um momento no fim da década de 1960, os jovens, ou pelo menos os filhos das antigas classes médias e as novas massas que ascendiam ao status de classe média por meio da explosão da educação superior, sentiram-se como se estivessem vivendo a revolução, fosse por haver escapado coletivamente ao mundo do poder, dos pais ou do passado, fosse mediante a constante acumulação de uma excitação quase orgástica de ação política ou aparentemente política, fosse ainda por gestos que tomavam o lugar da ação. O clima entre os jovens políticos durante aqueles "frenéticos primavera e verão" de 1968 foi visivelmente revolucionário, mas incompreensível aos velhos esquerdinhas da minha geração, e isso não apenas porque a situação evidentemente não fosse revolucionária sob qualquer aspecto realista. Vou citar novamente Sheila Rowbotham, que o descreveu com maravilhosa percepção:

> Os sentimentos pessoais já não estavam em primeiro plano. Meus encontros sexuais eram como que roubados entre duas reuniões, e pelo jeito as emoções costumeiras não se fixavam sobre eles. A intimidade parecia ter adquirido uma qualidade aleatória. A energia do coletivo externo se tornara tão intensa que as fronteiras da proximidade, da interiorização extática davam a impressão de haver-se derramado nas ruas [...] Percebi, assim, o aniquilamento peculiar do que era pessoal em meio a acontecimentos dramáticos como a revolução [...] Em retrospecto, as revoluções parecem puritanas, mas não são experimentadas dessa forma na época [...] Levados por aquele redemoinho de rebelião internacional, sentíamo-nos transportados para os limites do mundo conhecido.[12]

No entanto, tão logo as densas nuvens da retórica maximalista e da expectativa cósmica se transformaram na chuva do cotidiano, tornou-se novamente visível a diferença entre êxtase e política, entre poder real e poder das flores, entre voz e ação. Jericó não havia desmoronado ao som das trombetas coletivas de Josué. Os jovens políticos tinham de refletir a fim de descobrir a ação necessária para conquistá-la. Já que tanto a velha como a nova geração de revolucionários falavam a mesma língua, especialmente em um ou outro dialeto marxista, tornou-se novamente possível um simulacro de comunicação, particularmente porque os grupos ativistas rompiam com a vaga crença na inspiração espontânea e freqüentemente regressavam à tradição das organizações disciplinadas de vanguarda. De fato, no entanto, ainda havia um amplo hiato entre a esquerda velha e a esquerda jovem. A revolução não estava na agenda em nossos países. Para os revolucionários da minha geração o problema continuava a ser o de saber o que deveriam fazer os partidos marxistas e mesmo qual poderia ser sua função em países não revolucionários. E quanto a outros lugares? Onde quer que a insurreição bem-sucedida ou a conquista por meio de guerrilhas fosse realista, nós estávamos a favor dela, ou pelo menos eu estava.

Era difícil que morresse o velho instinto de estar ao lado de quaisquer revoltosos e guerrilheiros que falassem a linguagem da esquerda, por mais estúpida e sem objetivo que fosse. Somente na década de 1980, confrontado com o fenômeno das guerrilhas peruanas do Sendero Luminoso — que se diziam baseadas numa ideologia excêntrica até mesmo para os extremos lunáticos do marxismo-leninismo —, foi que admiti para mim mesmo que aquele era um movimento revolucionário de esquerda cuja vitória eu simplesmente não desejava. (Felizmente os bons comunistas vietnamitas haviam colocado um ponto final nas matanças de Pol Pot.) Talvez a simpatia pelos rebeldes fosse apenas a versão intelectual da antiqüíssima *omertà* para com os pobres, o reflexo de não denunciar os acossados pelo Estado e seus homens fardados. Talvez isso tenha ocorrido naturalmente ao autor de *Rebeldes primitivos* e *Bandidos*, que ainda não consegue sobrepujar a admiração pelos perdedores combativos, ainda que evidentemente estejam equivocados. Nos Estados Unidos minha simpatia estava com os Panteras Negras, cuja coragem e auto-respeito eu admirava. Emocionava-me o leninismo simples de suas publicações, mas era óbvio para mim que não tinham a menor possibilidade de atingir seus objetivos.

Não tinha qualquer simpatia, no entanto, pela maioria das organizações de insurretos, ou melhor, pelos pequenos grupos de ação armada que emergiram na Europa dos destroços da grande rebelião de 1968. Havia espaço para um desacordo ponderado com seus correspondentes na situação política muito diversa na América Latina (ver capítulo 21), mas na Europa as atividades deles eram ou sem sentido ou contraproducentes. As únicas operações desse tipo que poderiam pretender ter alguma factibilidade eram as dos nacionalistas separatistas, quebequenses, bascos ou irlandeses, a cujos projetos políticos eu me opunha firmemente. Os marxistas não são nacionalistas separatistas.[13] De qualquer maneira, um dos dois movimentos separatistas mais duradouros dessa espécie surgidos nesse período, o Exército Revolucionário Irlandês (IRA) Provisório, não dizia absolutamente situar-se à esquerda, mas, ao contrário, desligara-se em 1969 do há muito estabelecido IRA ("Oficial"), que, este sim, *havia* se voltado para a esquerda.

Portanto, vi-me sem simpatia e sem contato, ainda que fosse devido à idade, com esses novos revolucionários práticos. Não que fossem muito numerosos. Na Grã-Bretanha não existia nenhum, a não ser a efêmera e ineficaz Brigada Raivosa, de cunho anarquista. Na Alemanha Ocidental, os que se dedicavam à ação armada seriam no máximo algumas dúzias, provavelmente confiando no apoio de uns 1500 simpatizantes, além de talvez outro punhado que passou da ação em seu próprio país para a ação internacional em solidariedade antiimperialista a algum grupo de rebeldes no Terceiro Mundo, geralmente os palestinos. Era um mundo que eu não conhecia, a menos que um ou outro dos jovens historiadores alemães-ocidentais muito radicais daqueles anos tivesse conexões com eles, e tampouco tinha contato com as Brigadas Vermelhas e suas semelhantes na Itália, que eram os mais importantes grupos de ação armada na Europa, sem contar o ETA dos bascos. Duvido que os membros ativos desses grupos fossem mais do que cem ou duzentos. Por motivos que jamais entendi, nenhum grupo revolucionário armado significativo da esquerda parece ter emergido das ruínas de 1968 na França, embora um pequeno e eficiente bando terrorista tenha operado na Bélgica durante alguns anos. Por outro lado, se eu tivesse estado em contato com esses grupos, não lhes perguntaria o que faziam, nem eles me diriam, mesmo que acreditassem que politicamente eu estava do seu lado.

E aonde isso tudo levou? Em política, não muito longe. Como a revolução não era previsível, os revolucionários europeus de 1968 tiveram de juntar-se às grandes correntes da esquerda, a não ser que por serem jovens intelectualmente brilhantes, o que era o caso de muitos, escapassem da política verdadeira para a vida acadêmica, onde as idéias revolucionárias podiam sobreviver sem grande prática política. Politicamente, a geração de 1968 funcionou bastante bem, especialmente se contarmos os que foram recrutados para o serviço público e para os institutos de pesquisa, ou os que engrossaram o número de assessores dos escritórios particulares dos políticos. No momento em que escrevo, o primeiro-ministro da França, Lionel Jospin, é ex-trotsquista, o ministro do Exterior da Alemanha, Joshka Fischer, é um ex-guerrilheiro urbano, e até mesmo no governo inglês do "Novo Trabalhismo" de Tony Blair há mais de um dos incendiários daqueles tempos nos escalões menores. Somente na Itália, onde a extrema esquerda manteve uma forte presença independente, a principal corrente de esquerda não foi rejuvenescida pelos jovens radicais de 1968. Será isso mais ou menos significativo do que a inevitável transformação de antigos revolucionários em moderados, ocorrida em todas as gerações intelectuais desde 1848?

O que realmente transformou o mundo foi a revolução *cultural* da década de 1960. O ano de 1968 pode ter sido menos um ponto decisivo na história do século xx do que o ano de 1965, que não teve qualquer significação política, mas foi o ano em que pela primeira vez a indústria francesa de roupas produziu mais calças femininas do que saias, e no qual o número de seminaristas católicos romanos começou a declinar visivelmente. Sempre ensinei a meus alunos dos cursos de história do trabalhismo que a grande greve dos estivadores de 1889, que aparece com destaque em todos os livros, pode ter sido menos importante que a silenciosa adoção pelas massas de trabalhadores industriais britânicos, em algum momento entre 1880 e 1905, de uma forma de cobrir a cabeça reconhecível como distintivo de sua classe, um casquete de bico. Pode-se argumentar que a marca indicativa realmente importante da história da segunda metade do século xx não é a ideologia nem as ocupações estudantis, e sim o avanço do jeans.

Porém, infelizmente, eu não sou parte dessa história. Levis triunfou, assim como o rock, como distintivo da juventude, mas eu já não era mais jovem. Não tenho grande simpatia pelo equivalente contemporâneo de Peter

Pan, o adulto que quer permanecer sempre adolescente, nem posso me ver desempenhar com credibilidade o papel de mais idoso entre os adolescentes. Por isso resolvi, quase como questão de princípio, jamais usar essa vestimenta, e nunca a usei. Isso me traz uma desvantagem como historiador dos anos 60: não participei deles. O que escrevi sobre a década de 1960 é o que pode escrever um autobiógrafo que jamais usou jeans.

16. Um observador na política

I

Em retrospecto, surpreende-me a pouca atividade política direta que tive em minha vida após 1956, tendo em vista minha reputação de marxista engajado. Não me tornei figura de relevo no movimento pelo desarmamento nuclear, discursando para multidões no Hyde Park como Edward Thompson; não marchei à frente de demonstrações públicas como Pierre Bourdieu em Paris, nem salvei da prisão um editor turco que tivesse publicado um de meus artigos, oferecendo-me para ser julgado em seu lugar, como fez Noam Chomsky em 2002. É verdade que não posso comparar-me com a eminência ou a qualidade estelar desses amigos, porém mesmo ao nível de celebridade secundária havia muito que fazer. Após 1968 nem sequer participei ativamente da azeda luta política dentro do pequeno Partido Comunista entre os da linha-dura soviética e os eurocomunistas, que finalmente destruiu o Partido em 1991, embora (evidentemente) tivesse marcado minha posição. Essencialmente, exceto uma conferência aqui e ali, minha atividade política consistiu em escrever livros e artigos, especialmente para aquele editor altamente original, Paul Barker, em seu tempo no *New Society*, como historiador e jornalista de mentalidade histórica, e jornalista marxista, o que obviamente dava a meus escritos uma dimensão política, assim como ocorria com meu campo de trabalho, a história. Até mesmo o que escrevi de mais político nas décadas de 1960 e 1970 se ligava apenas de forma oblíqua a assuntos correntes.

Portanto, eu não estava realmente preparado para o momento em que, pela primeira e única vez em minha vida, vi-me desempenhando apenas um ligeiro papel secundário no cenário nacional da política britânica. Durante cerca de dez anos a partir do fim dos anos 70 envolvi-me profundamente em debates sobre o futuro do Partido Trabalhista e depois sobre a natureza do novo "thatcherismo", quando começou aquilo que acabaria por transformar-se em dezoito anos consecutivos de governo conservador. A maioria de minhas contribuições foi republicada em dois volumes de escritos políticos.

Essa atividade germinou de uma semente plantada não intencionalmente em setembro de 1978 nas páginas do "jornal de teoria e debate" do Partido Comunista, *Marxism Today*, que iria desempenhar importante papel no debate político da década de 1980 com o redator-chefe recentemente designado, meu amigo Martin Jacques, brilhante, calvo e praticante de jogging, empresário político-intelectual e espectador de corridas de automóvel, além de ex-conferencista universitário. O jornal publicou uma conferência que eu havia feito na série anual das Conferências em Memória de Marx, sob o título "A marcha dos operários para adiante parou?". A intenção não era a de uma intervenção política, e sim fazer um apanhado de historiador marxista daquilo que ocorrera com a classe trabalhadora britânica no século passado. Eu argumentava que a ascensão aparentemente irresistível, embora não contínua, do movimento operário britânico na primeira metade do século parecia haver estancado. Agora não se poderia necessariamente esperar que o operariado realizasse o destino histórico que lhe havia sido previsto, quando mais não fosse porque a economia moderna havia modificado, relativamente diminuído e dividido o proletariado industrial. Se minha conferência tinha um corte político, ela se dirigia contra a liderança do Partido Trabalhista com Harold Wilson, primeiro-ministro de 1964 a 1970, e novamente de 1974 a 1976, que presidira a um breve momento de revivescência trabalhista em 1966 e não o percebera. Mesmo assim, o "A marcha dos operários para adiante parou?" representou uma advertência pública, no fim dos anos 70, de que o movimento se encaminhava para grandes dificuldades.

Uma parte de minha apresentação foi imediatamente alvo de críticas irritadas de Ken Gill, membro do Núcleo de Coordenação Nacional dos

Sindicatos Britânicos (TUC) e talvez o principal líder sindical do PC: meus comentários sobre o forte aumento do seccionalismo no movimento industrial. Eu assinalava que a militância nos sindicatos, tão árida na década de 1970, visava essencialmente estreitos benefícios econômicos para seus membros, e que mesmo sob uma liderança de esquerda isso não indicava uma retomada da marcha dos operários para adiante. Pelo contrário, "parece-me que agora estamos assistindo a uma crescente divisão dos trabalhadores em seções e grupos, cada qual em busca de seu interesse econômico sem dar atenção ao resto". Na nova economia mista, o grupo não se apoiava nas perdas potenciais que as greves causariam aos empregadores, e sim no desconforto que poderia causar ao público, isto é, pressionando dessa forma o governo a chegar a um acordo. Dada a natureza das coisas, isso não apenas aumentava a potencial fricção política entre grupos de operários, mas também criava o risco de enfraquecer a autoridade do movimento trabalhista como um todo. Ninguém poderia ter vivido na Grã-Bretanha cheia de greves na década de 1970 sem perceber a militância sindical e as tensões entre os sindicatos e diferentes governos. Essa tensão chegou ao auge no outono e inverno de 1978-79. No entanto, eu me encontrava suficientemente afastado do cenário político na ala esquerda do trabalhismo industrial para surpreender-me ao ver que minha conferência levara a uma controvérsia intensa e politicamente carregada no *Marxism Today* durante o ano seguinte. Sem intenção especial, eu havia tocado em várias feridas graves. O fato de que poucos meses depois de meu artigo o fraco governo trabalhista, já em dificuldades, tivesse sido amplamente derrotado em uma eleição geral pelos conservadores, chefiados por sua nova líder combativamente guerreira na luta de classes Margaret Thatcher, fez com que a dor fosse ainda mais intolerável. Na época em que a última crítica a meu artigo apareceu nas páginas do *Marxism Today*, a era Thatcher já tinha começado. Em 1981, ambos os debates sobre o artigo, o pré- e o pós-eleitoral, foram reunidos e publicados num livro patrocinado pelo *Marxism Today* e pelas Edições Verso,[1] e nessa época o próprio Partido Trabalhista já se cindira devido à secessão dos chamados social-democratas, enquanto o restante do partido lutava para sobreviver.

Em retrospecto, as ilusões da coalizão mista de esquerdas que quase destruiu o Partido Trabalhista entre 1978 e 1981 são mais difíceis de entender do que as ilusões de poder dos líderes dos sindicatos que o vinham solapando desde o final dos anos 60. Desde a Greve Geral de 1926, a classe dominante britânica tomara o cuidado de não procurar uma confrontação direta com os sindicatos, isto é, com cerca de setenta por cento dos britânicos que se consideravam trabalhadores. A idade de ouro da economia pós-1945 havia até mesmo embotado o anti-sindicalismo inerente aos empresários industriais. Durante vinte anos a aceitação de exigências dos sindicatos não prejudicara os lucros. A década de 1970 começava a preocupar tanto os políticos quanto os economistas, porém foi um período de triunfo para os líderes sindicais, que haviam bloqueado os planos do governo trabalhista de limitar seus poderes e conseguido derrotar duas vezes um governo conservador por meio de greves nacionais de mineiros. Até mesmo os líderes sindicais que percebiam a necessidade de haver algum limite à negociação de livre mercado consideravam-se negociadores de uma "política salarial" com os governos com base em uma posição de impressionante poder.

Tal como aconteceram as coisas, os anos gloriosos do sindicalismo da década de 1970 também foram os da esquerda sindical. Pois embora o PC fosse pequeno, declinante, politicamente dividido entre os da linha-dura de Moscou e uma liderança "eurocomunista", além de espicaçado no flanco esquerdo por jovens militantes trotsquistas, ele provavelmente desempenhou papel mais relevante no cenário sindical nacional na década de 1970 do que em qualquer momento anterior, sob a liderança de seu organizador industrial extremamente competente, Bert Ramelson, cuja extraordinária mulher, Marian, operária têxtil de Yorkshire, fora também historiadora amadora e adepta ativa do Grupo de Historiadores. O PC não era simplesmente uma parte da militância da década de 1970. Com a bênção (não incondicional) das duas figuras mais próximas do papel de chefões do TUC, Hugh Scanlon, do Sindicato de Trabalhadores Metalmecânicos, e Jack Jones, ex-membro da Brigada Internacional, do Sindicato de Transportes e Trabalhadores Gerais, a esquerda do TUC, em grande parte mobilizada por Ramelson e Ken Gill, coordenou a luta sindical contra as duas tentativas do governo Wilson de cortar-lhes as asas. Além disso, aconteceu na década de 1960 a longamente esperada mudança no equilíbrio de forças do (ainda) grande Sindicato Nacional dos Trabalhadores em Minas. Yorkshire se voltara para a esquerda, trazendo à proeminência nacional um protegido (na época) do PC, o jovem Arthur Scargill. Junto com os bastiões do País de Gales e da Escócia, sempre sólidos e liderados pelo Partido, a esquerda agora tinha mais votos do que os igualmente baluartes confiáveis e moderados do nordeste da Inglaterra. Os quinze anos que se seguiram a 1970 foram a época das grandes greves nacionais de mineiros, vitoriosas em 1972 e 1974 e desastrosa em 1984-85, graças à combinação da decisão da sra. Thatcher de destruir o sindicato e às ilusões de seu então líder nacional, Arthur Scargill. Por acaso, minha conferência no outono de 1978 coincidiu com o momento mais tenso nas relações entre os sindicatos e o Partido Trabalhista.

A ilusão de poder sindical sob os líderes e ativistas de esquerda alimentou a ilusão ainda maior de uma conquista do Partido Trabalhista pela esquerda socialista, e portanto de futuras vitórias eleitorais que produzissem governos trabalhistas. Uma coalizão mista de esquerdistas de dentro do Partido Trabalhista e revolucionários "entristas" (infiltrados) que haviam se filiado a ele crescia cada vez mais, por trás do projeto de tomar o controle do Partido sob a bandeira do ex-ministro Tony Benn, crescentemente radical. Ao contrário da militância industrial, que tinha apoio substancial dos membros dos sindicatos, na época com número recorde de membros, os militantes políticos refletiam o declínio do interesse político, dos votos e da filiação ao Partido entre os operários. Com efeito, sua estratégia repousava na capacidade de pequenos grupos de militantes, em meio aos filiados em grande parte inativos, de apoderar-se de seções do Partido Trabalhista e impor uma liderança e uma política mais radicais, ajudados pelo "voto em bloco" politicamente decisivo dos sindicatos liderados pela esquerda nas conferências do Partido. Era uma estratégia inteiramente praticável, e na verdade quase teve êxito. A ilusão estava em acreditar que o Partido Trabalhista assim dominado por uma minoria mista de esquerdistas sectários poderia manter-se unido, ganhar força eleitoral e ter uma política capaz de enfrentar o ataque dos guerreiros de classe da sra. Thatcher, cuja força eles sistematicamente deixaram de perceber.

Conseqüentemente, essa ilusão levou ao desastre. Grande parcela dos eleitores tradicionais — um terço dos que se diziam eleitores das classes trabalhadoras — de qualquer modo estavam abandonando os trabalhistas e votando com os conservadores. O partido rachou, e durante alguns anos a aliança entre o novo Partido Social Democrata e os liberais chegou próximo de obter mais votos do que o Partido Trabalhista. Dois anos e meio após a vitória dos conservadores da sra. Thatcher, os trabalhistas haviam perdido mais um em cada cinco de seus eleitores e já não tinham apoio majoritário em *nenhum* grupo da classe operária, inclusive os sem qualificações e os desempregados. E isso numa época em que o próprio governo conservador havia perdido votos desde a eleição de 1979. Conforme escrevi na ocasião, "O triunfo de Thatcher é um subproduto da derrota dos trabalhistas". O que ainda piorou as coisas foi o que na época eu chamei "a simples recusa de alguns da esquerda de olhar de frente os fatos desagradáveis".[2]

Em resumo, talvez a própria existência do Partido Trabalhista estivesse em jogo nos anos seguintes à vitória dos conservadores da sra. Thatcher em 1979. Os novos social-democratas já não se interessavam por eles e pensavam em substituí-los por uma aliança, eventualmente uma fusão deles próprios com os liberais. Lembro-me da ocasião — um jantar em casa de Amartya Sen e sua mulher Eva Colorni — em que um de seus vizinhos de Kentish Town chegou atrasado, pedindo desculpas. Bill Rogers tinha estado em reuniões com o restante do chamado "Grupo dos Quatro" (Roy Jenkins, David Owen e Shirley Williams, todos os quais acabaram chegando à Câmara dos Lordes) a fim de minutar a declaração que instituía o que poucas semanas mais tarde seria o Partido Social Democrata. Um número considerável de integrantes da classe média e profissionais liberais do Partido Trabalhista se filiou a ele, alguns dos quais iriam regressar ao Partido quando o rumo suicida foi abandonado. Por outro lado, a esquerda militante e muitos intelectuais socialistas, como meu velho amigo Ralph Miliband (cujos filhos se tornariam figuras importantes nos gabinetes do primeiro-ministro Tony Blair e do chanceler Gordon Brown), também deixaram de lado o Partido Trabalhista até o momento em que este foi capturado e estava pronto para transformar-se em "um verdadeiro partido socialista", qualquer que fosse o significado dessa expressão. Espantei alguns de meus amigos ao afirmar que não estavam seriamente procurando derrotar a sra. Thatcher. Fosse o que fosse que pensavam, "agiam como se outro governo trabalhista como os que tínhamos tido de vez em quando desde 1945 não fosse simplesmente insatisfatório, mas pior do que nenhum governo trabalhista [...] (isto é) pior do que a única alternativa de governo disponível, exatamente o da sra. Thatcher".[3] A questão era saber se era possível salvar o Partido Trabalhista.

Acabou sendo salvo, mas por pouco, na Conferência do Partido em 1981, quando Tony Benn se candidatou à vice-liderança e foi derrotado milimetricamente por Denis Healey. O futuro do partido permaneceu incerto até depois da desastrosa eleição de 1983, quando Neil Kinnock sucedeu a Michael Foot, que havia sido eleito líder em 1980 (como candidato da esquerda, também contra Healey). Na véspera dessa eleição falei sobre esse tema em uma reunião periférica organizada pela Sociedade Fabian ou pelo *Marxism Today*. O próprio Kinnock fez questão de comparecer e autografar um exemplar de meu livro, "com calorosos agradecimentos", e também lá estavam, se bem me lembro, David Blunkett e Robin Cook, à época na esquerda trabalhista não ligada a Benn, e que no momento em que escrevo são pilares do governo trabalhista desde 1997. Quaisquer que fossem suas limitações, Neil Kinnock, cuja candidatura apoiei firmemente, foi o líder que salvou dos sectários o Partido Trabalhista. Depois de 1985, quando ele conseguiu a expulsão da "Tendência Militante" trotsquista, o partido ficou seguro.

Foi essa a única ocasião em que efetivamente me encontrei com Neil Kinnock, sem contar a época em que o entrevistei para o *Marxism Today* um pouco mais tarde, e fiquei um tanto deprimido quanto a seu potencial como futuro primeiro-ministro. Daí o absurdo do hábito de alguns jornalistas políticos, no ano seguinte, de ligar meu nome ao dele (o guru de Kinnock). Mesmo assim, havia uma forte razão política pela qual o nome de um intelectual marxista, que nem sequer era membro do Partido Trabalhista, tivesse sido útil aos que queriam salvá-lo, em certos momentos da luta pela sobrevivência da agremiação. Eu fora um dos poucos que predisseram graves dificuldades para os trabalhistas, o que me dava certa autoridade na controvérsia. Fui dos poucos intelectuais socialistas que demonstraram aberto ceticismo quanto ao projeto de tomar o partido e que argumentaram contra seus proponentes com entusiasmo e (espero) com alguma eficácia.* Mas naqueles tempos difíceis era especialmente útil para os opositores dos sectários poder citar o apoio de alguém que fosse conhecido pela maioria dos ativistas do

---

* "O sindicalismo, com todas as suas limitações, jamais pode negligenciar as massas, porque organiza milhões de pessoas de cada vez, e tem de mobilizá-las durante boa parte do tempo. Mas a captura do Partido Trabalhista pela esquerda pode ser feita em pouco tempo, sem referência às massas. Poderia, teoricamente, ser feita integralmente por [...] algumas dezenas de milhares de socialistas dedicados e gente da esquerda do Partido Trabalhista por meio de reuniões, preparação de resoluções e votos. A ilusão do início dos anos 80 foi que a *organização* pudesse substituir a política". Martin Jacques e Francis Mulhern (eds.), *The Forward March of Labour Halted?*, Londres, 1981, p. 173.

partido — pelo menos dos que lêem livros ou periódicos — e com longa e incontrovertida reputação de marxista na extrema esquerda. Isso porque em 1980 e 1981 algumas mudanças constitucionais haviam conferido aos esquerdistas sectários o que parecia ser uma maioria automática, entregando-lhes assim sua sorte. O futuro do partido dependia essencialmente de separar dos sectários um número suficiente de trabalhistas de esquerda para impedir isso, pelo menos nos momentos cruciais.

A argumentação em favor desse procedimento tinha de ser feita pela esquerda, tanto mais quando desde 1983 o principal candidato alternativo para a liderança trabalhista era Denis Healey, anteriormente ministro da Defesa e das Finanças, que representava tudo o que desagradava à esquerda, que não escondia o desprezo por seus membros e que granjeara justificada reputação como brutamontes político. Com Tony Blair o Partido Trabalhista se desviara de tal forma para a direita de sua posição tradicional que existe provavelmente menos diferença ideológica entre Healey e eu quando nos encontramos hoje em dia como homens idosos recordando um passado melhor, do que quando pela primeira vez nos vimos no Partido Comunista estudantil; mas pelos padrões da década de 1970, ele era o homem da direita no Partido Trabalhista. Na vida particular ele era, e ainda é, uma pessoa encantadora, altamente inteligente e culto, por trás da muralha de suas características sobrancelhas, autor de uma das poucas memórias de políticos britânicos que se podem ler gostosamente como livro. No entanto, era mais fácil respeitar do que amar o Healey público. Certamente ele seria melhor líder político do que qualquer dos outros candidatos, mas, apesar disso, os sectários fariam o possível para destruí-lo. A situação na época era tal que provavelmente somente um líder com credenciais de esquerda poderia tirar o partido de sua crise.

Michael Foot, que o venceu, não era o tipo para ser líder de um partido ou primeiro-ministro em potencial, e não deveria ter sido eleito para a liderança. Era, e é, um homem maravilhoso. Durante anos ele e eu costumávamos nos encontrar na parada do ônibus de Hampstead de onde partíamos juntos, eu para a universidade e ele para a Câmara dos Comuns ou para a redação do jornal *Tribune*, idoso, cada vez mais encurvado, vestido com simplicidade e ligeiramente manco, de belo perfil, sacudindo apaixonadamente a cabeça branca. Pertencia à geração dos grandes intelectuais britânicos adeptos de caminhadas agrestes, e portanto ou andava a pé ou utilizava o transporte público para locomoção. Quando foi ministro do governo por breve período na década de 1970, o carro oficial não fazia parte de seu ego.

Foot era e ainda é um político trabalhista que atraía amor genuíno tanto quanto admiração por sua evidente integridade moral e por seus consideráveis talentos e cultura literária. Sua eloqüência era do tipo que pertencia à era das reuniões de massa e às grandes ocasiões da Câmara dos Comuns, antes do tempo das telinhas de televisão: a oratória do brilho nos olhos, do gesto, da elocução que chega às últimas fileiras. Era um jornalista altamente profissional, de grande poder retórico, soberbo quando denunciava injustiça e reacionarismo. Leitor voraz, escrevia com facilidade e bom estilo, sem jamais se cansar de louvar aqueles a quem mais admirava, Jonathan Swift e William Hazlitt. Talvez sua capacidade de entusiasmar-se, ou sua falta de disposição para ferir, fizessem com que ele não fosse demasiadamente crítico. Sua biografia de Aneurin Bevan, o grande líder da esquerda trabalhista, cuja cadeira parlamentar do sul de Gales ele herdara e oportunamente passara a Neil Kinnock, foi muito hagiográfica, e suas inúmeras apreciações sobre livros, inclusive os meus próprios, não eram suficientemente críticas. Não consigo pensar em ninguém que realmente não gostasse dele.

Até mesmo a seus contemporâneos e colegas ele parecia pertencer a uma geração mais idosa, quase pré-1914, o primeiro da antiga classe média provinciana dissidente a abandonar a lealdade tradicional ao Partido Liberal pela causa dos trabalhadores. Não era feito para ter autoridade, e sim para a oposição, um "tribuno do povo", que o defendia contra a presunção de seus governantes. Durante quase toda a carreira no Partido Trabalhista ele foi o porta-voz da esquerda contra a liderança, embora sempre pudessem confiar em sua absoluta lealdade ao movimento — notadamente em 1964, quando a esquerda tinha à sua mercê o primeiro governo trabalhista de Harold Wilson com uma pequena maioria de três votos. Não era homem de organização. Não possuía os dons infelizmente úteis da intriga e da barganha que dão má reputação ao termo "político" nem o sentido de egoísmo e ambição pessoal que impulsiona muitos dos mais temíveis deles. Os três anos de sua liderança foram um desastre.

Não faltavam ego nem ambição a Tony Benn, homem bom e honesto que quase levou o partido à ruína. Afinal de contas, ele havia gastado muito tempo e energia lutando pelo direito de renunciar a seu título hereditário de nobreza a fim de poder encurtar o nome e entrar para a verdadeira política da Câmara dos Comuns. Em certos aspectos era extraordinariamente bem-dotado para ser o que evidentemente desejava ser mais do que qualquer outra coisa, isto é, líder do partido e eventualmente primeiro-ministro. Bem-apessoado, parecendo extraordinariamente jovem, fisicamente robusto — a política é jogo exaustivo, como o rúgbi ou o xadrez — e eloqüente, era e continua a ser um dos poucos rostos e vozes imediatamente reconhecidos pelo público em geral. Até mesmo seu ar ansioso, como um escoteiro procurando uma boa ação, seu cachimbo característico e sua preferência proletária por canecas de chá constituíam vantagens. Embora não tivesse um grande perfil político no passado, na década de 1970 dirigia-se para a esquerda. Se tivesse querido, certamente poderia ter segurado o Partido Trabalhista, conduzindo-o nos tempos difíceis. Parecia capaz de ganhar a liderança mais cedo ou mais tarde, e como muitos outros eu também acreditava que fosse provavelmente o melhor para o cargo, até que ele o atirou fora. Entrevistei-o com certo vagar para o *Marxism Today* em outubro de 1980, e fiquei impressionado, embora não completamente tranqüilo, por sua insistência na opinião de que o Partido Trabalhista deveria permanecer "uma igreja muito ampla".

No entanto, alguns meses mais tarde ficou absolutamente claro que Benn era completamente inadequado para o cargo. Havia apostado tudo nos sectários. Em janeiro de 1981, com efeito, uma conferência do partido entregou sua sorte à esquerda. Os detalhes não são importantes. Era evidente agora que somente sua estupidez política impediu que Benn em pouco tempo se tornasse líder do Partido Trabalhista. Nesse ponto, qualquer pessoa com um mínimo sentido político, sabendo a profundidade do cisma no partido, teria jogado a carta da generosidade, da reconciliação e da unidade. Em vez disso, Benn lançou um chamado triunfante para que a esquerda vitoriosa assumisse a direção e demonstrasse seu poder elegendo-o contra Healey para a vice-liderança. Ninguém pode dizer se uma atitude mais conciliatória teria impedido a secessão dos futuros social-democratas. No entanto, a identificação total de Benn com os sectários esquerdistas tornou evidente, para os que não queriam ver o Partido Trabalhista reduzido a uma associação socialista marginalizada, que o futuro do partido exigia a derrota dele. E isso foi alcançado, apesar de ter sido por pouco. O próprio Tony Benn recuou para uma posição honrosa defendendo da retaguarda a Constituição, a democracia e as liberdades civis, como propagandista do socialismo, mas sua carreira como político sério estava no fim.

II

Minhas intervenções no debate político ocorreram quase integralmente por meio do *Marxism Today*. Ninguém imaginaria que esse mensário modesto fosse se transformar, no curso da década de 1980, e apesar de sua ligação com o PC, em leitura essencial na mídia e no mundo político, e não apenas para a esquerda. Até mesmo alguns conservadores eminentes — Edward Heath, Michael Heseltine, Christopher Pattern — contribuíam com artigos ou foram entrevistados para o periódico. Um jovem político do Partido Trabalhista que não tinha quaisquer simpatias para com a esquerda, eleito para o Parlamento em 1983, afirmava ser leitor habitual e deixou-se entrevistar pelo *Marxism Today*: Tony Blair. A maior parte dos nomes já estabelecidos que se tornariam personalidades importantes do futuro governo trabalhista deram opiniões em suas páginas: Gordon Brown, Robin Cook, David Blunkett, Michael Meacher. O jornal foi duramente atacado pelos da linha-dura do Partido Comunista, que estava a ponto de ser destruído por suas próprias guerras intestinas e pelo colapso dos regimes comunistas, mas sua liderança política, que apoiava firmemente a Primavera de Praga e o tipo de comunismo da Itália, dava-lhe forte sustentação política e naturalmente também financeira, enquanto isso foi possível. (O periódico desapareceu de circulação no fim de 1991, junto com o Partido Comunista e a União Soviética.) Em uma era de crise do Partido Trabalhista, as idéias sobre seu futuro vinham de um jornal comunista. Seu sucesso se deveu em grande parte ao bom senso e tino jornalístico de Martin Jacques, e não menos à decisão de abrir suas páginas a colaboradores distantes da linha do Partido e das ortodoxias dos velhos socialistas. No entanto, nos beneficiamos também da desordem quase total do universo tradicional político-intelectual da Grã-Bretanha na era Thatcher. Isso afetava especialmente os setores à esquerda do centro, porém até mesmo os conservadores vinham explorando um território desconhecido. O que deveria, ou poderia, ser feito na nova era? Como, e até mesmo onde, isso poderia ser debatido? *Marxism Today* proporcionava um espaço em que essas questões podiam ser consideradas fora das estruturas estabelecidas, acima de tudo por repetir que com a chegada da sra. Thatcher, "O Grande Show Ambulante da Direita", como o chamou o teórico cultural Stuart Hall em um artigo de 1979 em que cunhou o termo "thatcherismo", todas as apostas estavam anuladas. Tratava-se de um novo jogo. E o *Marxism Today* afirmou isso antes dos demais.

Em retrospecto, nada era mais óbvio. A era Thatcher foi o mais próximo a uma revolução política, social e cultural no século xx, e não para melhor. Armada com o poder menos controlado e mais centralizado à disposição do governo em qualquer democracia eleitoral, tratou de destruir tudo o que estivesse no caminho de uma perversa combinação entre a maximização dos lucros da empresa privada e a afirmação nacional, ou, em outras palavras, ambição e jacobinismo. Avançava não apenas pela convicção justificada de que a economia britânica precisava de uma sacudidela, mas também por um sentimento de classe, que denominei "o anarquismo da classe média baixa". Dirigia-se igualmente contra as classes dominantes tradicionais e sua forma de governar, na prática incluindo a monarquia, as instituições estabelecidas do país e o movimento operário. No curso desse propósito em grande parte bem-sucedido obliterou a maioria dos valores britânicos tradicionais e tornou irreconhecível o país. A maior parte de minha geração provavelmente se sentiu como um amigo americano que resolveu se mudar para a Inglaterra no novo século, ao aposentar-se de sua carreira econômica em Massachusetts, e a quem perguntaram se sentia falta dos Estados Unidos: "Não tanto quanto sinto falta da Grã-Bretanha que conheci quando pela primeira vez estive aqui". Isso, no fundo, foi a razão da avassaladora dissidência, e mesmo do ódio visceral, em relação a Thatcher, experimentados pela Grã-Bretanha cultural e intelectual, e do crescente distanciamento do grosso da classe média com educação superior, simbolizado pela espetacular recusa da Universidade de Oxford a conferir-lhe um grau honorífico. Não que isso impedisse o avanço ideológico da convicção thatcheriana de que a única maneira de governar um país era por meio de homens de negócios com expectativas de negócios utilizando métodos do mundo dos negócios. O que fez com que o triunfo do thatcherismo fosse tão amargo foi que, depois de 1979, ele não se baseava em uma maciça conversão da opinião nacional, mas, principalmente, embora não exclusivamente, na profunda divisão de seus adversários. Não houve uma onda de votos thatcherianos na década de 1980, como a que provocou a ascensão de Reagan nos Estados Unidos. Permaneceu constantemente uma minoria do eleitorado. Minhas sugestões de algum arranjo eleitoral entre o Partido Trabalhista e a Aliança Liberal-Social Democrata, ou pelo menos um sistemático "voto tático"* de parte dos eleitores anticonservadores, foram (naturalmente) desprezadas por ambos, embora no fim os eleitores fossem mais sensatos do que os partidos e muitos deles votassem taticamente, com bom resultado. O que tornava a situação tão frustrante era que nem o Partido Trabalhista nem a Aliança Liberal-Social Democrata tinham alternativa a oferecer. O thatcherismo continuava a ser a única estratégia existente. Naturalmente, nossa única esperança era de que ele acabasse por ser tão impopular que perdesse contra qualquer adversário, o que efetivamente aconteceu, porém somente após dezoito anos. Advertimos que grande parte da revolução thatcheriana poderia ser irreversível. Nisso também tínhamos razão.

No papel era fácil analisar realisticamente a situação, desprezando os "gritos de traição contra os que insistem em ver o mundo como ele é".[4] Na prática era difícil, pois muitos daqueles contra quem escrevi eram camaradas (ou pelo menos ex-camaradas) e amigos. Além de mim e de Stuart Hall, o *Marxism Today* não dispunha de apoio constante de intelectuais conhecidos da antiga e original nova esquerda (pós-1956). Exceto no ambiente do *Marxism Today*, a maior parte dos intelectuais socialistas e marxistas era hostil, inclusive figuras de prestígio como Raymond Williams, Ralph Miliband e as eminências da *New Left Review*. Fui denunciado em reuniões sindicais. Isso não surpreende. Para muitos deles a linha do *Marxism Today* significava a traição a esperanças e políticas tradicionais dos socialistas, para não falar da revolução proletária que os trotsquistas ainda tinham a esperança de fazer. Poderia até parecer deslealdade à classe operária organizada, fustigada com toda a força do poder estatal por um governo empenhado na guerra de classes, especialmente durante a grande greve nacional dos mineiros de carvão de 1984-85, que mobilizou todo o poder da empatia emocional da esquerda (e não apenas da esquerda). Também mobilizou a minha, embora fosse claro que as ilusões de uma liderança extremista do sindicato, que se apoiava na retórica da militância e na tradicional recusa sindical de debandar em meio à

---

* Devo ter sido o primeiro a trazer esse termo ao debate eleitoral.

batalha, estavam levando o sindicato e as comunidades carvoeiras a um desastre inevitável. Nós não éramos tampouco imunes ao impacto da auto-ilusão retórica do movimento. Ao analisar com certo realismo os destroços depois da greve, o *Marxism Today* não conseguiu reconhecer a escala da derrota.[5]

Esse era, em geral, o problema principal dos socialistas na Grã-Bretanha a partir da metade da década de 1970. As coisas desmoronavam para os social-democratas reformistas moderados, assim como para os comunistas e outros revolucionários. Os marxistas e não-marxistas, os revolucionários e reformistas, todos nós havíamos em última análise acreditado que o capitalismo não fosse capaz de produzir as condições de uma vida agradável para a humanidade. Não era um sistema justo nem viável a longo prazo. Um sistema econômico socialista alternativo, ou pelo menos um precursor, uma sociedade dedicada à justiça social e ao bem-estar universal poderia tomar seu lugar, se não imediatamente, pelo menos em algum momento futuro; o movimento da história evidentemente tornava esse momento cada vez mais próximo por meio da ação estatal ou pública, no interesse da massa de assalariados, implícita ou explicitamente anticapitalista. Provavelmente isso nunca havia parecido mais plausível do que nos anos imediatamente seguintes à Segunda Guerra Mundial, quando mesmo os partidos conservadores europeus tratavam de declarar-se anticapitalistas e os estadistas americanos louvavam o planejamento público. Na década de 1970 nenhuma dessas premissas parecia convincente. Após a década de 1980 era inegável a derrota da esquerda tradicional, tanto política como intelectual. Sua literatura se via dominada por variações do tema "O que é a esquerda?". Eu mesmo contribuí para isso. Paradoxalmente, o problema era muito mais urgente nos países não comunistas. Em quase todos os regimes comunistas o colapso de um "socialismo realmente existente" já amplamente desacreditado, o único socialismo que existia oficialmente, eliminara do cenário qualquer outro tipo de socialismo. Além disso, era bastante razoável que os povos desses países colocassem suas esperanças e até mesmo, às vezes, esperanças utópicas em um capitalismo ocidental desconhecido, tão evidentemente mais próspero e eficiente que seus próprios sistemas capengas. No Ocidente e no Sul é que a argumentação contra o capitalismo permaneceu convincente, especialmente contra o capitalismo tipo "ultra"*laissez-faire* cada vez mais dominante e preferido das corporações transnacionais, apoiado por teólogos econômicos e governos.

O *Marxism Today* percebia que a simples recusa em reconhecer a drástica mudança disso tudo ("Que os covardes tremam e os traidores sorriam com sarcasmo, aqui a bandeira vermelha continuará tremulando"), ainda que emocionalmente atraente, já não era atual. Na verdade, foi por isso que a esquerda tradicional do Partido Trabalhista, sempre presente e significativa na história do partido, desapareceu de cena depois de 1983. Já não existe mais. Por outro lado, não podíamos aceitar — até que Tony Blair se tornasse líder em 1994, mal conseguíamos sequer imaginar — a alternativa do "Novo Trabalhismo", que aceitava a lógica e os resultados práticos do thatcherismo e propositadamente abandonava tudo o que aos decisivos eleitores de classe média pudesse recordar operários, sindicatos, indústrias estatais, justiça social e igualdade, sem falar no socialismo. Queríamos um Partido Trabalhista reformado, e não uma Thatcher de calças. A perda dos trabalhistas por estreita margem na eleição de 1992 eliminou essa possibilidade. Não estou sozinho em recordar aquela noite eleitoral como a mais triste e desesperada de minha experiência política.

A lógica da política eleitoral vista pelos políticos cujo programa consistia em reeleição permanente, e que após 1997 transformou-se na lógica do governo, expulsou-nos da política "real". Alguns dos jovens turcos do *Marxism Today* foram para onde estava o poder. Quando Martin Jacques ressuscitou o jornal num único número para avaliar a nova era de Blair, dezoito meses depois do retorno do Partido Trabalhista ao poder, um deles nos olhou com desprezo — especificamente a mim e a Stuart Hall — das alturas do número 10 da Downing Street, como pessoas que vêem a sociedade de dentro de uma sala de seminário, "como se a vissem pelo lado de fora, sem qualquer sentido de participação ou de responsabilidade", e não como "intelectuais capazes de combinar a crítica, a visão e a política prática". Em resumo, acadêmica ou não, "a crítica já não era suficiente".[6] Chegara a hora dos políticos realistas e dos tecnocratas. E ambos precisam operar em uma economia de mercado e adequar-se a suas exigências.

Sem dúvida. Mas o que dizíamos — certamente o que eu dizia — era que se a crítica já não era mais suficiente, era mais essencial do que nunca. Criticávamos o Novo Partido Trabalhista não por ter aceitado as realidades da vida em uma sociedade capitalista, mas por aceitar grande parte das premissas ideológicas da teologia da economia de livre mercado prevalecente, e não menos a premissa que destrói o fundamento de todos os movimentos políticos em prol da melhoria das condições de vida do povo, e com eles também a justificativa para os governos trabalhistas, de que a condução eficiente dos assuntos de uma sociedade somente pode ser feita mediante a busca de vantagem pessoal, o que quer dizer comportar-se como homens de negócios. Na verdade, a crítica ao neoliberalismo era ainda mais necessária, pois ele não somente atraía os homens de negócios e os governos que desejavam afastar a tradicional suspeita do trabalhismo, e para isso precisavam de uma justificativa para fazer apelo aos "votos indecisos" da classe média, mas também porque o neoliberalismo se arrogava a autoridade de uma "ciência" cada vez mais identificada com os interesses do capitalismo global, isto é, a economia, tal como consagrada durante quase um quarto de século por sua mais elevada autoridade, o Prêmio Nobel de Economia. Somente no fim do século, quando o prêmio foi finalmente concedido a Amartya Sen, e em seguida a um crítico vocal do "consenso de Washington", Joseph Stiglitz, é que economistas fora da ortodoxia prevalecente o receberam novamente, e isso somente aconteceu (como é entendido) depois que os eleitores para os Prêmios Nobel das Ciências Naturais expressaram desagrado pelo constante preconceito ideológico no que deveria ser uma distinção científica. Talvez o estouro das grandes bolhas especulativas do fin de siècle, de 1997-2001, tenha finalmente quebrado o encanto do fundamentalismo do mercado. O fim da hegemonia do neoliberalismo global foi previsto e anunciado por muito tempo — eu mesmo o fiz mais de uma vez. Já causou males mais do que suficientes.

III

Nesse meio-tempo, o socialismo soviético agonizava.

Ao contrário do fim da Guerra Fria e da implosão do império soviético, o fim da União Soviética ocorreu em relativa câmara lenta, entre o momento em que Gorbachev chegou ao poder em 1985 e sua morte formal em 1991. Teve seus momentos de drama nas manchetes — Yeltsin no tanque em Moscou resistindo à tentativa de golpe de agosto de 1991 —, mas suas ações básicas aconteceram na penumbra dos corredores soviéticos do poder, como a decisão de 1989, não publicada mas fundamental, de abandonar o último dos Planos Qüinqüenais (1986-92) no meio do caminho. Por acaso eu estava preparando um trabalho sobre a economia soviética no Instituto Mundial de Desenvolvimento e Pesquisa Econômica (WIDER) da Universidade das Nações Unidas e observei o processo na agradável cidade de Helsinque, ativa observadora da Rússia, a algumas horas por terra e a poucos minutos de avião dos soviéticos, onde passei alguns verões durante aqueles anos finais. Se não serviu para mais nada, pelo menos me deixou entrever a desastrosa cegueira dos economistas ocidentais, que passavam por lá movimentando-se confortavelmente entre aeroporto, hotel transnacional e limusine, preparando-se para endireitar a economia soviética mediante a operação desimpedida do mercado livre, tão seguros de possuir a verdade eterna quanto qualquer teólogo islâmico.

Na década de 1980 já morrera a idéia de que o socialismo da União Soviética ou de seus seguidores fosse aquilo que nós, inspirados pela Revolução de Outubro, tínhamos em mente. Ainda se podia argumentar em seu favor como contrapeso necessário para a outra superpotência, e, com maior convicção moral, como sustentáculo da libertação de povos oprimidos, notadamente na África do Sul. O regime de Moscou apoiava a luta do African National Congress e o financiou e armou durante décadas, quando não havia perspectiva previsível de seu êxito ou de benefícios para a União Soviética. A dedicação à libertação colonial foi provavelmente a derradeira relíquia do espírito da revolução mundial. Naturalmente, mantive-me imune à sedução do maoísmo porque, apesar de sua retórica internacionalista na época da cisão sino-soviética, o comunismo chinês e a ideologia maoísta pareciam essencialmente nacionais, se não nacionalistas, impressão que não se enfraqueceu em uma visita de poucas semanas àquele impressionante país em 1985. Ao contrário da União Soviética, que jamais apoiaria um movimento tão afastado da revolução social como a sanguinária UNITA em Angola, a China maoísta, que fazia propaganda de sua vocação como centro da luta armada global, na verdade apoiava muito seletivamente os movimentos guerrilheiros, e quase sempre por motivos anti-soviéticos ou antivietnamitas.

Nós, ou pelo menos eu, já não tínhamos muitas esperanças. Meu amigo Georg Eisler recorda que eu, ao retornar de Cuba na década de 1960, especulava sobre quanto tempo levaria para que Havana fosse assimilada por Sófia. A invasão soviética da Tchecoslováquia, que recordo com tanta nitidez quanto outros recordam a morte de Kennedy, tornava impensável nova visita a Praga, mas alguém pensaria em retirar-se do Ocidente até mesmo para um país relativamente liberal como a Hungria? A resposta era negativa, ainda que para o velho europeu central fosse intelectual e culturalmente muito mais interessante e menos provinciana do que sua vizinha brilhantemente próspera, a Áustria.

O que esperavam os velhos comunistas e a esquerda em geral da União Soviética na década de 1980, a não ser que fosse um contrapeso aos Estados Unidos e que sua mera existência fizesse com que os ricos e os governantes do mundo, por temor, dessem alguma atenção às necessidades dos pobres? Já nada esperavam. E, no entanto, tivemos uma estranha sensação de alívio, até mesmo uma fagulha de esperança, quando Mikhail Gorbachev chegou ao poder em 1985. Apesar de tudo ele parecia representar nosso tipo de socialismo — na verdade, a julgar por declarações anteriores, o tipo de comunismo dos italianos ou o "socialismo de rosto humano" da Primavera de Praga —, que pensávamos estar quase extinto. Curiosamente, nossa admiração não diminuiria significativamente com a tragédia de seu dramático fracasso dentro da União Soviética, que foi quase total. Mais do que qualquer outro indivíduo, foi ele o responsável por sua destruição. Porém, também se podia dizer que havia sido o responsável quase solitário pelo término de meio século de pesadelo com a guerra nuclear mundial e, na Europa Oriental, pela decisão de libertar os Estados-satélites da União Soviética. Foi ele quem, realmente, derrubou o Muro de Berlim. Como muitos no Ocidente, continuarei a pensar nele com gratidão pura e aprovação moral. Se há uma imagem da década de 1980 que ficou comigo, é a do múltiplo rosto de Mikhail Gorbachev nas telas das televisões em uma loja, que de repente me fez interromper minha caminhada em algum ponto da rua 57 Oeste em Nova York. Ali o ouvi discursar nas Nações Unidas com um sentimento de maravilha e alívio.

Infelizmente, em pouco tempo ficou óbvio que ele fracassaria em seu país; talvez mesmo que ele e seus colegas reformistas houvessem sido demasiadamente imprudentes, ou, se se preferir, não fossem fortes nem conhecessem suficientemente a natureza do mundo que governavam para que pudessem saber bem o que estavam fazendo. Talvez ninguém tivesse essas qualidades, e a melhor coisa para a União Soviética e seus povos fosse ter continuado seu lento declínio, esperando aperfeiçoamentos esporádicos com um reformador menos ambicioso e mais realista. Assim escrevi de Helsinque, num comentário sobre o golpe malogrado de 1991 com que terminou a era Gorbachev: "Ele escolheu a *glasnost* a fim de forçar a *perestroika*; deveria ter sido o contrário. E nem o marxismo nem os economistas ocidentais tinham experiência ou teorias que pudessem ajudar".[7] Como um navio-tanque em apuros que derivasse para os rochedos, a União Soviética desgovernada derivou para a desintegração.[8] Finalmente, naufragou. E os perdedores, a curto e médio prazos, não foram somente os povos da antiga União Soviética, mas os pobres do mundo.

"O capitalismo e os ricos por enquanto deixaram de ter medo", escrevi em 1990.

> Por que os ricos, especialmente num país como o nosso, no qual agora se rejubilam na injustiça e na desigualdade, se preocupariam com qualquer pessoa, exceto consigo próprios? Que penalidades políticas precisam recear se deixarem que a segurança social se desintegre e que a proteção aos necessitados se atrofie? Esse é o principal efeito do desaparecimento de uma região socialista, ainda que má, deste mundo.[9]

Dez anos após o fim da União Soviética, é possível que o receio esteja de volta. Os ricos e os governos a quem convenceram de que são indispensáveis poderão novamente descobrir que os pobres precisam de concessões e não de desprezo. Porém, graças ao enfraquecimento do tecido da social-democracia e à desintegração do comunismo, o perigo hoje vem dos inimigos da razão: os fundamentalistas religiosos e etnotribais, os xenófobos, entre os quais os herdeiros do fascismo ou os partidos inspirados pelo fascismo, que constituem os governos da Índia, de Israel e da Itália. Uma das muitas ironias da história é que após meio século de Guerra Fria anticomunista, os únicos inimigos do governo de Washington que chegaram a matar cidadãos americanos em território dos Estados Unidos sejam os próprios fanáticos de ultradireita e os militantes muçulmanos fundamentalistas sunitas que antes foram propositadamente financiados pelo "mundo livre" contra os soviéticos. O mundo ainda pode vir a lamentar, confrontado com a alternativa de Rosa Luxemburgo entre socialismo ou barbarismo, que tenha optado contra o socialismo.

17. Entre historiadores

Que aconteceu, durante a minha vida, com a maneira de escrever a história? Os leitores que não se interessam por esse tema um tanto especializado poderão pular este capítulo, embora infelizmente ele não seja tão acadêmico quanto pareceria à primeira vista. Não se pode escapar ao passado, isto é, àqueles que o registram, interpretam, discutem e reconstroem. Nossas vidas cotidianas, os países em que vivemos e os governos que nos dirigem, tudo isso está rodeado e inundado pelos produtos de minha profissão. O que entra para os livros escolares e para os discursos dos políticos a respeito do passado, a matéria para os escritores de ficção, de programas de televisão ou de vídeos vem, em última análise, dos historiadores. Mais do que isso, a maioria dos historiadores, inclusive todos os competentes, sabe que ao investigar o passado, até mesmo o passado remoto, estão igualmente pensando e expressando opiniões a respeito do presente e suas questões, e falando a respeito delas. Compreender a história é importante tanto para os cidadãos como para os especialistas, e a Grã-Bretanha tem a sorte de contar com uma poderosa tradição de obras sérias, porém acessíveis, escritas por peritos para um público mais amplo: Adam Smith, Edward Gibbon, Charles Darwin, Maynard Keynes. Os historiadores não devem escrever somente para outros historiadores.

Em minha geração não se ensinava sistematicamente na Grã-Bretanha aquilo que Marc Bloch chamou "o ofício do historiador". Íamos aprendendo como podíamos. Muito dependia de quem encontrássemos no tempo de estudantes de graduação. Em minha época em Cambridge havia somente um professor cujas conferências, embora fossem às nove da manhã, eu freqüentava em companhia dos mais brilhantes entre os jovens estudantes radicais de história da época.[1] O extraordinário M. M. ("Mounia") Postan, que chegara recentemente a Cambridge vindo da London School of Economics, era um homem ruivo que parecia um macaco enérgico ou um neandertal remanescente, o que não prejudicava a impressionante atração que exercia sobre as mulheres, e que dava conferências sobre história econômica com forte sotaque russo. A história econômica era o único ramo do tema que interessava aos marxistas entre os que então figuravam no programa de Cambridge, mas as conferências de Postan, com seu ar de renovação intelectual, atraíam até mesmo pessoas como o jovem Arthur M. Schlesinger, que não escondia sua "falta de aptidão (e de interesse) pela história econômica", para não falar de seu desinteresse pelo marxismo. Cada uma dessas conferências — dramas retórico-intelectuais nos quais primeiro uma tese histórica era exposta e em seguida absolutamente demolida e substituída pela versão do próprio Postan — era como uma vilegiatura para além da insularidade britânica no entreguerras, com a qual o corpo docente de história em Cambridge fornecia especial exemplo de auto-satisfação. Que outro professor nos diria em 1936 que lêssemos a recente revista francesa *Annales d'histoire economique et sociale*, que ainda não era famosa em seu próprio país de origem, ou que convidássemos o grande Marc Bloch para dar conferências em Cambridge, apresentando-o a nós, justificadamente, como o maior medievalista vivo? (Infelizmente nada recordo de suas conferências, a não ser a imagem de um homenzinho atarracado.) Embora passionalmente anticomunista, Postan era o único em Cambridge que conhecia Marx, Weber, Sombart e o restante dos grandes leste e centro-europeus, e levava a obra deles suficientemente a sério para explicá-la e criticá-la. No entanto, sabia que atraía os jovens marxistas, e embora denunciasse sua fé no bolchevismo russo, recebia-os como aliados na luta contra o conservadorismo histórico.[2] Durante a Guerra Fria, quando eu dependia de suas referências como supervisor de meu doutorado, ele também ajudou a evitar que eu obtivesse cargos, dizendo a todos os que tinham a ver com o assunto que eu era comunista. Não posso dizer com exatidão que fosse meu professor, e na verdade que fosse professor de alguém — não formou uma escola e não tinha discípulos —, mas foi a minha ponte para o mundo mais amplo da história. Era sem dúvida a figura mais surpreendente que poderia ser encontrada numa cátedra superior de história na Grã-Bretanha, ou provavelmente em qualquer lugar, no entreguerras: impressionante, encantador e absurdo.

Isso porque Mounia Postan foi durante toda a vida fantasista e romancista, coisa improvável em um historiador. Não era possível acreditar em uma palavra do que dizia, se não fosse confirmada. Se não soubesse a resposta a uma pergunta, inventava-a, tanto sobre a Idade Média como sobre os amores de seus alunos. Como era também evidentemente um forasteiro na Grã-Bretanha do entreguerras, cuja maior ambição era sentir-se participante, havia amplo espaço para a fantasia. Além disso, mentia com candura absolutamente cativante, ou *chutzpah*. Muitos anos mais tarde, quando chegou o momento de aposentar-se em sua cátedra de Cambridge, coisa que não desejava, disse à universidade que tinha um ano menos do que a idade constante de seus documentos, afirmando que já não existia o registro de seu nascimento onde na época era a Rússia e hoje é a Romênia. Como de costume, não convenceu. Como de costume, as pessoas sacudiam a cabeça, sorriam e diziam: "Mounia é assim mesmo!".

De certa maneira a maior de suas fantasias foi a construção de uma nova identidade na Grã-Bretanha, onde chegara da Rússia soviética em 1921, via Romênia. Sua história juvenil fora mais ou menos o que se poderia esperar de um jovem judeu de classe média na fronteira sudoeste da Rússia czarista. Estudara na Universidade de Odessa até a Revolução, que recebeu com prazer, entrando para um grupo radical marxista-sionista, dividido entre os que queriam ir para a Palestina e construir imediatamente uma sociedade socialista e os que primeiro queriam organizar a revolução mundial. Mounia pertencia à segunda tendência. Quando o poder soviético, que desconfiava do sionismo, foi firmemente institucionalizado na Ucrânia após a guerra civil, Mounia se viu na prisão, ao que dizia durante alguns meses, e depois foi solto. (Durante a Segunda Guerra Mundial isso o tornou inaceitável para os soviéticos como representante do ministério britânico da Guerra Econômica.) Foi então para a Inglaterra, onde começou como estudante em tempo parcial na London School of Economics e ali fez carreira no campo da história agrícola medieval. Na verdade não ocultava seus antecedentes, e sim deixava à escolha do interlocutor um sortimento de vários relatos de aventuras continentais, especialmente dando a entender não ser judeu, embora nenhum judeu que o visse, e até mesmo alguns não-judeus no período do entreguerras, pudesse ter qualquer dúvida a respeito. Apesar disso, conseguiu vencer pelo brilho de sua personalidade, a incrível capacidade de encantar, a perseverança típica do imigrante, e a não menor ajuda de sua professora e primeira esposa, a historiadora econômica medieval Eileen Power (1889-1940), chegando ao topo em seu novo ambiente e terminando a vida como sir Michael Postan, casado com lady Cynthia Keppel, irmã do conde de Albemarle. Nisso foi mais bem-sucedido do que o outro implausível e intelectualmente brilhante produto historiográfico importado da Europa Oriental, o muito compenetrado judeu L. B. (sir Lewis) Namier, que conseguiu seu título nobiliárquico, mas não a cátedra em sua amada Oxford.

Uma das diferenças evidentes entre os dois era que um foi uma figura internacional dedicada a um campo global, enquanto os principais interesses históricos do outro eram insulares. Em um de nossos primeiros encontros, Fernand Braudel me perguntou: "Percebo que na Inglaterra se fala muito de um historiador chamado Namier e de sua escola. Pode me dizer algo sobre ele?". Nem ele nem qualquer outro historiador econômico faria essa pergunta a respeito de Postan, quando mais não fosse porque desde 1934 ele vinha editando um periódico internacionalmente conhecido nesse campo de estudos, a *Economic History Review*. Além disso, enquanto ninguém fora da Inglaterra, com exceção de alguns especialistas, dava valor ao fato de Namier (como se acreditava então) haver revolucionado a abordagem do tema esotérico da história parlamentar britânica no século XVIII, todos os historiadores econômicos no universo acadêmico relevante reconheciam a importância dos tópicos de Postan sobre história agrária medieval, estudavam-nos e estavam dispostos a entrar em debate sobre eles além das fronteiras dos países e das ideologias, de Harvard a Tóquio. Ao contrário da pesquisa sobre a política nacional do passado, existia naquele tempo, no campo da história econômica, uma aceitação geral de um universo de discurso, e até mesmo de uma moldura com a qual era possível julgar o interesse das perguntas, qualquer que fosse o desacordo quanto às respostas.

Em certos aspectos o contraste entre Postan e Namier simbolizava o grande conflito que dividia a profissão de historiador e a principal tendência de seu desenvolvimento entre as décadas de 1890 e 1970. Tratava-se da batalha entre a hipótese convencional de que "a história é a política do passado", tanto no interior dos Estados-nações quanto em suas relações com outras, e a de que a história deve tratar das estruturas e mudanças das sociedades e culturas; entre a história como narrativa e a história como análise e síntese; entre aqueles que consideravam ser impossível generalizar sobre os assuntos humanos no passado e os que consideravam que isso era essencial. A batalha começara na Alemanha na década de 1890, mas em meus tempos de estudante os mais proeminentes paladinos da rebelião, sem contar os marxistas, eram Marc Bloch e Lucien Febvre na França, por meio do seu *Annales*. Paradoxalmente, o campo de estudos de Bloch e Postan, a história medieval, que se poderia esperar fosse atraente aos conservadores, na verdade estimulava um pensamento original sobre o passado. Até mesmo o historiador mais convencional percebia a impossibilidade de cortar a vida medieval em fatias distintas e separáveis — políticas, econômicas, religiosas ou quaisquer outras. Era quase imperativo fazer comparações e repensar as hipóteses contemporâneas, e incidentalmente atravessar as fronteiras dos Estados modernos, das nações e das culturas. Como a história antiga, e talvez por motivos semelhantes, a história medieval é tema que atraiu algumas das melhores mentes históricas durante minha vida, assim como algumas das mais enfadonhas, embora menor número de eruditos marxistas brilhantes do que a história da Antigüidade. Por outro lado, era um campo em que havia grande quantidade de figuras como meu chefe em Birkbeck, o falecido R. R. Darlington, cujo sonho na vida era produzir uma edição exaustiva de um cronista menor do século XII, e que me pareceu genuinamente horrorizado quando eu, jovem conferencista, sugeri que um seminário com um antropólogo social sul-africano então ligado à faculdade poderia ser de interesse para os estudantes de seu curso especial sobre a Inglaterra anglo-saxônica. Em que arquivos ele havia trabalhado?

Os jovens marxistas como eu, que começavam a carreira profissional de historiadores, viam-se agora lançados a essa batalha entre a velha e a nova história, ao abraçarem um campo de estudos ainda de pequenas dimensões, tanto pelo número de praticantes como por sua produção. A enorme expansão das universidades, antigas e novas, e o aumento estratosférico da "literatura" somente vieram a ocorrer na década de 1960. Mesmo em países como a Grã-Bretanha e a França, ou em campos de estudo acadêmico bastante amplos como a história econômica mundial, praticamente todos se conheciam e podiam chegar a conhecer uns aos outros. Por sorte, o primeiro congresso internacional de ciências históricas após a Segunda Guerra Mundial ocorreu em Paris, em 1950. Antes da guerra os historiadores estabelecidos eram senhores absolutos, posição reforçada pelo fascismo, que impelia os melhores cientistas sociais para a emigração. Os inovadores haviam conseguido no máximo estabelecer uma cabeça-de-ponte em uma zona ampla de "história econômica e social", como na França e na Grã-Bretanha. No entanto, a guerra rompera de tal forma as antigas estruturas que durante um breve momento os rebeldes chegaram a tomar conta. O congresso, organizado por uma pessoa do *Annales*, Charles Morazé, que em pouco seria polidamente eliminado do poder na revista pelo astro ascendente Fernand Braudel, foi organizado segundo linhas heterodoxas, essencialmente pelos franceses, com certa colaboração dos italianos, alguma participação dos Países Baixos e da Escandinávia, além de alguns anglo-saxões muito incaracterísticos: o próprio Postan, o estatístico histórico australiano Colin Clark, e um estudioso marxista de história antiga. Naturalmente os alemães estavam praticamente ausentes, embora na época não se soubesse bem o quanto seus historiadores eminentes estivessem envolvidos no sistema nazista. Os historiadores dos Estados Unidos compareceram em grandes grupos — os americanos sempre anseiam por visitar Paris —, mas evidentemente não tinha havido muita consulta a eles sobre o planejamento. A não ser por um relatório sobre história antiga e uma pesquisa de última hora, oriunda do Texas, sobre a história mundial como história de fronteira, ficaram de fora dos principais segmentos planejados. A União Soviética e todas as suas dependências estiveram ausentes, com uma exceção, a Polônia. Após a morte de Stalin todos apareceram com bastante força em 1955, no congresso internacional seguinte, em Roma. Os meses imediatamente posteriores à eclosão da guerra da Coréia foram de tensão, quando o presidente (francês) da Comissão Internacional afirmou gravemente que "o Congresso proporcionaria aos futuros historiadores da historiografia um importante registro da mentalidade dos historiadores após a crise da Segunda Guerra Mundial [...] enquanto aguardavam a Terceira".[3]

Uma inovação na qual me vi diretamente envolvido foi uma seção sobre história social, talvez a primeira em qualquer congresso histórico. Com efeito, ainda se fazia muito pouca história social, mesmo sobre os séculos XIX e XX, e tampouco as implicações do termo estavam muito claras nas mentes dos organizadores. Era obviamente mais do que o estudo um tanto limitado das organizações trabalhistas e socialistas que originalmente haviam reivindicado essa denominação (isto é, o Instituto Internacional de História Social, de Amsterdã, que guardava os manuscritos de Marx e Engels). Evidentemente, ela também deveria tratar do trabalho, de classes sociais e de movimentos sociais, além das relações entre fenômenos econômicos e fenômenos sociais, sem falar da "influência recíproca entre os fatos econômicos e os fenômenos políticos, jurídicos, religiosos etc.".[4] Para minha surpresa, pois mal acabara de publicar meu primeiro artigo em um jornal erudito, vi-me nomeado presidente oficial da seção "Contemporânea", presidindo debate sobre um esplêndido relatório de um estropiado intelectual marxista sobre a Polônia dos séculos XV a XVI. Imagino que eu tenha sido proposto por Postan, pois ninguém mais poderia tê-lo feito. À minha sessão compareceu uma estranha coleção de gente anômala ou ainda não estabelecida, que em breve passaria ao centro do mundo histórico. Havia J. Vicens Vives, visitante solitário vindo da Barcelona de Franco em busca de contato intelectual, que se tornaria o inspirador dos historiadores de seu país; havia Paul Leuillot, secretário do *Annales*, que se considerava porta-voz de Marc Bloch e de Fernand Braudel, além de mim mesmo, prestes a me tornar co-fundador de *Past & Present*. Havia os pesquisadores franceses, freqüentemente brilhantes, com teses incompletas porém vastas, como Pierre Vilar e Jean Meuvret, que portanto ainda não estavam integrados no sistema universitário e que em breve encontrariam seu lugar no novo rival da Sorbonne, a Sexta Seção da École Pratique des Hautes Études, de Braudel (hoje École des Hautes Études en Sciences Sociales). Havia os marxistas e seus críticos. Em resumo, a fisionomia da historiografia nas décadas de 1950 e 1960 ia se tornando visível.

É importante notar que apesar das evidentes diferenças ideológicas e da polarização decorrente da Guerra Fria, as diversas escolas de historiógrafos modernizadores trilhavam os mesmos caminhos e lutavam contra os mesmos adversários, e sabiam disso. Essencialmente, eram contrários ao "positivismo", à convicção de que se os "fatos" fossem corretamente coligidos as conclusões viriam por si mesmas, e também se opunham à preferência tradicional dos historiadores pelos reis, ministros, batalhas e tratados, isto é, os que tomavam decisões em alto nível, tanto militares como políticos. Em outras palavras, queriam um campo histórico muito mais ampliado ou democratizado, além de metodologicamente sofisticado. Favoreciam uma história fertilizada pelas ciências sociais (inclusive, especialmente, a antropologia social), razão pela qual o *Annales* se expandiu do simples campo da história econômica e social, adotando o subtítulo *Economies, Sociétés, Civilisations*. Quinze anos após Hitler, quando uma geração de modernizadores do pós-guerra começou a imprimir sua marca no estudo da história na Alemanha, o periódico escolheu, na República Federal da Alemanha, o lema "Ciência Social Histórica".

Conforme já dei a entender, os modernizadores históricos, embora unidos contra os conservadores históricos, nada tinham de homogêneos, política ou ideologicamente. A inspiração dos franceses não era absolutamente marxista, a não ser na historiografia da Revolução Francesa, a qual, por estar ancorada no porto seguro da Sorbonne, nada tinha a ver com a escola do *Annales*. (Braudel certa vez lamentou comigo que o problema da história francesa durante sua vida foi que suas duas maiores figuras, ele próprio e Ernest Labrousse, da Sorbonne, eram irmãos que não se davam bem.) Na Grã-Bretanha, por outro lado, os marxistas eram especialmente proeminentes, e o jornal *Past & Present*, que emergiu dos debates do Grupo de Historiadores do Partido Comunista, tornou-se o principal meio de expressão dos modernizadores.

Os rebeldes alemães, uma geração do pós-guerra, haviam sido em grande parte formados em estudos na Grã-Bretanha e nos Estados Unidos, e tendiam a Max Weber mais do que a Marx, em contraposição ao marxismo doméstico do Grupo de Historiadores do Partido Comunista britânico. No entanto, aceitávamo-nos uns aos outros como aliados. *Past & Present* reconheceu a inspiração do *Annales* no primeiro parágrafo do primeiro número. No *Annales*, Jacques Le Goff ("leitor desde o começo, admirador, amigo, quase amante secreto — se posso dizer isso[5]) comparou *Past & Present* com seu próprio periódico, enquanto o principal entre os novos alemães parece considerar o "surpreendente efeito da geração dos historiadores marxistas" como o principal fator por trás do "impacto global da historiografia inglesa desde a década de 1960".[6]

Nessa altura, nos Estados Unidos a história (em contraposição às ciências sociais nesse país) ainda desempenhava papel internacional secundário.

De fato, havia pouco contato real entre ela e o Velho Mundo, exceto em temas de interesse tradicional dos europeístas americanos, como a Revolução Francesa, e nos campos que os exilados alemães haviam levado consigo a partir de 1933. Mas os europeístas eram minoria, sujeitos a desconfiança por serem considerados cosmopolitas da Ivy League pelo grosso dos historiadores geralmente monolíngües cujo tema era a história dos Estados Unidos, assunto que, pela forma com que a maioria o tratava, pouco tinha em comum com o que faziam os historiadores em outras partes. Somente a escravidão suscitava interesse internacional, mas os jovens historiadores desse tema que iriam causar impacto no exterior eram atípicos da profissão nos anos 50 e 60. Entre eles havia diversos membros do Partido Comunista americano no pós-guerra: Herb Gutman, o brilhante Gene Genovese e o ex-secretário nacional da Liga de Jovens Comunistas e posteriormente ganhador do Prêmio Nobel, o infinitamente engenhoso Bob Fogel.

Curiosamente, isso era verdadeiro até mesmo em relação a um tema tão evidentemente global quanto a história econômica, o que poderá explicar o motivo pelo qual, quando se fundava uma associação internacional nesse campo, era ela basicamente dirigida como condomínio anglo-francês por Braudel e Postan. As inovações históricas nos Estados Unidos — a história econômica com relação a homens de negócios (história "empresarial") na década de 1950, a "psico-história" (isto é, interpretações freudianas de figuras históricas), e a muito mais dramática "cliometria" (história como econometria retrospectiva e freqüentemente imaginária) na década de 1960 — tiveram muito mais dificuldade em cruzar o Atlântico. Somente em 1975 o Congresso Mundial de Ciências Históricas, de periodicidade qüinqüenal, foi realizado nos Estados Unidos, presumivelmente por motivos diplomáticos, a fim de contrabalançar a sessão de Moscou, em 1970.

Em linhas gerais, nos trinta anos seguintes à Segunda Guerra Mundial os tradicionalistas históricos se empenhavam num combate de retaguarda numa batalha perdida contra os modernistas que avançavam na maioria dos países ocidentais em que a história florescia livremente. Talvez tivessem se defendido com mais eficácia se a guarnição da principal praça-forte de erudição histórica tradicional, a Alemanha, não tivesse sido inabilitada por sua ligação com o Nacional Socialismo. (A situação dos historiadores nos países comunistas não era comparável à do Ocidente, mas acontece que o marxismo com o qual, às vezes genuinamente, se achavam comprometidos, se adequava mais aos modernizadores ocidentais do que à história tradicionalista, principalmente nacionalista, em seus próprios países.) O jornal americano *Daedalus* organizou em 1970 uma reunião bastante otimista, para não dizer triunfalista, a fim de avaliar o estado da história. A não ser os (defensivos) porta-vozes da história militar e política, a assembléia foi dominada pelos modernizadores — britânicos, franceses, e, entre os de menos de quarenta anos, pelos americanos.[7] A essa altura havia sido encontrada uma bandeira comum para a frente popular dos inovadores, que estava longe de ser homogênea: "história social". Coadunava-se com a radicalização política da população estudantil em dramática expansão na década de 1960. O termo era vago, às vezes capaz de causar equívocos, porém, como escrevi na época, ao notar o "estado notavelmente florescente desse campo": "É um bom momento para ser historiador social. Até mesmo aqueles entre nós que jamais desejaram ser chamados por esse nome não o renegarão".[8]

Havia certo motivo para satisfação. Não menos porque, um tanto inesperadamente, a Guerra Fria não havia interferido com os acontecimentos da história. Na verdade, é surpreendente quão pouco ela penetrou no mundo da historiografia, a não ser, obviamente, em temas como a história da Rússia e da União Soviética. *Capitalismo e os historiadores*, livro publicado na década de 1940 sob os auspícios de Friedrich von Hayek, argumentava que os historiadores que assinalaram os efeitos negativos da Revolução Industrial sobre os pobres estavam sistematicamente prevenidos contra os benefícios do sistema de livre iniciativa. Isso levou a uma viva polêmica que divertiu os estudantes, o chamado "Debate sobre o padrão de vida", quando a esquerda (isto é, eu, falando pelos historiadores comunistas) reagiu; mas não se pode dizer que esse debate, que prosseguiu com intervalos desde então, fosse conduzido subseqüentemente em linhas ideológicas. Os temas explosivos, como a Rússia, especialmente no século xx, e a história do comunismo, eram naturalmente campos de batalha ideológica, embora o debate fosse unilateral, pois as ortodoxias exigidas no império soviético prejudicavam tanto seus historiadores como as interpretações deles. Os estudiosos sérios da história soviética fariam melhor em ater-se à história do antigo Oriente e da Idade Média, embora fosse emocionante ver como os modernistas se apressavam em dizer (dentro dos limites do possível) o que sabiam ser verdade cada vez que a janela parecia ligeiramente aberta, como em 1956 e nos primeiros anos da década de 1960. Eu próprio me tornei essencialmente um historiador do século XIX, porque em pouco tempo descobri — na verdade durante um projeto abortado do Grupo de Historiadores do PC de escrever uma história do movimento trabalhista inglês — que, dadas as opiniões vigorosas oficiais do Partido e dos soviéticos sobre o século XX, não era possível escrever sobre qualquer coisa posterior a 1917 sem a probabilidade de ser denunciado como herege político. Eu seria capaz de escrever sobre o século como político ou como funcionário público, mas não como historiador profissional. Minha história termina em Sarajevo em junho de 1914.

Felizmente me abstive da história do século XX até que este já estava quase terminado, mas isso contrariava o sentido do movimento historiográfico, que se afastava do passado remoto e se aproximava do presente. Até bem depois de 1945, a história "real" terminava no máximo em 1914, e depois disso o passado imediato se transformava em crônica, jornalismo ou comentário contemporâneo. Na verdade, como os arquivos na Grã-Bretanha ficaram fechados durante muitas décadas, isso simplesmente não podia ser escrito segundo os padrões dos historiadores tradicionais. Na maioria dos países nem mesmo o século XIX havia sido completamente absorvido pelos departamentos acadêmicos de história, exceto pelos historiadores econômicos. Os grandes debates historiográficos não haviam versado sobre ele, embora o radicalismo político, não menos em forma de uma nova paixão pela história do trabalhismo, agora chamava a atenção para uma era que havia sido gravemente negligenciada pelos historiadores em diversos países. Até mesmo na Grã-Bretanha, até a década de 1960, os políticos, jornalistas sérios, parentes ou ensaístas, e não os professores, escreviam as biografias das grandes figuras da era vitoriana. No entanto, o hiato entre o passado e o presente diminuiu, talvez porque tantos historiadores profissionais tenham estado efetivamente envolvidos na Segunda Guerra Mundial.

Ao mesmo tempo, a história acadêmica no sentido ocidental ainda estava em grande parte confinada ao Primeiro e Segundo Mundos, e ao Japão. Em termos gerais, fora dessas regiões ela ou não existia, ou não florescia, ou continuava segundo linhas tradicionais, a não ser por minorias marxistas e retalhos de influência parisiense modernista (como em partes da América Latina). Além disso, a maior parte da história acadêmica era avassaladoramente eurocêntrica, ou preocupada com a "Civilização Ocidental" para usar o termo preferido nos Estados Unidos. Em Cambridge, o globo entrava na história apenas como "A expansão da Europa". Com raras exceções, como Charles Boxer, não eram os historiadores os que se ocupavam de temas "não ocidentais", e sim os geógrafos, antropólogos e especialistas em lingüística, assim como naturalmente os administradores imperiais. Antes da guerra a história extra-européia como tal interessava a poucos historiadores, com exceção dos marxistas (devido a seu antiimperialismo) e dos historiadores não europeus, como os japoneses, que na época estavam sob forte influência marxista. Em Cambridge, uma sucessão de historiadores convocou o chamado "grupo colonial" do Partido Comunista estudantil (esmagadoramente composto de sul-asiáticos). O canadense E. H. Norman, mais tarde diplomata e historiador pioneiro do Japão moderno, que se suicidou em 1957 sob pressão dos caçadores de bruxas americanos, foi seguido por meu velho amigo V. G. (Victor) Kiernan, homem de extraordinário poder de sedução e erudição universal e elegante sobre todos os continentes, que escreveu também sobre o poeta Horácio e traduziu poesia em idioma urdu, pelo canadense Harry Ferns, cujo campo de estudos era a Argentina e que se tornou extremamente conservador em anos posteriores, e pelo brilhante, original e autodestruidor Jack Gallagher, que nunca se levantava antes do meio-dia e que mais tarde ocupou as cátedras de história imperial tanto em Oxford como em Cambridge. Meu próprio interesse pela história extra-européia deriva também de minha ligação com esse grupo.

 A história extra-européia passou a ter vida própria com a descolonização dos antigos impérios e a simultânea ascensão dos Estados Unidos como potência mundial. A história do mundo como história de todo o globo emergiu na década de 1960, com o evidente progresso da globalização. Os historiadores do Terceiro Mundo, notadamente um grupo de indianos brilhantes, oriundos das escolas locais de debate marxista, obtiveram renome mundial somente na década de 1990. Os interesses do império mundial, assim como os extraordinários recursos disponíveis nas universidades americanas, fizeram dos Estados Unidos o centro da nova história pós-eurocêntrica e incidentalmente transformaram seus livros de texto e seus periódicos. Como poderiam as perspectivas históricas permanecer como eram? Fidel Castro causou o sistemático desenvolvimento dos estudos latino-americanos na Grã-Bretanha nos primeiros anos da década de 1960. Com efeito, na época entendemos que isso decorria de sugestões do governo do presidente Kennedy de que seria conveniente suplementar os suspeitos peritos norte-americanos nessa região utilizando europeus, mais aceitáveis. (Se isso foi assim, o projeto saiu pela culatra. A história latino-americana atraiu preponderantemente os jovens radicais.) No entanto, a história da Europa, dos Estados Unidos e do resto do mundo permaneceram separadas uma da outra; seus públicos coexistiam mas quase não se tocavam. A história, infelizmente, continua a ser uma série de nichos de mercado para os que escrevem e para os que lêem. Em minha geração, somente um punhado de historiadores procurou integrá-los numa história abrangente do mundo. Isso ocorreu em parte devido à incapacidade quase total da história, por motivos sobretudo institucionais e lingüísticos, de emancipar-se da moldura do Estado-nação. Em retrospecto, esse provincianismo foi talvez a maior debilidade do tema em meu tempo de vida.

No entanto, por volta de 1970 parecia razoável supor que estava ganha a guerra pela modernização da historiografia, que começara na década de 1890. Já estava construída a principal rede de ferrovias pelas quais passariam os trens da historiografia. Não que os modernizadores, pelo menos exceto os franceses inimigos da "história dos acontecimentos", necessariamente propusessem uma hegemonia da história econômica e social, ou até mesmo relegar a história política, sem falar na história das idéias e da cultura. Os modernizadores nada tinham de reducionistas. Embora acreditassem que a história deve explicar e generalizar, sabiam que ela não é como as ciências naturais. No entanto, estavam convencidos de que ela possuía um projeto abrangente, fosse ele a história "total" ou "global, integrando as contribuições de todas as ciências do homem", de Braudel, ou, então, se posso citar minha própria definição, "aquilo de que trata a história em seu sentido mais amplo: como e por que o *Homo sapiens* passou da era paleolítica à era nuclear".[9] Entretanto, em poucos anos o panorama mudara completamente. Como se queixou o próprio Braudel a respeito do *Annales*, do qual não era mais diretor na década de 1970, já desaparecera o sentido de prioridades, a distinção entre o importante e o trivial, que era essencial ao projeto antigo. Do mesmo modo os velhos colaboradores de *Past & Present* se queixaram do novo *History Workshop Journal*, de Raphael Samuel (o último descendente remoto do velho Grupo de Historiadores do PC), dizendo que ele descobria todos os tipos de cantinhos do passado de interesse para os entusiastas, mas não dava sinais de pretender fazer perguntas a respeito deles. A história não havia ainda sido desafiada como exploração de um passado objetivamente recuperável. Isso só veio a ocorrer com a moda do "pós-modernismo", expressão virtualmente desconhecida na Grã-Bretanha antes da década de 1980, e que felizmente havia feito apenas incursões marginais no campo das obras sérias de história até o começo do novo século. No entanto, em algum momento nos primeiros anos da década de 1970 a maré historiográfica mudou. Os que pensavam ter vencido a maioria das batalhas a partir dos anos 30 agora a viam vindo contra si. "Estrutura" estava em baixa e "cultura", em alta. Talvez a melhor maneira de resumir a mudança seja dizer que após 1945 os jovens historiadores se inspiravam em *O Mediterrâneo* de Braudel (1949) e os historiadores jovens depois de 1968 encontravam a sua inspiração no brilhante tour de force de "descrição compacta" de Clifford Geertz, "Jogo pesado: notas sobre a briga de galo balinesa" (1973).[10]

Houve movimento de mudança para longe dos modelos históricos ou "os grandes *porquês*", um movimento da "chave analítica para a descritiva",[11] da estrutura econômica e social para a cultura, da recuperação dos fatos para a recuperação dos sentimentos, do telescópio para o microscópio — como na pequena monografia imensamente influente, que trata da visão do mundo de um moleiro excêntrico da região italiana do Friuli no século XVI, do jovem historiador italiano Carlo Ginzburg.[12] Talvez houvesse também um elemento daquela curiosa desconfiança intelectual pelo racionalismo das ciências naturais que ficaria ainda mais na moda à medida que o século chegava ao fim. Não que se possa vislumbrar um retorno da história estrutural para a narrativa, entre os acadêmicos, ou à história política de estilo antigo. De qualquer maneira, tanto quanto sei os historiadores das gerações jovens nos últimos trinta anos não produziram qualquer obra-prima histórica narrativa e não analítica que possa ser comparada a esse triunfo da erudição tradicional nesse gênero, *As Cruzadas*, de Steven Runciman (1951-54). No entanto, a simples extensão do ocultamento de temas evidentemente importantes, ou sua relegação ao silêncio, a partir de 1945, deu ampla oportunidade a que houvesse um preenchimento de lacunas baseado em arquivos, ou a "história dos acontecimentos". Basta pensar no conteúdo oculto dos arquivos soviéticos que vieram a público na década de 1990, na história da Guerra Fria ou nos longos silêncios oficiais ou mitos públicos sobre a França durante a ocupação alemã, ou ainda sobre a fundação e os anos iniciais de Israel.

Embora os historiógrafos modernos que lutaram com tanto êxito contra os antigos até o final da década de 1960 constituíssem uma aliança de que faziam parte os marxistas, o desafio a sua supremacia não veio da direita ideológica. Se minhas gerações de historiadores marxistas formados nos anos entre 1933 e 1956 não tiveram verdadeiros sucessores, não foi porque os soldados da Guerra Fria tivessem ganhado terreno nas escolas e nos corpos docentes de história — provavelmente o que ocorreu foi o oposto —, mas porque as gerações da esquerda após a década de 1960 desejavam particularmente outra coisa. Porém, repito, essa não foi uma reação específica contra o marxismo. Na França a virtual hegemonia da história braudeliana e dos *Annales* acabou depois de 1968, e a influência internacional do periódico caiu abruptamente.

Pelo menos uma parte das mudanças na história acompanharam a extraordinária revolução cultural da segunda metade da década de 1960, cujo epicentro estava nas universidades e mais especialmente nas artes e humanidades. Não era tanto um desafio intelectual quanto uma mudança de humor. Na Grã-Bretanha o movimento History Workshop foi a expressão mais característica da nova "esquerda histórica" pós-1968. Seu objetivo não era tanto a descoberta histórica, a explanação ou mesmo a exposição, quanto a inspiração, a empatia e a democratização. Refletia também o notável e inesperado crescimento do interesse do público de massa pelo passado, que deu à história uma surpreendente proeminência na literatura e nas telas de cinema e televisão. As reuniões da History Workshop, que juntavam amadores e profissionais, intelectuais e trabalhadores, além de grande quantidade de jovens usando jeans, trazendo sacos de dormir e improvisando creches, davam a impressão de sessões de música gospel, especialmente quando as conferências contavam com o necessário *hwyl* de estrelas como o excelente historiador galês, Gwyn Alf Williams, moreno encurvado que sabia utilizar de maneira soberba sua gagueira para sublinhar a eloqüência de seus discursos. Típico dessa época foi o fato de a primeira Conferência da Liberação Feminina na Grã-Bretanha (à qual Marlene foi levada pela ala feminina de nossos amigos da "Nova Esquerda") surgir de uma proposta do History Workshop no fim da década de 1960. O manifesto histórico sobre feminismo de Sheila Rowbotham, que veio em seguida, foi caracteristicamente intitulado *Escondidas da história*. Para essas pessoas, a história não era tanto uma forma de interpretar o mundo, mas um meio para autodescoberta coletiva, ou, na melhor das hipóteses, para obter reconhecimento coletivo.

O perigo dessa posição era, e ainda é, que ela solapa a universalidade do universo de discurso, que é a essência de toda história como disciplina erudita e intelectual, uma *Wissenschaft* tanto no sentido alemão quanto no inglês, mais estreito.[13] Também prejudica aquilo que os antigos e os modernos tinham em comum, isto é, a convicção de que as investigações dos historiadores, mediante regras geralmente aceitas de lógica e de evidência, distinguem entre fato e ficção, entre o que pode ser estabelecido e o que não pode, aquilo que é e aquilo que gostaríamos que fosse. Isso, porém, tornou-se cada vez mais perigoso. As pressões políticas sobre a história, exercidas por regimes e Estados novos e antigos, por grupos de identidade e por forças que já não se ocultam sob a capa congelada da Guerra Fria, são hoje maiores do que em qualquer época anterior de minha vida, e a moderna sociedade mediática conferiu ao passado proeminência sem precedentes e potencial de mercado. Mais do que nunca a história é atualmente revista ou inventada por gente que não deseja o passado real, mas somente um passado que sirva a seus objetivos. Estamos hoje na grande época da mitologia histórica. A defesa da história por seus profissionais é hoje mais urgente na política do que nunca. Somos necessários.

Também temos muito que fazer. Os negócios da humanidade são hoje conduzidos especialmente por tecnocratas, resolvedores de problemas, e para os quais a história é quase irrelevante; por isso, ela passou a ser mais importante para nosso entendimento do mundo do que anteriormente. Silenciosamente, em meio à discussão sobre a existência objetiva do passado, a mutação histórica se tornou componente principal das ciências naturais, evoluindo da cosmogonia para um darwinismo ressuscitado. Com efeito, por meio da biologia molecular e evolutiva, da paleontologia e da arqueologia, a própria história humana está sendo transformada, está sendo reinserida no arcabouço da evolução global, e mesmo cósmica. O DNA a revolucionou. Assim, sabemos agora como é extraordinariamente jovem o *Homo sapiens* como espécie. Saímos da África há 100 mil anos. Tudo o que se descreve geralmente como "história" a partir da invenção da agricultura e das cidades não chega a pouco mais de quatrocentas gerações humanas, ou 10 mil anos, uma piscadela para o tempo geológico. Dada a dramática aceleração do ritmo do controle da humanidade sobre a natureza nesse breve período, especialmente nas últimas dez ou vinte gerações, o conjunto da história até agora pode ser visto como uma explosão de nossa espécie, um tipo de supernova biossocial que se expande para um futuro desconhecido. Esperemos que não seja catastrófico. Enquanto isso, e pela primeira vez, dispomos de uma estrutura adequada para uma história genuinamente global, restaurada a seu devido lugar central, nem englobada nas humanidades ou nas ciências naturais e matemáticas, nem tampouco separada delas, porém essencial a ambas. Gostaria de ser jovem o bastante para poder escrevê-la.

Mesmo assim, foi bom ser historiador, mesmo em minha geração. Acima de tudo, foi agradável. Numa conversa sobre seu desenvolvimento intelectual, meu amigo, o falecido Pierre Bourdieu, certa vez disse:

> Vejo a vida intelectual como algo mais próximo da vida do artista do que da rotina da academia [...] De todas as formas de trabalho intelectual, o ofício do sociólogo é sem dúvida aquele cuja prática me trouxe felicidade, em todos os sentidos da palavra.[14]

Substituindo o sociólogo por "historiador", eu digo amém.

18. Na aldeia global

Como é possível ao autobiógrafo que passou a vida como acadêmico e escritor escrever sobre sua vida profissional? O que acontece no ato de escrever ocorre essencialmente na solidão, em telas ou em pedaços de papel. Quando os escritores estão ocupados com qualquer outra atividade, não estão escrevendo, embora possam estar acumulando material para a escrita. Isso é verdade até mesmo para a atividade literária de homens (ou mulheres) de ação, como Júlio César. Há muito que dizer sobre a conquista da Gália, e, como os meninos de escola secundária costumavam perceber, César o disse muito bem; porém há pouco que dizer sobre o processo de escrever *Sobre a Guerra da Gália*, a não ser, presumivelmente, que o grande Júlio a ditou a algum escravo secretário nos intervalos das coisas mais importantes que fazia.

Repito, os acadêmicos passam a maior parte de seu tempo de trabalho nas rotinas de dar aulas, pesquisar, ir a reuniões e examinar. Essas coisas não são aventurosas e não têm imprevisibilidade, pelos padrões da vida de perfil mais elevado. Eles passam a maior parte do tempo de lazer em companhia de outros acadêmicos, uma espécie que, por mais que seja interessante como indivíduos, não é excitante em grandes grupos. Meio século atrás poder-se-ia argumentar plausivelmente que uma assembléia de historiadores, como se podia ver nas reuniões anuais de suas sociedades, era ainda menos distinguível de uma reunião de executivos de companhia de seguros do que de um bando de outros professores universitários, porém depois que a geração de 1968 ingressou na academia, isso talvez já não seja assim.

Quanto aos estudantes, certamente são mais interessantes *en masse* para quem gosta de ser professor, mas devido a sua juventude e tudo o que ela significa, como entusiasmo, paixão, esperança, ignorância e imaturidade, mais do que pelo que se possa esperar ao confrontar multidões deles. Reconheço que isso não é especificamente verdadeiro em relação às instituições onde passei a maior parte de minha carreira docente, a Faculdade Birkbeck na Universidade de Londres e a Faculdade de Graduação da Nova Escola de Pesquisa Social (hoje Universidade Nova Escola), em Nova York. Sendo ambas segmentos um tanto anômalos da academia, seu corpo discente é singular. Birkbeck, sucessora do Instituto de Mecânica de Londres, de 1825, continua a ser uma faculdade noturna, com aulas para os que ganham a vida durante o dia. Uma das razões pelas quais passei lá toda a minha carreira britânica foi o prazer e a prática de dar aulas a homens e mulheres extraordinariamente motivados, geralmente mais velhos e portanto mais maduros do que o estudante de graduação normal. Semanalmente eles confrontavam seus professores com o teste básico da profissão: como manter o interesse de um grupo de pessoas naquilo que lhes está sendo dito entre oito e nove horas da noite, sabendo que vieram para a faculdade depois de um dia inteiro de trabalho, engoliram uma refeição rápida em alguma cafeteria, ouviram uma ou duas conferências anteriores e precisarão viajar talvez uma hora para chegar em casa após as aulas. Birkbeck foi uma boa escola, inclusive para aprender comunicação.

A peculiaridade da Faculdade de Graduação da Nova Escola era a combinação entre heterodoxia e internacionalismo. A própria Nova Escola de Pesquisa Social fora fundada após a Grande Guerra por reformadores educativos e ideológicos politicamente radicais que se rebelavam contra o que chamavam a tirania dos exames. Conseguiu pessoas de primeira linha, das quais não há carência na cidade de Nova York, para ensinar qualquer coisa para a qual houvesse demanda, de filosofia clássica a ioga. A Faculdade de Graduação foi organizada em 1933 para dar ocupação a acadêmicos refugiados da Alemanha de Hitler, seguidos pelos que vieram do resto da Europa ocupada. É comprovadamente a primeira instituição acadêmica a oferecer conferências sobre jazz e quase certamente a primeira a organizar um seminário sobre estruturalismo (com Claude Lévi-Strauss e Roman Jakobson), ambas as coisas durante a Segunda Guerra Mundial. Sua reputação de heterodoxia e radicalismo atraiu estudantes incomuns dos Estados Unidos, e outros ainda mais interessantes e competentes dos países ocidentais e latino-americanos. Nos anos 80 a faculdade desenvolveu uma relação com os países que estavam prestes a derrubar seus regimes comunistas. Poloneses, russos, búlgaros e chineses juntaram-se a brasileiros, espanhóis e turcos em nossas classes. Certa vez contei vinte nacionalidades na minha. Como sabiam mais sobre seus próprios países e campos específicos do que eu, aprendi com eles pelo menos tanto quanto eles comigo. Quase seguramente não existiria grupo de estudantes mais variado e estimulante em nenhum lugar.

A comunicação é a essência tanto do ensino como da escrita. Feliz do escritor que gosta de ambas as coisas, pois isso nos salva da ilha deserta em que normalmente nos deixamos ficar, escrevendo mensagens para destinatários desconhecidos a serem lançadas através dos oceanos em garrafas em forma de livros. O professor-autor, porém, fala diretamente aos leitores potenciais. As palestras provavelmente ainda eram a principal forma de ensino em minha geração acadêmica e em muitos aspectos os palestrantes se relacionam bem com qualquer sala cheia de estudantes, assim como os atores se relacionam com os rostos que vêem diante de si nos teatros, com a diferença de que nas palestras as luzes não se apagam. Somos ambos atores, e a platéia é o objeto de nossa representação. Não há nada como estar fazendo uma palestra para perceber o momento em que começamos a perder a atenção da platéia. No entanto, a tarefa do palestrante é mais difícil, pois ele acredita que a platéia leve consigo uma carga de informações e idéias específicas que deveria recordar e digerir, e não a satisfação emocional da representação. Até mesmo um bom palestrante comunica apenas o mesmo que emana de qualquer outro ator de boa presença no palco, isto é, a projeção de uma personalidade, um temperamento, uma imagem, uma mente em funcionamento — e com um pouco de sorte consegue acender uma correspondente fagulha na imaginação de algumas daquelas pessoas. Mas é no debate em classe que ficamos sabendo se realmente comunicamos o que desejávamos. Essa é uma das razões pelas quais, durante toda a minha carreira como professor universitário, preferi os cursos gerais aos especializados. Com efeito, meus livros sobre temas históricos gerais ou surgiram de conferências para estudantes ou vieram de origens mais especializadas, mas foram em seguida testados nessas palestras.

A satisfação do ofício de professor surge essencialmente das relações com indivíduos, mas essas formam apenas uma pequena parte do grande corpo de homens e mulheres que tomam notas nos anfiteatros acadêmicos, uma pequena parte da vasta pilha de provas ou monografias de fim de cada período que preenchem a vida útil de um professor universitário durante sua carreira. E são até mesmo parte de uma rotina bastante constante. Para quem está do lado de dentro, um seminário de pesquisa pode ser inesquecível, porém visto de fora a impressão é somente — e penso em meus próprios seminários no Instituto de Pesquisa Histórica em Londres, nas décadas de 1970 e 1980 — de umas duas dúzias de pessoas no fim da tarde, cercadas de livros, sentadas a uma mesa debatendo um trabalho escrito por uma delas ou por um visitante externo, e depois saindo para tomar alguma coisa num bar próximo. Se pensarmos nisso como um filme em potencial, não daria nem mesmo um filme de arte.

Na memória, os anos do autobiógrafo acadêmico recuam a perder de vista, como os vagões daqueles intermináveis trens de carga observados de alguma colina ao transportar contêineres pela paisagem americana. Vista em retrospecto, a sucessão de caminhões é menos interessante do que o território mutável pelo qual passam. No meu caso, passaram por cidades e campi em três continentes — quatro se as Américas forem contadas como duas —, embora antes da aposentadoria isso tenha acontecido especialmente em visitas relativamente breves, a não ser um semestre como professor visitante no Massachusetts Institute of Technology (1967) e meio ano de ensino e pesquisa na América Latina (1971), ambos com minha família. No entanto, uma vida peripatética com crianças pequenas não é ideal para os acadêmicos e acabou por ficar impossível devido à escolaridade delas. Jamais testei o anticomunismo das autoridades americanas aceitando um trabalho permanente nesse país. Algumas vezes me senti tentado pelos períodos de visita em uma ou outra das grandes universidades norte-americanas, mas o veto de Marlene foi o obstáculo: não queria saber da vida acadêmica de cidades pequenas. Somente um desses lugares venceu sua resistência: o Getty Center, que ainda era em Santa Mônica, a coisa mais próxima ao paraíso para um intelectual, onde passamos algum tempo em 1989. No entanto, dificilmente se poderia considerar Los Angeles como o fim do mundo. Eu também havia sido imunizado contra a vida no campus devido a minha curta experiência do período de verão em Stanford, que era então, como ainda agora, uma excelente universidade, uma das seis melhores do mundo, porém encravada em Palo Alto, comunidade sensacionalmente enfadonha para viver. Durante muitos anos depois disso não consegui sequer criar coragem para revisitar esse espaço perdido em lugar algum, com ruas vazias, nas quais donos de carros visitavam donos de outros carros em belas casas.

O arranjo ideal para nós dois era uma base metropolitana estável, variada com a crescente possibilidade de viagens acadêmicas ao exterior, que a revolução dos transportes aéreos tornou possível a partir da década de 1960. Eles nos levaram da Finlândia a Nápoles, do Canadá ao Peru, do Japão ao Brasil. Em nossa época o ofício de professor itinerante foi adicionado à outra profissão que gosta de recordar os prazeres, embaraços e absurdos de uma vida de mudanças, mas que permanece essencialmente a mesma — a de correspondente estrangeiro. Tive a sorte de ensinar e morar no centro, ou próximo a ele, em dois dos principais pólos culturais do mundo do final do século XX, durante a maior parte de minha vida profissional: num, a poucos passos do Museu Britânico, e no outro, num escritório em Greenwich Village acima do Bradley's, a quintessência dos lugares de jazz de Manhattan. (Infelizmente o Bradley's fechou em 1996 e Nova York nunca mais foi a mesma para mim.)

Mas as carreiras e os trens de carga não atravessam o país em velocidades realmente constantes. A guerra retardara o início de minha própria carreira e a Guerra Fria a atrasara consideravelmente. Ela continuou em calmaria, mas na altura da metade da década de 1960, quando outras ofertas da Grã-Bretanha e do exterior começaram a aparecer, isso era coisa tão excêntrica que muitos consideravam escandalosa.[1] Mesmo assim, eu começara a publicar meus livros já pelos quarenta e poucos anos, e quando finalmente pude intitular-me "professor" na Grã-Bretanha, já estava com cinqüenta e poucos, um momento da vida em que a maioria dos profissionais já chegou tão longe quanto eles próprios, e o mundo espera que cheguem. Naquele ponto, para muitos de nós a promessa já é coisa do passado, assim como os êxitos produzidos. Profissionalmente falando, as pessoas nessa posição ficam encarando meia vida de infindáveis amanhãs não melhores do que o hoje, fora becas e fitas — honrarias profissionais e talvez públicas —, as quais (pelo menos nas humanidades) significam que o futuro do agraciado, ou agraciada, nada acrescentará a seu passado, exceto o lento declínio da idade. A Guerra Mundial e a Guerra Fria me salvaram de tudo isso. Por um inesperado giro da prosperidade, prolongaram até a meia-idade o período de juventude e promessa. Ao mesmo tempo, o novo casamento e os filhos me proporcionaram um recomeço de minha vida particular.

Na verdade, somente a guerra retardou realmente minha carreira, mas provavelmente não mais do que a da maioria dos homens de minha faixa etária. (Na Grã-Bretanha ela até mesmo aumentou as perspectivas das mulheres graduandas.) A Guerra Fria dos anos 50 bloqueou empregos e contratos de editores, mas, "na rua", como se dizia no fin de siècle, isto é, entre os historiadores em atividade, minha reputação desde o começo foi de seriedade, e sem dúvida foi assim no mundo extra-oficial dos historiadores mais jovens. Eu era indubitavelmente uma estrela em ascensão na comunidade um tanto mais limitada dos historiadores marxistas.

Por orgulho e vaidade intelectual, preocupei-me em saber se minha reputação derivava unicamente das simpatias da esquerda ou repousava apenas na relativa escassez de marxistas que preenchiam aquele nicho, o qual, desde a Segunda Guerra Mundial, até mesmo a história convencional reservava para essa versão da "oposição" reconhecida. Não que isso me importasse, ou que me importe em ainda ser identificado como "Hobsbawm, o historiador marxista", rótulo que levo pendurado ao pescoço até hoje, como os frascos de bebida que circulam após o jantar nas salas reservadas às autoridades universitárias e ao corpo docente para que o vinho do Porto não seja confundido com o xerez. Os jovens historiadores necessitam que sua atenção seja dirigida nos dias hoje para a interpretação materialista da história tanto quanto, ou talvez até mais, na época em que ela era condenada como propaganda totalitária, pois até mesmo as modas acadêmicas igualmente a desprezam. Afinal de contas, venho procurando convencer as pessoas durante mais de meio século de que a história marxista tem mais substância do que imaginam, e se a associação do nome do historiador a ela ajuda nesse trabalho, tanto melhor. O que preocupava minha vaidade era o receio de uma simples reputação de gueto, como aquela da qual figuras proeminentes de outro gueto cultural característico do século xx tiveram dificuldade, ou mesmo impossibilidade, de escapar: a comunidade católica romana na Grã-Bretanha. Bom exemplo disso é G. K. Chesterton, cujo amplo talento foi ocultado aos não-católicos devido a sua associação íntima com a Igreja. (Nenhum escritor britânico sonharia em pensar nele como se fosse Italo Calvino, o qual certa vez disse que uma de suas ambições era tornar-se "o Chesterton dos comunistas".) Conseguir menções elogiosas de críticos amigos não era problema. O teste do sucesso era consegui-las dos neutros e dos hostis.

A partir de 1960 começou a ficar cada vez mais evidente que eu estava indo além de uma reputação de gueto. Meu primeiro livro, *Rebeldes primitivos* (1959) foi bem recebido nos Estados Unidos, tanto entre historiadores como cientistas sociais. Em poucos anos foi traduzido para o alemão, o francês e o italiano. Meu segundo livro, *A era das revoluções — 1789-1848* (1962) se dirigia a um público mais amplo, e foi um grande sucesso. Pelo menos impressionou suficientemente um agente literário estabelecido, o *bon vivant* David Higham, corpulento, de cabelos brancos e bigode, para que ele me convidasse a entrar para sua escuderia e me oferecesse periodicamente almoços em sua mesa à janela no Restaurante Étoile, na Charlotte Street. Ao escrever estas linhas, tanto o Étoile (com praticamente o mesmo cardápio) como a mesa ainda existem, sob a supervisão de Elena, outra protetora de agentes e escritores, cuja reputação como rainha-mãe dos restaurantes literários já fora anteriormente adquirida no Soho, e ainda me encontro sob as asas do sucessor do velho Higham na firma que ainda leva seu nome, meu amigo Bruce Hunter. A história pode mover-se com a velocidade de um míssil, mas algumas continuidades permanecem. Como *A era das revoluções* fez parte de uma série internacional em co-produção organizada por George Weidenfeld, teria sido rapidamente traduzida de qualquer modo, independentemente de seus méritos. No entanto, as sete traduções e edições estrangeiras que apareceram na década de 1960 foram úteis, e o livro foi bem recebido em toda parte. Mais tarde descobri que uma tradução notavelmente ruim para o espanhol, em 1964, foi acolhida pelo movimento anti-Franco que crescia rapidamente nas universidades espanholas, pois era legalmente disponível, ao contrário da maioria das publicações marxistas.

Publiquei muito na década de 1960: uma coleção de peças anteriores sobre a história do trabalho (*Trabalhadores*, 1964), um texto sobre história econômica britânica desde o século XVIII (*Indústria e Império*, 1968), um pequeno estudo sobre o mito e a realidade dos Robin Hood do mundo, escrito no País de Gales enquanto os russos acabavam com a Primavera de Praga (*Os bandidos*, 1969), e, no mesmo ano, junto com meu amigo George Rudé, uma monografia de pesquisa bastante extensa sobre o levante dos trabalhadores rurais ingleses de 1830 (*Capitão Swing*, 1969). Na altura de 1971, quando finalmente consegui o título de professor na Universidade de Londres, já estava entrando na zona das academias (pelo menos nos Estados Unidos) e dos graus honoríficos (pelo menos na Suécia.)

Assim, ao chegar à década de 1970 eu era uma figura respeitável e reconhecida, pelo menos academicamente, se não politicamente. Aquela década reforçou essa posição. Minha filiação ao Partido Comunista da Grã-Bretanha era então considerada como pouco mais do que uma peculiaridade pessoal de um historiador bem conhecido, um dos que pertenciam à nova espécie do acadêmico da era do jato. Somente os Estados Unidos se recusaram a esquecer o subversivo Hobsbawm, pois até a revogação da Lei Smith, no fim da década de 1980, continuei inadequado para o visto de entrada nos Estados Unidos e necessitava de uma "suspensão" dessa condição cada vez que lá ia, o que acontecia mais ou menos anualmente. Fui fundador e membro ativo do conselho editorial de um dos mais prestigiados periódicos históricos em língua inglesa e membro de conselhos e comissões de sociedades históricas eruditas. O novo professor se mantinha ocupado com seminários e cursos de graduação em Londres e estudantes de doutorado nacionais e internacionais. Os convites para palestras e posições em vários lugares continuaram e se multiplicaram. No meu último ano em Birkbeck, estava ao mesmo tempo agregado a estabelecimentos em Londres, Paris (no Collège de France e na École des Hautes Études en Sciences Sociales) e nos Estados Unidos (professor visitante na Universidade Cornell). Isso era ainda mais agradável, embora ligeiramente absurdo, pois esse progresso em minha prosperidade profissional era algo que eu não buscara nem esperava. De uma forma ou de outra, passamos um tempo esplêndido, embora de vez em quando surrealista, na década de 1970, nada menos do que (com a família recente) no México, na Colômbia, no Equador e no Peru, e (sem a família) no Japão. Nem todas as mulheres de acadêmicos se vêem viajando quase cinqüenta quilômetros com crianças pequenas e gravadores num ônibus cheio de galinhas na Cordilheira Central peruana para ir com os filhos a uma aula de música de um antropólogo britânico, enquanto o marido inspecionava muito lentamente — pois os prédios ficam acima de 4 mil metros de altitude — os registros de uma *hacienda* que acabava de ser nacionalizada, os quais iriam em breve para o recentemente organizado Arquivo Agrário do país.

Talvez isso explique o motivo pelo qual, embora produzindo artigos eruditos, escrevi menos livros acadêmicos nessa década — na verdade, somente *A era do capital* (1974), que me fez perceber que, sem o ter desejado, estava empenhado em escrever uma ambiciosa história geral do século xix. Aliás, a maior parte do trabalho intenso que levei a cabo durante essa década, planejando e escrevendo uma igualmente ambiciosa *História de marxismo*, publicada por Einaudi em Turim em 1978-82, jamais veio a público em outros idiomas que não o italiano, pois o interesse por esses temas caiu repentinamente no final dos anos 70. No entanto, na década de 1980 minha produção se acelerou novamente, em grande parte graças às excelentes condições disponíveis em Nova York e Los Angeles. Publiquei uma nova coleção de estudos sobre a história do trabalho (*Os trabalhadores e os mundos do trabalho*, nos Estados Unidos com o título *Workers*) em 1984, o terceiro volume sobre o século xix em 1987 (*A era dos impérios 1875-1914*), e dois livros baseados em palestras para as quais fora convidado, *Nações e nacionalismo desde 1780* (que outro tema existia para uma conferência em Belfast em 1985?) e *Ecos da Marselhesa — Dois séculos revêem a Revolução Francesa*, ambos em 1990. Também co-editei e contribuí para um livro baseado numa conferência do *Past & Present* que eu organizara alguns anos antes, e que acabou sendo singularmente influente: *A invenção das tradições* (1983). Ao entrar em minha oitava década de vida, minha imagem era a de um excêntrico e idoso dignitário da profissão histórica, que por acaso continuava a afirmar ser marxista mas que continuava em franca produção.

De fato, a história do século xx que escrevi nas agradáveis condições da Nova Escola (onde eu estivera ensinando um semestre por ano desde 1984), *Era dos extermos — 1914-1991* (1994), foi meu livro de maior êxito, tanto em vendas quanto em acolhimento da crítica. Foi bem recebido por todo o espectro ideológico do mundo — com a única exceção da França —, e ganhou prêmios no Canadá e em Taiwan, sendo traduzido para o hebraico e o árabe, para o chinês de Taiwan e o mandarim da China continental, para as edições em sérvio e em croata daquilo que minha geração ainda chama a língua servo-croata, e para o albanês e o macedônio. Na altura do segundo ano do novo século, já tinha, ou estava prestes a ter, 37 traduções em outros idiomas.

Mesmo assim, numa atividade tão imersa na política, a sua própria e a do mundo, quanto a de escrever história, seria irrealista separar as duas coisas. Por mais que alguém em minha posição se ressentisse de ser colocado em um gueto marxista, meu renome de historiador (e certamente minhas vendas nas décadas de 1960 e 1970) sem dúvida se beneficiou de minha reputação de marxista. Paradoxalmente, foi no mundo do "socialismo realmente existente" que meus livros não foram publicados, a não ser na Hungria e na Eslovênia. Os teólogos locais não sabiam o que fazer com um historiador que não podia ser publicado como infiel ("naturalmente não é marxista, mas é útil consultá-lo em alguns aspectos") nem como marxista, pois a única "interpretação marxista" que reconheciam era a repetição da ortodoxia oficialmente reconhecida.

No Ocidente, e mais ainda no que então se chamava o Terceiro Mundo, a década de 1960 foi boa para meu tipo de história, ou mais exatamente para a aliança de modernizadores históricos cujas vicissitudes eu debati no capítulo anterior. Vejamos por exemplo o *História econômica da Grã-Bretanha*, em três volumes que a Penguin Books encomendou nessa época, por sugestão de Jack (mais tarde sir John) Plumb, talvez já não mais o jovem radical da Cambridge dos anos 30, mas não sem recordações daquela era: seus autores eram M. M. Postan, Christopher Hill e eu. Os marxistas, que já não estavam confinados ao gueto a não ser que o desejassem, participavam da corrente histórica principal, ao menos por enquanto. Ao mesmo tempo, uma nova esquerda político-intelectual emergia nas universidades e nas escolas da Europa e dos Estados Unidos, que ativamente buscava gente de credenciais radicais. Por isso o maravilhoso *A formação da classe operária inglesa,* de E. P. Thompson, triunfou na metade da década de 1960, elevando seu autor à fama internacional praticamente da noite para o dia, merecidamente, embora com surpresa geral. Durante algum tempo os professores mais idosos se queixaram de que os alunos praticamente não liam outro livro. Eu não possuía o gênio e o carisma de Edward, nem tinha vendas como as dele, mas também escrevi sobre os temas e com os sentimentos que atraíam os leitores radicalizados entre os jovens estudantes.

O lugar onde a intelectualidade e a política se encontravam mais estreitamente ligadas era o chamado Terceiro Mundo, no qual o marxismo, por ser antiimperialista, não era apenas um rótulo de uma pequena minoria acadêmica, e sim a ideologia prevalecente entre os intelectuais mais jovens. O Brasil pode servir de exemplo. Até mesmo durante o regime militar (1964-85), que expulsou da vida pública praticamente todos os que tinham ligações conhecidas com a esquerda e que não estavam presos ou não tinham sido obrigados a emigrar, pessoas como eu foram consultadas sobre a contratação de professores para uma nova universidade. E, além disso, fui convidado para dar uma palestra em 1975 sobre um tema vagamente definido como "História e Sociedade" na universidade sobre a qual tinha sido consultado, cujo corpo discente — talvez não surpreendentemente — era passionalmente hostil ao regime. Isso não era um acaso. A imprensa, que dedicou espaço desproporcional a um acontecimento acadêmico na província, embora de maneira nem sempre precisa (o *Estado de S. Paulo* me caracterizou como "irlandês de nascimento"), exagerou ao dar ênfase à minha "formação marxista". Na verdade, como me disseram jornalistas amistosos, em meados dos anos 70 o regime começara a relaxar um pouco, e a conferência de Campinas foi parte de um esquema mais amplo para testar a medida de liberalização que se dispunha a tolerar. Que teste mais eficaz poderia haver do que anunciar o convite a um conhecido marxista, alguém cujas idéias não acadêmicas seriam provavelmente aplaudidas com entusiasmo pelos estudantes — como na verdade foram[2] — e dar considerável publicidade ao acontecimento? Esse foi um exemplo característico da admirável combinação brasileira de coragem cívica e inteligência, jamais aceitando a ditadura e jamais deixando de pressionar além do limite da tolerância. É verdade que os generais brasileiros não eram tão sanguinários como alguns outros na América Latina, mas o regime tinha as mãos sujas de sangue e havia risco de prisão e tortura. Mas a oposição calculara bem: o regime estava pronto para ceder.

Não admira que mais tarde eu me beneficiasse como escritor de minha participação mínima e inconsciente contra a ditadura militar brasileira, e também do fato extraordinário, que os liberais ocidentais pareciam não notar, de que entre 1960 e a metade da década de 1980 aquilo que os Estados Unidos chamavam "mundo livre" passou pela fase de maior disseminação de governos não democráticos desde a queda do fascismo, tipicamente em forma de regimes militares. Os intelectuais, e sem dúvida os estudantes, estavam em franca oposição a eles, embora às vezes silenciados por puro terror, tanto na

Grécia, na Espanha e na Turquia, como nos costumeiros suspeitos latino-americanos ou em países como a Coréia do Sul. Oferecer literatura opositora e lê-la era o primeiro e óbvio passo em direção à liberalização política tão logo esses regimes dessem um pouco de espaço. Como as universidades eram os lugares onde a elite não pertencente ao mundo de negócios recebia sua educação — fora dos Estados Unidos o triunfo das escolas de business e dos MBA ainda era coisa do futuro —, naquelas décadas uma elevada proporção daqueles que se dirigiriam à política, ao serviço público, à vida acadêmica, ao jornalismo e outros meios de comunicação sabiam os nomes dos pensadores sociais e históricos de esquerda. Sendo relativamente pequeno o número de contemporâneos com essa reputação, nossos nomes se tornaram bastante conhecidos nos círculos instruídos, ainda que fosse modesta a circulação real de nossos escritos, legal ou pirateada. Naturalmente ela podia crescer muito após a democratização, embora em nenhum lugar aumentasse tanto quanto no Brasil, onde a venda de exemplares da primeira edição de minha história do século XX seria maior do que em qualquer outro país. Grande parte disso se deveu ao auxílio de um editor excepcional, Luiz Schwarcz.

Dessa forma, a carreira profissional de um escritor durante e após o surgimento, enfraquecimento e queda de governos da linha-dura direitista no Ocidente pode esclarecer a história intelectual mais ampla do "mundo livre" na segunda parte do século XX, isto é, a ascensão das novas gerações de elite educadas a partir da década de 1960, que cresceram no espírito de rebelião, mesmo quando rapidamente "cooptadas" (como se dizia então), ou deixando-se cooptar, para fazer parte do establishment. Isso não significa superestimar a importância de ler esses autores. Alguns eram meros símbolos de modas políticas ou ideológicas passageiras. Por exemplo, nos anos das grandes revoltas estudantis do fim dos anos 60, as obras do filósofo político Herbert Marcuse eram exibidas em todas as livrarias universitárias do mundo ocidental — pelo menos eu as vi na costa leste e na costa oeste dos Estados Unidos, em Paris, em Estocolmo, na Cidade do México e em Buenos Aires. (O próprio Marcuse, um tipo bronzeado e atlético que poderia ser instrutor de esqui aposentado, não parecia emblemático quando nessa época o conheci em Cambridge, Massachusetts.) Mesmo assim, em poucos anos suas obras haviam retornado ao submundo no qual os aspirantes a doutorado procuram desesperadamente temas para suas teses.

É irrelevante saber se os escritores que assim se tornaram símbolos políticos em determinado país percebiam o que ocorria com seus nomes. Há países nos quais eu nem sabia que possuía leitores até descobrir, ao visitar a Coréia do Sul em 1987, que cinco de meus livros haviam sido publicados em traduções locais (pirateadas). Se não fosse um amigo iraniano na Nova Escola, eu não saberia que um certo Ali-Akbar Mehdian, até então desconhecido, havia traduzido e publicado *A era das revoluções* em Teerã na primavera de 1995, acrescentando a palavra "Europa" a *1789-1848*, "provavelmente para conseguir autorização para a publicação". No Brasil, e em menor grau na Argentina, países que eu conhecia e onde tinha amigos, compreendi perspicazmente como esses nomes podiam tornar-se conhecidos, embora só muito mais tarde percebesse a extensão do número potencial de leitores.

Isso leva o autobiógrafo marxista ao bem-vindo território da tecnologia e da cultura, isto é, a explosão de fotocopiadoras que acompanhou a enorme expansão da educação superior no Ocidente a partir da década de 1960. Ela proporcionou o acesso geralmente gratuito das novas massas de professores e estudantes a textos acadêmicos importados de custos elevadíssimos, que de outra forma estariam fora do alcance de seus modestos orçamentos e dos parcos recursos de suas bibliotecas. A filial de meu admirável editor espanhol em Buenos Aires, Gonzalo Ponton, de *Critica*, que conseqüentemente imaginou haver espaço para uma edição especial local de minha obra, e eu também, descobrimos a amplitude de meus leitores juvenis, ou pelo menos daqueles que tinham reação positiva a meu nome, durante uma visita a Buenos Aires em 1998 para promovê-la. Inversamente, foi a sistemática ausência de tais mecanismos no mundo comunista o fator que limitou durante muito tempo sua literatura dissidente àquilo que podia ser laboriosamente datilografado e copiado com papel carbono, ou decorado.

Sem dúvida existem autores, e certamente não me incluo entre eles, capazes de acompanhar as dimensões intelectuais do declínio e do colapso do comunismo e suas conseqüências de maneira semelhante, por meio da trajetória de suas obras. É evidentemente uma tarefa muito mais difícil, por dois motivos. Antes da queda desses regimes, a literatura dissidente ou mesmo heterodoxa mal podia aparecer na superfície. Não há maneira de medir o impacto de obras que eram inacessíveis em letra de fôrma à maioria dos leitores, embora isso não signifique que esses livros não pudessem chegar a ser conhecidos de outras maneiras. Desde o fim do comunismo a publicação de obras sérias sobre história e política dependeu do auxílio de pessoas benevolentes, como o admirável George Soros. Isso pouco informa o autor sobre os leitores que pretendeu atingir, tanto potenciais quanto reais. Graças a Soros, cujas fundações e outros serviços impediram quase por si sós que as atividades científicas e intelectuais na ex-União Soviética e em grande parte da Europa Oriental fossem engolidas pelas labaredas do chamado "mercado livre", pelo menos dois de meus livros, *Era dos extremos* e *Nações e nacionalismo*, foram publicados em diversas línguas da Europa Oriental menos conhecidas, cujo pequeno público jamais poderia ter justificado os altos custos da tradução. Além disso, um deles (*Nações e nacionalismo*) é uma crítica do próprio nacionalismo etnolingüístico no qual se baseiam os pequenos Estados sucessores da União Soviética, e portanto é extremamente improvável que tenha havido grande demanda reprimida de tais críticas nas livrarias relevantes de Tirana, Pristina e Skopje. No entanto, como posso saber, se o mundo ainda vive à sombra da torre de Babel?

Mesmo assim, é possível que eu tenha me saído melhor com o problema da torre de Babel do que a maioria de meus colegas de língua inglesa, não menos porque minha vida profissional não foi apenas peripatética, mas também multilíngüe. Os historiadores, naturalmente, precisam mais das línguas do que outros eruditos, fora os lingüistas e os estudiosos de literatura comparada, pois não se pode estudar a sério quase nada de história inteiramente em uma única língua, a não ser a história puramente local, até mesmo dentro da maioria dos Estados. Graças à vantagem de ter crescido bilíngüe, ter um certo dom para aprender idiomas falando, mais do que por uma instrução formal, e à ancestral experiência judaica de mover-se de um lugar a outro entre desconhecidos, levei a cabo minha atividade docente e de maneira modesta meu trabalho de escritor, de rádio ou de televisão, em várias línguas, nem sempre bem dominadas. Isso deu à minha carreira profissional uma tintura mais cosmopolita do que o normal, para não falar de uma presença mais visível em países nos quais os jornalistas de rádio e de televisão podem aproveitar algumas palavras ditas na língua de seu público em seus microfones estendidos, ou mesmo uma palavra pública ou conversação televisada. Ao longo dos anos, a secretaria do departamento de história em Birkbeck se habituou com diversos sotaques de estrangeiros que pediam ligação com a sala do professor Hobsbawm, aos sons não anglo-saxônicos em volta de minha mesa na cafeteria e ao gradual ajustamento de estudantes peruanos, mexicanos, uruguaios, bengaleses ou do Oriente Médio à vida londrina. Nem todos esses estudantes eram legítimos acadêmicos. Nos últimos quarenta anos a língua inglesa se tornou de tal forma o idioma da comunicação global, enquanto o conhecimento do francês, a outra língua internacional, declinou com muita rapidez, que os estudiosos como eu perderam grande parte de suas funções anteriores como intérpretes e intermediários intelectuais. Esse papel, entretanto, continuou a ser importante na Europa, pelo menos durante o tempo de vida da geração dos grandes intelectuais franceses monolíngües, os quais (com raras exceções, como o brilhante e infeliz Raymond Aron) não falavam nem entendiam o inglês. Funcionei como tradutor para o grande historiador Ernest Labrousse em suas primeiras conferências do pós-guerra na Sociedade de História Econômica. (Ele me advertiu com firmeza que não tocasse em Bordeaux *branco*, o qual, em sua opinião, era indigno de qualquer bebedor de vinhos franceses que se respeitasse.) Se não fosse em francês, eu não poderia estabelecer relacionamento com Fernand Braudel. Na metade da década de 1960 a geração seguinte, menos monolíngüe, chegou à maturidade, mas estava muito longe de ser fluente, como confirmará o principal historiador francês, Emmanuel Le Roy Ladurie, se se recordar de sua primeira visita a Londres. Os eruditos da Europa Oriental anteriormente utilizavam o francês, mas na década de 1990 seus alunos na Nova Escola não tinham dificuldade em redigir em inglês seus trabalhos de fim de ano. Ainda assim, mesmo hoje em dia a aldeia global em que vivem os acadêmicos tem de continuar a se apoiar no multilingüismo, como qualquer intelectual ocidental verificará se se vir sem guia em uma rua de Nanquim, Nagoya ou Seul — isto é, vendo-se funcionalmente surdo, mudo e analfabeto. Nesses lugares, é necessário falar pelo menos duas línguas.

No entanto, a aldeia global realmente existe, e como os limites do espaço e do tempo foram virtualmente eliminados, é habitada pela profissão acadêmica, que voltou a ser o que era na Idade Média européia, isto é, composta de eruditos ambulantes, ou melhor, hoje em dia viajantes aéreos. Creio que estou vivendo nela durante pelo menos quarenta anos. É nesse ponto que o limite entre a carreira profissional e a vida privada fica indistinto ou desaparece completamente. Na memória, os jantares em homenagem de algum visitante estrangeiro nas épocas de migração acadêmica (como ao fim do período escolar de verão) se misturam com as lembranças de jantares de Natal em que minha família recebia visitas de amigos, locais ou forasteiros, temporariamente sem compromissos ou hostis ao espírito da ocasião: Francis e Larissa Haskell, Arnaldo Momigliano, Yolanda Sonabend. Isso não quer dizer que os professores somente tenham amigos também acadêmicos, embora muitos o sejam, devido à natureza das coisas. Na verdade, um dos motivos pelos quais Marlene e eu preferimos morar nas grandes cidades é que não existe em Londres ou Nova York uma comunidade universitária suficientemente grande para dominar a vida social. Por outro lado, seja para os acadêmicos, os comunicadores ou os homens de negócios, a aldeia global é um lugar não tanto de vidas quanto de encontros. Cada um de seus habitantes tem raízes, e muitos têm permanência — seja "aqui" (onde quer que seja o "aqui", em Londres, Cambridge ou Manhattan) ou em outro lugar. Freqüentemente, e isso é novidade, têm raízes múltiplas ou pelo menos ligações múltiplas, domésticas ou profissionais: minha transferência periódica de Londres a Manhattan, os casais de profissionais cujas semanas de trabalho estão separadas por continentes e oceanos, e que se juntam somente nos fins de semana ou mesmo mais raramente.

A aldeia global é o conjunto dos pontos de encontro dessas entidades em constante movimento browniano por todo o globo contemporâneo, tanto as previstas, como as conferências e simpósios, como as casuais e inesperadas, no trabalho ou em férias. É a pergunta "Que é que você está fazendo aqui?" que entremeou minha vida em Santiago do Chile, Seul ou Mysore. Esse, porém, é apenas um dos tipos de encontro que ocorrem na aldeia global. Suas dimensões são a impermanência, o isolamento, os imprevistos nos carros alugados, nos bares e nos quartos de hotel que têm CNN. Nem mesmo os circuitos altamente organizados daquilo que pode ser chamado negócios ou turismo profissional — os simpósios acadêmicos em belos lugares, a Villa Serbelloni no lago de Como, a Fondazione Cini nas águas de Veneza, as reuniões de luxo de executivos próximas aos campos de golfe e às praias —, nada disso constitui os verdadeiros lugares em que se situa a aldeia global. Ela se materializa realmente na rede local de comunicação humana, que junta as famílias nativas, os peripatéticos e os forasteiros, as chegadas, os projetos e as partidas. Em suma, ela funciona primordialmente mediante circuitos globais de hospitalidade doméstica. Esse é o modelo de vida da maioria dos acadêmicos casados, como de outros profissionais estabelecidos. Os homens e mulheres que vêm a nossas casas não são "da família", mas são tão conhecidos como se fossem, venham eles de Nova Delhi ou de Florença, ou que o façam em Helsinque ou em Manhattan. São parte de nosso pequeno mundo cotidiano. Muito provavelmente ouvimos falar deles, ou eles ouviram falar de nós, mesmo que sejam amigos comuns os que nos juntam pela primeira vez, que geralmente não será a última. Temos as mesmas referências e partilhamos os mesmos mexericos. Pode ser que cheguemos junto com eles de algum outro lugar a fim de estabelecer uma existência nova, permanente ou semipermanente, em um novo meio ambiente, como aconteceu conosco nos meus primeiros anos na Nova Escola na década de 1980. Vivemos entre eles e eles entre nós, como vizinhos.

No meu caso foi uma vida extraordinariamente agradável, confortável, variada pelas viagens, cada vez mais acompanhado por Marlene, combinando o trabalho, as descobertas e as férias, as novidades e as antigas amizades. Somente a consciência de que as pessoas que vivem na pobreza, na presença constante da desgraça e da morte conseguem também rir, ou pelo menos contar boas piadas, é capaz de dar-me coragem para dizer: foi muito divertido. Não foi uma vida profissional de ações dramáticas, de dificuldades ou de perigos (a não ser mentais) e medo. Como outros na pequena minoria favorecida à qual pertenço, surpreende-me a "patente contradição entre as experiências de nossas próprias vidas [...] e os fatos do século XX [...] os terríveis acontecimentos que a humanidade experimentou".[3] Pelos critérios do sucesso profissional, não foi insatisfatório. Trouxe-me maior felicidade particular do que eu poderia esperar.

Teria sido essa a vida que eu imaginava quando era jovem? Não. Seria inútil e até mesmo tolo lamentar que ela tenha sido como foi, mas em algum lugar dentro de mim há um fantasminha que sussurra: "Não se deve estar acomodado num mundo como o nosso". Como disse aquele que li na juventude: "A questão é mudá-lo".

19. *Marseillaise*

Desde 1933 tenho ido à França quase todos os anos, exceto durante a Segunda Guerra Mundial. O país vem sendo parte de minha vida há setenta anos, e até mesmo mais, porque minha mãe começou a ensinar francês aos filhos em casa, utilizando o *Os três mosqueteiros* de Dumas pai, um enorme volume encadernado que jamais conseguimos terminar. Quando adolescentes, ela e as irmãs haviam sido mandadas para um *pensionnat* na Bélgica a fim de aperfeiçoar o francês. Pertenço à última geração européia para a qual o francês era ainda a segunda língua universal. Mesmo após uma longa vida de viagens, provavelmente já fui a Paris mais vezes do que a qualquer outra cidade estrangeira, e para todos nós Paris era e continuou a ser o cerne de nossa experiência da França.

Conheci-a pela primeira vez durante uma rápida parada, ao viajar de Berlim para a Inglaterra na primavera de 1933. Viajava com meu tio, que presumivelmente tinha alguns arranjos finais a fazer em Berlim e deve ter tido algum negócio a tratar em Paris, pois sem dúvida essa cidade não ficava no caminho para Londres. Imagino que tenha sido algo relativo ao cinema, pois suas atividades subseqüentes em Paris se baseavam em uma extensa rede do cenário cinematográfico francês, e sem dúvida eram derivadas de seu tempo na Universal e reforçadas por suas relações com os técnicos emigrados que havia conhecido em Berlim.

Eu estava ansioso, pois os rapazes de famílias do tipo da minha esperavam ir a Paris mais cedo ou mais tarde, porém não me surpreendi. Na verdade, o que me causava certo nervosismo não era apenas a ida a Paris, mas também a perspectiva de passar pelos controles nazistas na fronteira em companhia de um jovem comunista, bem vestido e de classe média, cujo nome creio fosse Hirsch, que também ia para a França com objetivos não revelados e com quem travei conhecimento no corredor do trem. Com ele aprendi minha primeira expressão idiomática em francês (*merde alors*). Meu tio havia reservado o Hotel Montpensier na rue de Richelieu, entre a Comédie Française e a Bibliothèque Nationale, cuja existência eu então desconhecia. Nesse edifício fui apresentado aos elevadores comuns na França na década de 1930, e que aparentemente não haviam mudado desde os primórdios da Terceira República. (Em suas viagens de negócios seguintes a Paris, meu tio ficava em algum estabelecimento menos modesto, e durante sua época de maior otimismo, no Georges V.) Naquela noite, e talvez na seguinte, ele me levou a passear pelos grandes *boulevards*, a longa extensão de avenidas cheias de cafés que vão da République, a leste, até a Madeleine, a oeste, e que naquela época eram ainda a principal *promenade* de Paris, como haviam sido desde os tempos de Haussmann. Mostrava-me as prostitutas, que eram então chamadas *grues* (garças) e a zona de prostituição em torno do *boulevard* Sebastopol, um de cujos bordéis está agora sendo preservado, como monumento histórico, da destruição do desenvolvimento imobiliário. No entanto, somente alguns anos depois entrei num desses estabelecimentos, ocasião na qual, durante uma excursão noturna em companhia de um comunista húngaro, perdi minha virgindade numa cama rodeada de espelhos por todos os lados em um bordel cujo endereço já não recordo e onde havia uma orquestra de mulheres nuas. O húngaro, Gyorgy Adam, insistiu comigo para que visitasse a Hungria, onde me assegurou que as mulheres casadas de classe média que veraneavam no lago Balaton estavam à espera de homens como nós. Mais tarde foi preso, por ocasião dos expurgos stalinistas, mas permaneceu marxista convicto. Minha mulher foi a única mulher casada com a qual testei essa hipótese no lago Balaton, muitos anos depois, quando passamos rápidas férias na casa de hóspedes da Academia Húngara de Ciências, estabelecimento bastante agradável, de tipo familiar, no qual os visitantes guardavam suas garrafas de vinho, levando-as de uma refeição à outra.

No dia seguinte fui sozinho ao Louvre, que na época ainda tinha a seu lado o gigantesco bolo de noiva do monumento a Gambetta, que não sobreviveu ao holocausto das estátuas (principalmente republicanas) durante a ocupação alemã e após a guerra. Impressionaram-me as dimensões da *Vênus de Milo* e, mais sinceramente, a *Vitória de Samotrácia*, e certamente parei diante da *Mona Lisa*. Ela, no entanto, não falava minha língua, o que não era o caso de outro quadro, *Olympia,* de Manet. Talvez fosse natural que um menino virgem de quinze anos se sentisse hipnotizado pelo olhar audacioso e adulto daquela imagem impressionante de uma mulher nua, na glória de seu *luxe* e *calme*, e, naquele momento, visivelmente desinteressada em sua *volupté*. No entanto, o que tornou inesquecível meu primeiro encontro com essa obra-prima não foi a sensualidade — afinal, o Louvre está cheio de mulheres nuas sensuais —, mas sim a sensação de que aquele maravilhoso pintor não estava preocupado com a emoção incidental, e sim com a "verdade"; nas palavras gaguejantes de uma geração posterior de adolescentes, em "dizer as coisas como elas são". De minha primeira visita a Paris, o que recordo é a *Olympia*. Se era preciso converter-me à França, Manet era o missionário adequado.

Mas eu precisava de informação, mais do que de conversão. No ano seguinte, obrigado a passar nos exames de francês pela primeira vez, ela veio de livros e de professores, inclusive um intelectual francês que preparava uma *agrégation* ou *thèse*, e que naturalmente se considerava na vanguarda da cultura francesa. Ele me assegurou que existiam apenas três escritores contemporâneos *sérios*, isto é, os três G: André Gide, Jean Giono e Jean Giraudoux. Não sei por que preferia esses a, por exemplo, Gide, Celine e Malraux. Experimentei conscienciosamente todos eles e achei Gide enfadonho, como aliás confesso que ainda acho. Já tinha ouvido falar de Jean Giono, no *Vossische Zeitung* de Berlim, que havia publicado em capítulos uma tradução de uma de suas rapsódias da vida dos camponeses da alta Provence. Fiquei de tal forma emocionado com sua *casserole* de sol, solo, paixão e brutalismo rural, que alguns anos mais tarde, numa viagem de carona até o Mediterrâneo, fiz um desvio intencional para visitar Manosque, nos Alpes inferiores, onde ele morava, a fim de apresentar meus respeitos ao escritor, que não estava, e mergulhar rapidamente nas águas geladas do rio Durance, testemunha de seus dramas humanos. Vi que pelo menos uma admiradora havia feito a mesma peregrinação, uma jovem não muito atraente de pais poloneses imigrantes, igualmente vencida por sua eloqüência cortante, e com ela comparei notas castamente na noite provençal. Ainda tenho as edições baratas de seus romances desse período, mas não tive coragem de relê-los desde aquela época.

Por outro lado, ainda hoje me vejo de vez em quando relendo o elegante Jean Giraudoux, que era então conhecido do público francês mais amplo, particularmente como dramaturgo de grande êxito e de inclinações intelectuais, em cujas peças atuava o grande ator-diretor Louis Jouvet. Sua *A Guerra de Tróia não acontecerá*, que demonstrava uma convicção melancólica de que uma nova guerra mundial era absolutamente inevitável, continua a ser um dos principais textos para os estudiosos do establishment francês da década de 1930. Eu o admirava pelos solilóquios em forma de romances, especialmente o maravilhoso espetáculo de fogos de artifício de *Siegfried e o Limousin*, escrito pouco depois da Primeira Guerra Mundial e dedicado a demonstrar tanto a absoluta incompatibilidade entre o que a França significava para os franceses e a Alemanha para os alemães, quanto a complementaridade das duas civilizações. Talvez isso explique o motivo pelo qual o escritor desapareceu do cenário intelectual francês após a Liberação, embora não fosse membro proeminente de Vichy nem colaboracionista. Por estar suspenso entre línguas e culturas como um amante entre dois objetos de amor em competição, eu me deixei levar pela capacidade de Giraudoux de ser apaixonada, visceral e intelectualmente francês e ao mesmo tempo de amar a Alemanha, especialmente por ridicularizar ambos os países.

Eu não precisava dele para me falar dos alemães, mas em Giraudoux encontrei e reconheci pela primeira vez o tipo de França sobre o qual meu amigo, o historiador Richard Cobb, escreveu melhor do que ninguém: a França da Terceira República, na qual Giraudoux tinha suas raízes. A França à qual fui apresentado pelo implausível intermédio de suas novelas não era a França da alta intelectualidade, confiante em sua superioridade como somente são os egressos de Eton na Grã-Bretanha, embora como produto da École Normale Supérieure de Paris ele fosse um bom espécime dela. O que rapidamente descobri por sua voz foi a França jacobinista, que se tornou a França de minha década de 1930, a República do *Canard Enchaîné*.

Esse jornal acinzentado, de quatro ou excepcionalmente seis páginas de comentários, piadas e caricaturas, sem patrocinador nem subsídios, que recusava todos os anunciantes e que se descrevia simplesmente como "um jornal satírico que sai às quartas-feiras", comprado semanalmente por meio milhão de freqüentadores dos Cafés du Sport e dos Cafés du Commerce de Dunquerque a Perpignan, era talvez a única expressão nacional da Terceira República. Com efeito, sua linguagem, convenções, termos de referência e premissas eram tão esotéricas que se tornavam em grande parte incompreensíveis para quem não tivesse nascido e vivido nela, pelo menos sem receber explicações extensas. Desde o tempo do general De Gaulle, a quem satirizava num "boletim da corte" no estilo clássico das *Memórias* do duque de Saint-Simon, sobre o reinado de Luís XIV, o jornal talvez agradasse mais às pessoas de educação superior e a certos grupos políticos do que a seus leitores originais, os socialistas, socialistas radicais e até mesmo os eleitores comunistas de Clochemerle (a comunidade arquetípica da Terceira República, já não mais reconhecível num país que aboliria os telefones públicos rurais devido à disseminação de telefones celulares na *France profonde*).*
Um dos artigos da crença básica do jornal, e da desses leitores, era que a República não tinha inimigos na esquerda (os demais artigos de fé eram a crença na Liberdade, Igualdade, Fraternidade e Razão, no anticlericalismo, na abominação da guerra e do militarismo, e nas virtudes do bom vinho). Era absolutamente cético em relação aos governos. Na década de 1930, seus leitores gostavam de pensar que não tinham ilusões a respeito dos ricos, que os exploravam e que corrompiam tanto o governo, que criava impostos abusivos, como a maioria dos políticos e dos jornalistas que procuravam "encher nossas cabeças" (*bourrage de crânes*). O *Canard* lhes dizia que tinham razão, embora na verdade não denunciasse o sistema, o que tampouco faziam seus leitores. Como na comédia *Topázio*, de Marcel Pagnol, então famosa, na qual um mestre-escola idealista verifica que não se consegue ter sucesso na carreira e riqueza por meio da virtude republicana — e nem mesmo o reconhecimento estatal do mérito na educação, a ordem das Palmes Académiques que

---

* A política nessa cidade da Borgonha, imortalizada num romance do entreguerras com o mesmo nome, de Gabriel Chevalier, girava em torno da localização proposta para um mictório público — outra marca característica da vida na Terceira República —, disputada entre a direita e a esquerda.

ele cobiça* —, a corrupção não era tema de uma cruzada, e sim matéria para risos desencantados.

Nada poderia ser mais distante do *Canard* do que minha instrutora sobre as características de outra França, Mme. Humbline Croissant, em cujo apartamento na Porte de Versailles morei durante o verão de 1936. Eu vivia de um subsídio do Conselho do Condado de Londres enquanto esperava ser admitido em Cambridge. Madame Croissant, senhora grisalha de origem normanda, tocava harpa, assinava a antiga e conservadora *Revue des Deux Mondes* e reprovava, entre muitas outras coisas, minhas leituras de Proust, que eu trazia da biblioteca Gallimard no *boulevard* Raspail para a sala de visitas dela. Eu freqüentava a biblioteca quase tão regularmente quanto o Dôme de Montparnasse, e a livraria Gallimard fica ainda hoje no mesmo quarteirão. Na opinião dela, o francês de Proust não era bom. Por outro lado, ela me ensinou as grandes verdades da mesa francesa, tais como a de que a carne e os legumes não devem ser colocados juntos no mesmo prato, e sim comidos separadamente, e que o peixe exige o vinho ("*le poisson sans boisson est poison*"). Sua vida social era restrita e formal. Embora sua cozinha fosse maravilhosa, creio que cada um de nós desapontou o outro. A França dela não era a minha.

Os jovens intelectuais do sexo masculino de minha geração tiveram sorte de conviver com a França na década de 1930. (O espaço que ela proporcionava às moças dessa geração era visivelmente mais estreito.) Os historiadores não são entusiastas da França na qual eu primeiro pus os pés na primavera de 1933, e na qual passei a maior parte de meus verões entre aquela época e o início da Segunda Guerra Mundial. Politicamente, a Terceira República caminhava para o túmulo. Culturalmente, a França vivia do capital acumulado antes da Grande Guerra, ao qual os franceses pouco acrescentaram após 1918. A maioria dos grandes nomes da *École de Paris* do entreguerras, nacionais ou imigrantes, era de artistas que haviam chegado à maturidade e estabelecido sua reputação antes de 1914. Como assinalou A. J. Liebling, o melhor escritor americano sobre boxe, Nova Orléans, política e gastronomia, entre as duas guerras até mesmo a *haute cuisine* francesa, assim como as cortesãs parisienses, já havia passado da idade de ouro.

---

* Quando, muitos anos mais tarde, o governo francês me concedeu as Palmes Académiques, inevitavelmente pensei no *Topázio*, o que tornou difícil para mim ficar sério.

No entanto, não era assim que víamos a França. Afinal de contas, Matisse e Picasso ainda estavam em franca atividade, e o filho de Renoir, o maior talento da cinematografia francesa, produzia uma obra-prima a cada dois anos. O que víamos não era um país em declínio, e muito menos às vésperas do triste e vergonhoso episódio da Segunda Grande Guerra, que os franceses têm dificuldade em compreender até meio século mais tarde, e sim a França cuja imagem havia sido marcada no mundo ocidental educado desde o Iluminismo do século XVIII como a quintessência da civilização e da vida agradável. A famosa anedota, segundo a qual os americanos bons quando morrem vão para Paris — apareceu impressa pela primeira vez nesse extraordinário compêndio da distinção intelectual francesa, o *Paris Guide*, de 1867 —, ainda tinha veracidade integral; de fato, os americanos (do norte, do centro e do sul) conservariam sua fé no paraíso parisiense por mais tempo do que a maioria dos outros estrangeiros. Nem mesmo a Alemanha nazista conseguiu libertar-se dessa convicção. As memórias de alemães sofisticados do tempo da guerra, civis e militares, na França ocupada, ainda que convencidos da fibra moral inferior dos vencidos, sugerem que os conquistadores ainda se consideravam, em certos aspectos, como romanos entre atenienses. Os estrangeiros francófilos aceitavam a evidente e ainda inabalada convicção dos franceses de que seu país era na verdade o centro da civilização mundial, um "reino do centro" da mente, como a China, a única outra cultura que tinha igual crença em sua própria superioridade incontestável.

Por que tomávamos a França segundo a avaliação que ela fazia de si própria? O que nos fazia pensar que Paris era ainda, de alguma forma, a "capital do século XX", como evidentemente havia sido a do século XIX? A não ser a pintura e a escultura, e a extraordinária tradição do romance francês, nada na alta cultura e na vida intelectual francesa era, ou parecia ser, *obviamente* "a melhor do mundo". As literaturas de outras línguas européias importantes não se sentiam inferiores à francesa. Até mesmo os francófilos apaixonados não discutiam a superioridade de Rabelais e Racine em relação a Shakespeare, Goethe, Dante ou Pushkin. A música francesa, embora original, vinha atrás da austríaca. A filosofia francesa parecia evidentemente inferior à alemã (para os jovens de vivência centro-européia), a ciência francesa contemporânea não tinha a pletora de sucessos de primeira classe da Grã-Bretanha e da Alemanha pré-1933, a tecnologia francesa dava a impressão de haver estancado na era da torre Eiffel e do metrô art nouveau; e quanto às conveniências da vida, sem falar no bidê, ainda desconhecido para a cultura anglo-saxônica, certamente não eram as instalações sanitárias francesas o que atraía os jovens americanos e britânicos ao tipo de hotel que a maioria deles podia pagar.

Num nível um tanto rarefeito, a superioridade da civilização francesa era considerada indiscutível. Desde Voltaire, o espírito francês havia sido o modelo do mundo ocidental. Ninguém duvidava de que a *couture* e os cosméticos femininos, assim como os vinhos e a culinária francesa, fossem os melhores do mundo, as relações sexuais (hétero) francesas eram consideradas as mais sofisticadas e aventurosas, e o gosto e o estilo franceses em todos esses assuntos, e em muitos outros, era algo a que minha geração costumava curvar-se. Mas até isso repousava sobre o hábito antigo de transformar superioridades francesas selecionadas em uma superioridade genérica que se supunha ser inerente ao país. Sabíamos perfeitamente que havia muitas coisas nas quais a França não era superior. Mas nossa admiração pela França não era afetada pelo fato, que os jovens de minha geração na América do Norte e na Europa Central e Setentrional dificilmente deixariam de notar, de que o modo de vida francês entre as duas guerras praticamente nada tinha a dizer sobre atividades ao ar livre. Não era muito inclinado à comunhão com a natureza. Não demonstrava grande interesse em caminhadas, individualmente ou em grupo, em alpinismo, em esquis, em praticar ou ver jogos de equipe, nem mesmo o futebol. Na década de 1930 o interesse ideológico pelo ar livre parecia ainda estar restrito aos conservadores, desde os católicos sociais aos francamente reacionários. Em troca, sua única paixão esportiva popular, o Tour de France ciclístico, não suscitava interesse fora da França, a não ser em alguns países vizinhos.*

Por outro lado, a França tinha uma vantagem importante. Parecia oferecer sua civilização a qualquer estrangeiro que a desejasse. Podíamos partilhar dela e a aceitávamos, e isso não apenas porque Hitler e Mussolini houvessem conspurcado a cultura alemã e italiana — minha geração não pensaria em férias na Veneza ou na Roma fascistas —, ou porque a cultura britânica fosse

---

* No entanto, durante alguns anos antes da ascensão do tênis americano e australiano na década de 1930, a França teve papel proeminente no cenário do tênis internacional: com os "Quatro Mosqueteiros"— Cochet, Lacoste, Brugnon e Borotra — e com uma das raras mulheres esportistas importantes da época, Suzanne Lenglen.

demasiadamente insular, ou ainda porque a cultura dos Estados Unidos visivelmente pertencesse a uma tribo diferente da nossa. A Revolução Francesa, o ponto de partida da moderna história mundial para qualquer pessoa no mundo que tivesse educação ocidental, havia aberto as portas de uma nação notoriamente chauvinista a todos os que aceitassem os princípios de liberdade, igualdade e fraternidade e a língua francesa una e indivisível. No século XIX a França se tornou não apenas a principal nação receptora de imigrantes da Europa, mas também — especialmente entre as revoluções de 1830 e 1848 — o refúgio acolhedor para os dissidentes políticos e culturais internacionais de toda a Europa. Paris era o centro da cultura internacional, o lugar onde as pessoas queriam estar ou ter estado. De que outra forma teria sido possível a École de Paris do início do século XX, na qual artistas espanhóis, búlgaros, alemães, holandeses, italianos e russos ombreavam com latino-americanos, noruegueses e naturalmente com os franceses nativos? Em nenhum outro país o movimento de *Résistance* do tempo da guerra se apoiou em número tão grande de estrangeiros residentes — republicanos espanhóis refugiados, diversos poloneses, italianos, centro-europeus, armênios e judeus do MOI do Partido Comunista (*Main d'Oeuvre Imigrée* — mão-de-obra imigrante). Minhas próprias recordações de Paris antes de ir para Cambridge são de americanos nas galerias de arte da Rive Gauche, surrealistas alemães nos sótãos, as mesas do Café Dôme em Montparnasse repletas de gênios artísticos sem dinheiro, da Rússia e da Europa Central, esperando o reconhecimento. Depois de ir para Cambridge e filiar-me ao Partido Comunista, minhas recordações são de reuniões com centro-europeus antifascistas no Restaurant des Balkans na rue de la Harpe, de conferências internacionais cheias de refugiados italianos, alemães e até mesmo de espanhóis, húngaros e iugoslavos perseguidos e diversos revolucionários asiáticos, em prol dos quais James Klugmann mobilizava seus jovens e leais estudantes de Cambridge.

Hitler não apenas transformou a França, mais do que nunca, em um centro internacional, como também, entre 1933 e 1939, no maior refúgio da civilização européia e, à medida que o fascismo avançava, no único quartel-general sobrevivente da esquerda na Europa. Embora não acolhesse com satisfação os refugiados e os que buscavam asilo, a França, ao contrário da Grã-Bretanha antes de Munique, não fez esforços sistemáticos para mantê-los fora. Havia outros lugares de refúgio — os pequenos países do Benelux, a Tchecoslováquia (até Munique), a relutante Suíça, a Dinamarca, para onde foi Brecht, e até mesmo, para os judeus muito apolíticos, a Itália, até Mussolini introduzir o racismo em 1938. (Mas não a Rússia de Stalin, a partir do Grande Terror.) Esses eram somente abrigos para os perseguidos. A França era diferente. Em tempos melhores, até mesmo os exilados iriam para lá voluntariamente. Parecia natural, e ainda parece, que a última grande ocasião antes da descida para os infernos, quando a Europa inteira ainda fazia espetáculos, que a Exposição Internacional de 1937 fosse realizada em Paris. Onde mais? Quase certamente não estarei sozinho em recordá-la como ao mesmo tempo internacional e francesa: não apenas pelo *Guernica* de Picasso e pelos pavilhões gigantes da Alemanha e da União Soviética encarando-se, mas também pela maravilhosa e luminosa exposição de arte francesa, a melhor que jamais vi.

E então, durante um breve momento, a França se tornou o lugar da esperança, mais do que um refúgio da civilização. Em 1934 os instintos nativos da política popular republicana (união em defesa da República, ausência de inimigos na esquerda) se combinaram com o inusitadamente senso realista da passionalidade francófila do representante centro-europeu do Komintern no PC francês, o "Camarada Clément", para planejar a melhor estratégia de luta contra o aparentemente irresistível avanço do fascismo, a "Frente Popular".[1] Uma Frente Popular venceu as eleições espanholas em fevereiro de 1936. Em maio, venceu as eleições na França, entronizando o primeiro governo da história francesa encabeçado por um socialista — os comunistas não se animaram a participar do Gabinete —, e provocou uma extraordinária e espontânea explosão de esperança e júbilo da classe operária, a onda de greves de braços cruzados, ou mais exatamente de ocupação de fábricas, de julho de 1936. Eu cheguei a Paris no fim dessa extraordinária e notavelmente bem-humorada comemoração de vitória, mas algumas semanas depois ainda havia sobrado bastante de seu espírito para tornar inesquecível o 14 de julho daquele ano. Tive a sorte de vê-lo da melhor maneira possível: rodando por Paris em um caminhão com uma equipe de jornal cinematográfico do Partido Socialista francês, fotografando o grande dia, possivelmente em filmes vendidos por meu tio.

Para os jovens revolucionários de meu tempo, as manifestações de massa eram equivalentes às missas papais para os católicos devotos. Mas em 1936 o aniversário da queda da Bastilha, a leste da Place de la République, foi maior que as maiores manifestações de massa da esquerda francesa. (Ninguém naquele ano prestou muita atenção à parada militar e outras comemorações oficiais da data nacional pelo governo na parte burguesa da cidade.) Toda a Paris popular estava nas ruas para marchar — ou melhor, perambular entre infindáveis esperas — ou para observar e aplaudir a marcha, como as famílias aplaudiriam recém-casados após a cerimônia. As bandeiras vermelhas e tricolores, os líderes, os contingentes de trabalhadores grevistas masculinos vitoriosos da Renault, ou das grevistas femininas do Printemps e das Galeries Lafayette, os Bretões Emancipados marchando sob seus pavilhões, as bandeiras verdes da Estrela da África do Norte, todos passavam diante das massas aglomeradas no pavimento, das janelas repletas, dos proprietários de cafés que acenavam amistosamente, dos garçons e dos clientes, e dos ainda mais amistosos funcionários e funcionárias dos bordéis que aplaudiam em grupos.

Foi um dos raros dias em que minha cabeça esteve em piloto automático. Somente senti e experimentei. Naquela noite contemplamos de Montmartre os fogos de artifício nos céus da cidade, e depois que deixei o grupo voltei caminhando lentamente através de Paris como se flutuasse sobre nuvens, parando para beber e dançar não sei mais em quantos *bals* nas esquinas. Cheguei a meu lugar de hospedagem de madrugada.

Com efeito, a Frente Popular era praticamente destinada aos jovens, pois (por meio de uma nova lei lançada por um novo ministro do "esporte e lazer", Léo Lagrange) ela introduziu as primeiras férias pagas e os bilhetes de trem a preços reduzidos. Utilizando a única renda que jamais obtive em uma loteria nacional, 165 francos (ou cerca de duas a três libras ao câmbio de 1936), comprei quinze dias de passeio com mochila às costas nos Pireneus e no Languedoc, juntando-me aos primeiros beneficiários da Lei Lagrange no trem noturno que ia da Gare d'Orsay a Luchon. Nessa viagem tive o primeiro e único contato direto com a Guerra Civil espanhola, que já durava semanas, e a qual descrevo adiante (capítulo 20). Também me introduziu (por meio de um jovem tcheco que encontrei no caminho) à viagem de carona, prática então virtualmente desconhecida na Europa, a não ser para uma minoria de jovens *Tippler* (caronistas) centro-europeus sem compromisso. Foi, portanto, muito fácil, especialmente depois que descobri que a aversão dos motoristas franceses de classe média a Léon Blum e aos comunistas podia ser evitada por meio de oportunas perguntas sobre sua opinião a respeito de Napoleão, assunto que os fazia falar ininterruptamente ao longo de duzentos quilômetros. Dali em diante ampliei meus conhecimentos sobre a França todos os anos, em longas viagens de carona com minha mochila.

Quando estourou a guerra, eu achava que conhecia Paris bastante bem, como muitos outros de minha geração; em certos aspectos a conhecia melhor do que Londres. Provavelmente me sentia mais à vontade entre Montparnasse, o Panthéon, a ponte Saint-Michel e a longa extensão do *boulevard* Raspail e da rue de Rennes, do que em um trecho igualmente amplo do centro de Londres. Falava francês suficientemente bem para ter passado da fase em que os franceses elogiam polidamente a maneira pela qual um estrangeiro fala a língua deles. Sabia, ou pensava que sabia, tanto sobre a política francesa quanto sobre a britânica, conhecia as companhias de teatro da moda (Jouvet, Dullin, os Pitoëff), tinha visto *La règle du jeu* de Renoir quando foi lançada, fumava Gauloises no canto da boca como Jean Gabin e havia comprado tanto as obras de Saint-Just como os discursos de Robespierre. Na verdade, sabíamos e compreendíamos muito menos do que pensávamos, mas considerando que nenhum de nós tinha interesse especial de ordem acadêmica, profissional ou familiar nos assuntos franceses, sentíamo-nos à vontade em Paris. Sentíamo-nos bem na França e com a França.

Havia, entretanto, algo curioso na relação com a França. Os franceses, isto é, os nativos, e não os imigrantes ou estrangeiros mais ou menos residentes permanentes, eram praticamente ausentes. Para a maioria dos estrangeiros na década de 1930, a presença física dos franceses era especialmente na forma de provedores de serviços ou extras no permanente cenário de filmagem de seu país. Somente na década de 1950 minha Paris se tornou uma cidade em que eu tinha amigos franceses e onde eu costumeiramente passava o tempo com franceses, assim como com a comunidade cosmopolita habitual de estrangeiros visitantes e de imigrantes.

Os franceses eram um povo notadamente formal, e ainda o são, e sua sociedade, um teatro com papéis e procedimentos claramente definidos. Não posso imaginar outro país em que na década de 1950 um filósofo sabidamente de meia-idade, conhecido por ser mulherengo, ainda utilizasse habitualmente a técnica de cair de joelhos ao apresentar uma rosa a uma senhora. A menos que estejam oficialmente comprometidos com a intimidade, os franceses ainda tendem a assinar a correspondência cotidiana com os floreios cuidadosamente dosados da deferência tradicional ("Queira aceitar,

Monsieur, as expressões de minha distinta/ mais distinta/ mais devotada/ consideração".) Ser eleito para a Academia Francesa ou para o Collège de France, que ainda exigem uma declaração formal de candidatura, seguida pelas visitas rituais do postulante a todos os eleitores, é algo muito mais protocolar do que em outros países: constitui uma honra e uma obrigação social reconhecida que aqueles que contribuíram para a indumentária do acadêmico bem-sucedido compareçam à ocasião a que são convidados para admirar sua espada cerimonial. Até mesmo a informalidade comporta obrigações. Os intelectuais de esquerda acreditavam que sua posição como tais os obrigava a comunicar-se uns com os outros no vocabulário de Belleville. No entanto, era difícil na época, e talvez ainda o seja, penetrar em suas vidas sem alguma forma de apresentação. Somente na França alguém que fosse visitar o grande historiador Ernest Labrousse em sua casa — conhecíamo-nos muito bem pelas conferências sobre história econômica na Grã-Bretanha — teria de esperar no vestíbulo durante os dez minutos regulamentares antes de ser convidado e entrar em seu escritório para ser recebido afavelmente como *cher ami, cher collègue*. Um professor da Sorbonne e antigo chefe-de-gabinete de Léon Blum sabia o que lhe era devido. Jean-Paul Sartre foi o único "grande intelectual francês" *ex-officio* que conheci que parecia completamente isento desse sentido de status público.

A própria igualdade era formalizada. Percebi que havia sido aceito como intelectual pertencente ao grupo quando colegas franceses um tanto mais jovens começaram a dirigir-se a mim usando automaticamente o *tu*, como se faz com professores e colegas de graduação na École Normale Supérieure ou instituições de elite semelhantes. (Naturalmente, os comunistas também faziam isso automaticamente, qualquer que fosse o status ou país, exceto talvez os da República Democrática Alemã, porém a maioria dos antigos historiadores comunistas franceses já deixara de pertencer ao Partido na altura em que os conheci melhor.) Não que isso implicasse intimidade pessoal, mas como, para mim, esse tratamento era inseparável da intimidade, minhas relações pessoais com Fernand Braudel ficaram comprometidas para sempre a partir do momento em que o grande homem, muito mais velho e mais eminente do que eu, sugeriu formalmente que nos tratássemos por *tu*. A conversação se tornava muito difícil — um pouco como escrever um romance sem usar a letra *e*, à maneira de Georges Perec — quando não era possível usar nem o antigo *vous* formal nem o *tu*, que resistia a chegar aos lábios. Eu simplesmente não conseguia tratá-lo informalmente como um amigo comum e não mais como um superior amavelmente condescendente, que era a posição em que havia aprendido a admirá-lo e a afeiçoar-me a ele. (Ele o fazia com perfeição.)

Num país assim, por mais fácil que fosse o ingresso no espaço geográfico, a entrada no espaço humano era difícil sem uma apresentação pessoal, ou sinais tácitos de reconhecimento, como aqueles códigos necessários para visitar amigos nos edifícios de Paris, agora que o *concierge* tradicional já não observa as idas e vindas depois do crepúsculo nos fins de semana. Meus códigos de entrada eram o Partido Comunista e a associação a um grupo de historiadores franceses. As portas se abriram para mim no Congresso Internacional de Ciências Históricas de Paris, em 1950, e continuaram abertas. Nesse congresso, descrito no capítulo 17, conheci as pessoas com as quais Braudel, o grande empreendedor acadêmico, juntamente com seu extraordinário chefe-de-gabinete, Clemens Heller, em breve organizaria a instituição oposta à Sorbonne, a "Sexta Seção" da École Pratique des Hautes Études. Funciona hoje como Escola Superior de Ciências Sociais no edifício de vidros escuros da Maison des Sciences de l'Homme, que Braudel e Heller conseguiram construir no lugar onde ficava a antiga prisão Cherche Midi, diante do conforto do Hotel Lutécia, no qual não muito antes a Gestapo havia torturado seus prisioneiros. A grande inovação da Maison como instituição oficial não era apenas procurar sistematicamente juntar franceses e estrangeiros, graças a Braudel, e especialmente a Heller, e sim, acima de tudo, reconhecer a importância da informalidade e do contato pessoal.

Ter relações informais com o grupo de historiadores à volta de Braudel e do *Annales* naturalmente facilitava os contatos pessoais, tanto mais quando, com exceção do próprio grande chefão, que eu conhecera em meados dos anos 50, eles não eram ainda grandes nomes, nem mesmo significativos, com obras importantes em seus currículos. Em certo sentido nossas carreiras evoluíram juntas, e o mesmo ocorreu com nossas relações sociais, pelo menos até a curiosa reversão ao anticomunismo da Guerra Fria entre os intelectuais franceses na década de 1990. No entanto, as amizades de origem acadêmica somente se desenvolveram integralmente a partir dos anos 60, e minhas relações mais estreitas com a Maison, a École (onde mais tarde dei aulas durante um mês a cada ano) e o Collège de France somente floresceram a partir dos anos 70. Isso se deveu primordialmente ao notável Clemens Heller.

Clemens, um homem corpulento, desengonçado e de aparência distraída, que não gostava de conversar ao telefone por mais de cinqüenta segundos e era capaz de cair em uma mistura macarrônica de idiomas, poderia ser caracterizado como o mais original empresário intelectual da Europa do pós-guerra. A metáfora teatral é adequada. Filho de Hugo Heller, livreiro vienense e promotor cultural que teve a má sorte de despertar o sarcasmo de Karl Kraus, Clemens começou a carreira como aluno da Escola de Teatro Max Reinhardt e acabou sendo mandado para os Estados Unidos quando Hitler chegou à Áustria. Voltou como funcionário americano para lançar os célebres seminários de Salzburgo, foi expurgado durante a caça às bruxas nos Estados Unidos e estabeleceu-se em Paris. Ali formou com Braudel uma parceria extremamente bem-sucedida, para a qual Heller contribuiu com a cultura profundamente cosmopolita dos centro-europeus expatriados, o faro para buscar gente e idéias intelectualmente interessantes e promissoras, uma rede de contatos internacionais e a capacidade de mobilizar fundos da American Foundation para seus projetos acadêmicos. Sendo a França o que é, acabou sendo denunciado como agente da CIA, mas felizmente sem conseqüências. A música e o intelecto eram as paixões que guiavam esse homem de extraordinário calor e generosidade. Uma das recompensas de uma vida longa tem sido sua amizade.

Embora minhas amizades na década de 1950 tivessem origem no Congresso Histórico, as tendências políticas dos intelectuais contribuíram para elas. Não vieram diretamente do Partido Comunista, embora a maior parte das pessoas que conheci estivessem ainda no Partido naquele tempo. O PC francês, organização aparentemente dirigida por sargentos políticos, tinha uma aptidão extraordinária para pressionar e em seguida antagonizar os intelectuais que sua reputação na Resistência havia atraído em grandes quantidades. Isso espantava aqueles entre nós mais acostumados às maneiras descontraídas dos partidos comunistas da Grã-Bretanha e da Itália; mas como assinalou meu amigo Antonin Liehm, tendo sido um genuíno partido de massas no entre-guerras, o PC francês havia se stalinizado, como ocorrera com o PC tcheco, em vez de sofrer uma "bolchevização" imposta do exterior. Colocado na defensiva a partir de 1947, recuou para um universo cultural e político privado, fortalecido contra as tentações do mundo exterior de uma forma que me recorda a das minorias católicas romanas na época do Concílio Vaticano I, pelo menos na Inglaterra. (Tendo crescido em um país católico, os intelectuais comunistas franceses naturalmente percebiam com clareza as semelhanças estruturais entre a Igreja e o Partido.) O PC francês tinha uma desconfiança proletária em relação aos intelectuais. Quando o Grupo Britânico de Historiadores Comunistas procurou correspondentes na França, o PC francês não nos ajudou. No período pré-guerra o Partido queria militantes, e não acadêmicos. Por isso, embora atraísse jovens marxistas, o Congresso Histórico de 1950 não teve a participação de diversos dos historiadores que posteriormente se tornaram eminentes e por fim anticomunistas, e que na época eram jovens ativistas de linha-dura do PC: François Furet, Annie Kriegel, Alain Besançon, Le Roy Ladurie. Somente os conheci em sua época pós-comunista.

Com efeito, em retrospecto parece-me agora claro que a base de minha rede de amizades não era tanto o comunismo quanto a experiência comum e a identificação com a Resistência.

Durante toda essa década, e até o trágico rompimento de seu casamento, minha base em Paris seria o apartamento bastante despojado e proletário de Henri Raymond e da encantadora Hélène Berghauer, no *boulevard* Kellerman. Hospedava-me com os Raymond em quase todas as minhas férias e passava com eles a maior parte de meu tempo livre. Durante alguns anos, após o fim de meu primeiro casamento, eles eram para mim a coisa mais próxima a uma família. Quando saíam de Paris, eu ia com eles no pequeno automóvel para onde tivéssemos combinado — ao vale do Loire, à Itália, qualquer lugar. Quando estavam na cidade, eu a dividia com eles, passeando em sua companhia, observando o cenário dos transeuntes de algum café aprovado, como o Flore ou o Rhumerie, procurando ver e aproveitar conhecidos entre a intelligentsia — Lucien Goldmann, Roland Barthes, Edgar Morin. Quando estavam ausentes, eu ficava sozinho no apartamento, utilizando-o como ilha deserta particular. A austeridade do apartamento era compensada pelo borbulhante alto-astral de Hélène e por uma espetacular tapeçaria de Lurçat que mais tarde teve de ser vendida, em um momento de aperto financeiro. Tal como a amizade de Henri com o romancista libertino Roger Vailland e o filósofo e sociólogo marxista Henri Lefebvre, era uma relíquia da Resistência, à qual ele pertencera quando muito jovem. (Foi para conseguir uma apresentação a

Lefebvre que eu fora inicialmente levado ao apartamento dos Raymond por uma jovem, também anteriormente membro da Resistência, que conheci no congresso.)

Poucos anos mais moço do que eu, Henri vinha de uma família do Orléanais que ele dizia ser de camponeses, publicava poemas seus e de amigos em pequenas *plaquettes* ou panfletos com desenhos de Helène, para os quais me fez também escrever um artigo sobre jazz, e naquela época trabalhava para a ferrovia estatal francesa. Seguira Lefebvre no estudo de sociologia e urbanismo e acabou por dar aulas na Belas-Artes, conseguindo assim emular seu irmão mais velho, André, desde o início legítimo acadêmico produtor de teses, que se tornaria perito em sociedades islâmicas e pilar da erudição francesa em assuntos orientais. Helène, que era mais cosmopolita e mais dramaticamente parisiense, havia passado o tempo da guerra com a família no Brasil e se esforçava para ser pintora. Francamente, nunca foi muito competente, e embora as pessoas não costumassem dizê-lo àquela mulher encantadora e extremamente atraente, creio que ela era demasiado inteligente para não se dar conta de suas limitações, e sofria com isso. Nesse meio-tempo, ganhava a vida como funcionária do Consulado do Brasil. Seu pai polonês, com quem as relações eram tensas, era comerciante, o irmão trabalhava na área de *couture*, ou pelo menos era amigo de uma das belas modelos japonesas que prenunciavam o multiculturalismo erótico. Talvez isso ajude a explicar como ela conseguia vestir Balmain numa época em que as etiquetas de *haute couture* ainda não haviam sido objeto de franquias às lojas de departamentos. Era comunista, como Henri, numa *cellule* do proletário 13º *arrondissement*, mas havia começado na periferia da organização terrorista judaica na Palestina, conhecida como Stern Gang, ou pelo menos na ala mais extremista de esquerda. Conservara uma afinidade com a ação direta. Durante o período do terrorismo da Organização do Exército Secreto (OAS) na Argélia ela me visitou em Londres, a fim de comprar timers para o que disse ser uma campanha de esquerda de bombas anti-OAS. Perguntei onde os compraria. "Na Harrods, naturalmente" foi a resposta. Claro, onde mais poderia ser?

Embora algumas das pessoas da rede dos Raymond fossem ficar conhecidas em seus campos de atividade, elas funcionavam essencialmente nas camadas mais baixas da intelligentsia da esquerda parisiense, embora Helène afirmasse estar *au fait* com os escândalos dos píncaros mais elevados, com os mexericos sobre prêmios literários e os altos e baixos na liderança do PC. Liam *Le Monde* e às vezes *L'Humanité*, porém a maioria das pessoas que conhecíamos (diferentemente de mexericar sobre elas) não recebiam pedidos para assinar aqueles manifestos de intelectuais sobre assuntos públicos tão característicos dos tempos anteriores às colunas habituais dos "intelectuais da imprensa" nos diários e semanários. Era um ambiente muito pré-1968, que foi desmoronando gradualmente ao longo das décadas de 1950 e 1960, à medida que a velha esquerda se fragmentava e discutia sobre Stalin e a Argélia, e cada vez mais a velha-guarda do PC francês considerava desagradável qualquer sugestão de mudança, especialmente vinda de intelectuais. Meus amigos comunistas tendiam a sair do Partido e ingressar em um grêmio menor, o Partido de Unidade Socialista (PSU), e quando isso não dava certo, passavam à pesquisa em tempo integral, ou a escrever livros, ou ainda ao velho Partido Socialista, caso desejassem manter-se em atividade política. Como na época eu não conhecia alguns dos ex-comunistas que passariam diretamente a um anticomunismo passional, ou apenas os havia conhecido ligeiramente, não tinha possibilidade de seguir as pegadas de suas variações políticas.

O fim do casamento dos Raymond inevitavelmente mudou a rotina de minhas visitas a Paris. De qualquer maneira, a partir de 1961 minha vida se transformou com a presença de Marlene. Por mais permanente que fosse a paixão, como a do jazz, Paris já não podia ser a mesma para um homem na meia-idade, casado, e depois com filhos. E de qualquer modo ela tinha, ou fez, seus próprios amigos na França, diferentes dos que tínhamos ou posteriormente adquirimos juntos. Além disso, desde 1957 eu fizera amizade estreita com outro casal parisiense, que até hoje são nossos amigos: Richard e Elise Marienstras. Eu tinha ido com os Raymond a uma pequena cidade na costa da península de Gargano, na Itália — a "espora" que se projeta da "bota" italiana no Adriático —, por causa de um romance ambientado ali, *A lei*, publicado pelo escritor ainda comunista, ou recentemente comunista, Roger Vailland, a quem Henri conhecia dos tempos da Resistência. Na praia estava o casal Marienstras — ele, um louro alto de peito largo e ela, pequena, delgada e morena —, viajando para uma temporada como professores de escola secundária na Tunísia, país já independente porém ainda ligado ao sistema escolar francês. Os intelectuais franceses nunca estiveram tão envolvidos com o norte da África quanto na década de 1950, quando a Tunísia e o

Marrocos se tornaram independentes e a Argélia lutava por sua emancipação. Tínhamos, portanto, muito assunto para conversar. De qualquer maneira, desde o início do século XIX o Magreb desempenhara papel importante na imaginação dos pintores e escritores franceses, e também o de estímulo intelectual para os jovens *agregés* que para lá se dirigiam como professores, isto é, futuros acadêmicos: Fernand Braudel entre os historiadores e Pierre Bourdieu entre os sociólogos, para mencionar apenas dois. Os interesses acadêmicos do casal Marienstras não se fixavam no Mediterrâneo nem no Oriente, e sim no mundo anglo-saxão, o que nos forneceu outro elo. Richard se tornaria a maior autoridade francesa em Shakespeare, e Elise estabeleceria sua reputação em história dos Estados Unidos.

Ambos vinham de famílias judias polonesas, que haviam tido a sorte de sobreviver na área não ocupada da França durante a guerra. Richard ingressara na resistência armada nos montes do sudeste aos dezesseis anos, experiência que recordava como o único período de sua vida em que ninguém se importava com o fato de ele ser judeu, nem mesmo perguntavam. Muitos anos mais tarde emocionou-se profundamente quando, por ser o único intelectual entre seus companheiros sobreviventes, que já iam ficando idosos, pediram-lhe que fizesse o discurso comemorativo no jantar que celebrava o cinqüentenário do grupo, em algum lugar no vale do Ródano. Ainda que naturalmente fossem de esquerda, o marxismo não atraía o casal, nem tampouco o sionismo, pois tinham orgulho do judaísmo secular e emancipado da diáspora. A posição deles era minoritária, ou talvez cada vez mais se tornou minoritária, na comunidade judaica francesa, a qual, durante a vida deles, graças especialmente ao maciço êxodo da antiga parte francesa do norte da África, terminou por ser a maior da Europa e de qualquer país do Velho Mundo a partir do fim da União Soviética.

Houve uma terceira razão, mais acadêmica, para a mudança de minha relação com Paris na década de 1960. A convergência entre o que faziam os historiadores franceses no *Annales* e o que nós fazíamos em *Past & Present* tornava-se evidente. A partir de 1960 fui cada vez mais atraído pela vida acadêmica francesa e especialmente pelo novo império acadêmico de Fernand Braudel. Na verdade, na década de 1970 dele participei oficialmente como *directeur de recherche* associado durante parte do ano na nova École des Hautes Études en Sciences Sociales. Em suma, de 1960 em diante os compromissos acadêmicos cada vez mais determinaram o ritmo de minhas (ou melhor, nossas) visitas a Paris.

De certa maneira essas mudanças ocorreram juntas. Quando fui a Paris pela primeira vez depois de casado com Marlene, cujo conhecimento do mundo acadêmico era mínimo, o casal Braudel, com razão encantado com ela, convidou-nos para almoçar em seu apartamento e Fernand conquistou a eterna boa vontade dela ao afirmar que ser bom marido era elemento essencial de um bom historiador. Em ocasiões como essa as grandes figuras da vida intelectual francesa não estão sob juramento, mas como sabem fazer as afirmações adequadas ao momento de maneira que sugere sinceridade sem condescendência, todos ficamos satisfeitos. Inversamente, em Londres ela foi anfitriã de Emmanuel Le Roy Ladurie, que hospedamos quando eu o convidei a um seminário em Londres, e muitos anos mais tarde acolheu também o filósofo Louis Althusser durante uma de suas fases maníacas, não muito antes de ele matar a mulher numa das depressões subseqüentes. Como em outros lares acadêmicos, as relações pessoais e as profissionais não eram claramente separáveis.

Ao contrário da França da Terceira República, e mesmo da Quarta, a de De Gaulle e seus sucessores gaullistas não me deixava à vontade, nem tampouco a França de Mitterrand, que desenvolveu um novo tipo de jargão político retórico, no qual os políticos chamavam seu país "*Hexagon*", falavam da "*France profonde*" e demonstravam sua energia avançando "*tous azimuths*". Paris se transformou em um imenso gueto burguês de gente fina, o maior da Europa, no qual os bares de esquina fechavam nos fins de semana porque os idosos de Paris já não tinham dinheiro para morar na cidade, embora trabalhassem nela durante a semana. A não ser pelo grande vazio no centro abandonado pela emigração dos mercados e ocupado pelo Beaubourg de Richard Rogers, a cidade continuou mais ou menos reconhecível até que Mitterrand a encheu e cercou com seus dinossauros arquitetônicos. (Sabedor de que seu lugar na história estava assegurado, o general não achara necessário preservar sua memória por meio da arquitetura monumental.) Para o turista, Paris continua a ser a maravilhosa cidade de sempre, mas é difícil a um historiador acostumar-se com o fato de que a esquerda não consegue eleger nada mais do que um ou outro conselheiro no lar da Comuna de Paris, a menos que a corrupção das administrações municipais de direita se torne temporariamente demasiado escandalosa. Por outro lado, ninguém que morasse na Grã-Bretanha poderia deixar de apreciar as vantagens da modernização da França no pós-guerra, que suplementou a imutável qualidade e variedade da cozinha francesa com o TGV e um excelente sistema de transporte público urbano e suburbano.

Aprendi com relutância inicial a apreciar a grandeza do general e a gostar de seu estilo. Com relutância ainda maior aprendi a respeitar Mitterrand. Nenhum dos dois poderia ter florescido na Terceira República. Ambos vinham do ambiente que a Terceira República justificadamente chamaria "a reação". De Gaulle era homem de direita, mas era alguém para quem a República, inclusive a esquerda, era parte essencial daquela "certa idéia da França" que ele recriara após a guerra. Foi o primeiro político francês desde 1793 para quem na França havia lugar tanto para a monarquia como para a revolução. Na verdade, presumivelmente não o desagradou ser comparado a Luís XIV, que falaria com seus empregados mais ou menos como De Gaulle falou ao editor de suas memórias, quando este confessou seu passado um tanto não-gaullista entre 1940 e 1944. "Entendo", disse o grande homem (que poderia muito bem ter mandado consultar os arquivos pertinentes), "que o senhor esteve do lado de dentro de uma de minhas prisões." Tanto o pronome pessoal quanto o plural são muito característicos de De Gaulle.*

A partir de sua morte, houve muita crítica das ambigüidades e complexidades da carreira de François Mitterrand. Não se pode contudo negar que ela caminhou para a esquerda com muito pouca descontinuidade, desde a ultradireita de antes da guerra, passando por Vichy e a Resistência, e chegando a um progresso político que o transformou no construtor e chefe de um Partido Socialista restaurado, que retomou o controle da esquerda não mediante o isolamento dos comunistas da forma costumeira da Guerra Fria, mas levando-o ao poder em aliança com eles. Na Terceira e na Quarta República, os políticos teriam caminhado na direção oposta. Ele e De Gaulle pertencem a uma era — não, ambos foram arquitetos da era — em que a política francesa deixou de ser essencialmente uma batalha a respeito da grande Revolução, cuja lembrança dividia a direita e a esquerda, embora ambos soubessem em seu íntimo que a Revolução era tão importante para a França que governa-

---

* "*Alors, vous avez bien connu mes prisons*". A anedota me foi contada pelo próprio editor.

vam quanto era a Constituição americana para os Estados Unidos. Nisso eram mais realistas do que os ideólogos do liberalismo moderado, do anticomunismo imoderado e da sociedade de mercado, sempre uma minoria nada típica na França, que vieram a dominar as tendências intelectuais parisienses no fim da década de 1980 e no início da de 1990.

Porém, mesmo sem me sentir à vontade na França gaullista e mitterrandista, eu entendia sua continuidade com minha própria França, os "lembrados montes" tricolores azul, vermelho e branco do passado. De uma forma ou de outra, a França do *Canard Enchaîné* ainda não estava morta. De fato, os escândalos e a crescente corrupção dos tempos finais das eras de De Gaulle e de Mitterrand ressuscitaram o sucesso dessa publicação.

Tampouco me sentia à vontade com o clima intelectual da época. Como todos os da esquerda global, sentia-me entusiasmado pela rebelião de 1968, porém permanecia incrédulo. É verdade que eu estava em contato muito mais estreito com historiadores franceses, que formavam a disciplina central das ciências sociais francesas até a década de 1970, e que forneciam muitos dos "intelocratas"[2] de Hamon e Rotman. No entanto, depois da década de 1960 eu de certa forma havia perdido o contato com muitas das correntes da cultura e discussão teórica na França, e embora um admirador de Queneau e Perec só possa ter simpatia pela tradição intelectual francesa de brincar com a linguagem, comecei a achar desinteressantes e incompreensíveis os pensadores franceses à medida que cada vez mais invadiam o território do pós-modernismo, e de qualquer forma passei a considerá-los sem grande utilidade para os historiadores. Nem mesmo seus trocadilhos me conquistavam.

Após o breve crescimento de 1968, a esquerda, tanto a nova quanto a antiga, recuou visivelmente na França nas décadas de 1970 e 1980. Desde 1945 eu nunca tivera grande admiração pelo Partido Comunista francês, e por muito tempo considerei desastrosa sua liderança com George Marchais, porém seria desonesto de minha parte não confessar que seu declínio de grande partido de massa da classe trabalhadora francesa a um resquício de menos de 4% dos votos causou-me uma tristeza de velho comunista. Seria igualmente desonesto não confessar que a maior parte do que restou sob a etiqueta "marxismo" na França impressiona muito pouco. Por outro lado, especialmente nas décadas de 1980 e 1990, o anticomunismo cada vez mais militante e irritado de tantos dos antigos "intelocratas" de esquerda começou a complicar minhas relações com alguns deles. Embora nos respeitássemos, e por vezes nos estimássemos, alguns daqueles com que eu tratava em Paris, no campo intelectual ou social, ficavam politicamente pouco à vontade em minha companhia, e eu na deles. Como eu permanecia sendo o que era desde 1956, um comunista conhecido, ainda que heterodoxo, cuja obra jamais havia sido publicada na União Soviética, algumas pessoas, que talvez tivessem sido mais stalinistas ou maoístas na juventude do que eu jamais fora, ressentiam-se daquilo que consideravam como uma recusa deliberada de seguir o mesmo caminho. Por minha vez, eu me sentia mais avesso à retórica da Guerra Fria e ao liberalismo de mercado, ao qual alguns dos mais capazes e mais prestigiados foram atraídos na década de 1980, do que pelo fato de que um homem como Le Roy Ladurie (grande historiador por quaisquer critérios) retornasse ao conservadorismo tradicional de seus ancestrais normandos. Paradoxalmente, à medida que os partidos comunistas declinavam, a Guerra Fria terminava e a União Soviética e seu império desmoronavam, o tom da polêmica anticomunista e antimarxista se tornava mais amargo, para não dizer histérico. O falecido François Furet, historiador e escritor de grande inteligência e influência — talvez a figura mais próxima a um *chef d'école* dessa tendência —, fez o possível para transformar o segundo centenário da Revolução Francesa em um ataque intelectual contra ela. Poucos anos mais tarde, seu *Le Passé d'une Illusion* apresentou a história do século xx como a do processo de libertação do perigoso sonho do comunismo. Não admira que eu criticasse suas opiniões.[3] Como historiador marxista, a essa altura bem conhecido, vi-me por algum tempo como paladino da esquerda intelectual francesa, acossada e sitiada.

Isso complicava ainda mais as relações, especialmente porque, por acaso, minha própria história do século xx, *Era dos extremos*, foi publicada logo antes do livro de Furet. Embora aceito por seus méritos e recebido com tranqüilidade até mesmo por críticos sabidamente conservadores em outros países, na França meu livro foi considerado, pelo menos por uma parcela influente dos intelocratas, essencialmente como uma obra de polêmica política e ideológica dirigida contra os liberais anticomunistas. Embora debatida (em sua versão em inglês) nos periódicos intelectuais, não foi traduzida, ostensivamente porque era demasiado dispendioso traduzi-la para um mercado necessariamente reduzido. O argumento era implausível, pois o livro tinha tido bom êxito de livraria em todas as demais línguas ocidentais. Com efeito, a curiosa auto-absorção do cenário intelectual francês naqueles anos era tanta que a língua francesa foi, durante vários anos, a *única* entre os Estados-membros da União Européia, e até mesmo a única língua cultural global (inclusive o chinês e o árabe) na qual o livro não foi publicado ou teve sua publicação contratada. Finalmente saiu na França em 1999, graças à iniciativa de um editor belga e com o auxílio ativo de uma das poucas publicações impenitentes da esquerda, *Le Monde Diplomatique*. Talvez o clima ideológico tivesse mudado a partir de quando Lionel Jospin, que causava menos tensões à consciência da esquerda francesa do que o moribundo Mitterrand, assumiu o cargo de primeiro-ministro em 1997. A obra foi bastante bem recebida pelos críticos. Os comentadores potenciais do início da década de 1990 ficaram calados ou se conformaram. As vendas foram satisfatórias, pelo menos durante certo tempo. Suscitou mais cartas pessoais escritas a mim por leitores desconhecidos espalhados por toda a França do que qualquer das outras traduções desse livro muito traduzido. E permitiu a um antigo francófilo, cujo caso de amor com a tradição da esquerda francesa começara num caminhão de filmagem no dia da queda da Bastilha, em 1936, completar a obra 63 anos mais tarde, com outra experiência adequadamente simbólica no Grande Anfiteatro da Sorbonne, que já fora a única universidade de Paris e agora era a geradora de toda uma família, repleto de parisienses convidados a ouvir um debate sobre meu livro que acabava de ser publicado. Muito poucas das pessoas que acorreram em quantidade suficiente para encher o enorme auditório haviam lido quaisquer de meus livros, os quais, como os editores que o recusaram sempre me diziam, tinham tido nada mais do que um *succès d'estime* no mercado "hexagonal". O que os levara ali era o fato de que alguém — aconteceu de ser eu — falava com franqueza, de maneira crítica e cética, porém impenitente, e não sem orgulho, em nome daqueles que defendiam uma esquerda na qual as antigas distinções de partido e ortodoxia já de nada valiam. Gosto de pensar que nessa ocasião estive presente em uma espécie de ressurgimento, ainda que breve, de uma esquerda intelectual parisiense que havia estado sitiada.

É um episódio adequado para encerrar este capítulo de um caso de amor que durou toda uma vida. Para a minha geração, a França continua a ser especial. Sou capaz de partilhar o sentimento de perda que têm os franceses diante da derrota da língua de Voltaire para o triunfo mundial do idioma de Benjamin Franklin. Não é apenas uma transformação lingüística, e sim cultural, porque marca o fim das culturas minoritárias nas quais somente as elites necessitavam comunicação internacional, pouco importando que a língua em que ela ocorria não fosse amplamente falada no mundo, ou mesmo — como nas línguas clássicas mortas — não fosse de todo falada. Sou capaz de compreender o recuo, em um gueto hexagonal, de uma cultura francesa antes hegemônica, somente consolada pela popularidade dos ideólogos franceses "pós-modernos" entre os estudantes de graduação americanos, que nem sempre os entendem. Não que isso seja o que Paris deseja, mas simplesmente não consegue habituar-se a um estado de coisas no qual o resto do mundo já não olha para Paris a fim de seguir sua liderança. É duro passar em duas gerações da hegemonia global ao regionalismo, e ainda mais duro descobrir que para a maior parte do mundo nada disso importa. Importa, porém, para minha geração de europeus, latino-americanos e os do Oriente Médio. E deveria importar às gerações mais jovens. A obstinada reação de retaguarda da França em defesa do papel global de seu idioma poderá estar destinada ao fracasso, mas é também uma defesa necessária, que de forma alguma está predestinada a malograr, de todas as línguas, da especificidade nacional e cultural contra a homogeneização de uma humanidade essencialmente plural em virtude dos processos da globalização.

20. De Franco a Berlusconi

I

Nunca falta assunto para quem deseja ser romancista. Quando nada mais dá certo, sempre há a família e a autobiografia. Mas quem aspira a ser historiador profissional não possui guia preparado da parte do passado que deseja explorar, e portanto na maioria dos casos sua reputação dependerá, por exemplo, dos Tudor, da Revolução Inglesa, da Espanha do século XVII ou algo assim. Em geral conseguem um assunto em uma universidade, arranjam um título para obter um doutorado (ou, no meu tempo, quando Oxbridge desprezava esses títulos, uma dissertação para uma bolsa como *fellow*), e dali em diante em geral ficam ligados a seu "campo" ou "período". A guerra impediu minhas tentativas de seguir esse caminho, e por isso aconteceu que meu primeiro livro como historiador, *Rebeldes primitivos*, tratava de um campo ao qual eu não havia dado muita atenção anteriormente, e na verdade um campo ao qual ninguém mais havia dado atenção alguma.[1] Essencialmente, o livro se baseia em minhas freqüentes viagens à Espanha e à Itália na década de 1950, dois países aos quais minha vida e a sorte de meus escritos ficaram ligados desde então.

Ao contrário da Itália — que antifascista iria lá? —, a Espanha, para onde comecei a viajar em 1951, já era parte de minha vida há muito tempo, até mesmo antes da Guerra Civil espanhola, que a havia tornado parte das vidas de todos os de minha geração. Apesar de tudo, depois de 1945 era ainda um país estranho para os demais europeus. Na imaginação de todos nós pertencia ainda a um curioso reino no qual as imagens de revolução, guerra e derrota em paisagens áridas ficavam sobrepostas a imagens de exotismo — flamenco, castanholas, touradas, Carmen, Don José, Escamillo — e às de uma "hispanidade" genérica — Don Quixote, honra, orgulho e silêncio. Meu tio havia estado lá e havia conhecido pessoas em seu tempo da Universal. As relíquias de suas visitas enchiam alguns cantos de nossa casa: uma *banderilla* coberta de sangue seco, um livro sobre touradas, uma fotografia assinada de um líder autonomista catalão idoso, de aspecto militar, e coisas assim. Depois da insurreição de 1934 em Astúrias, um amigo lhe mandara jornais espanhóis ilustrados, creio que o á-bê-cê monarquista, com fotos dramáticas. Depois, no verão de 1936, nas primeiras semanas do levante dos generais, graças a uma curiosa combinação de circunstâncias históricas, eu próprio fui à Espanha.

Na época eu estava passando três meses em Paris antes de ir para Cambridge, com um subsídio do Conselho do Condado de Londres, a fim de aperfeiçoar meu francês. Certo dia, no final de julho, tive a agradável surpresa de verificar que havia ganhado na loteria. Não era muito — lembro-me de 165 francos, ou entre duas e três libras esterlinas. Felizmente o novo governo da Frente Popular na França havia pouco antes instituído uma de suas raras inovações duradouras, *les congés payés* (férias pagas), e graças a outra novidade, uma subsecretaria de esportes e lazer, as passagens de trem superbaratas, a fim de que a população pudesse aproveitá-las. Assim, utilizei meus ganhos na loteria para tomar o trem na estação de Orsay, que meio século mais tarde seria transformada em museu da arte francesa do século xix, em direção aos Pireneus, onde passaria duas semanas em caminhadas na montanha, morando em albergues da juventude e acampamentos. Em meio a essa soberba excursão fui apresentado a uma forma mais fácil de movimentação barata, por um desses centro-europeus peripatéticos que naquele tempo eram os pioneiros das viagens pedindo carona (*Tippeln, Autostop*) deste lado do Atlântico. Vi-me, dessa forma, transportado do lado atlântico à costa mediterrânea dos Pireneus, num albergue de juventude próximo à fronteira espanhola, perto da cidade de Puigcerdá. A oportunidade era demasiadamente tentadora. Fui até a fronteira, mas o jovem miliciano que a guardava não me deixou passar. Meus documentos não eram os necessários. Caminhei uma ou duas milhas até o ponto seguinte, que cruzei sem problemas, e passei o dia explorando Puigcerdá, que na época era, para todos os efeitos práticos, uma comuna revolucionária independente dominada pelos anarquistas, com uma mistura de membros do POUM (Partido Operário de Unificação Marxista). (Não vi sinais de comunistas nem de socialistas, na época fundidos num único partido, o PSUC, Partido Socialista Unificado da Catalunha.) Não recordo exatamente de que forma me comuniquei com os locais, que naturalmente se interessaram por um forasteiro chegado de surpresa, e na verdade por qualquer estrangeiro, mas nesse ponto a Espanha e a França estão bastante misturadas, e a língua catalã é bem próxima de ambos os idiomas. Não me lembro de problemas. Minha imagem mais duradoura desse dia memorável é de alguns caminhões estacionados na praça principal. Quando alguém tinha vontade de seguir para a guerra, dirigia-se aos caminhões, e logo que um deles ficava cheio de voluntários em número suficiente, ao que me disseram, partia para a frente de batalha. Muito anos mais tarde assim escrevi sobre essa experiência:

> A expressão *c'est magnifique, mais ce n'est pas la guerre*, deveria ter sido inventada para situações como essa. *Era* maravilhoso, mas o principal efeito dessa experiência sobre mim foi que ela me aconteceu vinte anos antes que eu estivesse disposto a considerar o anarquismo espanhol como nada mais do que uma trágica farsa.[2]

De fato, Puigcerdá não dava a impressão de ser uma comunidade preparada para a guerra, nem a recordo cheia de jovens armados com fardas de milicianos, à maneira de revoluções posteriores. (Nas províncias espanholas de 1936, por exemplo, não havia sinal de moças uniformizadas.) Parecia mais uma cidadezinha cheia de política, de conversas e debates, de gente de pé, em grupos, ou sentada em cafés, lendo jornais.

Infelizmente, o dia acabou mal. O jovem guarda de fronteira anarquista que me barrara no primeiro ponto de cruzamento terminou seu horário de serviço naquela tarde e me viu comendo e conversando na praça, e imediatamente me denunciou a seu chefe. Fui interrogado, com bastante polidez porém firmemente, por um homem que não sorria, vestido de algo que parecia um uniforme militar. Tenho certeza de que ele não entendia bem o motivo pelo qual eu estava ali — eu também não sabia bem —, porém evidentemente o poder dos trabalhadores não podia ser tratado com ligeireza, ainda que o jovem inglês que cruzara a fronteira não apenas irregularmente, mas desafiando abertamente a decisão de negar-lhe o ingresso, não desse mostra de desejar criar perigo para a revolução. Ser interrogado por amadores com os dedos no gatilho em busca de contra-revolucionários nunca é uma experiência relaxante. Confesso que estava nervoso quando mais tarde, no mesmo dia, mandaram-me caminhar pela estrada escura de volta à fronteira da França, com a arma do miliciano apontada para minhas costas. Assim, meu rápido contato com a Guerra Civil espanhola terminou com minha expulsão da República espanhola.

Que fazia eu naquele dia em Puigcerdá? Aqui o historiador não sabe o que fazer, diante do autobiógrafo. Não apenas minha lembrança daquele dia certamente ficou corrompida por mais de sessenta anos de revisão mental, mas também certamente meu propósito, se essa é a palavra correta, ao cruzar a fronteira não poderia ser claro no próprio dia. Que teria eu feito, se minha estada não tivesse sido interrompida tão repentinamente? Dada a lembrança comum da Guerra Civil espanhola, eu deveria estar pensando em juntar-me às forças da República na guerra contra o fascismo, como fizeram diversos outros jovens ingleses nas primeiras semanas da Guerra Civil. Quase certamente nada disso me passara pela cabeça quando fui dar uma olhada a fim de ver como era a revolução, apesar da apaixonada identificação que eu, como outros de minha geração da esquerda, imediatamente sentia com a luta do governo da Frente Popular espanhola. Terei pensado nisso naquele dia? Não sei dizer, e se pudesse reconstituir meus sentimentos, talvez preferisse refugiar-me na Quinta Emenda da Constituição americana, porque à luz da subseqüente organização das Brigadas Internacionais* qualquer resposta poderia

---

* As primeiras unidades formalmente recrutadas e organizadas para voluntários internacionais, pelo grupo italiano Giustizia e Libertà, datam do fim de agosto; as Brigadas Internacionais do Komintern foram organizadas bem depois. A maior parte das unidades estrangeiras originais foram compostas de estrangeiros que se encontravam em Barcelona para uma "Olimpíada Popular" no momento da insurreição dos generais. John Cornford (ver capítulo 8), que deve ter chegado a Barcelona mais ou menos na mesma época em que eu estive na fronteira, resolveu alistar-se "muito impulsivamente" cerca de uma semana mais tarde. (Peter Stansky e William Abraham, *Journey to the Frontier*, Londres, 1966, p. 328.)

ser desconsiderada. Se eu não pensei nisso, então por que deixei de fazê-lo? E se pensei, por que não me alistei? Supondo que houvesse outras fontes, além de minha lembrança pessoal, a que conclusão chegaria outro historiador, menos pessoalmente envolvido no episódio, sobre o estranho caso do jovem E. J. H. na revolução espanhola? Esses são os problemas de escrever história em forma de biografia, ou talvez os problemas mais amplos de compreender a natureza humana. De qualquer maneira, o dia que passei em Puigcerdá demonstra a inutilidade de exercícios do tipo "e se...?" em história, que hoje são chamados pelo jargão de "contrafactuais". Não há modo de escolher entre as incontáveis hipóteses sobre a forma pela qual minha vida posterior teria ou não sido afetada, caso aquele guarda anarquista de fronteira não tivesse impedido minha passagem no primeiro ponto de cruzamento. E demonstra também que nada é mais útil ao historiador, ou historiadora, do que manter-se alerta, especialmente se tiver a sorte de estar no lugar certo no momento certo. Puigcerdá me proporcionou a primeira apresentação ao anarquismo espanhol, campo de cultura quintessencial de *Rebeldes primitivos*, além de um fascínio permanente por ele. Na década de 1950 me vi explorando-o "no campo", em grande parte inspirado por aquela notável obra de Gerald Brenan, *O labirinto espanhol*, que devo ter lido pouco depois da publicação da segunda edição, em 1950. Não consigo mais recordar se a li antes ou, mais provavelmente, depois de meu primeiro encontro verdadeiro com a Espanha, que me deixou "a profunda e duradoura impressão que a Espanha provoca naqueles que a conhecem".[3] Pelo menos duas de minhas visitas à Espanha foram essencialmente explorações da tradição anarquista: em 1956, quando fui a Casas Viejas, a aldeia que certa vez (em 1933) tentara fazer sozinha a revolução mundial, e em 1960, quando profundamente emocionado segui as pegadas de um guerrilheiro anarquista recentemente caído, Francisco Sabaté.[4]

Já não tenho certeza do motivo pelo qual resolvi viajar à Espanha no feriado de Páscoa de 1951. Era um país cuja língua eu ignorava, fora textos de slogans ou canções da Guerra Civil, além do vocabulário ideológico que de qualquer modo era internacional. Como ocorreu mais tarde na Itália, tive de ir aprendendo na conversação, com referências ocasionais a um dicionário de bolso — mais fácil na Itália, onde em geral a conversa era em italiano culto, do que na Espanha, onde meus informantes dificilmente eram intelectuais. (Se fossem, talvez nos tivéssemos comunicado em francês.) De uma forma ou de outra, eu iria rapidamente adquirir certa fluência na fala em ambas as línguas, ainda que com erros de gramática, a começar imediatamente após minha chegada a Barcelona, com uma noitada no Café Nuevo, no Paralelo (café e show, cinco pesetas), na qual meu vizinho, um pedreiro que acabava de chegar de Múrcia em busca de trabalho, ensinou-me as palavras "bonita", "feia", "gorda", "magra", "loura", "morena" e outros termos pertinentes, apontando para as características correspondentes das (medíocres) artistas no reduzido palco.

Minhas notas da época[5] sugerem que fui atraído pela notícia de um grande e bem-sucedido boicote contra o aumento dos preços das passagens de bonde no início de março em Barcelona, seguido de uma greve geral, sobre a qual escrevi um artigo ao regressar. Pensei, com excessivo otimismo, que ela "quebrava aquela crosta de passividade e *attentisme* que (com a falta de organizações ilegais eficazes) é a maior vantagem de Franco hoje em dia [...] ".[6] Era uma avaliação otimista demais, embora as primeiras fissuras no regime tenham aparecido na segunda metade daquela década. Os exilados anti-Franco que fiquei conhecendo na época não vinham apenas de uma experiência republicana, como o historiador (e mais tarde chefe dos serviços culturais espanhóis pós-Franco) Nicolas Sanchez Albornoz, filho de um homem ainda reconhecido na emigração como presidente nominal de uma república fantasma; eram também filhos das famílias que compunham as classes altas no tempo de Franco. Um deles, meu querido amigo Vicente Girbau León, tinha saído diretamente de um cargo no serviço exterior do general para uma cadeia franquista. Mais tarde morou comigo no apartamento em Bloomsbury, antes de colaborar na instalação da editora Ruedo Ibérico em Paris, cujos títulos contrabandeados, inclusive o livro pioneiro de Hugh Thomas sobre a Guerra Civil, influenciariam dentro da Espanha, na década de 1960, os movimentos de jovens dissidentes que cresciam rapidamente. Foi ele quem mais tarde me colocou em contato com os anarquistas.

De qualquer maneira, em 1951 tive minha experiência de uma Barcelona ainda cheia de "grupos de policiais armados, com uniformes cinzentos, rifles e submetralhadoras de canos eriçados, a cada cem metros no centro da cidade e junto aos portões das fábricas", guardando os bancos caracteristicamente instalados em palácios, símbolos do cenário das ruas centrais na Espanha de Franco, como fortaleza dos governantes que dominavam um povo faminto.

Após passar alguns dias em Barcelona, viajei descendo a costa e misturando trens e caronas até Valência e daí a Múrcia, Madri, Guadalajara, Zaragoza e novamente Barcelona.

A Espanha era pobre e faminta no início da década de 1950, talvez mais faminta do que em qualquer outra época na memória dos vivos. As pessoas pareciam subsistir comendo batatas, couve-flor e laranjas. Ao contemplar a maravilhosa catedral dourada entre as ruínas do Império Romano, perguntei a mim mesmo se em toda a sua história Tarragona estivera tão mal. A Espanha não tinha vozes públicas. As notícias de Barcelona chegavam ao resto do país por meio de boatos, viajantes como eu, mascates, motoristas de caminhão e um ou outro ouvinte de rádios do exterior. Na imprensa estrangeira havia somente alusões obscuras. Intelectualmente o país parecia estrangulado, com a maior parte de seus talentos emigrados ("poucas obras espanholas nas livrarias 'sérias'" — traduções e até mesmo clássicos espanhóis, especialmente em edições latino-americanas).

A Espanha se sentia infeliz. Freqüentemente, nos cafés, nas cabines dos caminhões, ou nos indizivelmente horrendos *correos*, nos trens lentos, porém baratos, que paravam em todas as estações, as pessoas diziam coisas assim: "Este é o pior país do mundo", ou "Neste país a gente é mais pobre do que em qualquer outro lugar". "Tudo neste país piorou desde Primo de Rivera [1923-30]", disse a matriarca de uma família de pequenos comerciantes de Madri que me ajudou. A Espanha não esquecera a Guerra Civil e os vencidos, ainda que impotentes e sem esperanças, não tinham mudado de idéia a respeito dela. E no entanto, muitas vezes, quando o assunto surgia, alguém dizia: "Guerra civil — nada pode ser pior. Pai contra filho, irmão contra irmão". A Espanha de Franco na década de 1950 era um regime sustentado pelo argumento de Thomas Hobbes de que qualquer ordem política eficiente é melhor do que a ausência de ordem política. O regime sobrevivia apesar de sua visível injustiça e maciça impopularidade — pelo menos na parte oriental do país, por onde viajei —, não tanto devido a seu poder e disposição a aterrorizar, mas porque ninguém desejava outra guerra civil. Talvez Franco não tivesse sobrevivido se ao final da Segunda Guerra Mundial os americanos e os ingleses tivessem resolvido que ele não seria mantido, e tivessem permitido que unidades de resistência no sul da França, compostas na maioria de republicanos espanhóis, invadissem o país. Mas não tomaram essa decisão.

Acima de tudo, a Espanha estava isolada. Seu regime sanguinário estava ainda envolto na carapaça do antimodernismo, catolicismo tradicional e autarquia interna. Mal havia começado a extraordinária industrialização do país, que o tornaria irreconhecível, e até mesmo modificaria a aparência física dos espanhóis durante os trinta ou quarenta anos seguintes. Onde mais na Europa, com exceção de Portugal, igualmente encerrado em si mesmo, teria sido possível encontrar um lugar como Múrcia, indiferenciável de uma cidade provinciana do império Habsburgo antes de 1914: dúzias de babás de uniformes preto-e-branco cuidando das crianças nos passeios ao longo do rio, sob os olhares dos soldados dos quartéis vizinhos; moças de classe média sempre acompanhadas de mulheres mais velhas; fazendeiros e criadores de porcos fazendo negócios nos cafés do mercado? Os turistas eram centenas, e não dezenas de milhões. O litoral do Mediterrâneo estava ainda vazio. Quando recordo a costa da Andaluzia no início dos anos 50, o que me vem à mente é uma estrada deserta, empoeirada e quente entre as pedras e o mar, com uma vista de abutres que desciam de todos os pontos do céu para juntar-se aos que já estripavam o cadáver de alguma mula ou burro. Talvez fosse a ausência desse grande corruptor da moralidade, o turismo de massa dos ricos nos territórios dos pobres, o que permitia aos espanhóis da época manter seu orgulho tradicional. Nada me impressionou mais naqueles dias do que a insistência de homens e mulheres pobres em manter relações de reciprocidade: não aceitar um cigarro sem oferecer outro em troca, ou recusar um conhaque de um inglês evidentemente mais abastado, o que não seria compatível com a equivalência, porém aceitar um café, que poderia ser. Em minha experiência, os estrangeiros ainda não haviam se tornado fonte essencial de renda para os nativos pobres, nem mesmo quando chegavam a Sevilha, como fiz em 1952 em companhia de amigos estudantes, em um iate evidentemente britânico, e atracavam no cais da cidade, diante dos bares de Triana, ainda não freqüentados pelas classes altas.

Como a Espanha parecia estar congelada em sua história, e dava a impressão de que continuaria assim, era um terreno incomumente perigoso para observadores e analistas externos. A presença avassaladora de um passado aparentemente imutável, inclusive o passado recente, escondia as forças, tanto internas como externas, que estavam prestes a transformar o país de maneira mais dramática e irreversível do que qualquer outra nação da Europa no decurso das décadas seguintes. Procurei compreender sua história, porém, além de reconhecer que o franquismo não duraria, não encontrei pista do rumo que a Espanha poderia tomar. Ainda em 1966 me vi escrevendo: "O capitalismo fracassou constantemente nesse país, e a revolução social também, apesar de ser sempre iminente e haver explodido ocasionalmente". Ainda não era evidente para mim o quanto essa frase se tornara anacrônica. Se tivesse tido contato mais estreito com a oposição a Franco ou com intelectuais espanhóis na década de 1950, teria eu podido perceber melhor as realidades? Duvido, pois o único partido de oposição eficiente, o Partido Comunista, ainda resistia naquela época à informação trazida para fora do país por seus filiados ilegais, no sentido de que não havia perspectiva para uma repentina queda do regime. Os anarquistas, que haviam sido tão poderosos no movimento operário espanhol, não tinham sobrevivido à Guerra Civil como força significativa. No entanto, em retrospecto, surpreende-me com o pouco contato que tive na década de 1950 com pessoas intelectual e politicamente bem informadas na Espanha ou, antes dos anos 60, com a nova geração de estudantes e ex-estudantes espanhóis mais jovens que vieram ver-me em Londres, tendo ouvido falar de mim como esquerdista ou tendo lido meus livros, que começavam a ser lançados por editores para mim desconhecidos, às vezes em traduções ruins, a partir de 1964 — sintoma do lento enfraquecimento do regime diante da maciça dissidência cultural e política de sua juventude instruída. A década de 1960 na Espanha foi o primeiro de diversos momentos históricos em que o declínio de regimes autoritários trouxe benefícios a este escritor.

II

Minha descoberta da Itália em 1952 foi diferente da da Espanha em quase todos os aspectos. Para começar, na Itália não havia fome nem estagnação. Mesmo viajando barato — e na década de 1950 eu geralmente gastava o equivalente a uma libra esterlina por dia, tudo incluído —, eu não esperava ver outros viajantes, que deveriam ser de classe média, com roupas remendadas como acontecia na Espanha. Embora a época do milagre econômico somente começasse a transformar as vidas dos italianos comuns nos anos 60, inclusive no norte, os primeiros sinais de dinamismo já eram visíveis: estações de serviço coloridas na beira das estradas, que já ofereciam mais do que simplesmente gasolina, por toda parte máquinas de café expresso, que em breve conquistariam o mundo, multidões de motonetas que prenunciavam a erupção de automóveis baratos. Não que a Itália já estivesse a caminho da "modernidade" ocidental, especialmente no sul e nas ilhas. Na verdade, se há uma origem para *Rebeldes primitivos*, ela se deu num jantar na casa do professor Ambrogio Donini em Roma, em 1952, ou melhor, em conversa após o jantar, já que, devido às convicções igualitárias dos Donini, a família, os empregados e os convidados faziam juntos suas refeições. Meu anfitrião "disse algo sobre os lazzarettistas toscanos e os sectários do sul da Itália",[7] pois era tanto filiado ao Partido Comunista italiano — na verdade um stalinista de linha-dura — como perito na história das religiões. Comentou ele com aprovação o fato de que os seguidores de um Messias rural toscano assassinado em 1878 haviam sobrevivido discretamente e feito nova tentativa de salvação geral em 1948, revoltando-se após a tentativa de assassinato do líder do PC, Palmiro Togliatti. Falou-me também dos problemas que a liderança do Partido enfrentava com a insistência de várias seções rurais do PC — os anos de 1949 e 50 foram de grande radicalização no sul — ao eleger como secretários membros dos Adventistas do Sétimo Dia ou seitas semelhantes, que normalmente não seriam considerados adequados para quadros de um partido marxista. Quem seriam essas pessoas, que haviam trazido aos movimentos políticos da metade do século XX modos de pensar habituais na Idade Média? Quem tratava a era de Lenin e Stalin como se fosse também a era de Martinho Lutero? Que passaria por suas cabeças? Que visão do mundo teriam, em comparação com a dos movimentos políticos que se fortaleciam com seu apoio? Por que se dava tão pouca atenção a eles, exceto pensadores italianos como o excepcional Antonio Gramsci? Ao que parecia, a Itália estava cheia de seus rastros. Fascinado e emocionado, procurei descobri-los viajando em estradas secundárias mediterrâneas durante alguns anos. Felizmente alguns antropólogos estavam se interessando por problemas semelhantes, que haviam encontrado em pesquisas sobre movimentos anticoloniais na África. Max Gluckman, de Manchester, homem de grande originalidade e impressionante dirigente acadêmico que todas as semanas levava os membros de seu departamento para torcer pelo time de futebol do Manchester United de maneira apropriadamente antropológica, providenciou para que eu fizesse três palestras-seminários, durante os quais (também seguido por sua tribo) ele me fez apreciar pela primeira vez Marilyn Monroe no filme *O pecado mora ao lado* e resolveu que eu deveria ampliar minhas conferências em forma de livro.

Recordo minha primeira visita à Sicília em 1953, onde fiquei sob a proteção de Michele Sala, prefeito e deputado de Piana degli Albanesi, reduto vermelho desde 1893, quando o nobre dr. Nicola Barbato pregara o evangelho do socialismo aos habitantes do que então se chamava Piana dei Greci, do alto de uma rocha no remoto passo de Portella della Ginestra, ainda hoje conhecida como Pedra Barbato. (Michele Sala, que nascera nas vizinhanças, havia ouvido na juventude a boa-nova dos lábios do próprio apóstolo.[8]) Desde então, chovesse ou fizesse sol, na guerra, na paz e no fascismo, alguns habitantes de Piana jamais haviam deixado de fazer nesse lugar uma manifestação a cada 1º de maio. O massacre dos participantes da manifestação em 1947 pelo bandido Giuliano foi magistralmente reconstruído no excelente filme *Salvatore Giuliano*, de Francesco Rosi. Pouco depois desse acontecimento o Partido encarregara Sala de cuidar dessa complicada região da Sicília. Ele possuía o sentido siciliano do realismo. Na juventude recrutara, entre outros, Giuseppe Berti, um dos principais comunistas da era do Komintern, que na época era estudante em Palermo, porque havia situado o escritório socialista estrategicamente em um apartamento que dava para a porta de um bordel, e assim podia encontrar num clima informal candidatos potenciais para a propaganda vermelha. Combinava isso com a austeridade da experiência política do Brooklyn, onde havia passado vinte anos de emigração política e aprendido inglês suficiente para mostrar-me as construções de tijolos com que enchia os arredores da cidade ("muita gente precisa de trabalho") quando a percorríamos em seu carro de prefeito, saudando os cidadãos à direita e à esquerda ("nesta cidade eu sei muito bem a quem tenho de cumprimentar!").

Mostrou-me o cemitério, ou melhor, a necrópole dos Matranga, Schirò, Barbato, Loyacano e as demais famílias de albaneses cristãos que haviam emigrado para o sul da Itália e para a Sicília nos séculos XV e XVI. Todas as lápides modernas, pequenas ou grandes, exibiam a foto do falecido. Respeitada e nunca esquecida, a morte estava sempre presente em Piana. Vi o que era então habitual, as mulheres silenciosas, vestidas de negro, sentadas na calçada mas sempre voltadas para a fachada das casas. Caminhávamos por um dos costados da praça — os anticomunistas e os mafiosos caminhavam do lado oposto — quando ele me fez parar por um momento. "Não diga a ninguém que você é inglês", advertiu-me. "Há gente aqui que não vai gostar de ver você junto comigo. Eu digo a eles que você é de Bolonha." Era lógico: até mesmo na Sicília sabia-se que Bolonha era vermelha, e era portanto natural que um comunista visitasse outro. Somente havia um senão. Durante todo o dia havíamos falado inglês em voz alta. Sala, que conhecia sua gente, descartou esse problema. "Que sabe essa gente da língua que se fala em Bolonha?" De fato, noventa e poucos anos antes, pouco antes da unificação da Itália, isso fora literalmente verdade. Em 1865, os primeiros mestres-escolas mandados pelo novo reino a fim de ensinar às crianças sicilianas o idioma italiano de Dante haviam sido tomados por ingleses. Nesse aspecto nada de fundamental havia mudado no interior da Sicília, até o advento da programação nacional de televisão. Regiões ainda menos atrasadas da Itália, no entanto, ainda tinham algo de Terceiro Mundo. Para o grosso de seus habitantes — inclusive os bilíngües, que falavam italiano em vez do dialeto siciliano, calabrês ou piemontês —, o idioma do país era duplo: o que era usado todos os dias e a língua formal, ainda assentada no uso barroco, na qual eram escritos os livros e jornais e na qual se faziam os discursos oficiais. Essa ainda era uma relíquia do passado até mesmo em seu aspecto público para os intelectuais que dela dependiam. Não consigo pensar em outro país europeu em que um intelectual em evidência como Bruno Trentin, filho de uma família de emigrantes acadêmicos antifascistas, fosse aceito como líder de um dos principais sindicatos industriais e mais tarde da principal organização sindical nacional.

    Havia outra peculiaridade no aprendizado sobre a Itália. Após 1945, tornou-se novamente possível fazer turismo com a consciência tranqüila, tanto para arte quanto para diversão, num país que havia rompido tão abertamente com seu passado fascista. Tive a sorte de ter os melhores guias possíveis: Francis Haskell, o planejador, e Enzo Crea, com seu conhecimento enciclopédico das artes, que revelava com igual entusiasmo a seus amigos os cantos mais remotos e os mais célebres tesouros da Itália. Além disso, raramente fui à Itália sozinho, ou raramente ficava sem amigos italianos quando lá chegava. Depois de meu segundo casamento, a esses amigos juntaram-se os de Marlene, que tinha morado em Roma durante vários anos antes de nos conhecermos. Mais ainda, eu tinha a enorme vantagem de ser apresentado por uma pessoa cujo nome abria todas as portas da esquerda italiana e muitas outras: Piero Sraffa. Há muito estabelecido em Cambridge, num excelente conjunto de cômodos em Neville's Court, Trinity, em frente ao apartamento de Maurice Dobb, em companhia do qual estava preparando uma edição monumental das obras do economista David Ricardo, esse homem pequeno, cortês e grisalho, que evitava a tagarelice e escrevia pouco, era conhecido como um intelecto de grande poder de crítica. Seu hábitat natural eram os bastidores. Embora fosse discreto em relação a suas opiniões políticas, sabia-se que fora amigo íntimo de Antonio Gramsci, e que desde 1926 até a morte deste último em 1937 havia sido o principal contato do líder comunista preso com o mundo exterior. Fora ele o conduto através do qual as obras de Gramsci escritas na prisão haviam sido preservadas após sua morte, com a ajuda de outro amigo, influente no sistema bancário. O que não era conhecido era o fato de que sem ele os notáveis manuscritos de Gramsci poderiam nem ter chegado a ser escritos, pois após sua detenção, Sraffa (que vinha de uma família abastada de Turim) havia imediatamente aberto para ele uma conta sem limite numa livraria de Milão. Tinha sido amigo de confiança do então líder do Partido, Togliatti, desde os tempos de universidade. Dizia-se que havia pensado em voltar à Itália depois da guerra, mas abandonara a idéia com o resultado da eleição de 1948, desastrosa para a aliança dos comunistas e socialistas.

Como ele conhecia todos no panorama antifascista — afinal Turim havia sido a capital do antifascismo, tanto o dos liberais quanto o dos comunistas —, o nome de Sraffa me tornou imediatamente aceito entre os intelectuais do Partido. Naqueles dias um comunista estrangeiro ficava imediatamente sendo membro da irmandade, um "*compagno*" tratado de "*tu*" e não de "*lei*". Com efeito, o primeiro nome da lista de Sraffa a quem telefonei em Roma, o principal historiador comunista na época, Delio Cantimori, homem atarracado e de movimentos lentos, perito em hereges do século XVI, de humor ferino e parecendo mais velho do que era na realidade, imediatamente convidou-me a ficar hospedado em seu apartamento no Trastevere, onde morava com a mulher, Emma, tradutora de Marx. Dali, com ajuda dele, fiz contato com os intelectuais antifascistas baseados em Roma, que naquela época eram esmagadoramente comunistas ou simpatizantes do Partido. De uma forma ou de outra, a maior parte do que aprendi a respeito da Itália — sem falar na paisagem e na história da arte — me veio dos comunistas italianos ou dos que lhes eram próximos no início da década de 1950. Para sorte minha, meus amigos intelectuais italianos de esquerda, especialmente os historiadores, combinavam a teoria e a prática, funcionando freqüentemente como jornalistas de observação e análise.

No entanto, praticamente qualquer pessoa que viajasse pelas regiões rurais mais remotas da Itália na década de 1950 encontrava gente disposta a fazer e a responder perguntas de estrangeiros. Afinal, era ainda um país de comunicação oral, cara a cara. Em lugares como Spezzano Albanese (Cosenza, Calábria), os poucos jornais que chegavam ainda tinham de ser lidos em voz alta para os analfabetos nos cafés, nas oficinas dos artesãos e na "Sezione" do PC italiano. Em 1955 fazia poucos meses que o telefone havia chegado a San Giovanni in Fiore, terra natal do grande terrorista do milênio medieval, o abade Joaquim de Flora. Os forasteiros, tanto estrangeiros como italianos, traziam as notícias para pessoas que, gostassem ou não, sabiam que novos tempos estavam inevitavelmente chegando. "As coisas estão mudando", disseram-me mais de uma vez em 1955 na Sicília. "Nossos costumes estão ficando como os do norte, por exemplo, as mulheres estão saindo sozinhas. Vamos acabar ficando como os nortistas."

Naquela época o PC italiano parecia ser a principal porta de entrada para esses novos tempos. Seus filiados chegavam a cerca de 2 milhões e o Partido tinha um quarto do eleitorado nacional, números que continuavam a crescer a cada eleição até seu ápice no fim da década de 1970, quando aproximadamente se igualou — os entusiastas diziam estar prestes a ultrapassar — aos 34% do partido que governava permanentemente, a Democracia Cristã. Socialmente, o PC italiano era representativo de todos os setores da sociedade italiana, tanto quanto um partido de classe, especialmente nos principais redutos da Itália central e do norte: a Emilia-Romagna, a Toscana e a Úmbria — regiões de cultura, prosperidade, dinamismo tecnológico e de negócios e administrações honestas. O comunismo italiano não era tudo o que havia na Itália, mas era um elemento central e maravilhosamente civilizador. Porém, como o não-conformismo na Grã-Bretanha, era minoria e assim permaneceu.

Mesmo assim, era um movimento numeroso e de raízes profundas. O *popolo comunista* (povo comunista), como o chamavam os quadros, era mais do que simplesmente uma coleção de cruzes numa cédula eleitoral ou cartões de filiação anualmente renovados. Sua principal manifestação habitual, nominalmente destinada a organizar a sustentação financeira do jornal diário do partido, *L'Unità* (que a grande maioria dos comunistas lia, como a maioria dos italianos lia tanto quanto seus diários), era uma pirâmide de festivais populares metódicos com base em cada vila ou distrito urbano, que culminava na *Festa Nazionale de L'Unità* em alguma cidade grande. Minha conexão com a política italiana começou quando fui chamado de "delegado fraterno" e tive de fazer um discurso em uma dessas efemérides, só Deus sabe como, em 1953, numa aldeia perto do rio Pó. A *Festa* era essencialmente uma excursão coletiva e festiva nacional *familiar*, a fim de gastar dinheiro em prol da causa e passar um momento agradável com as esposas, filhos, amigos e líderes de confiança. Diz-se que na primeira vez em que ocorreu em Nápoles, a população daquela grande cidade, sabedora de que o influxo de visitantes não era de turistas para serem explorados, mas gente comum e *compagni*, acatou o apelo dos dirigentes e durante 24 horas se absteve de suas atividades proverbiais. A *Festa*, naturalmente, era também uma reunião política, pois nos tempos anteriores à televisão a oratória política de um astro visitante, cujo mérito era proporcional à sua extensão e cuja técnica se baseava na dos atores dramáticos de arena, era também a principal forma de entretenimento público a que os fiéis provavelmente assistiam. Como o "povo comunista" era também o único segmento da Itália, fora a classe média, disposta à automelhoria e à *leitura*, os editores progressistas realizavam especialmente na *Festa* a maior parte de suas vendas anuais, particularmente as enciclopédias multivolumes, histórias e outros bens de consumo intelectual durável. Com seu costumeiro tino para o mercado nacional, meu editor Giulio Einaudi resolveu lançar a *Storia del Marxismo*, em vários volumes (que eu co-editei juntamente com outros), durante o que foi ao mesmo tempo o auge do PC italiano com Enrico Berlinguer e o início de seu (imprevisto) declínio, a grande *Festa* de 1978, em Gênova. Infelizmente, como o PC italiano, o interesse popular pelo marxismo estava também prestes a se reduzir, embora o primeiro volume da *Storia* tivesse bom sucesso de vendas. Foi esse o único traduzido para o inglês. Essa foi, no entanto, uma ocasião inesquecível de oratória no vasto anfiteatro com vista para o mar azul, com mesas abarrotadas de comida em grandes tendas cheias de grupos familiares e amigos, enquanto os esperançosos líderes comunistas (exceto o tranquilo Berlinguer) conversavam e gracejavam nos salões do hotel.

Minha sorte foi ter como guia na Itália um impressionante grupo de comunistas de antes da guerra e da Resistência. Os políticos em tempo integral entre os que eu conhecia mantiveram seu status como intelectuais e escritores — Giorgio Napolitano, Bruno Trentin, o corpulento Giorgio Amendola e o pequeno, gorducho e universalmente erudito Emilio Sereni, de uma das mais antigas famílias judias de Roma, aprisionado pelos alemães na Roma do tempo da guerra, que escrevia com idêntica originalidade sobre a história da paisagem italiana e a pré-história da Ligúria. Os acadêmicos entre eles também tendiam a participar ativamente da política. Diversos eram membros do Comitê Central. Renato Zangheri, historiador econômico, teve brilhante êxito como prefeito da cidade medieval de Bolonha, muito bem preservada porém moderna, a maior metrópole "vermelha" da Itália: Giuliano Procacci e Rosario Villari (junto com a mulher, Anna Rosa, nossos amigos mais íntimos) tinham passagens pelo Parlamento italiano.

Desde o início me vi desenvolvendo excelentes relações com os comunistas italianos, talvez porque tantos entre eles eram intelectuais, mas também porque eram pessoas cativantes e gentis. Nem todos os líderes nacionais teriam visitado discretamente Cambridge, como fez Giorgio Napolitano, simplesmente para segurar as mãos de Piero Sraffa moribundo, lutando desesperadamente contra a senilidade, ou teriam interrompido seu trabalho de ministro do Interior de seu país durante algumas horas para participar da comemoração de meu octogésimo aniversário em Gênova. Poucos anos depois de minha primeira visita, encontrei-me na penumbra dos círculos mais altos do PC italiano como patrono oficial do Congresso de Estudos de Gramsci e único britânico presente, em janeiro de 1958, ocasião em que pela primeira vez o teórico dos comunistas italianos foi reconhecido pelos guardiães da ortodoxia ideológica em Moscou. Foi também a única vez em que encontrei o líder do Partido, Palmiro Togliatti, em pessoa. Aos poucos, aproximei-me do comunismo italiano, achei maravilhosamente estimulante seu falecido guru, Gramsci, e a partir de 1956 considerei bem-vinda sua posição política. Ao contrário da Grã-Bretanha, na Itália ainda valia a pena filiar-se ao Partido após 1956.

Por que era tão fácil dar-se bem com os italianos? Ao contrário dos franceses ou dos ingleses, os italianos ficam encantados e lisonjeados com o interesse de estrangeiros em seus assuntos, mesmo que, e talvez especialmente, quando esses forasteiros são visivelmente diferentes deles, ou então, como no meu caso, quando seu conhecimento da língua italiana é incerto e o do país é superficial. Creio que isso se deve em parte a uma longa história de pertencer a um país considerado encantador pelo resto do mundo porém não inteiramente sério, um país unido desde 1860 porém pouco eficiente na guerra e na paz. Penso que isso levou a um sentimento entranhado de marginalidade e provincianismo. Os italianos estavam resignados com a convicção de que a atividade histórica real, os centros de civilização e as autoridades intelectuais se encontravam alhures. Desde o século XVII ninguém na verdade buscara na Itália modelos e exemplos de realizações culturais ou intelectuais, a não ser na música, e desde o século XIX nem mesmo na ópera. O fascismo, embora de certa maneira tivesse fortalecido o sentimento de identidade nacional, procurara sem êxito curar a sensação de inferioridade política e militar, e certamente nada fez para desprovincianizar a cultura italiana. Percebia-se que a Itália pós-fascista tinha muito que recuperar no campo cultural, e de uma forma ou outra era preciso buscá-lo no exterior. As traduções de autores estrangeiros ainda são mais proeminentes no mercado italiano de livros do que em qualquer outro país de tamanho comparável. Qualquer reconhecimento externo de sucesso italiano era bem recebido. Giulio Einaudi sabia muito bem o que estava fazendo ainda em 1979, quando lançou não em Roma, mas em Paris, a publicação da excelente edição crítica de Gerratana dos *Cadernos de Notas da Prisão*, de Gramsci, assim como havia lançado em Oxford sua *Storia d'Italia* em vários volumes. O selo da aprovação de Paris ou do prestígio de Oxford era ainda a maneira de vendê-los na Itália. Naturalmente, após o século XVIII a cultura italiana era ainda em grande parte provinciana, como fica evidente pelas leituras e escritos do próprio Gramsci. Mesmo em seu melhor momento, fora da matemática, ópera e um interesse temporário no futurismo, ninguém no exterior prestou muita atenção na produção italiana.

Talvez a realização mais impressionante e inesperada da República italiana derivada da Resistência antifascista tenha sido mudar esse quadro, e, ao fazê-lo, demonstrar o que sempre fora evidente para qualquer estrangeiro isento, isto é, que os italianos nada tinham perdido dos dons intelectuais, artísticos e executivos que haviam produzido realizações espantosas e universalmente admiradas entre os séculos XIV e XVII. Em certos aspectos os rumos da França e da Itália no pós-guerra seguiram caminhos opostos. Enquanto após 1945 a França perdeu a hegemonia cultural à qual durante tanto tempo se habituara, recuando para o que na verdade era um gueto francófono, o prestígio da arte, ciências, indústria, design e estilo de vida italianos estava em ascensão e a imagem da Itália passava das margens para o centro da cultura ocidental. A Resistência libertou até mesmo os talentos que haviam florescido ou tinham sido tolerados durante o fascismo — as figuras principais do cinema italiano, como Rossellini, Visconti e De Sica, já estavam em atividade bem antes da queda de Mussolini. Na década de 1950 seria inconcebível que um dia a indústria da alta moda internacional olhasse para Milão e Florença em vez de Paris.

No entanto, a não ser em campos completamente transnacionais como as ciências matemáticas e naturais, o pensamento italiano teve dificuldade em libertar-se do provincianismo do passado, não menos por causa da longa resistência do sistema universitário, com sua combinação profundamente arraigada de controle de parte de burocratas e políticos nacionais e manobras de seus próprios "barões", com seu poderoso sistema de clientelismo. Daí a excepcional importância, na vida intelectual italiana, das primeiras três ou quatro décadas pós-guerra de editoras comerciais como Laterza, Einaudi e Feltrinelli. Com efeito, assim como na República Federal Alemã do pós-guerra, elas substituíram em grande parte as universidades ainda não reconstruídas como locomotivas intelectuais e culturais, ou se preferirmos o jargão em moda após 1989, órgãos da "sociedade civil".

O príncipe desses arquitetos culturais da Itália pós-fascista foi Giulio Einaudi (1912-99), meu amigo e editor, filho do mais eminente economista de livre mercado da Itália e posteriormente seu primeiro presidente. Einaudi fundou sua editora com a idade de 21 anos em 1933 e dirigiu-a durante os cinquenta anos subseqüentes. Paradoxalmente, ele próprio não era uma figura muito intelectual, mas chefiava uma equipe de assessores que combinavam inteligência excepcional, erudição, espírito, cultura cosmopolita e criatividade literária. Estavam todos unidos pelo antifascismo e pela Resistência ativa — fosse no comunismo ou na tradição liberal-socialista da Giustizia e Libertà —, a maioria pelo severo e independente ambiente cultural de Turim, e juntos criaram o que certamente foi a melhor editora do mundo nos quinze anos posteriores a 1945.

A palavra "príncipe" foi escolhida propositadamente, pois apesar das simpatias comunistas, o estilo de Giulio, sua magnífica *bella figura* na cidade ou no campo, era principesco, ou pelo menos feudal. Até mesmo como convidado em uma sala de estar de Hampstead ele irradiava uma afabilidade fidalga. Até mesmo em calções de banho numa praia de Havana era reconhecível como patrono. O espírito feudal se estendia a sua maneira de tratar as dívidas empresariais, inclusive as dos autores que publicava, o que eventualmente o levou à falência. (Por outro lado, os autores costumavam receber, como presentes de fim de ano, caixas de vinho Barolo das vinhas de Einaudi, um vinho tão sério que as suas caves recomendavam deixá-lo respirar durante oito horas antes de ser bebido.) Como os monarcas absolutos, ele considerava seu reino uma extensão de si próprio, e sua recusa em aceitar conselhos financeiros ou mesmo de pensar no futuro da editora após sua administração foi o que finalmente o quebrou. O prestígio da firma era tal que ele foi mais de uma vez salvo da bancarrota por ser considerado tesouro nacional por uma conjunção do establishment antifascista, coordenado pelo grande banqueiro Raffaele Mattioli (o mesmo que, em 1937, escondera os manuscritos do defunto Gramsci no cofre do banco até que pudessem ser passados, via Piero Sraffa, ao quartel-general do PC italiano no estrangeiro). Na década de 1980 ele finalmente perdeu o controle do negócio, e em 1991 a Giulio Einaudi Editore foi vendida ao império de meios de comunicação de Silvio Berlusconi. Não consigo recordar a última vez em que vi Giulio. Provavelmente foi na festa de meus oitenta anos, organizada em 1997 na cidade de Gênova; estava velho, triste e já não mais espigado, numa Itália muito diferente da de seus dias de glória. Certa vez ele e Italo Calvino haviam participado da guarda de honra no féretro de Palmiro Togliatti, que havia reconhecido tanto seu prestígio como suas simpatias políticas ao conceder à Casa Einaudi os direitos de publicação das obras do próprio Antonio Gramsci. Infelizmente, nessa época, o que fora o PC italiano de Togliatti também já estava em declínio.

Entre 1952 e 1997 a Itália combinava uma dramática mudança social e cultural com uma política congelada. Na altura do fim da Guerra Fria, os habitantes de um país tradicionalmente pobre possuíam mais automóveis proporcionalmente à população do que praticamente qualquer outro lugar do mundo. O país onde vivia o papa legalizou o controle de natalidade e o divórcio, abraçando o primeiro com entusiasmo porém abstendo-se notavelmente quanto ao segundo. Era um país diferente. No entanto, desde o início da confrontação Leste-Oeste, em 1947, ficou evidente que em nenhuma hipótese os Estados Unidos permitiriam que os comunistas chegassem ao poder na Itália, nem mesmo a cargos governamentais eletivos. Esse continuou a ser um princípio básico de Washington, poder-se-ia dizer sua "posição padrão", enquanto houvesse uma União Soviética e um PC italiano, e durante alguns anos depois disso. Porém ficou igualmente claro que um Partido Comunista de massa não poderia ser eliminado pela repressão policial nem por chicanas constitucionais, embora a grande revolta rural no sul da Itália, cujos subprodutos haviam atraído minha atenção para a "rebelião primitiva", tivesse desaparecido na altura da metade dos anos 50. Realisticamente, os democrata-cristãos aceitaram essa situação, permitindo ao PC italiano espaço político em suas regiões, na cultura e nos meios de comunicação. Afinal, a República havia sido fundada por eles juntamente com os comunistas. Dentro da Itália a Guerra Fria não era um jogo de soma zero.

A Itália para onde eu fora, portanto, havia começado a acomodar-se pelo futuro previsível, um pouco como o Japão, como uma dependência política dos Estados Unidos espetacularmente corrupta, sob um único partido, o Democrata Cristão, mantido permanentemente no poder pelo veto americano. Quando cheguei à Itália pela primeira vez notei que, virtualmente, não existiam ainda nem documentação nem descrições da modesta Máfia siciliana do pós-guerra, enquanto a Camorra napolitana, hoje talvez ainda mais poderosa, na época parecia extinta.[9] Ambas são produto do sistema político da Guerra Fria. No curso das décadas após 1950, a República italiana se tornou uma instituição estranha, labiríntica, freqüentemente absurda e às vezes perigosa, cada vez mais distante da realidade da vida de seus habitantes. A piada de que a Itália demonstrava ser possível existir um país sem Estado, provando assim que Bakunin tinha razão contra Marx, não é estritamente verdadeira, pois os italianos passavam grande parte de seu tempo esquivando-se do que era regulamentarmente um Estado forte, onipresente e intervencionista. Os italianos desempenhavam bem esse papel, e precisavam fazê-lo, porque a maciça transformação do poder público, dos recursos e do emprego em um sistema nacional de favorecimento e em uma quadrilha de protecionismo fazia com que fosse cada vez mais necessário encontrar meios de permitir a circulação do sangue do corpo político por meio de milhões de capilares que se desviassem de suas artérias crescentemente obstruídas. "Dar um jeito" — mediante conexões, mais do que simples suborno — tornou-se o lema nacional da Itália.

O campo do *poder* ficava em algum lugar entre uma sociedade civil próspera e cada vez mais confiante e as atividades esotéricas do Estado, e coberto por camadas de silêncio e ocultamento. Ele não tinha nem constituição nem uma estrutura formal. Era um complexo acéfalo de centros de poder que haviam se acomodado uns aos outros, local ou nacionalmente: públicos, privados, legais, clandestinos, formais e informais. Todos sabiam, por exemplo, que o "*avvocato*" — Gianni Agnelli, chefe da família proprietária da Fiat e de muito mais — era um centro de poder nacional, assim como ele sabia que embora nenhum governo italiano pudesse deixar de entender-se com ele, tampouco ele poderia deixar de tratar com quem quer que detivesse o poder em Roma. Parte desse campo de poder era subterrâneo e secreto, emergindo parcialmente somente em períodos de crise, como nas décadas de 1970 e 1980. Nesses períodos a política italiana regrediu ao método da ópera, ou dos Borgia, entre infindáveis debates não tanto sobre quem eram os assassinos dos *cadaveri eccellente*,* ou cadáveres ilustres, mas sim quem estava por trás deles, quais eram suas ligações com lojas maçônicas discretas porém influentes, e com obscuros projetos para impedir o PC italiano de ingressar no círculo do poder político, se necessário mediante golpes militares.

Na década de 1990 esse sistema desmoronou. O fim da Guerra Fria privou o regime italiano de sua única justificativa, e uma genuína revolta da opinião pública contra a ganância realmente espetacular do primeiro-ministro socialista e seu partido o destruiu. Todos os partidos da Itália do pós-guerra foram varridos pela eleição de 1994, com exceção do PC italiano, cuja relativamente merecida reputação de honestidade o salvou, e dos neofascistas, que também se haviam mantido em oposição permanente. Infelizmente na Itália, como em outros lugares, a década de 1990 provou ser possível destruir um mau regime antigo sem necessariamente produzir as condições para a criação de outro melhor.

III

Que pode dizer o autobiógrafo de um país que foi parte de sua vida e da vida de sua mulher durante meio século? Algumas das pessoas mais próximas a nós são italianos. Em casa falávamos italiano quando não queríamos que

---

* Nome do filme de Francesco Rosi, de 1976, baseado em um romance do ótimo escritor siciliano Leonardo Sciascia.

as crianças entendessem. A Itália foi boa para nós, dando-nos amizades em belos lugares, a infinita descoberta de sua capacidade de criação, no passado e no presente, e mais desses raros momentos de pura satisfação de estar vivo do que os seres humanos podem razoavelmente esperar depois que termina a juventude. Deu-me meus temas como historiador. Seus leitores têm sido generosos para comigo, como escritor.

Embora eu acredite que ser historiador ajuda a entender um país, devo perguntar-me por que a Itália do Signor Berlusconi em 2002 não é aquela que esperei há cinqüenta anos. Até onde terei deixado de perceber para onde se dirige a Itália porque minha observação era deficiente ou preconceituosa, e até onde porque as curvas do caminho ainda não eram visíveis? Terá sido a democratização de uma sociedade de consumo a responsável pelo alargamento do hiato entre a minoria de gente instruída e intelectual, cuja companhia os historiadores idosos preferem, e o restante de um povo que leu menos jornais e gastou menos dinheiro com livros *per capita* do que todos os membros da União Européia, com exceção dos dois mais pobres? Teria a simples velocidade da transformação econômica, e portanto social e cultural, impedido a previsão, na Itália como em outros lugares?

Certamente muito poucos decifraram os sinais naquele período de temor e tensão, ameaçado por golpes, a década de 1970, o pico do apoio eleitoral ao PC italiano, nacionalmente e nas grandes cidades. Não percebemos que a dramática transformação industrial estava enfraquecendo fatalmente a influência política do PC italiano no coração econômico da Itália, o norte: o edifício da linha de montagem da Fiat em Turim acolhe agora a Feira de Livros anual. O Partido não percebeu haver perdido, após 1968, sua principal vantagem política, que era a reconhecida hegemonia sobre a esquerda italiana, e na verdade sobre todas as forças de oposição, além dos resquícios do fascismo. O pequeno livro instantâneo que produzi na época com Giorgio Napolitano, na época membro do secretariado do PC italiano, não mostra sinais de ter sido escrito na década que culminou com o seqüestro e assassinato do primeiro-ministro italiano Aldo Moro pelas Brigadas Vermelhas, o mais temível movimento terrorista de esquerda da Europa.[10] Talvez, o que seria o pior de tudo, o Partido, como os movimentos da classe operária alhures, estivesse começando a perder o contato com seu *popolo comunista*, para quem havia sido o partido da resistência, da liberação e da esperança social, o defensor dos pobres. Já nos anos 70 pessoas em Turim me diziam: "Já não somos um movimento; estamos nos transformando em um 'partido de opinião, como os demais'". Como seria possível falar de política aos jovens jornalistas, agudos e afinados com a mídia, que telefonavam do (agora em apuros) cotidiano do Partido, *L'Unità*, da mesma maneira com a qual se falava para a geração de jornalistas dos *partisans* e da liberação? Ao rejuvenescer seus quadros, o Partido percebeu que havia modificado seu caráter. À medida que declinava lentamente, abandonando com seu nome grande parte de uma grande tradição, preparava-se para caminhar pela década de 1990 à sombra incerta de um logotipo botânico recentemente improvisado: o carvalho e a oliveira.

Dentro de cinco anos a contar da morte de Berlinguer o Muro de Berlim caíra e o PC italiano, deixando cair seus símbolos e tradições, reconstruiu-se e redenominou-se vagamente como Esquerda Democrática (o rótulo costumeiro de recuo dos antigos Partidos Comunistas ligados a Moscou), contra uma acerba oposição interna e a secessão de um novo Partido do Comunismo Restaurado.

Assim, a longo prazo, desfrutar a Itália acabou sendo mais fácil do que entendê-la. Paradoxalmente, isso foi mais fácil na era da crise da República. Vista da torre de observação particular, a Itália da década de 1980 era uma sucessão de eventos públicos e conversações acadêmicas em lugares cuja familiaridade não lhes diminuía a beleza, de dias passados com amigos, particularmente na casa de campo de Rosario e Anna Rosa Villari, na Toscana. Era um país irreal, no qual era possível reclinar-se com amigos num terraço com vista para o Val d'Orcia depois do almoço, ouvindo a voz da Callas cantando a "Casta Diva" vinda de um toca-discos no andar de cima.

Enquanto isso, a Itália coletiva da década de 1980 era uma espécie de *reductio ad absurdum* da vida pública, uma época de política à moda dos irmãos Marx, moderadamente manchada de sangue. Enquanto os homens de Craxi compravam antigos "intelectuais progressistas", ministros socialistas de vida ostentatória apareciam com artistas secundárias em nightclubs, cujas contas eram pagas por gerentes ansiosos por atrair seus companheiros, imensos créditos governamentais depois de imensos terremotos desapareciam no ar, as finanças do Vaticano estavam em desordem por causa de especulações financeiras de banqueiros ligados à Máfia, um dos quais foi recentemente encontrado enforcado sob a ponte Blackfriars de Londres, e um professor napolitano conseguiu construir em seu benefício um império acadêmico em um palácio municipal baseado em suas pesquisas, referendado por eminentes colegas que deixaram de perceber que cada um de seus livros havia sido cuidadosamente traduzido, palavra por palavra, de teses de doutorado alemãs.

Minha lembrança mais vívida desses anos é uma curta viagem de uma noite a Roma, que em dois sentidos tinha a ver com Marx. A televisão italiana me convidou para participar de um programa sobre o centenário do grande homem com o título "Uma noite com Karl Marx".

O evento era surreal, embora eu infelizmente nunca tenha visto o programa e portanto perdi a execução da "Internazionale" pela célebre cantora clássica de vanguarda Cathy Berberian. Dentro de um vasto hangar da RAI (televisão italiana), havia sido construído um cenário sofisticado em volta de uma cabeça de Karl Marx em papel machê, cujo topo era removível. De dentro dela o apresentador, um comediante conhecido, de vez em quando retirava grandes cartões marcados LUTA DE CLASSES, DIALÉTICA e coisas semelhantes. Também havia sido construída uma espécie de *dacha* num cenário que lembrava uma propriedade campestre de Tchecov, em cuja varanda estávamos sentados eu e o falecido Lucio Colletti, um brilhante acadêmico ex-comunista, junto com quem eu deveria explicar A TEORIA OPERÁRIA DO VALOR em não mais do que cinco minutos, quando o cartão emergisse da cabeça de Marx. Colletti em seguida apoiou Silvio Berlusconi, mas nem mesmo ele poderia ter sabido, ou sequer imaginado, coisa assim em 1983.

Não sei o que aconteceu no restante daquela "Uma noite com Karl Marx", mas saí para receber meus honorários, pagos em dinheiro vivo, por uma jovem representante dos serviços públicos do Estado italiano. Ela me deu o seguinte conselho: "O senhor sabe, não se deve levar tanto dinheiro para fora do país. O melhor que posso sugerir é que o senhor o coloque entre suas camisas, na mala. Eles nunca irão olhar".

Devo recordar com prazer a década de 1990. *Il Secolo Breve* (*Era dos extremos*) foi sucesso considerável na Itália. Na vida pública, o povo italiano derrubou o regime mais corrupto da Europa, destruindo completamente os partidos da República da Guerra Fria. Estávamos presentes na Itália na época das eleições de 1994, que reduziu os contendores que a disputavam com os nomes de democrata-cristãos e socialistas a 32 e quinze cadeiras, respectivamente, em uma Câmara de Deputados de 630 membros, triunfo já toldado pela vitória, pouco convincente como foi na ocasião, da coalizão de direita de Berlusconi. E, apesar disso, especialmente decepcionante para seus antigos admiradores, embora já não inesperado, foi o fracasso do que antes fora o PC italiano. Finalmente colocado em posição de tomar a frente de um governo democrático progressista, não esteve à altura da tarefa. Enquanto a Grã-Bretanha, a França e a Alemanha eram governadas pela esquerda, a Itália entrou no novo milênio preparando-se para o primeiro governo claramente direitista desde a queda do fascismo.

Para a maioria dos italianos a vida continuou, provavelmente mais satisfatória do que nunca após o mais miraculoso meio século de melhoria em sua história. E, no entanto, teria sido possível adivinhá-lo no livro que (em minha opinião) talvez seja o maior de todos os produzidos por qualquer italiano durante meu tempo de vida, o maravilhoso *Cidades invisíveis*, de Italo Calvino? (Ainda o recordo, pouco antes de sua morte prematura, em seu terraço verde numa cobertura do Campo Marzio, em Roma, com um meio sorriso cético no rosto moreno, cheio de espírito e cautelosa erudição.) O livro trata das histórias contadas a Kublai Khan, imperador da China, sobre cidades, verdadeiras ou imaginárias, ou ambas as coisas, encontradas por Marco Polo em suas viagens. Trata de Irene, a cidade que somente pode ser vista do exterior. Como será ela vista de dentro? Não importa. "Irene é o nome de uma cidade distante. Quando se chega perto, ela já não é a mesma." Também trata das cidades prometidas, porém não descobertas, cujos nomes já estão no atlas de Kublai: Utopia, a Cidade do Sol. Porém não sabemos como chegar a elas, nem como nelas penetrar. E no fim, o imperador pergunta pelas cidades de pesadelo, cujos nomes também sabemos.

> Marco Polo: O inferno dos vivos não é algo que vai existir: se existe, já está aqui, o inferno de nossa vida cotidiana, formado pelo fato de vivermos juntos. Há duas formas de suportá-lo. A primeira é a que muitos acham fácil: aceitar o inferno e tornar-se parte dele, até não o ver mais. A segunda é arriscada e exige constante atenção e aprendizado: no meio do inferno procurar e saber reconhecer o que não é inferno, fazê-lo durar, dar-lhe espaço.

Esse não foi o espírito no qual minha geração, inclusive Calvino, viu a Itália que acabava de libertar-se do fascismo.

21. Terceiro Mundo

I

Em 1962 convenci a Fundação Rockefeller a conceder-me subsídio para uma viagem à América do Sul, a fim de fazer pesquisas sobre a matéria de meu recente livro, *Rebeldes primitivos*, pois nesse continente o tema provavelmente estaria mais presente na história contemporânea do que na Europa de meados do século xx. Era a época em que as fundações ainda pagavam passagens de primeira classe a seus viajantes, em companhias aéreas cujos nomes registram um passado desaparecido — Panamerican, Panair do Brasil, Panagra e TWA, embora, exceto no Peru, as antigas companhias de bandeira pareçam ainda sobreviver. Durante cerca de três meses em 1962-63 fiz o circuito da América do Sul — Brasil, Argentina, Chile, Peru, Bolívia e Colômbia — nesse estilo luxuoso, implausível para um pesquisador sobre rebeliões camponesas. Foi a primeira de numerosas visitas à América Latina continental nos anos subseqüentes, tanto ao México como a diversas partes da América do Sul, na verdade a todos os países do continente, exceto as Guianas e a Venezuela. Talvez o mais longo período que passei fora do Reino Unido desde 1933 seja o aproximadamente meio ano em que estive com minha família dando aulas, fazendo pesquisas e escrevendo, do México ao Peru, em 1971. É um continente onde tenho muitos amigos e alunos, com o qual mantenho contato há quarenta anos e que, não sei bem por quê, tem sido extremamente bom para mim. É a única região do mundo onde não me surpreendi por ser apresentado a presidentes, passados, presentes e futuros. Aliás, o primeiro que conheci durante seu mandato, o sagaz Víctor Paz Estenssoro, da Bolívia, mostrou-me na praça fronteira a seu balcão em La Paz o poste no qual seu predecessor, Gualberto Villaroel, fora enforcado por uma multidão de índios rebelados em 1946.

Após o triunfo de Fidel Castro, e mais ainda depois do insucesso da tentativa dos Estados Unidos de derrubá-lo na baía dos Porcos, em 1961, não havia intelectual na Europa ou nos Estados Unidos que não sucumbisse ao feitiço da América Latina, continente onde aparentemente borbulhava a lava das revoluções sociais. Embora essa circunstância também me tivesse atraído para lá, havia uma razão principal de ordem prática, que era lingüística. Os historiadores que tratam das atividades da gente comum precisam ser capazes de comunicar-se com elas falando, e a América Latina era a única parte do que se conhecia como Terceiro Mundo onde grande número de pessoas falava idiomas a meu alcance. Eu não me interessava simplesmente por uma região geográfica, e sim por uma incógnita muito mais ampla, isto é, os 80% de homens, mulheres e crianças que viviam fora da zona habitada, até o último terço do século xx, principalmente por gente de pele (imaginariamente) branca.

Durante a primeira metade da minha vida esses 80% nada sabiam do mundo e o mundo nada sabia deles, com exceção talvez de alguns milhares de indivíduos. Nada é mais impressionante para alguém de minha idade do que a extraordinária descoberta do Primeiro Mundo, a partir de 1970, pelos povos do Terceiro Mundo, ou, em outras palavras — já que esses termos pertencem à era da Guerra Fria —, a possibilidade de que os pobres de qualquer lugar melhorem de vida mudando-se para países ricos. É claro que, com raríssimas exceções, como os Estados Unidos a partir da década de 1960, não queremos que eles venham, nem mesmo quando precisamos deles. Este mundo voltado à livre movimentação global de todos os fatores de produção que conduzem ao lucro é também um mundo interessado em estancar a única forma de globalização inquestionavelmente desejada pelos pobres, isto é, encontrar empregos mais bem pagos em países ricos. Estamos de tal forma acostumados com a desumanidade do século que já não distinguimos mais entre os refugiados e os emigrantes afegãos ou curdos transportados em navios-ataúdes por profissionais das migrações, como os italianos ou os judeus russos da década de 1880, que acabavam de descobrir que não precisavam viver e morrer nos *paesi* e nos *shtetls* onde haviam nascido.

Durante os primeiros quarenta anos de minha vida as coisas simplesmente não eram assim. As pessoas ficavam isoladas umas das outras pela língua — não os idiomas "nacionais", mas aquilo que os analfabetos realmente falavam, os dialetos densos e localizados, ou *patois*, quase incompreensíveis a cinqüenta quilômetros de distância. O analfabetismo, mais ainda a ausência de rádio e televisão acessíveis, os afastava do que conhecemos como "notícias", embora não de um ou dois acontecimentos mundiais importantes. "Onde fica a Inglaterra?", perguntou-me um fazendeiro mexicano, ainda na década de 1970, quando eu lhe disse de onde vinha. (A primeira pergunta aos forasteiros em todas as sociedades que vivem pela comunicação oral, inclusive os exércitos, é sempre "De onde você é?".) Minhas explicações de nada serviram. Provavelmente ele jamais imaginara o Atlântico. Finalmente conseguiu chegar próximo a alguma coisa da qual ouvira falar: "É perto da Rússia?". Respondi que não era muito longe, o que o satisfez.

Naquela época as peles não-brancas eram excepcionalmente raras nos países "caucasianos", a não ser a anomalia dos afro-americanos nos Estados Unidos. A imigração latino-americana era tão pequena que antes de 1960 os recenseamentos norte-americanos juntavam os oriundos das Américas do Sul e Central, sem distinguir entre os países de origem. Com exceção de colonos europeus, como os franco-argelinos (na verdade em grande parte de origem espanhola) ou os judeus na Palestina, o mesmo ocorria com os brancos que viviam em países com numerosa população indígena. Normalmente, era incomum para os brancos durante vidas normais encontrar o cenário plurirracial das ruas das grandes cidades ocidentais de hoje. A não ser em pequenas e atípicas minorias, era improvável que a maior parte dos brancos que não residisse fora de seus países conhecesse pessoas de outras cores de pele, e mais improvável ainda que tivesse com elas relações de amizade. Antes da década de 1960, esses poucos brancos pertenciam primordialmente a dois grupos: cristãos (presumindo que o rótulo englobe também os quackers) e comunistas, ambos comprometidos, de maneira diversa, a um ódio geral emancipador e igualitário ao racismo. E ambos, mas especialmente os marxistas, por motivos tanto de um antiimperialismo prático como de uma potencial revolução oriental, tinham interesse especial pela história da humanidade não-branca. Isso era o que me tinha levado ao "grupo colonial" do Partido nos tempos de estudante e me atraíra a explorar o norte da África e posteriormente a América Latina. Nossos amigos "coloniais", em meu caso, particularmente os do sul da Ásia, foram nossas primeiras janelas para esses mundos.

Muito tempo se passou até que eu percebesse quão atípicos de suas sociedades eram eles. Os que chegavam a Cambridge, a Oxford e à London School of Economics eram as elites de suas populações coloniais "nativas", como em breve se tornou evidente após a descolonização. Tendiam também a ser mais abastados do que nós. Eram amigos de família dos Nehru, como P. N. Haksar, da LSE, que deu cobertura em Primrose Hill ao namoro de Indira Nehru e Feroze Gandhi e que, como funcionário público, era o homem mais poderoso da Índia independente quando o visitei em Nova Delhi, em 1968. A pessoa que veio me receber à porta do avião foi meu velho amigo do King's, Mohan Kumaramangalam, comunista até recentemente e na época dirigindo a Indian Airlines, que logo seria o ministro talvez mais íntimo da sra. Gandhi até morrer tragicamente num desastre aéreo em 1973. Sua irmã mais jovem, Parvati, que visitara Mohan em Cambridge, tinha deixado o cabelo crescer novamente, se casara com o secretário-geral do Partido Comunista e fora eleita para o Parlamento. Outro irmão, que estudara em Eton como os demais, mas que não era comunista, havia se tornado comandante-em-chefe do exército indiano. Assim era a família Kumaramangalam de Madras. Assim também, com certas diferenças, eram os Sarabhai de Ahmedabad, jainistas estritos que se abstinham de matar qualquer animal, por menor que fosse, e que eu vim a conhecer por meio de Manorama, amiga íntima dos tempos de minha primeira mulher na LSE, cuja casa fora construída por Le Corbusier. A família era uma das grandes dinastias Gujarati do mundo dos negócios, que apoiava o Partido do Congresso e possuía indústrias têxteis com diversificações em altas tecnologias. A cultura era provavelmente sua atividade mais visível, mas um Sarabhai iria ser o encarregado do programa nuclear indiano. Durante a primeira geração da independência, os assuntos públicos e privados, de governo e de oposição, de uma Índia de várias centenas de milhões de habitantes, eram dirigidos por um establishment extraordinariamente anglicizado e de mentalidade moderna de talvez 100 mil pessoas, que vinham de famílias com educação superior (isto é, em especial ricas), tanto as que haviam servido ao

Raj quanto as que tinham organizado o movimento de libertação. A bizarria dessa combinação aflorou num jantar de Natal na casa de Renu Chakravarty, de olhos de corça, na época parlamentar comunista — o Partido Comunista ainda não tinha se dividido — e fonte de influência em Calcutá. Depois do peru e do presunto providenciados pelo primo de Renu, secretário do Clube Calcutá, que evidentemente não havia abandonado o cardápio dos tempos em que os indianos não podiam entrar no edifício a menos que fossem empregados, foi servido *biryani* e finalmente um pudim de Natal, também providenciado pelo Clube, além de *pan* para mascar (noz-de-areca, ou bétele). Eram anglicizados até mesmo na língua que alguns deles falavam em casa ou em que escreviam e liam com mais facilidade, pois tive a impressão de que somente os naturais de Bengala entre eles, e talvez algumas das famílias muçulmanas mais tradicionais, nas quais jovens radicais liam poetas progressistas em urdu (admirados por meus velhos amigos e camaradas Victor Kiernan e Ralph Russell), viviam suas vidas mentais integralmente na língua vernácula.

Por meio das amizades pessoais somente se pode aprender um pouco — e não muito — a respeito de uma sociedade. Os amigos podem estar demasiadamente arraigados nela para que percebam suas peculiaridades, e de qualquer maneira a classe social é elemento tão segregador de experiências quanto a distância, a cultura ou a língua. Quando o Partido encarregou o falecido Indrajit ("Sonny") Gupta, meu admirável amigo e colega do King's, mais tarde secretário-geral do Partido Comunista e por breve lapso ministro do Interior, de dirigir o sindicato dos empregados da companhia de bondes de Calcutá, e depois o dos tecelões de juta de Bengala Ocidental, ele teve tanto que aprender sobre a classe trabalhadora de Calcutá quanto qualquer estrangeiro. O que espero dever a essas amizades, baseado na camaradagem anti-racista do comunismo estudantil, é a separação entre o sentimento de igualdade e a consciência da cor do cabelo ou da pele, a aparência física e a cultura. A aldeia global dos negócios, da ciência, da tecnologia e das universidades do século XXI é tão multicolorida que isso pode já não constituir mais um problema, embora eu suspeite que sim. Antes de 1960, ou por essa época, o sentimento de superioridade racial entre os brancos ocidentais era fortalecido pelo peso do poder e das realizações do Ocidente em todos os campos, com exceção de algumas das artes, e pela superioridade física das raças normalmente consideradas inferiores, e portanto objeto de ressentimento psicológico, reprimido e supercompensado, especialmente de parte dos brancos do sexo masculino. Os judeus israelenses não escondiam seu desprezo pelos "árabes", especialmente antes de 1987, quando suas intifadas ainda não haviam rompido a passiva aceitação da ocupação israelense nos territórios palestinos. Foi estranha e instrutiva a experiência de ser tratado como igual em minha visita à Margem Oeste em 1984, a única vez em que me vi vivendo sob um governo militar estrangeiro.

A enorme vantagem do comunismo, especialmente quando fortalecido pela amizade, era que simplesmente não se podia tratar um camarada senão como igual. A visível autoconfiança dos poucos favorecidos entre as elites "coloniais" de cor que ingressaram nas universidades britânicas antes da guerra era um elemento auxiliar. Assim como os cavalos percebem o temor de um cavaleiro, também os humanos sentem a expectativa de serem tratados como inferiores por seus interlocutores. Classes dominantes e conquistadores sempre exploraram essa expectativa de superioridade. Meus amigos "coloniais" de antes da guerra não esperavam ser tratados como inferiores.

No entanto, até que recebesse uma bolsa da universidade para ir à África Setentrional Francesa em 1938, eu não havia estado no que então ainda não era conhecido como Terceiro Mundo desde que deixara o Egito quando criança de colo. Viajei na Tunísia e no centro-leste da Argélia, do mar ao Saara, porém jamais cheguei à Argélia ocidental e ao Marrocos, e adquiri um ceticismo vitalício a respeito de estatísticas rurais nesses lugares, transmitido por um solitário administrador francês disposto a conversar com um visitante instruído. ("Quando o governo me pede um recenseamento do gado, faço perguntas muito superficiais, porque senão os rebanhos desaparecem nas montanhas. Depois olho o que informamos na vez anterior e anoto um algarismo que pareça plausível.") Também adquiri respeito pelas montanhas e pelo povo de Kabylia, e pela inteligência e erudição dos magrebistas franceses e peritos islâmicos, embora a maioria deles servisse ao império respectivo, tal como fazia a antropologia britânica na África naquele tempo. Conheci o líder do pequeno Partido Comunista argelino, que depois de 1939 foi exilado e morto no Saara, porém não o mais importante revolucionário da época, Messali Hadj. Às vezes fico pensando se me teria tornado melhor historiador caso tivesse regressado, depois da guerra, ao tema de pesquisa "O problema agrário na África Setentrional Francesa", que trouxera de minhas viagens. Pessoas que admiro — o grande historiador Braudel, meu amigo Pierre Bourdieu e o falecido Ernest Gellner — sentiram-se inspirados devido a seu trabalho no Magreb, e creio que sei o motivo. No entanto, se eu tivesse feito o mesmo, poucos teriam notado. Curiosamente, na África subsaariana o fim dos impérios levou a uma geração de amnésia sobre sua própria história. Além disso, a sangrenta guerra da Argélia da década de 1950 e a amarga decepção das realizações da Argélia independente a partir daí fizeram com que esse campo de estudos ficasse um tanto marginalizado. Assinalo de passagem que embora o futuro da Tunísia com Habib Bourguiba, que finalmente foi seu presidente, já fosse visível em 1938, nada do que pudesse ser descoberto sobre a Argélia naquele ano poderia levar alguém a predizer, ou mesmo imaginar, a força que acabou por libertar o país, a FLN (Frente de Libertação Nacional).

II

A revolução de Fidel Castro em 1959 provocou um repentino aumento do interesse em tudo o que dizia respeito à América Latina, região sobre a qual havia muitos boatos, mas na época pouco conhecimento, fora das Américas. Com raras exceções, os europeus residentes locais, diferentemente dos espanhóis refugiados de guerra ou dos norte-americanos, viviam em seus mundos próprios, como meus parentes chilenos que não se misturavam pelo casamento e que se consideravam expatriados ingleses, ou pelo menos refugiados europeus. (Creio que todos os meus cinco primos passaram a Segunda Guerra Mundial servindo a seu país em uniforme britânico.) Como o continente havia sido descolonizado, não possuía a literatura volumosa, inteligente e documentada proporcionada pelos administradores imperiais, cujo objetivo era compreender os países a fim de governá-los eficientemente. Como demonstram as evidências, as comunidades de homens de negócio expatriados são quase completamente inúteis como fontes de informação sobre os países nos quais operam, embora os britânicos, a seu tempo, tivessem fundado os clubes de futebol nos quais o patriotismo sul-americano encontrou sua expressão mais intensa.

A América Latina era naquela época mais remota em relação ao Velho Mundo do que qualquer outra parte do globo, embora naturalmente isso não se aplicasse à potência imperial do Norte, que supervisionava seus satélites tecnicamente independentes. As duas guerras mundiais serviram somente para trazer prosperidade. Durante o século mais mortífero de todos, não houve senão uma única e curta guerra internacional em seu território (a Guerra do Chaco, de 1932 a 1935, entre a Bolívia e o Paraguai), embora infelizmente não sem considerável derramamento de sangue doméstico. Continente de religião única, até o momento conseguiu escapar à epidemia mundial de nacionalismo lingüístico, étnico e confessional.

Não era fácil entender a América Latina. Quando para lá fui pela primeira vez em 1962, o continente se encontrava em um de seus humores periódicos de expansiva confiança econômica, articulada pela Comissão Econômica para a América Latina, órgão das Nações Unidas, constituída por um grupo continental de cérebros localizado em Santiago do Chile, sob a chefia de um banqueiro argentino que recomendava uma política planejada de industrialização patrocinada pelo Estado e de propriedade estatal, e crescimento econômico mediante a substituição de importações. Parecia funcionar, pelo menos para o gigantesco Brasil, acossado pela inflação mas em fase de crescimento. Foi a época em que Juscelino Kubitschek, presidente de origem tcheca, lançou a conquista do vasto interior do Brasil por meio da construção de uma nova capital nessa região, projetada em grande parte pelo mais eminente arquiteto do país, Oscar Niemeyer, conhecido membro do poderoso porém ilegal Partido Comunista, que me disse havê-la imaginado pensando em Engels.

Os principais países se encontravam também em uma das fases ocasionais de governo constitucional civil, que em breve terminaria. Entretanto, o *caudillo*, ou chefe político à antiga, já estava em declínio, pelo menos fora do Caribe. Os regimes dos torturadores iriam ser conjuntos de oficiais insípidos e desinteressantes. Na América do Sul daquele tempo o único país sob ditadura militar era o incommumente atrasado Paraguai, com o eterno general Stroessner, um regime antipático que tratava bem os nazistas expatriados num país agradavelmente belo e encantador, cuja renda vinha em grande parte do contrabando. O tocante *O cônsul honorário*, de Graham Greene, é excelente apresentação ao país. Talvez eu lhe tenha excessiva simpatia, pois era o único Estado latino-americano que reconhecia oficialmente uma língua indígena, o guarani, e quando o visitei, anos mais tarde, descobri que meu nome era conhecido do editor da um tanto inesperada *Revista Para-*

guaya de Sociologia ali publicada, como autor de *Rebeldes primitivos*. Que intelectual poderá resistir à fama no Paraguai?

Ninguém que descubra a América Latina consegue resistir à região, sobretudo se o primeiro contato for com os brasileiros. No entanto, o que era imediatamente evidente sobre todos esses países não era tanto a imensa desigualdade econômica, que não deixou de aumentar desde então, mas sim o enorme hiato entre as classes dirigentes e intelectuais, com as quais os acadêmicos visitantes tinham contato, e as pessoas comuns. Os intelectuais, a maioria proveniente das "boas" famílias, com padrão confortável, predominantemente brancas, eram sofisticados, viajavam amplamente e falavam inglês e (ainda) o francês. Como freqüentemente no Terceiro Mundo (ao qual os argentinos vociferantemente se recusavam a pertencer), formavam a mais tênue camada social do continente, pois em suas mentalidades, ao contrário do conceito artificial de "Europa" na mentalidade do Velho Mundo, a América Latina era uma realidade constante. Se tivessem atividade política, quase certamente teriam passado algum tempo como exilados em outro país latino-americano, ou teriam viajado à Cuba de Castro; se fossem acadêmicos, teriam passado algum tempo como membros de alguma entidade multinacional em Santiago, no Rio ou na Cidade do México. Como eram poucos, conheciam-se uns aos outros, ou saberiam de sua existência. Por isso, desde o início, em 1962, passando de um contato a outro, um visitante como eu podia facilmente orientar-se com pessoas cujos nomes nada significavam na Europa, mas que eram intelectuais importantes ou figuras públicas. Entretanto, o simples fato de que essas pessoas se moviam em um mundo igualmente à vontade em Paris, Nova York e cinco ou seis capitais latinas os separava do mundo no qual vivia a maioria dos latino-americanos, de pele mais escura e com menos conexões.

Fora do "Cone Sul" já urbanizado (Argentina, Uruguai e Chile), essas pessoas vindas do interior inundavam as favelas das cidades que explodiam, trazendo consigo seus hábitos rurais. Antes que eu lá chegasse, São Paulo havia dobrado de tamanho em dez anos. Essa gente ocupava os morros da cidade, tal como no interior haviam ocupado partes vazias das grandes propriedades, construindo barracos e abrigos que acabavam se tornando verdadeiras casas, como se fazia na aldeia, com a ajuda mútua de vizinhos e familiares, recompensados com uma festa. Nas feiras de rua em São Paulo, à sombra de novos arranha-céus, as massas vindas do sertão seco do Nordeste compravam camisas e jeans a prestação e folhetos ilustrados baratos, com versos sobre os grandes bandidos de sua região. Ainda tenho os exemplares que comprei na época. Em Lima, no Peru, já havia estações de rádio transmitindo em quíchua — nas primeiras horas da manhã, quando os brancos ainda dormiam — para os imigrantes índios das montanhas, já suficientemente numerosos para constituir um mercado, apesar da pobreza. O grande escritor, folclorista e indianista José Maria Arguedas levou-me a um dos teatros musicais onde, nas manhãs de domingo, o povo das montanhas vinha ouvir canções e anedotas sobre "a terra" ("Alguém aqui vem de Ancash? Palmas para as moças e rapazes de Huanuco!"). Em 1962 parecia quase impensável que trinta anos mais tarde eu viesse a supervisionar o filho de um deles para um doutorado na Nova Escola, em Nova York. É uma experiência extraordinária ter convivido com a primeira geração de um registro histórico na qual um rapaz pobre, casado com uma analfabeta de uma aldeia de língua quíchua nas alturas dos Andes, pode tornar-se motorista sindicalizado de um hospital, aprendendo a dirigir um caminhão, e assim abrir o mundo para seus filhos. Ainda guardo sua carta, escrita à mão e com a cuidadosa ortografia do autodidata. Embora tivesse tido uma vida difícil segundo nossos padrões, encontrava-se no topo pelos padrões das massas de operários braçais, dos vendedores ambulantes e dos pobres em geral.

As pessoas que vinham para as cidades eram pelo menos visíveis nas ruas. As que ficavam no interior eram duplamente remotas em relação às classes médias, inclusive seus revolucionários como Che Guevara, devido à distância social e geográfica. Até mesmo os que tinham maior interesse em estreitar contatos com eles encontravam obstáculos proibitivos nas diferenças de estilos de vida, para não falar em expectativas de padrão de vida. Poucos peritos externos realmente viviam em meio aos camponeses, embora muitos tivessem bons contatos no interior, inclusive, como de hábito, os onipresentes pesquisadores de várias organizações internacionais ligadas às Nações Unidas.

Os mais remotos de todos eram os intelectuais que confiavam na esquerda intelectual local ou na imprensa internacional, a fim de obter conhecimento sobre as regiões rurais da América Latina. A primeira, como ocorre freqüentemente, tendia a confundir agitação política e esperanças fidelistas com informação, e a outra confiava no material que chegava aos redatores nas suas capitais. Assim, quando fui pela primeira vez à América Latina, a principal história "camponesa", se é que havia alguma, tratava das Ligas Camponesas do Brasil, um movimento iniciado em 1955 sob a liderança de Francisco Julião, advogado e político local do Nordeste que atraíra a atenção dos jornalistas norte-americanos por expressões de apoio a Fidel Castro e Mao. (Conheci-o dez anos depois, um triste e desorientado exilado pelo regime militar brasileiro, vivendo sob a proteção do dramático ideólogo centro-europeu Ivan Illich em Cuernavaca, no México.) As poucas horas passadas no escritório do movimento no Rio, no fim de 1962, revelaram que tinha pouca presença nacional e visivelmente já passara de seu momento culminante. Por outro lado, as duas principais sublevações camponesas sul-americanas, que nenhum observador alerta deixaria de descobrir em poucos dias ao chegar aos respectivos países, encontravam-se virtualmente não documentadas e na verdade praticamente desconhecidas do mundo exterior no fim de 1962. Eram os grandes movimentos camponeses nas montanhas e fronteiras do Peru e o "estado de desorganização, guerra civil e anarquia" no qual havia caído a Colômbia desde a implosão do que fora, efetivamente, uma revolução social potencial por combustão espontânea deflagrada em 1948 pelo assassinato de um tribuno popular nacionalmente famoso, Jorge Eliezer Gaitán.[1]

Mesmo assim, essas coisas não eram completamente remotas em relação ao mundo exterior. O vasto movimento de ocupação de terras por camponeses estava no auge em Cuzco, onde até mesmo os turistas que não liam os jornais locais podiam observar, ao passar pelos blocos de pedra incaicas no ar frio e fino das tardes na montanha, as infindáveis e silenciosas colunas de índios, homens e mulheres, do lado de fora dos escritórios da Federação Camponesa. O caso mais dramático de revolta rural bem-sucedida na época, nos vales de La Convención, ocorreu abaixo das maravilhas de Macchu Picchu, bem conhecida de todos os turistas na América do Sul. A poucas dezenas de quilômetros pela ferrovia a partir do grande terreno inca, até o final dos trilhos, e algumas horas a mais de caminhão, chegava-se à capital da província, Quillabamba. Escrevi um dos primeiros relatos de um forasteiro a respeito dela. Para um historiador de olhos abertos, especialmente um historiador social, até mesmo essas primeiras impressões, quase ao acaso, constituíam súbitas revelações, como para meu filho de oito anos a visão da sala do tesouro no Museu do Ouro em Bogotá, quando o levei lá muito tempo depois. Como seria possível não explorar esse planeta estranho, porém historicamente conhecido? Minha conversão foi completada uma ou duas semanas depois, entre as infindáveis encostas cobertas de barracas guarnecidas por mulheres camponesas aimará, baixotas, de tranças e chapéus redondos, nas imensas feiras livres nas ruas da Bolívia. Sem poder ir a Potosí, passei o Natal com outro solitário ocasional, um francês das Nações Unidas perito em desenvolvimento de aldeias, a maior parte do tempo num bar de hotel em La Paz. Nós bebíamos e ele falava, interminavelmente, apaixonadamente, da forma pela qual alguém que retorna de uma estada nas frias aldeias do Altiplano derrama suas experiências sobre a única pessoa disposta a ouvi-lo. Foi um Natal frutífero, alcoólica e intelectualmente, embora pouco tivesse a ver com o espírito da data.

Depois daquele Natal, passei o Ano-Novo de 1963 em Bogotá. A Colômbia era um país de cuja mera existência poucas pessoas fora da América Latina pareciam ter conhecimento. Essa foi minha segunda grande descoberta. Na teoria, uma democracia constitucional modelar com dois partidos representativos, quase completamente imune aos golpes militares e ditaduras, transformou-se na prática, depois de 1948, no campo de morticínio da América do Sul. Nesse período a Colômbia atingiu uma taxa bruta de homicídios de mais de cinqüenta por 100 mil, e até mesmo esses números empalidecem diante do zelo assassino na Colômbia no final do século xx.[2] Tenho diante de mim, ao escrever, os recortes já amarelados dos jornais da época. Com eles me familiarizei com o termo *genocídio*, com o qual os jornalistas colombianos habitualmente descrevem os pequenos massacres em colônias rurais e as matanças de passageiros de ônibus — dezesseis mortos aqui, dezoito lá, 24 acolá. Quem seriam os matadores e os mortos? "Um porta-voz do Ministério da Guerra disse [...] não é possível dar informação categórica sobre os autores, porque os distritos (*veredas*) daquela região [de Santander] eram regularmente objeto de uma série de "vendettas" entre os partidários das agremiações políticas tradicionais", isto é, os partidos Liberal e Conservador aos quais, como sabem os leitores de García Márquez, todos os colombianos ao nascer já pertencem por laços familiares e lealdade local. A onda de guerra civil conhecida como *La Violencia*, que começara em 1948 e oficialmente já teria terminado há muito tempo, mesmo assim matou quase 19 mil pessoas naquele "ano tranqüilo". A Colômbia era, e ainda é, a prova de que a reforma gradual no quadro da democracia liberal não é a única nem mesmo a mais plausível alternativa às revoluções sociais e políticas, inclusive as que fracassam ou são abortadas. Descobri um país no qual o fato de não ter havido revolução fizera da violência o centro constante, universal e onipresente da vida pública.

Não estava claro o que exatamente significava, ou teria significado, a *Violencia*, embora eu tivesse tido a sorte de chegar justamente na época em que o primeiro estudo importante estava sendo publicado, a um de cujos autores, o sociólogo Orlando Fals Borda, devo minha primeira introdução aos problemas colombianos.[3] Eu deveria ter dado mais atenção na época ao fato de que o principal estudioso da *Violencia* era um monsenhor católico, e que algumas pesquisas pioneiras sobre suas conseqüências sociais acabavam de ser publicadas pelo padre Camilo Torres, jovem e espetacularmente bem-apessoado, oriundo de um dos clãs dos fundadores do país, e, ao que se dizia, grande destruidor de corações entre as moças da oligarquia. Não por acidente a conferência dos bispos latino-americanos que iniciou a Teologia da Libertação, socialmente radical, alguns anos mais tarde, ocorreu na montanhosa cidade colombiana de Medellín, ainda conhecida por suas indústrias de tecidos e não pelas drogas. Tive algumas conversas com Camilo, e a julgar pelas notas que tomei na ocasião, levei seus argumentos muito a sério; mas ele ainda estava longe do socialismo radical que o levou a unir-se à guerrilha fidelista do Exército de Libertação Nacional, que ainda existe.

Em meio à *Violencia*, o Partido Comunista havia formado zonas de "autodefesa armada" ou "repúblicas independentes", como lugares de refúgio para os camponeses que desejavam, ou precisavam, estar a salvo dos bandos assassinos dos conservadores e por vezes dos liberais. Acabaram por transformar-se nas bases do temível movimento guerrilheiro das FARC (Forças Armadas Revolucionárias da Colômbia). As mais conhecidas entre as áreas "libertadas" desse tipo, Tequendama e Sumapaz, eram surpreendentemente próximas a Bogotá, em linha reta, mas como o país é montanhoso, o caminho era longo e difícil a cavalo e em lombo de mula. Viotà, um distrito de fazendas de café expropriado pelos camponeses na década reformista de 1930, e de onde os proprietários de terras haviam se retirado, não necessitava entrar na luta. Até mesmo os soldados se mantinham distantes, enquanto Viotà cuidava de seus assuntos sob a supervisão de um dirigente político mandado pelo Partido, que anteriormente trabalhara numa cervejaria e agora vendia o café tranqüilamente no mercado mundial por meio dos costumeiros intermediários. As montanhas de Sumapaz, terra de fronteira para homens e mulheres livres, estavam sob as ordens de um líder rural "feito em casa", um desses raros talentos camponeses que escaparam ao destino cantado pelo poeta Gray em sua famosa elegia, o de ser "algum Milton inglório e mudo [...] algum Cromwell sem culpa do sangue de seu país". Isso porque Juan de la Cruz Varela estava longe de ser mudo ou pacífico. Durante sua variada carreira como chefe de Sumapaz havia sido importante liberal, seguidor de Gaitán, comunista, chefe de seu próprio movimento agrário e liberal revolucionário, porém sempre firmemente ao lado do povo. Descoberto por um desses maravilhosos mestres-escolas de aldeia que foram os verdadeiros agentes da emancipação para a maior parte da raça humana nos séculos XIX e XX, havia se tornado ao mesmo tempo leitor e pensador prático. Tinha adquirido sua educação política em *Os miseráveis*, de Victor Hugo, livro que levava consigo para toda parte e no qual marcava os trechos que lhe pareciam particularmente adequados à situação política do momento. Minha amiga Rocío Londoño, que trabalhou em sua biografia durante uma temporada de pesquisa no Birkbeck College, herdou dele o exemplar do livro junto com o restante de seus documentos. Seu marxismo, ou o que nele havia de marxismo, foi adquirido mais tarde, por meio das obras de um clérigo inglês entusiasta da União Soviética e hoje esquecido, o falecido Hewlett Johnson, deão de Canterbury (inevitavelmente confundido com o arcebispo por todos no exterior), obras que parece ter obtido de comunistas colombianos cuja crença na reforma agrária o atraiu. Aceito durante muito tempo como pessoa poderosa e influente, cuja região se encontrava fora do alcance das tropas do governo, Varela representou-a no Congresso. Sumapaz continuou fora do controle da capital mesmo após sua morte, e ele teve honras prestadas por seus cavaleiros armados, segundo Rocío, que compareceu ao enterro. As primeiras negociações para um armistício entre o governo colombiano e as FARC ocorreriam no interior de seu território.

As próprias FARC, que se tornariam o mais temível e duradouro dos movimentos guerrilheiros latino-americanos, ainda não haviam sido fundadas quando cheguei pela primeira vez à Colômbia, embora o homem que as comandou militarmente durante muito tempo, Pedro Antonio Marin ("Manuel Marulanda"), outro líder formado domesticamente, já estivesse em atividade nas montanhas adjacentes à antiga cidadela de agitação agrária e autodefesa comunista em Tolima Sul.⁴ Somente foram criadas quando o governo colombiano, ao experimentar contra os comunistas as novas técnicas antiguerrilha trazidas pelos peritos militares americanos, expulsou os guerrilheiros de sua fortaleza em Marquetalia. Vários anos depois, na metade da década de 1980, eu passaria alguns dias no lugar de nascimento da atividade guerrilheira comunista, no município cafeeiro de Chaparral, em casa de meu amigo Pierre Gilhodes, que se casara com pessoa da localidade. As FARC, mais fortes do que nunca, ainda estavam nas montanhas acima da aldeia, que agora era facilmente acessível de carro a partir de Bogotá, suficientemente próspera e em contato com o mundo exterior para que a revista *Vogue* estivesse à venda no jornaleiro da praça central. As trilhas de mulas e os caminhos a pé ainda subiam a montanha, atravessando profundas ravinas. Era um panorama tranqüilo, e não admira que ali a discrição fosse a regra de ouro. Os agricultores de Chaparral estavam prestes a descobrir o potencial do cultivo da papoula, mas creio que isso ainda não tinha acontecido.

A Colômbia, como escrevi após meu regresso, experimentava "a maior mobilização de camponeses armados (como guerrilheiros, bandidos ou grupos de autodefesa) da história contemporânea do hemisfério ocidental, com exceção, possivelmente, de alguns momentos da Revolução Mexicana".⁵ Curiosamente, esse fato ou passou despercebido ou foi negligenciado pela ultra-esquerda contemporânea, na América do Sul e fora dela (cujas tentativas de insurreição guerrilheira guevarista foram todas espetacularmente malogradas), ostensivamente porque estava ligada a um Partido Comunista ortodoxo, porém, na verdade, porque aqueles que foram inspirados pela Revolução Cubana não entenderam, nem queriam entender, o que poderia fazer com que os camponeses latino-americanos tomassem das armas.

III

Na década de 1960 não era difícil ser perito em América Latina. O triunfo de Fidel criara enorme interesse pela região, que era deficientemente coberta pela imprensa e pelas universidades fora dos Estados Unidos. Eu não pretendia interessar-me por ela como especialista, embora tenha acabado por escrever e dar conferências na década de 1960 e no início da de 1970, na *New*

York Review of Books e alhures, acrescentando apêndices sobre o movimento camponês peruano e a Violência Colombiana à (primeira) edição em espanhol de *Rebeldes primitivos*, e tenha passado em 1971 um sabá *en famille*, fazendo pesquisas mais profundas sobre camponeses do México e do Peru. Continuei a viajar para lá diversas vezes em cada década, principalmente para o Peru, México e Colômbia, porém também ocasionalmente Chile, antes e durante o período Allende e após o fim da era de Pinochet. E naturalmente nem sequer tentei resistir ao drama e ao colorido das partes mais glamourosas desse continente, embora ela contenha um dos ambientes mais anti-humanos do globo — o Altiplano andino, no limite da cultivabilidade, e o semideserto eriçado de cactos do norte do México — além de algumas das gigantescas cidades mais inabitáveis do mundo, a Cidade do México e São Paulo. Ao longo dos anos fiz amigos queridos, como os Gasparian no Brasil, Pablo Macera no Peru, e Carlos Fuentes no México, e tive alunos e colegas que se tornaram amigos. Em resumo, converti-me permanentemente à América Latina.

No entanto, jamais procurei tornar-me um latino-americanista, nem me considerava um deles. Assim como para o biólogo Darwin, para mim, como historiador, a revelação da América Latina não foi regional, e sim geral. Era um laboratório de mudança histórica, primordialmente diferente do que se poderia esperar, um continente feito para minar as verdades convencionais. Era uma região onde a evolução histórica ocorria à velocidade de trem expresso e que podia efetivamente ser observada durante a metade da vida de uma única pessoa, desde a primeira derrubada de florestas para estabelecer uma fazenda até a morte dos camponeses, das subidas e decidas das culturas de exportação para o mercado mundial até a explosão de gigantescas supercidades, como a megalópole de São Paulo, onde era possível encontrar uma mescla de populações imigrantes mais implausível do que até mesmo em Nova York — japoneses e gente de Okinawa, calabreses, sírios, psicanalistas argentinos e um restaurante que orgulhosamente anunciava "CHURRASCO TÍPICO NORCOREANO". Era uma região na qual o tamanho da Cidade do México dobrou em dez anos e onde o cenário das ruas de Cuzco deixou de ser dominado por índios vestidos com suas roupas tradicionais para ter pessoas que passaram a usar roupas modernas (*cholo*).

Inevitavelmente a América Latina transformou minha perspectiva da história do resto do mundo, ainda que fosse somente por haver dissolvido a fronteira entre o mundo "desenvolvido" e o "terceiro" mundo, entre o passado e o presente históricos. Como no grande *Cem anos de solidão*, de García Márquez, no qual todos os que conhecem a Colômbia reconhecem a mágica e o realismo, a América Latina nos obriga a encontrar sentido no que à primeira vista parece implausível. Proporciona o que as especulações "contrafactuais" jamais poderiam fazer, isto é, uma gama genuína de resultados alternativos para situações históricas: líderes de direita que se tornam inspiradores de movimentos operários (Argentina, Brasil), ideólogos fascistas que se juntam a um sindicato mineiro de esquerda a fim de fazer uma revolução que entrega terras a camponeses (Bolívia), o único país do mundo que efetivamente aboliu o exército (Costa Rica), um país de partido único notoriamente corrupto, cujo Partido Revolucionário Institucional recruta sistematicamente seus quadros entre os mais revolucionários estudantes universitários (México), uma região onde os imigrantes de primeira geração oriundos do Terceiro Mundo podem tornar-se presidentes e onde os árabes ("turcos") tendem a ser mais bem-sucedidos do que os judeus.

O que tornou esse extraordinário continente muito mais acessível aos europeus foi um inesperado ar de familiaridade, como os morangos selvagens que crescem nos caminhos por trás de Macchu Picchu. Não se tratava somente de que alguém de minha idade que conhecesse o Mediterrâneo fosse capaz de reconhecer, nas populações que habitam o pardacento e ilimitado estuário do rio da Prata, italianos que durante três ou quatro gerações foram alimentados com enormes fatias de carne de vaca, e que conhecesse, desde a Europa, tanto os valores dos colonizadores — a honra machista, a vergonha, a coragem e a lealdade para com os amigos — como as sociedades oligárquicas. (Somente pelas batalhas entre jovens revolucionários das elites e governos militares, na década de 1970, é que foi abandonada a distinção social básica, tão bem formulada em *Nosso homem em Havana*, de Graham Greene, pelo menos em diversos países, isto é, entre os "torturáveis" de classes baixas e os "não-torturáveis" das classes altas.) Para os europeus, os aspectos do continente mais afastados de nossa própria experiência estavam embutidos em instituições conhecidas dos historiadores, e com elas entrelaçados, como a Igreja católica, o sistema colonial espanhol, ou ideologias do século XIX, como o socialismo utópico e a Religião da Humanidade de Auguste Comte. Isso de certa forma realçava e até mesmo dramatizava tanto a peculiaridade das transmutações latino-americanas como o que tinham em comum com outras partes do mundo. A América Latina era o sonho dos estudiosos de história comparada.

Quando pela primeira vez o descobri, o continente estava prestes a entrar no período mais negro de sua história no século XX, a era das ditaduras militares, do terror estatal e da tortura. Na década de 1970 essas coisas aconteceram mais do que nunca no chamado "mundo livre", desde que Hitler ocupara a Europa. Os generais tomaram o poder no Brasil em 1964 e na metade dos anos 70 os militares governavam por toda parte na América do Sul, exceto os países em volta do Caribe. Desde a década de 1950 as repúblicas centro-americanas, fora do México e de Cuba, haviam sido protegidas da democracia pela CIA e pela ameaça, ou realidade, de intervenção dos Estados Unidos. A diáspora dos refugiados políticos latino-americanos concentrava-se nos poucos países do hemisfério que proporcionavam refúgio — o México e, até 1973, o Chile — e se espalhava pela América do Norte e pela Europa: os brasileiros para a França e Grã-Bretanha, os argentinos para a Espanha, os chilenos por toda parte. (Embora muitos intelectuais latino-americanos continuassem a visitar Cuba, muito poucos efetivamente a escolheram como lugar de exílio.) Essencialmente, a "era dos gorilas" (para usar a expressão argentina) foi produto de um triplo encontro. As oligarquias governantes locais não sabiam o que fazer diante da ameaça de suas classes mais baixas, cada vez mais mobilizadas nas cidades e no campo, e dos políticos populistas que apelavam para elas com sucesso; a jovem esquerda de classe média, inspirada pelo exemplo de Fidel Castro, achava que o continente estava maduro para a revolução, precipitada pela ação guerrilheira armada; e o temor obsessivo de Washington ao comunismo, confirmado pela revolução cubana, era intensificado pelos insucessos dos Estados Unidos na década de 1970: a derrota no Vietnã, as crises do petróleo, as revoluções africanas que se voltavam para a União Soviética.

Vi-me envolvido nesses assuntos como visitante marxista intermitente ao continente, simpatizante de seus revolucionários — afinal, ao contrário da Europa, lá as revoluções eram necessárias e possíveis — porém crítico de grande parte de sua ultra-esquerda. Absolutamente crítico dos sonhos de guerrilha impossíveis de 1960-67[6] inspirados por Cuba, vi-me defendendo a segunda melhor opção, contra as críticas dos insurretos dos campi. Conforme escrevi na época:

A história da América Latina está cheia de substitutos da genuína esquerda revolucionária social popular, que raramente foi suficientemente forte para determinar a história de seus países. A história da esquerda latino-americana é, com raras exceções [...] uma história de escolha entre uma pureza sectária ineficaz e a procura de um melhor aproveitamento de vários tipos de ações inadequadas, como populistas civis ou militares, burguesias nacionais ou quaisquer outras. É também, freqüentemente, a história do lamento da esquerda por não haver conseguido entender esses governos e movimentos antes que fossem substituídos por algo pior.

Eu tinha em mente a junta de militares reformistas sob a chefia do general Velasco Alvarado no Peru (1969-76), que proclamara a "revolução peruana", a respeito da qual escrevi com simpatia porém com ceticismo.[7] O governo nacionalizou as grandes *haciendas* e foi também o primeiro regime peruano a reconhecer as massas do país, os índios do alto dos Andes que falavam quíchua e que estavam inundando o litoral, as cidades e a modernidade, como cidadãos potenciais. Todos os demais haviam fracassado naquele país tristemente pobre e impotente, inclusive os próprios camponeses, cuja maciça ocupação de terras em 1958-63 havia cavado a tumba da oligarquia dos proprietários de terras. Não tinham sabido como enterrá-los. Os generais peruanos agiram porque ninguém mais queria ou podia agir. (Sou obrigado a acrescentar que eles também fracassaram, mas seus sucessores foram ainda piores.)

Dizer essas coisas não era algo que agradasse a muita gente, dentro ou fora da América Latina, numa época em que o sonho suicida de Guevara de realizar a revolução por meio de pequenos grupos nas zonas tropicais de fronteira ainda estava vivo. Isso poderá contribuir para explicar por que minha apresentação aos estudantes da Universidade San Marcos, em Lima — "A Horrível Lima", como adequadamente a chama o poeta —, não foi nada bem. O maoísmo em uma ou outra de suas numerosas subvariedades era a ideologia dos filhos e filhas da nova classe média *chola* (índios hispanizados) dos imigrantes vindos da montanha, pelo menos até que se formassem. Suas convicções maoístas, como o serviço militar para os camponeses e o "hiato de um ano" dos estudantes europeus, antes dos estudos na universidade, constituíam um rito de transição.

Mas não haveria esperanças no Chile, o país que possuía o mais forte Partido Comunista e com o qual eu tinha conexões pessoais e políticas? De fato, o irmão de meu pai, Berk (Ike ou Don Isidro), perito em minas e baseado no Chile desde a Primeira Guerra Mundial, também fundador, com a esposa, Miss Bridget George, natural de Llanwrthwl, em Powys, do ramo sobrevivente mais numeroso da família com o nome Hobsbawm, havia tido uma ligação com a efêmera República socialista do Chile em 1932, liderada pelo esplendidamente nomeado coronel Marmaduke Grove. Mais recentemente, por intermédio de Claudio Veliz — na época na Chatham House em Londres, responsável pela maior parte de minhas primeiras apresentações ao continente —, eu havia conhecido uma senhora claramente tão inteligente quanto bonita, mulher de um proeminente socialista chileno, e a quem acompanhei numa visita a Cambridge, na Inglaterra: Hortensia Allende. Em minha primeira visita a Santiago almocei em casa dos Allende, chegando à conclusão de que seu marido, o pouco brilhante Salvador, era o membro menos impressionante do casal. Isso, ao que posteriormente ficou evidente, era subestimar a estatura e o sentido de democracia de um homem corajoso e honrado que morreu defendendo seu cargo. Outras pessoas se recordam do lugar em que estavam quando morreu o presidente Kennedy. Eu me recordo da ocasião em que alguém me chamou de uma rádio com a notícia de que o presidente Allende estava morto — estava numa conferência internacional sobre história do trabalhismo, olhando para o Danúbio e a cidade de Linz. A última vez em que havia estado no Chile fora em 1971, numa curta viagem vindo do Peru, para fazer uma reportagem sobre o primeiro ano do primeiro governo socialista democraticamente eleito, para surpresa geral, inclusive do próprio Allende.[8] Ainda assim, apesar de meu entusiasmado desejo de que desse certo, não fui capaz de ocultar de mim mesmo que as probabilidades eram contrárias a ele. Deixando "as simpatias completamente de fora", estimei as chances em dois para um contra ele. Somente visitei novamente o Chile em 1998, quando compartilhei com Tencha Allende e outros amigos e camaradas, assistindo à televisão em Santiago, o maravilhoso momento em que os lordes britânicos anunciaram o julgamento, que marcou época, contra o antigo ditador chileno, o general Pinochet. Não pude compartilhar essa alegria com meus parentes chilenos, que haviam apoiado o regime, pelo menos os que ainda moravam em Santiago.

Os debates sobre a esquerda latino-americana se tornaram acadêmicos na década de 1970 devido ao triunfo dos torturadores, e ainda mais acadêmicos na década de 1980 com a era da guerra civil na América Central, apoiada pelos Estados Unidos, e com o recuo dos governos militares na América do Sul; e ficaram inteiramente irrealistas com o declínio dos Partidos Comunistas e o fim da União Soviética. Talvez a única tentativa significativa de revolução guerrilheira armada ao estilo antigo tenha sido o Sendero Luminoso, criação de um conferencista maoísta marginal da Universidade de Ayacucho, que ainda não havia tomado das armas quando visitei aquela cidade no fim da década de 1970. Ela demonstrou o que os sonhadores cubanos da década de 1960 haviam fracassado espetacularmente em fazer ver, isto é, que uma política armada séria era possível nas áreas rurais peruanas, mas também — pelo menos para alguns de nós — que essa não era uma causa que devesse ser bem-sucedida. Com efeito, foi reprimida pelo exército da costumeira forma brutal, com o auxílio dos segmentos camponeses que os senderistas haviam antagonizado.

No entanto, a mais temível e indestrutível das guerrilhas rurais, as FARC colombianas, floresceu e cresceu, embora naquele país ensangüentado tivesse de haver-se não apenas com as forças oficiais do Estado mas também com os bem armados pistoleiros da indústria das drogas e com os selvagens "paramilitares" dos proprietários de terras. O presidente Belisario Betancur (1982-86), intelectual conservador civilizado e de mentalidade social, não vendido aos Estados Unidos — pelo menos na conversação ele me deu essa impressão —, iniciou a política de negociar a paz com as guerrilhas, o que o governo continuou a fazer intermitentemente desde então. Suas intenções eram boas, e ele conseguiu pacificar pelo menos um dos movimentos guerrilheiros, o chamado M-19, o preferido dos intelectuais. (Houve uma época em que todos os partidos de Bogotá costumavam abrigar um ou dois jovens profissionais que haviam passado uma temporada nas montanhas com eles.) Com efeito, as próprias FARC estavam dispostas a entrar no jogo constitucional mediante a criação de uma "União Patriótica", que deveria funcionar como o partido eleitoral de esquerda que jamais havia conseguido emergir no espaço entre os liberais e os conservadores. Teve pouco sucesso nas grandes cidades, e depois que cerca de 2500 de seus prefeitos, conselheiros e ativistas locais que tinham largado as armas foram assassinados no interior do país, as FARC passaram a ter compreensível relutância em trocar os rifles pelas urnas. Fui anfitrião de um dos militantes, que ia ou vinha de uma reunião internacional, na cafeteria do Birkbeck College, longe da erma fronteira de plantações de banana, das batalhas entre as FARC e as guerrilhas maoístas e os paramilitares locais em Urabà, próximo ao istmo do Panamá, onde ele praticava sua atividade política legal. Quando mais tarde pedi a amigos notícias dele, soube que já estava morto.

IV

Que aconteceu com a América Latina desde que pela primeira vez aterrissei em seus aeroportos, há quarenta e poucos anos? A revolução esperada, e em tantos países necessária, não aconteceu, estrangulada pelos militares nativos e pelos Estados Unidos, porém não menos pela debilidade doméstica, divisão e incapacidade. Não acontecerá agora. Nenhuma das experiências políticas que observei, de perto ou de longe, desde a Revolução Cubana, teve conseqüências duradouras.

Somente duas pareceram poder fazê-lo, porém ambas são demasiadamente recentes para que se possa julgar. A primeira, que deve aquecer os corações de todos os velhos corações vermelhos, é a ascensão nacional, desde sua fundação em 1980, do Partido dos Trabalhadores, ou PT, no Brasil, cujo líder e candidato presidencial "Lula" (Luís Inácio da Silva) é provavelmente o único operário industrial a chefiar um partido trabalhista em qualquer lugar. É um exemplo tardio de um partido trabalhista e movimento socialista de massa clássico, como os que emergiram na Europa antes de 1914. Levo seu distintivo em meu chaveiro para recordar simpatias antigas e contemporâneas e lembranças de meus momentos com o PT e com Lula, freqüentemente tocantes, às vezes emocionantes, como as histórias dos ativistas de base das fábricas de automóveis de São Paulo e das cidadezinhas remotas do interior. É também uma homenagem ao zelo democrático e educativo da principal cidade governada pelo PT, Porto Alegre (Rio Grande do Sul), honesta, próspera e antiglobalista, que fez seus vereadores organizarem, sob a presidência do prefeito, uma sessão aberta de perguntas e respostas para os cidadãos com um historiador britânico em praça pública, em meio ao ruído dos eficientes bondes da prefeitura.

O outro marco mais dramático foi o fim, no ano 2000, dos setenta anos do inabalável governo unipartidário do PRI (Partido Revolucionário Institucional). Infelizmente, há dúvida de que isso produza uma alternativa política melhor, como foi o caso da revolta dos eleitores italianos e japoneses, no início da década de 1990, contra os regimes da Guerra Fria congelados em seus países.

Portanto, a vida política na América Latina é visivelmente o que sempre foi, assim como sua vida cultural (a não ser a vasta explosão global da educação superior que ocorreu em suas repúblicas). No cenário econômico mundial, mesmo quando não foi abalada pelas grandes crises dos últimos vinte anos, a América Latina desempenha papel mínimo. Politicamente, tem permanecido tão distante de Deus e tão perto dos Estados Unidos como sempre, e portanto menos inclinada do que qualquer outra parte do mundo a acreditar que os Estados Unidos são estimados porque "praticam o bem em todo o mundo".[9] Durante meio século jornalistas e acadêmicos têm visto transformações seculares no que não são mais do que tendências temporárias, mas a região permanece como era durante mais de cem anos, cheia de Constituições e juristas, porém instável em sua prática política. Historicamente, seus governos têm tido dificuldade em controlar o que ocorre em seus territórios, e continuam a tê-la. Como não é possível garantir que suas populações votem conforme seus desejos, os governantes vêm procurando evitar a lógica da democracia eleitoral mediante diversos métodos, que vão desde o controle por potentados locais, clientelismo, corrupção geral e "pais do povo" ocasionais, até o governo militar. Todas essas opções continuam disponíveis.

No entanto, durante os quarenta anos passados observei uma sociedade em processo de completa transformação. A população da América Latina triplicou, um continente essencialmente agrícola e ainda em grande parte desabitado perdeu a maioria dos seus camponeses, que se mudaram para enormes cidades e da América Central para os Estados Unidos, numa escala comparável somente às migrações irlandesas e escandinavas do século XIX, ou mesmo através do oceano, como os trabalhadores equatorianos nas colheitas da Andaluzia. As remessas financeiras dos emigrantes substituíram as grandes esperanças da modernização. O barateamento das passagens aéreas e das comunicações telefônicas aboliu a imobilidade. Estilos de vida que observei na década de 1990 eram inimagináveis na de 1960: um motorista de táxi em Nova York, natural de Guayaquil, que morava metade do tempo nos Estados Unidos e outra metade no Equador, onde a mulher dirigia uma gráfica; as camionetes de emigrantes mexicanos (legais ou clandestinos) carregadas de bagagem, que voltavam da Califórnia ou do Texas para festas em Jalisco ou Oaxaca; a transformação de Los Angeles em uma cidade de políticos e dirigentes sindicais imigrantes centro-americanos. É verdade que a maior parte dos latino-americanos continua pobre. Na verdade, em 2001 quase certamente estavam relativamente mais pobres do que no início da década de 1960, mesmo que descontemos os estragos das crises econômicas dos últimos vinte anos, pois não apenas aumentou a desigualdade nesses países, mas o próprio continente perdeu terreno internacionalmente. O Brasil pode ter a oitava economia do mundo, devido ao tamanho de seu PNB, e o México a décima sexta, mas em renda *per capita* estão respectivamente em qüinquagésimo segundo e sexagésimo. O Brasil continua a liderar a classificação mundial de injustiça social. Mesmo assim, se alguém pedir aos pobres latino-americanos que comparem suas vidas no início do novo milênio com as de seus pais, sem falar nas de seus avós, com uma ou outra exceção a resposta seria: é melhor. Porém em muitos países poderiam acrescentar: é mais imprevisível e mais perigosa.

Não é minha tarefa concordar ou discordar. Afinal, eles são a América Latina que eu fui procurar, e descobri, há quarenta anos, aquela sobre a qual Pablo Neruda escreveu no magnífico e barroco poema sobre seu continente, o segmento "As alturas de Macchu Picchu", em seu *Canto Geral*, que termina com a invocação aos desconhecidos construtores da cidade verde e morta dos incas, por cuja boca defunta o poeta deseja falar:

> *Juan Cortapiedras, hijo de Wiracocha*
> *Juan Comefrio, hijo de la estrella verde*
> *Juan Piesdescalzos, nieto de la turquesa.*

"Se quiser entender a América do Sul", disseram-me antes que eu saísse da Grã-Bretanha, "vá a Macchu Picchu e leia o poema lá." Nessa época eu não conhecia o grande poeta, um homem gorducho cujo elemento natural não eram as montanhas e sim o mar, que sua maravilhosa casa ainda contempla, e que quando lhe perguntaram o que desejava ver em Londres, respondeu que tinha somente um desejo: ver o veleiro *Cutty Sark* em Greenwich. Morreu de coração partido alguns dias depois da derrubada de Salvador Allende. Li realmente seu poema em Macchu Picchu em 1962, numa das íngremes colinas com degraus ao pôr-do-sol, numa brochura argentina comprada numa livraria chilena. Não sei se isso me ajudou a entender a América Latina como historiador, mas sei o que o poeta quis dizer, assim como os silenciosos homens e mulheres bronzeados, de peitos largos e mascadores de coca nos quais ele pensava, que lutavam para ganhar a vida no ar rarefeito dos píncaros dos Andes, onde é mais difícil ser humano do que em quase qualquer outro lugar entre o Ártico e o Antártico. Quando penso na América Latina, essa é a gente que me vem à mente. Não somente o poeta, mas também o historiador deve dar-lhes o que lhes é devido.

22. De FDR a Bush

I

Se todos os intelectuais da minha geração tinham duas pátrias, a própria e a França, pode-se dizer que no século xx todos os habitantes do mundo ocidental, e até mesmo todos os moradores em cidades em qualquer lugar do mundo, vivem mentalmente em dois países, o seu e os Estados Unidos da América. Após a Primeira Guerra Mundial, nenhuma pessoa alfabetizada em qualquer lugar do mundo deixaria de reconhecer as palavras "Hollywood" e "Coca-Cola", e muito poucos analfabetos deixariam de ter contato com seus produtos. Os Estados Unidos não precisavam ser descobertos: faziam parte de nossa existência.

No entanto, o que a maioria das pessoas conhecia a respeito dos Estados Unidos não era o país em si, e sim uma série de imagens transmitidas essencialmente por suas artes. Até bem depois da Segunda Guerra, relativamente poucas pessoas de fora dos Estados Unidos viajavam para lá, exceto como emigrantes, e a partir da década de 1920 e até a de 1970 as políticas do governo americano dificultaram grandemente a imigração. Eu próprio não pisei seu território até 1960. Encontrávamos os norte-americanos em outros lugares. Creio que meu primeiro contato com o que ainda não se chamava

"Middle America" ocorreu quando os rotarianos resolveram celebrar sua convenção anual em Viena em 1928, e eu, como rapaz bilíngüe, fui mobilizado como intérprete. Nada me lembro dessa ocasião, exceto o saguão de um hotel no Ring, com manadas de homens vestidos com camisas mais berrantes do que Viena estava habituada, de um anestesista simpático de algum lugar do Meio-Oeste, que depois me mandou selos para minha coleção, e de imaginar o que exatamente seria o Rotary. A explicação oficial ("servir") me pareceu pouco reveladora.

É difícil reconstruir a imagem dos Estados Unidos na cabeça de um menino continental anglófono antes da década de 1930. Estranhamente, já que meu tio trabalhava para uma companhia de Hollywood, a imagem não me vinha dos filmes. O tipo de filmes do caubói Tom Mix que víamos de nada servia, pois parecia evidente até mesmo para as crianças que a vida nos Estados Unidos não era como aquela. (Isso mostra quão pouco sabíamos sobre o país.) Os filmes de Hollywood passados nos Estados Unidos não pretendiam mostrar como era a vida no país, e sim tratavam de uma Terra do Nunca dos sonhos dos espectadores. Nossa opinião sobre os Estados Unidos vinha realmente da tecnologia e da música; a primeira como idéia, a segunda como experiência, pois também recebíamos a tecnologia de segunda mão. A maioria de nós provavelmente nunca veria uma linha de montagem, mas sabíamos que era assim que se faziam os carros Ford.

Por outro lado, as artes nos atingiam diretamente. Minha mãe e minhas tias dançavam o *shimmy* e o foxtrote, e ouvíamos música que reconhecíamos como americana até mesmo quando produzida por vocalistas e bandas inglesas. O rádio e o gramofone nos traziam Jerome Kern e Gershwin. O jazz, tal como então era entendido — música de ritmo sincopado com saxofones e sem instrumentos de cordas e arco —, já era o som do lazer das classes médias urbanas na década de 1920. Significava os Estados Unidos, e pelo que eles simbolizavam, significava modernidade, mulheres de cabelos curtos e a era das máquinas. A equipe do Bauhaus se fez fotografar com um saxofone. E assim, quando vim para a Inglaterra e fui convertido ao jazz por meu primo Denis, desta vez ao verdadeiro jazz, as portas se abriram não apenas para uma nova experiência estética, mas para um novo mundo. Como Alistair Cooke, um de meus predecessores como editor do *Granta*, que então começava sua carreira de comentarista vitalício sobre os Estados Unidos com um programa chamado *I Hear America Singing* [Ouço a América Cantar], eu também descobri os Estados Unidos pelos ouvidos.

O jazz nos apresentava os Estados Unidos tão bem quanto qualquer outra coisa, porque na Grã-Bretanha pelo menos o som e sua significação social — uma expressão muito dos anos 30 — caminhavam juntos. Ser fã de jazz significava não apenas, e por motivos óbvios, ser contra o racismo e a favor dos negros (isso foi antes que eles quisessem ser chamados black e depois afro-americanos), mas também receber todas as informações sobre os Estados Unidos mesmo que apenas ligeiramente ligadas ao jazz; e havia muito pouco a respeito dos Estados Unidos que não fosse de alguma forma relevante. Por isso, todos os fãs colecionavam uma miscelânea infinita de fatos sobre o país, desde os nomes das cidades, rios e ferrovias americanas (Milwaukee, o vasto Missouri, o Aitchinson, Topeka e Santa Fe) até os nomes de gângsteres e senadores. Na década de 1930 era possível construir reputações somente por *conhecer os fatos* sobre os Estados Unidos. Denis Brogan, natural de Glasgow, que bebia muito e terminou por trabalhar muito pouco, professor de política em Cambridge, era perito em dois países, mas sua reputação no rádio — foi um dos primeiros professores radiofônicos da Europa — não era de historiador e observador bem informado da França, e sim como alguém capaz de recitar os nomes de todas as capitais dos estados americanos e de todas as músicas de Irving Berlin.

A imagem dos Estados Unidos é tão poderosa e abrangente que é fácil supor que quase não tenha mudado ao longo do que hoje sabemos ter sido "o século americano". Mas para aqueles entre nós que tomamos conhecimento do país na década de 1930, especialmente os de esquerda, era bastante diferente em alguns aspectos. Para começar, não era dominada pela inveja. Começamos a pensar nos Estados Unidos no único momento em que sua economia não era um modelo triunfante de riqueza e potencial produtivo para o resto do mundo. Na década da Grande Depressão não víamos mais o mundo do *Grande Gatsby*, e sim o do *Vinhas da ira*. Nas décadas de 1920 e início da de 1930, os Estados Unidos eram sinônimo para a busca despudorada do lucro, para a injustiça e para a repressão cruel, inescrupulosa e brutal. Porém os Estados Unidos de Franklin Delano Roosevelt não somente desmentiu essa reputação: voltou-a abruptamente para a esquerda. Tornou-se visivelmente um governo para os pobres e para os sindicatos. Mais do que isso, Roosevelt foi passionalmente odiado e denunciado pelas grandes corporações americanas, isto é, pelas pessoas que mais do que quaisquer outras representavam para nós os males do capitalismo. É verdade que, como de hábito, a Internacional Comunista, imobilizada em sua fase ultra-sectária, levou tempo para reconhecer o que era evidente para todos e denunciou o New Deal, porém em 1935 já havia recuado. Em suma, na década de 1930 era possível aprovar tanto os Estados Unidos como a União Soviética, e a maioria dos comunistas jovens o fez, como também fizeram numerosos socialistas e liberais. Franklin D. Roosevelt sem dúvida não era o camarada Stalin, e no entanto, se fôssemos americanos, teríamos votado nele com genuíno entusiasmo. Não posso pensar em nenhum outro político "burguês" em qualquer país a respeito do qual tivéssemos esse sentimento. Durante os mais de sessenta anos, contados a partir de quando conheci Arthur Schlesinger Jr. em Cambridge, Inglaterra, provavelmente não concordamos sobre nenhum assunto, a não ser esse. Eu compartilhava, e ainda compartilho, de sua admiração por FDR.

Embora fosse comum em Cambridge atravessar o Atlântico, eu não tive a oportunidade de fazê-lo antes da guerra, e depois de 1945 a Guerra Fria parecia tornar isso impossível. Os Estados Unidos não queriam comunistas em seu solo. Certamente não queriam comunistas estrangeiros. Como membro do Partido eu automaticamente não podia obter visto de entrada, a não ser por especial suspensão de minha inelegibilidade, o que era improvável, a não ser que eu preenchesse a condição indispensável para ser admitido, ainda que temporariamente, na comunidade dos homens livres: confessar e abjurar o pecado em público, embora eu não creia que denunciar outros comunistas fosse obrigatório para os estrangeiros. Não se tratava de formalidades. Lembro-me de uma longa conversa com Joe Losey, diretor cinematográfico vítima da caça às bruxas em Hollywood, com quem eu entabolara amizade — que não sobreviveu a essa conversa — com base em uma paixão comum por Billie Holiday. Durante diversos anos ele rodara a Europa, fazendo filmes sob pseudônimos, da melhor maneira possível. Por fim, na década de 1960, conseguiu aparecer. Não apenas seu talento, mas seu potencial de bilheteria estavam prestes a ser reconhecidos. A famigerada pergunta ("Você é, ou já foi?") estava colocada em seu caminho. Amigos e homens de negócios sugeriram que não haveria mal em que ele respondesse. Deveria fazê-lo?, perguntou-me ele, pergunta que me pareceu significar que estava próximo de fazê-lo. Não posso culpá-lo, mas eu fui demasiadamente honesto, ou demasiado hipócrita, simplesmente dar a resposta que ele desejava. Provavelmente eu deveria ter feito isso. Não é coisa fácil para um homem refletir se a possibilidade de realizar seu grande talento vale o sacrifício de seu orgulho e auto-estima. Ainda percebo a angústia por trás da pergunta.

Felizmente, não enfrentei esse problema. Se os Estados Unidos me fizessem essa pergunta e não me deixassem entrar se eu respondesse honestamente, então eu não iria. É claro que eu queria ir. Mais do que isso, os motivos para ir eram múltiplos, quando mais não fosse porque a comunidade acadêmica americana reconhecia muito mais rapidamente os heterodoxos do que os pedantes britânicos.

Surgiu então a oportunidade de visitar o país que até então eu somente conhecia, por assim dizer, como uma realidade virtual. Em um dos primeiros Congressos Internacionais de Sociologia, em Amsterdã, em 1956, ou mais provavelmente em Stresa, em 1959, travei conhecimento com o economista Paul Baran, alemão que em 1930 se refugiara nos Estados Unidos e que afirmava ser o único marxista ostensivo que tinha um cargo acadêmico permanente naquele país.[1] Devo ter me dado bem com esse homem corpulento, passional, desengonçado e de olhar suave, porque ele me convidou a visitá-lo e dar aulas durante um trimestre de verão na Universidade de Stanford, em 1960. Combinamos escrever um trabalho juntos, atacando o recentemente publicado *Os estágios do crescimento econômico*, de Walt Rostow, que se intitulava "Manifesto anti-Comunista" e do qual muito se falou na época. Fizemos isso mais tarde, numa cabana no lago Tahoe.[2]

Nessa ocasião o problema de meu visto foi contornado, graças à falta de experiência burocrática do Consulado dos Estados Unidos em Londres. Esqueceram-se de me fazer a pergunta. Meu status como visitante nos Estados Unidos somente foi permanentemente resolvido em 1967, quando fui convidado para assumir uma cátedra de professor visitante no Massachusetts Institute of Technology. Felizmente, o MIT estava habituado tanto a tratar de pedidos de visto suspeitos ao FBI e à CIA quanto das operações políticas em Washington. O prestígio da instituição e de seu presidente, assim como a convicção de que estava prestando serviços substanciais ao Estado, deu-lhe suficiente espaço para argumentar que a universidade deveria ter o direito de julgar quais estrangeiros deveria ou não convidar. A política burocrática de poder levou desse modo o MIT a mobilizar todos os seus recursos para conseguir uma suspensão da exigência para o visto em favor de um acadêmico comunista britânico que não tinha outro motivo para ser importante. Consegui a suspensão, embora com a condição de que eu me apresentasse à senhora amistosa, porém tenaz, que "cuidava" dos estrangeiros no MIT, a cada vez que quisesse me ausentar da região de Boston. "A senhora quer dizer que não posso ir passar uma noite em Nova York sem sua permissão?", perguntei. Ela reconheceu o absurdo da situação e não insistiu. Depois disso, ninguém mais interferiu em minha liberdade de locomoção nos Estados Unidos.

Até o último momento eu não havia percebido a dificuldade das autoridades americanas com relação ao problema do meu visto. Como fazem todas as burocracias, reagiram inicialmente com silêncio e evasão. No entanto, durante uma série de conversas telefônicas transatlânticas cada vez mais frenéticas, descobri por que meu caso era tão complexo. "O senhor se importa", disse meu anfitrião durante uma dessas conversas, "se eu lhe fizer uma pergunta que, asseguro, não afeta nosso convite? O senhor é, ou já foi, presidente do Partido Comunista britânico?" Era uma anotação típica de ficha de serviço de informações, que combinava a preguiça (pois os nomes de todos os presidentes do Partido certamente estavam disponíveis para os espiões) com a confusão. Desde 1939, tanto quanto posso recordar-me, eu *jamais* havia ocupado qualquer função política no Partido, nem mesmo em nível de filial. Evidentemente, alguém não conseguira distinguir da presidência do Partido a única coisa que eu presidira dentro ou fora do PC, isto é, o Grupo de Historiadores (ver capítulo 12). De qualquer maneira, o MIT ganhou do Departamento de Imigração. Ganhei minha suspensão.

Daquele momento em diante, meus problemas quase terminaram completamente. Uma vez estabelecido um precedente, as burocracias sabem o que fazer: o mesmo que na vez anterior. Dali em diante viajei aos Estados Unidos sem grandes dificuldades, embora inicialmente eu fosse entrevistado uma ou duas vezes pelo funcionário do Consulado encarregado das suspensões, que olhava minha ficha e dizia "O senhor esteve novamente em Cuba" para mostrar que Tio Sam estava me vigiando, mas concedia a suspensão. Naturalmente eu não poderia aterrissar nos Estados Unidos sem visto, nem mesmo em trânsito, porém meus pedidos terminaram por ser feitos e concedidos rotineiramente em poucos dias, até que a inelegibilidade a priori dos comunistas foi finalmente abolida e os turistas britânicos já não precisavam de visto.

II

Em 1960, portanto, os Estados Unidos passaram de realidade virtual a um país real. De que forma? Ali, pelo menos inicialmente, minha identidade de jazz se mostrou muito mais relevante do que meus contatos, tanto acadêmicos como marxistas. A verdade é que na altura de 1960 os marxistas americanos de minha geração estavam em grande parte isolados do mundo em que viviam, e, para começar, os historiadores acadêmicos americanos de minhas relações não o conheciam muito bem. Em Nova York era possível discutir problemas de acumulação de capital e a transição do feudalismo para o capitalismo com meus amigos da *Science and Society*, o mais antigo periódico anglófono de marxismo intelectual, para o qual escrevi, mas eles nada mais me ensinaram sobre Nova York do que qualquer outro judeu de classe média de Manhattan poderia ensinar a um visitante do espaço exterior; onde ficavam as boas delicatessen e sebos (ainda não limitados à Livraria Strand, na Broadway com a rua 12), o que era o Tônico de Aipo do Dr. Brown, e que *pastrami* nos Estados Unidos não era a mesma coisa que os ingleses chamam de *salt beef* (carne de boi salgada).

Aprendi mais com Paul Baran na Costa Oeste, particularmente porque (creio que por meio da japonesa de Califórnia que era então sua namorada) ele conhecia os intelectuais que trabalhavam no Sindicato Internacional de Estivadores e Estocadores (ILWU), de Harry Bridges, pedra fundamental da esquerda da zona da baía de São Francisco. O Sindicato organizara todos os portos do Pacífico, de Portland a San Diego, e aproveitou para organizar tudo o que era possível no Havaí. Para minha intensa satisfação fui apresentado ao próprio Bridges, herói magro e de nariz adunco, que por intermédio do Sindicato impusera contratos de trabalho exclusivos com as condições da Califórnia aos empregadores da costa do Pacífico, que não eram cordeirinhos, mediante duas greves gerais e um firme sentido de estratégia de poder e de negociação. Havia também resistido a diversas tentativas do governo americano de deportá-lo como estrangeiro subversivo. Na época se encontrava em meio ao processo de supervisionar relutantemente a eutanásia dos trabalhadores do cais no Pacífico, negociando a substituição da mão-de-obra física pela tecnologia dos contêineres e navios-tanque, em troca de generosas pensões vitalícias para os membros dos sindicatos cujos empregos desapareceriam. O sindicato era ainda forte, e as convicções revolucionárias de Bridges, expressas num sotaque australiano que fazia poucas concessões à metade da vida que passara como líder sindical americano, estavam bem acesas. Ele sonhava ainda com uma greve geral dos trabalhadores mundiais em todos os portos, que colocaria de joelhos o sistema capitalista, pois na cabeça dos que trabalham no cais os grandes oceanos são pontes entre os continentes, e não barreiras. Não dava muita importância aos marinheiros, todos os quais, em sua opinião, eram "vagabundos", por não possuírem a permanência de um sindicato em *terra firma*, como os estivadores, que permaneciam unidos pelas famílias e comunidades normais. Como bom australiano, tampouco gostava muito dos *pommies*, imigrantes ingleses. Na juventude, em seus tempos de marinheiro, certa vez tivera um caso com a filha de um estivador inglês no porto de Londres, o que gerara nele um desprezo permanente pela maneira envergonhada com que os trabalhadores britânicos aceitam sua inferioridade social.

Como estávamos em 1960, discutimos a eleição presidencial. Jimmy Hoffa, do sindicato dos caminhoneiros, alvo de Bobby Kennedy e do FBI, estava pensando em apoiar Nixon em vez de Kennedy. A boa vontade do sindicato era essencial tanto para os trabalhadores quanto para os capitalistas na Califórnia, mas a reputação de Hoffa não era boa. Bridges, que não tinha sentimentos de lealdade para com nenhum dos dois "partidos burgueses", considerava aquilo uma escolha puramente pragmática. Perguntei: não é verdade que Hoffa está nas mãos do crime organizado? "Pode ser que ele trabalhe com os bandidos", respondeu gravemente Bridges, falando com a experiência que tinha, "mas é bom negociador e tanto quanto sei *jamais* vendeu seus filiados. O que ele arrecada para si vem dos patrões, e não dos operários." Ninguém jamais acusou Bridges de enriquecer nem de atraiçoar os membros de seu sindicato. Morreu não muito depois que o conheci, quando São Francisco já ia muito diferente da cidade de Bridges e de Sam Spade. Recordo-o com admiração e emoção. Seu sindicato sem dúvida conhecia a influência do crime organizado. Certa tarde seu organizador, que mais tarde passou ao círculo acadêmico, fez comigo um verdadeiro seminário sobre a negociação com a Máfia, com o qual o sindicato precisava coordenar atividades, pois embora os portos do Pacífico fossem "limpos", o crime organizado controlava os sindicatos do Atlântico e da costa do golfo do México. Tratar com a Máfia, ao que depreendi, repousava sobre duas premissas e no conhecimento de suas limitações. A primeira, respeito mútuo, estava assegurada. Ambos operavam nas docas, que não é brinquedo para crianças. Conheciam as regras, a mais importante das quais era não dar informações às autoridades. Os negociadores não eram obrigados a confiar uns nos outros, mas podiam conversar. A segunda era jamais aceitar favores da Máfia, por menores que fossem, pois isso seria imediatamente interpretado como o estabelecimento de uma relação de dependência. Assim, sempre havia recusas polidas, porém firmes, a insinuações de que os dois sindicatos pudessem se reunir para decidir assuntos de interesse comum — por exemplo, uma data única para o término dos contratos — num local agradável, como Las Vegas.

Por outro lado, conhecer as limitações da Máfia dava a uma organização politicamente ativa, como um sindicato comunista, a possibilidade de demonstrar o que, para a Máfia, certamente indicava poder que merecia grande respeito. Evidentemente o ILWU não tinha poder, ainda que, ao que se imagina, os deputados e senadores do Havaí tratassem suas opiniões com grande seriedade. Tinha apenas estratégias, horizontes políticos nacionais, intelectuais dedicados e competentes, e sabia operar no Congresso. Por outro lado, na experiência do ILWU as perspectivas econômicas da Máfia eram poucas e seus horizontes políticos eram localizados. "Eles falavam com vereadores e prefeitos. Certa vez nós os levamos para conhecer o Congresso em Washington", disse-me o organizador. "Eles viram o nosso pessoal, cumprimentaram deputados e senadores de todos os lados e nós perguntamos se queriam conhecer Jimmy Roosevelt Jr., filho de FDR. Isso os impressionou. Depois disso as negociações ficaram muito mais fáceis." Tudo isso ajudou a vacinar-me contra a tendência dos leigos e dos profissionais de campanha política nos Estados Unidos a exagerar o poder e o alcance da Máfia. Exageram até mesmo sua riqueza, embora o valor líquido dos bens de uma "família" de mafiosos, se bem que modesto pelos padrões das grandes fortunas de Nova York, somente começasse a ser registrado no início dos anos 70, a década em que os ítalo-americanos se emanciparam e os Estados Unidos entraram em romance com os chefões (via Hollywood).³ Proporcionou-me também uma introdução realista à política americana.

Até onde essas coisas modificaram minha opinião sobre os Estados Unidos? Como todos os observadores do outro lado do Atlântico e, como descobri, uma subcultura dos intelectuais americanos, eu estivera fascinado pelos gângsteres. Felizmente, em 1950 uma grande quantidade de material sobre o desenvolvimento do crime organizado nos Estados Unidos se tornou disponível pela primeira vez, e naturalmente tratava também da interação entre a Máfia e o mundo sindical. (Isso não havia sido enfatizado na imagem que tinham os jovens esquerdistas a respeito da imagem da história do trabalhismo americano.) De qualquer maneira, meus estudos sobre a Máfia siciliana haviam produzido em mim um interesse profissional em suas operações nos Estados Unidos. Assim, eu tinha bastante familiaridade com ela para escrever um breve estudo sobre "A economia política do gângster" como subvariedade da economia de mercado, que passou inteiramente despercebido, talvez em parte porque, por brincadeira, mandei-o à publicação conservadora mais antiga, e na verdade quase pré-histórica e pouco lida, *The Quarterly Review*, que a publicou sem dar um pio.⁴ Quando cheguei aos Estados Unidos, eu já tinha boas pistas sobre esses temas (porém, naturalmente, não sobre os iminentes projetos da família Kennedy de usar suas conexões com a Máfia para assassinar Fidel Castro). Mesmo assim, de certa forma, eu ainda compartilhava da opinião básica da escola primária, ou da moralidade de Hollywood, segunda a qual as pessoas honestas se comportam bem e portanto são melhores do que os bandidos e nada têm a ver com eles, ainda que tenham de coexistir. Mesmo depois de viver por muito tempo em um mundo imperfeito, ainda prefiro acreditar nisso. Nas Ilhas Britânicas da década de 1950, respeitadoras da lei e governadas pelo Estado, isso ainda parecia não apenas uma aspiração, mas uma espécie de realidade. No entanto os Estados Unidos não eram respeitadores das leis, embora lá houvesse mais advogados do que em todo o resto do mundo, e nem eram uma sociedade que reconhecesse o governo do Estado, embora para minha surpresa eu descobrisse que ela era entusiasticamente muito mais burocrática em todos os níveis.

A política e os professores universitários me levaram à América, porém mais uma vez foi o jazz que me fez sentir que compreendia algo da realidade desse país extraordinário. Como amante do jazz, dificilmente poderia ter escolhido melhor ocasião para visitar os Estados Unidos do que o ano de 1960. Em nenhum outro momento, antes ou depois, seria possível aproveitar toda a gama dessa música ao vivo, desde os sobreviventes da década de 1920 até as sonoridades anarquistas de Ornette Coleman e Don Cherry, que já podiam ser ouvidas por uma avant-garde decidida na fímbria de Greenwich Village. Com efeito, apesar do estilo de vida suicida da gente de jazz, com algumas notáveis exceções os grandes nomes do tempo de minha geração ainda se encontravam em forma. Mais do que isso, ao ouvir a originalidade única de Monk e o absolutamente extraordinário Miles Davis Quintet de *Milestones* e *Kind of Blue*, não podíamos deixar de notar que a segunda parte dos anos 50 era uma idade de ouro na música, que acabou por ser a última. Era uma bênção estar vivo naquelas noites em Nova York e São Francisco, ainda que fosse demasiado tarde para que um historiador quarentão pudesse desfrutar o céu da juventude de Wordsworth.

Era difícil separar o jazz da política de esquerda, embora em 1960 seu lugar entre os acadêmicos profissionais fosse um pouco como a homossexualidade: era uma preferência particular de alguns professores, porém não fazia parte de sua atividade universitária. Por essa razão, ainda que Nova York fosse sabidamente muito menos típica da média dos Estados Unidos do que, por exemplo, Green Bay, no estado de Wisconsin, era provavelmente o melhor lugar para convencer alguém como eu de que era verdadeiramente possível entender, e talvez até amar, esse país extraordinário. *Le tout* Manhattan desprezava a caça às bruxas, e sendo uma cidade de judeus imigrantes e centro das edições intelectuais, do teatro e da indústria de música popular e das gravações, aceitava com naturalidade a existência do marxismo revolucionário entre alguns de seus habitantes estrangeiros, no passado ou no presente. Na Big Apple somente o FBI se preocupava realmente com a natureza exata da dedicação política de cada pessoa, pois na época em que lá cheguei era uma cidade na qual até mesmo os bilionários podiam perfeitamente ser eleitores do Partido Democrata. Curiosamente, o jazz não atraía grandemente os marxistas americanos de tempo integral, cujo gosto instintivo parecia ser pela música clássica e pelas canções populares políticas. (Ainda recordo a desastrosa noite em que levei Paul Baran para ouvir Miles Davis no Black Hawk, em São Francisco.)

A maioria de meus contatos no jazz era com homens, com poucas exceções, como a profissional do mundo do espetáculo que deixara a vida para promover a carreira do maravilhoso pianista Erroll Garner, e que procurou fazer-me um grande favor colocando-me no programa de televisão de Johnny Carson junto com Garner, imaginando que eu faria propaganda do livro sobre jazz que recentemente publicara. (Meu alheamento quanto à realidade da indústria editorial americana em 1960 era tal, já que ela estava trinta anos adiantada em relação ao panorama britânico, que passei os quatro minutos inteiros da minha entrevista sem sequer mencionar o título do meu livro.) Esses contatos eram em grande parte pessoas refugiadas da vida convencional masculina americana na década de 1950, década do "homem do terno de flanela cinza", exceto o maior descobridor de talentos e promoter da história do jazz, John Hammond Jr. Nenhum forasteiro que visitasse a cidade, ao vê-lo diante, por exemplo, do Village Vanguard, jamais lhe perguntaria, como perguntaram a mim quando estava do lado de fora de um local na North Beach, em São Francisco: "Desculpe, mas os senhores por acaso são beatniks?". Naturalmente ninguém precisaria perguntar quem ele era, diante do lugar ao qual me levou em primeiro lugar, o Small's Paradise, no Harlem. John Hammond Jr. era quase uma caricatura do Branco Protestante Anglo-Saxão de classe alta e educado nas universidades da Ivy League: alto, cabelo cortado rente, falando com o sotaque que se imagina fosse o dos personagens dos romances de Edith Wharton — ele próprio era da família Vanderbilt — e sempre com imutável sorriso. Como ocorre freqüentemente nos Estados Unidos, isso não indicava grande senso de humor. Não era homem para informalidade ou risos ligeiros, tal como seu ex-cunhado Benny Goodman, que tinha a reputação de congelar seus companheiros de banda com um olhar de basilisco. John foi invariável militante de esquerda dos anos 30 até o fim, ainda que o FBI jamais o tivesse podido caracterizar como comunista de carteirinha. Sem ele, não se pode compreender a história do jazz nos Estados Unidos antes da Segunda Guerra Mundial, nem a própria história dos Estados Unidos, pois foi ele talvez a principal influência individual no lançamento da moda da música swing da década de 1930. Perguntei-lhe, em seu leito de morte, o que lhe havia dado maior orgulho na vida. Ele respondeu que tinha sido a descoberta de Billie Holiday.

Quando o conheci, ele já não estava no centro da vida musical, embora não se possa considerar completamente ultrapassado alguém prestes a lançar Bob Dylan para o mundo do grande sucesso. Outro antigo amante do jazz que se tornou meu melhor amigo americano não apenas fazia questão, como jornalista, de manter contato com todas as gerações a seu alcance, velhas e novas, mas o fazia com uma espontaneidade natural, bem-humorada e surreal que cativava a todos. Esse era o homem que entre outras coisas acabava de descobrir Lenny Bruce e se transformou em cabo eleitoral da campanha do grande trompetista de bebop Dizzy Gilllespie, que nenhum dos dois considerava inteiramente brincadeira. Seu nome era Ralph Gleason. Irlandês de Nova York, abandonara a cidade para ser colunista de espetáculos e música popular no *San Francisco Chronicle*, jornal que se orgulhava de não pertencer a William Randolph Hearst, de colunistas que não se admiravam com nada que encontrassem numa cidade rica, fria e cortesmente dissidente. Morava em uma casa modesta nas colinas da parte alta de Berkeley, cheio de coleções de discos, fitas, projetos musicais, material impresso de diversos formatos e visitantes (em geral jovens), tudo mantido em condições de funcionamento por sua mulher dura e protetora, Jeanie. Eu usava a casa como refúgio de Palo Alto, viajando até lá no primeiro carro que possuí, um Kaiser 1948, que comprei por cem dólares e vendi por cinqüenta a um lógico matemático de renome mundial no fim do trimestre de verão.

Para a música e os espetáculos a região da baía de São Francisco em 1960 era um lugar animado, bom mercado, porém marginal. Toda a cidade era de instrumentistas, mas de lá nada saiu de importante, exceto a primeira onda autoconsciente da música branca *Dixieland*. Era o tipo de lugar onde os mestres mais idosos, como o grande pianista de jazz Earl Hines, acabavam por estabelecer-se, certos de um bom e firme público nas casas noturnas. Até mesmo Duke Ellington preferiu tocar numa dessas, em vez de fazer um concerto, proporcionando-me assim a inesquecível oportunidade, a primeira desde 1933, de ouvir a banda no ambiente para a qual fora preparada, isto é, um espaço com gente que bebe socialmente e no qual a verdadeira medida do impacto do grupo não era o aplauso, e sim o súbito silêncio, quando a conversação nas mesas cessava.

Embora São Francisco ainda não estivesse estabelecida como a República Gay ou como o interior do Vale do Silício, a cidade tinha perfil nacional e presença reconhecida no cenário americano, independentemente da sensacional beleza de sua baía. Era uma cidade liberal, embora menos politicamente radical do que a vizinha Berkeley veio a se tornar na década de 1960, orgulhosa de seus dissidentes (não menos de Harry Bridges). Já naquela época a questão das drogas era levada com despreocupação. Pelos padrões californianos a cidade tinha vagões carregados de história, a Chinatown mais famosa (na época), a lembrança do Falcão Maltês e a reputação de mais proeminente centro de literatura de vanguarda na década de 1950, o movimento beat, tão na moda que Ken Tynan me felicitou por ter ido lá. "Lá" era a área em torno da Broadway, North Beach, uma espécie de Saint-Germain-des-Prés do Pacífico, onde eu encontrava Ralph no equivalente local ao Café de Flore, o Enrico's, diante da Livraria Luzes da Cidade, cumprimentando as personalidades da cidade que passavam caminhando, e sendo cumprimentado por elas. Ao contrário da Broadway de Nova York, nessa Broadway as pessoas caminhavam a pé. Do outro lado da Bay Bridge ficava Berkeley. Na metade dos anos 60, "os filhos brancos da América de classe média" a transformaram no panorama quintessencial da juventude hippie e do flower-power, gerando incidentalmente (como notou Gleason) "os primeiros músicos americanos, fora os instrumentistas dos gêneros country e western, que não procuravam tocar como negros".[5] Ralph virou porta-voz da música de Haight-Ashbury, grupos como Jefferson Airplane e Grateful Dead, embora por temperamento não pertencesse ao mundo das drogas. De fato, deixou de fumar maconha. Pertencia à geração de intelectuais que fumava cachimbo, como eu também fazia na época. Nunca tendo tido boa saúde, morreu em 1975, aos 58 anos.

Por três motivos Ralph se tornou a janela por onde eu observava os Estados Unidos. Como vivia no mundo do jazz, uma música marginal, captava as vibrações dos acontecimentos que se aproximavam e que escapavam a outros — as mudanças de *tom* que vinham dos guetos negros, a vanguarda dos jovens brancos que descobriam a força do ritmo do blues urbano negro, o pressentimento da revolta estudantil de Berkeley que se tornou nacional depois de 1964 e global em 1968. Essas coisas não eram notadas em outros lugares, no verão de 1960. Ninguém que eu conhecesse no corpo docente de Berkeley, e menos ainda na célebre porém antiquada Stanford, sugeriu que eu pudesse estar interessado em ir ao acampamento político de fim de semana que os esquerdistas de Berkeley estavam organizando naquele verão, simplesmente porque nenhum deles sabia que ia acontecer. Ralph, que não tinha contatos acadêmicos ou políticos visíveis, mas com quem os estudantes conversavam, sabia. Não participava muito do radicalismo político organizado nem freqüentava os círculos do esquerdismo da área da baía. O Exército

Simbionês de Libertação fazia muito mais seu estilo, uma bizarra *reductio ad absurdum* do milenarismo da área da baía, recordado (se é recordado) pelo rapto, seguido da conversão, da filha de William Randolph Hearst Jr. Aplaudiu e recebeu os rebeldes da *Free Speech* de Berkeley em 1964, admirou a oratória de massa e a desorganizada sinceridade de seu líder, o estudante de física Mario Savio, um tanto arredio, e depois que este foi expulso mandou-o procurar-me em Birkbeck, com sua mulher e parceira, na esperança de que eu pudesse conseguir-lhe algo. (O departamento de Física de J. D. Bernal concordou, mas a vida acadêmica e a pesquisa científica evidentemente não eram seu ideal, e ele retornou à vida entre os cafés e as lojas de drogas da Telegraph Avenue, em Berkeley, próximo a seus antigos triunfos.)

A segunda razão pela qual Ralph era um maravilhoso apresentador da América dos anos posteriores a 1960 era que, por ser ele próprio imigrante no pedaço mais culturalmente utópico da Califórnia, era capaz de compreender as aspirações dos jovens de lá e sua revolução cultural. Além disso, embora nada tivesse de infantil, não era alguém que se conformasse em envelhecer. Contava com um reservatório inexaurível de entusiasmo, de que eu não podia compartilhar, até mesmo para grupos de rock. Isso também o tornava extremamente sensível às vibrações dos tempos que se avizinhavam. Foi ele quem ajudou um de seus jovens seguidores a começar uma revista sobre rock, foi ele quem descobriu seu título, retirado de um disco do cantor de blues de Chicago Muddy Waters — *Rolling Stone* —, e foi também ele, a pessoa menos comercial que existia, quem graças a essa revista e a um rótulo menor e marginal de jazz criado como sátira, Fantasy Records, viu-se com mais dinheiro do que estava acostumado e em situação de presentear os velhos amigos com uísque e charutos.

Por fim, mas não menos importante, por seu estilo e temperamento de pessoa inconcebível a não ser nos Estados Unidos, Ralph fez com que seu país fosse mais fácil de entender, ainda que sua civilização fosse em certos aspectos mais estranha aos europeus do que qualquer outra, exceto a japonesa. Ele possuía o que parece aos forasteiros uma combinação caracteristicamente americana de amores e ódios repentinos, uma sentimentalidade de sensações (mas não na palavra falada). No entanto, parecia imune aos três riscos inerentes à vida cultural americana: auto-interesse, a tendência a meditar sobre o significado de ser americano e rudeza intelectual. Expressões ocas como "valores americanos" e "sonho americano" não existiam em seu dicionário, pois não existiam ainda na conversa cotidiana dos Estados Unidos. Ele tomava os americanos como eram. A retórica tinha lugar somente em sua vida pública e nas versões oficialmente aprovadas do amor. Não creio que ele considerasse completa nem mesmo uma utopia americana sem um vereador corrupto de Chicago aqui e ali, um ou dois evangelistas radiofônicos lascivos, alguns centros de apaixonada dissidência contracultural mesmo na utopia, e estabelecimentos como os que vi do lado de fora de um dos principais cassinos de Reno, Nevada, chamado Sierra Club: Apostas em Cavalos e Delicatessen Kosher. Por outro lado, morando nas grandes cidades do mundo, esperaria que Deus deixasse de destruir essa Sodoma porque sempre existiriam nelas os dez justos necessários para salvá-la. Ele era um deles.

Ralph pertencia àquele produto único dos Estados Unidos, o corpo de observadores, especialmente jornalistas, dos quais os melhores foram provavelmente os da geração das décadas de 1930 a 1950, que foi também a era gloriosa dos musicais e das letras de canções, jornalistas que escreviam sobre seu país com amor, com desprezo e com severidade. Ele me encaminhou para outros como ele. Ninguém poderia ter sido melhor apresentador de Chicago, cidade que nenhum amante de blues poderia deixar de conhecer.

Cheguei a Chicago viajando de automóvel do Pacífico em direção ao Leste, viagem reconhecida desde que os beats a tornaram célebre como o rito de iniciação do verdadeiro rebelde americano. Reparti as despesas com três estudantes de Stanford que em nada se pareciam com personagens de Kerouac. Pelos padrões europeus não há muita variedade agradável nos vastos trechos de montanha e pradarias, ao menos para os que não estavam chapados. Isso era difícil para quatro pessoas que dirigiam alternadamente durante as 24 horas, embora me deixasse suficientemente sonolento para escapar por pouco de bater com o carro num veículo em sentido contrário, na interminável reta da estrada em algum lugar perto de Laramie, Wyoming. A própria Chicago, especialmente em agosto num pequeno quarto na Associação Cristã de Moços sem qualquer forma de refrigeração, ainda me parece o lugar mais quente onde jamais estive. Intolerável no auge do verão tanto quanto nos cortantes ventos do inverno, ela simboliza a convicção caracteristicamente americana de que as limitações físicas existem para ser superadas pela tecnologia e pelo dinheiro, sempre que o objetivo — neste caso o comércio e o transporte — justifiquem o esforço. Poucas grandes cidades são menos adequadas para a simples vida humana sem apoio.

Esse esforço, por maior que fosse, não foi suficiente para fazer de Chicago mais do que a Segunda Cidade. Até mesmo no jazz, quando teve a vantagem de começar atraindo os melhores músicos e cantores do delta do Mississippi, foi derrotada pela Big Apple, e no crime organizado perdeu a primazia depois de Al Capone, embora a Máfia ainda fosse importante. Permaneceu, no entanto, como a capital do blues urbano, porém, ao contrário de seu produto mundialmente conhecido, o rock'n'roll, blues de Chicago, assim como o som gospel, pertencia aos guetos uniformes, infindáveis e maltratados das zonas Oeste e Sul. Era ainda a arte dos imigrantes pobres sulistas, criada em bares de bairro, nas igrejas nos fundos de lojas e até mesmo nos mercados de rua ao ar livre. Havia um chefão político nacional, o prefeito Daley, o último e maior dos caciques urbanos, que garantia o voto do Condado de Cook a qualquer candidato do Partido Democrata, para sorte de Jack Kennedy, cuja eleição foi decidida ali. No momento em que escrevo, seu filho ainda é o prefeito.

No entanto, isso era justamente o que lhe dava certo sentido de comunidade local. Não posso imaginar que meu admirado Studs Terkel tivesse construído sua carreira em outra cidade. É característico que o primeiro de seus maravilhosos livros, que estabeleceu sua reputação mundial como cronista das vidas comuns fosse *Division Street: America*,[6] uma magistral tapeçaria histórica oral de Chicago, em setenta vozes, cujo nome vem de uma rua na parte norte da cidade — a parte mais agradável em 1960 —, encomendado por meu amigo e editor Andre Schiffrin como parte de uma série sobre "as aldeias do mundo". De certo modo prefiro essa peça a suas composições posteriores para muitas vozes, mais conhecidas, de *Hard Times: The Oral History of the Great Depression, Work, The Good War* e as demais. Quando o conheci ele tinha 48 anos, e como sempre conduzia seu programa diário no rádio, com leituras, comentários musicais, qualquer coisa, especialmente entrevistas. Seu dom especial era a capacidade de fazer as pessoas esquecerem que falavam a um microfone e que alguém os estivesse escutando, com exceção de um homenzinho meio palhaço de gravata-borboleta, que parecia ouvir o que elas queriam dizer e saber dos bons tempos e dos tempos ruins. Na verdade sabia, pois sua carreira como ator e personagem de televisão foi arruinada pela caça às bruxas comunistas. Depois de uma temporada cuidando da publicidade de músicos negros de Chicago, que sabiam o que era preconceito, encontrou lugar em uma rádio local, que por não precisar de muito dinheiro era mais independente. Mesmo assim, graças ao pacto de defesa mútua dos habitantes de Chicago contra os sensacionalistas de fora, ninguém levantou contra ele o espectro do comunismo quando se tornou famoso. Afinal, ele era parte daquela pequena comunidade que existe em toda cidade grande, de repórteres, comentadores, autobiógrafos urbanos e outros filósofos e observadores de bar, que se reconhecem uns aos outros.

Seria essa a melhor maneira para que um estrangeiro descobrisse os Estados Unidos? Os homens e mulheres que conheci com gente como Ralph Gleason e Studs Terkel, ou por intermédio deles, não eram a "América mediana". Eram gente como a majestosa cantora de gospel Mahalia Jackson, uma das grandes artistas do século xx, de quem Studs havia sido agente de imprensa e que confiava em muito poucos homens, e ainda menos em brancos. Entre os afro-americanos, a religião é ao mesmo tempo uma fé profunda, uma plataforma pública, uma arte competitiva e uma indústria lucrativa. Mahalia, mulher corpulenta em sua grande casa burguesa, defendida por enquanto da constante necessidade que têm os artistas de se apresentar em espetáculos públicos, combinava a tranqüila confiança da alma próxima a Jesus com a do profissional bem-sucedido. Havia pessoas como "Lord Buckley", na época em seus últimos dias de vida, de voz rica, mistura de apresentador de picadeiro de circo, misantropo e declamador da Bíblia e de Shakespeare em impecável palavreado negro das ruas, que se apresentava às duas da manhã no teatro de Gate of Horn. Havia gente como Bill Randle, de Cleveland, que apresentara Elvis Presley às platéias do Norte, disc-jóquei de profissão e estudioso amador de história do rádio, de índios e de outros aspectos dos Estados Unidos por vocação. (Ainda não entendo por que Cleveland, essa faixa interminável na margem do lago Erie, desempenhou papel tão importante na promoção do rock'n'roll.) O mínimo que se pode dizer é que os Estados Unidos que conheci por intermédio desses homens e mulheres nada tinham de enfadonho.

A América acadêmica que proporcionou a moldura de minha experiência profissional nos Estados Unidos durante mais de quarenta anos não era uma apresentação tão boa ao país, quando mais não fosse por que as vidas dos professores universitários, aldeões dentro de suas pequenas aldeias nacionais e globais, são muito parecidas na maioria dos países desenvolvidos, e as vidas dos estudantes também. Os acadêmicos americanos estabelecem facilmente relações com os recém-chegados, pois a mobilidade geográfica faz parte da estrutura de suas carreiras, como aliás também ocorre com o estilo de vida do país em geral. Os Estados Unidos continuam a ser um país de homens e mulheres que mudam de lugar, de trabalho e de relações em grau muito mais amplo do que alhures. Além disso, com algumas notáveis exceções, as universidades eram unidades estanques ligadas a cidades pequenas e médias não muito dedicadas a assuntos acadêmicos, pelo menos até o terço final do século, quando se descobriu que a revolução da informática havia transformado as universidades em importantes geradores de riqueza econômica e progresso técnico. Eram comunidades nas quais os imigrantes acostumados à vida universitária se integravam com facilidade, ainda que superficialmente, desde que falassem suficientemente o inglês, que na década de 1970 já se transformara na segunda língua habitual no mundo. Um físico indiano de Cornell, irmão de um ex-aluno de Cambridge, disse-me certa vez: "Se eu fosse assumir uma cátedra na Grã-Bretanha, sempre me sentiria estrangeiro. Aqui não me sinto, porque em certo sentido todos são estrangeiros". As comunidades permanentes compostas em grande parte de transeuntes desenvolvem formas de sociabilidade instantânea, boa vizinhança e ajuda mútua cotidiana, mas como são comunidades não costumam esclarecer o que se passa fora delas.

Revendo meus quarenta anos de visitar os Estados Unidos e ali morar, creio que aprendi tanto a respeito do país no primeiro verão que lá passei quanto durante as décadas seguintes. Há uma exceção: para conhecer Nova York, ou mesmo Manhattan, é preciso morar lá. Durante quanto tempo? Eu morei quatro meses por ano entre 1984 e 1997, mas embora Marlene tenha ido ficar comigo todo o tempo somente três vezes, isso foi suficiente para que ambos nos sentíssemos como nativos, mais do que como visitantes. Passei muito tempo ensinando nos Estados Unidos, lendo em suas maravilhosas bibliotecas, escrevendo ou me divertindo, ou fazendo todas essas coisas no Getty Center em sua época de Santa Mônica, mas o que aprendi de minha relação pessoal com os Estados Unidos foi adquirido no curso de algumas semanas e meses. Se eu fosse um De Tocqueville, isso seria suficiente. Afinal, seu *Democracy in America*, o melhor livro já escrito sobre os Estados Unidos, se baseou em uma viagem de não mais que nove meses. Infelizmente, não sou De Tocqueville, nem meu interesse pelo país é o mesmo que o dele.

III

Se fosse escrito hoje, o livro de De Tocqueville certamente seria atacado como antiamericano, pois muito do que disse a respeito dos Estados Unidos era crítico. Desde sua fundação, os Estados Unidos têm sido objeto de atração e fascínio para o resto do mundo, porém também de difamação e desaprovação. No entanto, somente a partir do início da Guerra Fria as atitudes das pessoas em relação aos Estados Unidos têm sido avaliadas essencialmente em termos de aprovação e desaprovação — não apenas pelo tipo de habitante que procura descobrir comportamentos "não americanos" em seus compatriotas, mas inclusive internacionalmente. O país substituiu a pergunta "Que acha dos Estados Unidos?" por "Você é a favor dos Estados Unidos?". Mais do que isso, nenhum outro país espera nem faz essa pergunta em relação a si próprio. Como os Estados Unidos, após ter vencido a Guerra Fria contra a União Soviética, resolveu implausivelmente em 11 de setembro de 2001 que a causa da liberdade estava novamente engajada em uma luta de vida e morte contra outro inimigo perverso, embora desta vez espetacularmente mal definido, quaisquer observações céticas sobre os Estados Unidos e suas políticas provavelmente, mais uma vez, suscitarão reações de afronta.

No entanto, essa insistência em obter aprovação é tão irrelevante, e até mesmo absurda! Em termos internacionais, por quaisquer critérios os Estados Unidos foram o mais bem-sucedido entre os Estados do século XX. Sua economia se tornou a maior do mundo, determinando o ritmo e os padrões, sua capacidade de realizações tecnológicas era única, sua pesquisa em ciências naturais e sociais, e até mesmo seus filósofos, se tornaram dominantes, e sua hegemonia sobre a civilização consumidora global parecia acima de qualquer ameaça. Terminou o século como o único império e potência global sobrevivente. Mais do que isso, "em certos aspectos os Estados Unidos representam o melhor do século XX".[7] Se a opinião for auscultada não por institutos de pesquisa, e sim por migrantes, quase certamente os Estados Unidos seriam o destino preferido pela maioria dos seres humanos que precisam, ou resolvem, mudar-se para um país diferente do seu, e certamente o daqueles que sabem um pouco de inglês. Como um dos que escolheu trabalhar nos Estados Unidos, meu próprio caso ilustra o argumento. Trabalhar nos Estados Unidos, ou gostar de morar nos Estados Unidos — e especialmente em Nova York —, não implica um desejo de tornar-se americano, embora isso ainda seja dificilmente compreensível para muitos norte-americanos. Isso já não acarreta, para a maioria das pessoas, uma escolha definitiva entre seu próprio país e outro, como era o caso antes da Segunda Guerra Mundial, ou mesmo até a revolução dos transportes aéreos da década de 1960, sem falar na dos telefones e do e-mail, na década de 1990. O trabalho binacional ou mesmo multinacional, e até mesmo vidas bi ou multiculturais se tornaram coisa corriqueira.

O dinheiro tampouco é a única atração. Os Estados Unidos prometem maior abertura para o talento, a energia e a inovação do que outros mundos. O país também conserva uma tradição antiga, ainda que em declínio, de investigação intelectual livre e igualitária, como na grande Biblioteca Pública de Nova York, cujos tesouros continuam abertos a qualquer pessoa que entre por suas portas na Quinta Avenida ou na rua 42, ao contrário de outras grandes bibliotecas do mundo. Por outro lado, os custos humanos de um sistema para os que estão fora do sistema, ou que não podem "vencer", também eram evidentes em Nova York, pelo menos até que essas pessoas foram impelidas para longe das vistas da classe média, para longe das ruas, ao indizível *univers concentrationnaire* da mais numerosa população penitenciária do mundo, na análise *per capita*. Quando fui a Nova York pela primeira vez, a Bowery Street era ainda uma vasta lata de lixo humana, o chamado *skid row*. Na década de 1980 ela estava distribuída de maneira mais equânime pelas ruas de Manhattan. Por trás dos chamados em telefones celulares nas ruas, ainda ouço os monólogos dos loucos e dos indesejados nos pavimentos de Nova York em uma das décadas ruins de desumanidade e brutalidade na cidade. O lixo humano é o outro lado do capitalismo americano, num país no qual o verbo "to waste" é a gíria dos criminosos para significar "to kill".

No entanto, diferentemente de outros países, em sua ideologia nacional os Estados Unidos simplesmente não existem. Apenas realizam. Não têm identidade coletiva, a não ser como o melhor e maior país, superior a todos os demais e reconhecido como modelo para o mundo. Como disse o treinador de futebol americano: "Vencer não é apenas a coisa mais importante; vencer é tudo". Essa é um dos aspectos que torna os Estados Unidos um país muito *estranho* para os estrangeiros. Passando curtas férias com a família em uma pequena cidade pobre e lingüisticamente incompreensível no litoral de Portugal, ao regressar de um semestre na Nova Inglaterra, ainda recordo a sensação de voltar a minha própria civilização. Não era uma questão geográfica. Quando fomos a Portugal para uma temporada semelhante alguns anos mais tarde, desta vez vindos da América do Sul, não houve essa sensação de sobrepujar um hiato cultural. A percepção americana de ser diferente não é a menor dessas peculiaridades culturais: ("Só nos Estados Unidos..."), ou pelo menos sua curiosa vaga percepção de si mesmos. Minha geração de historiadores em países europeus raramente deu atenção ao tipo de pergunta que preocupa tantos historiadores americanos a respeito de seu próprio país, qual seja, "Que significa ser americano?". Nem a identidade nacional nem a pessoal pareciam problemáticas aos britânicos visitantes, pelo menos na década de 1960, inclusive aos de complexa extração centro-européia, como parecia nos debates acadêmicos nos Estados Unidos. "Que crise de identidade é essa, de que todos eles falaram?", perguntou-me Marlene depois de uma dessas discussões. Ela jamais havia ouvido essa expressão antes de chegarmos a Cambridge, Massachusetts, em 1967.

Os acadêmicos estrangeiros que descobriram os Estados Unidos na década de 1960 provavelmente perceberam mais imediatamente suas peculiaridades do que seria o caso hoje, pois muitas delas ainda não estavam integradas na linguagem onipresente da sociedade de consumo globalizada, que combina bem com o egocentrismo profundamente entranhado, até mesmo solipsismo, da cultura americana. Qualquer que tivesse sido a situação na época de De Tocqueville, o que se tornou o cerne do sistema de valor nos Estados Unidos não foi a paixão pelo igualitarismo, e sim um anarquismo individualista, que é antiautoritário e antinômico, embora curiosamente legalista. O que sobrevive do igualitarismo é principalmente a recusa de deferência aos superiores hierárquicos, o que pode explicar a crueza cotidiana — segundo nossos padrões — e até mesmo a brutalidade com que o poder é utilizado nos Estados Unidos, e pelos Estados Unidos, para determinar quem manda em quem.

Parecia que os americanos se preocupavam consigo mesmos e com seu país de uma maneira que os habitantes de outros países simplesmente não se preocupavam com os seus. A realidade americana era, e continua a ser, o tema irresistível para as artes criativas nos Estados Unidos. O sonho de encontrar alguma forma de englobá-la *completamente* perseguia seus criadores. Ninguém na Europa se dispusera a escrever "O grande romance inglês" ou "O grande romance francês", mas nos Estados Unidos os escritores ainda procuram escrever (hoje em dia em diversos volumes) "O grande romance americano", mesmo que já não utilizem essa expressão. Na verdade, quem chegou mais próximo de realizar esse objetivo não foi um escritor, e sim um fazedor de imagens aparentemente superficial de espantosa capacidade de permanência, de cuja importância o crítico de arte inglês David Sylvester me convenceu em Nova York, na década de 1970. Onde mais, a não ser nos Estados Unidos, seria possível uma obra como a de Andy Warhol, um conjunto infindável de variações sobre temas da vida americana, imensamente ambicioso e específico, desde as latas de sopa e a Coca-Cola até suas mitologias, sonhos, pesadelos, heróis e heroínas? Não existe nada parecido na tradição das artes visuais do Velho Mundo. No entanto, como outras tentativas dos espíritos criadores dos Estados Unidos de capturar a totalidade de seu país, a visão de Warhol não é a do êxito na busca da felicidade, o "sonho americano" do jargão político e psicobaboseiras dos Estados Unidos.

Até que ponto terão os Estados Unidos mudado durante meu tempo de vida, ou pelo menos nos pouco mais de quarenta anos desde que pela primeira vez aterrissei no país? Nova York, como constantemente nos dizem, não é os Estados Unidos; e como disse Auden, até mesmo os que jamais poderiam ser americanos são capazes de se considerar nova-iorquinos. Isso realmente acontece com quem vem todos os anos para o mesmo apartamento, num amplo conjunto de torres de onde se pode ver que gradualmente a Union Square vem sendo ocupada por pessoas de renda mais elevada, quem é recebido sempre pelo mesmo porteiro albanês, e quem, como em anos anteriores, combina serviços domésticos com a mesma senhora espanhola, que, nos doze anos em que mora na cidade, jamais considerou necessário aprender inglês. Como outros nova-iorquinos, Marlene e eu dávamos dicas a visitantes sobre as novidades desde a última vez em que haviam chegado ao aeroporto JFK e a que restaurantes deveriam ir este ano, embora não costumássemos receber visitas em casa (exceto um casal de cada vez), ao contrário dos amigos permanentemente residentes — os Schiffrin, os Kaufman, os Katznelson, os Tilly, os Kramer. Tal como os verdadeiros nova-iorquinos, eu lamento a perda de um estabelecimento comercial conhecido como se fosse a de um parente, e nos almoços periódicos do Instituto de Humanidades de Nova York troco mexericos com uma mescla de escritores, editores, artistas, professores e funcionários das Nações Unidas que compõem o cenário intelectual local — pois uma das principais atrações de Nova York é que a vida intelectual não é dominada pelos acadêmicos. Em suma, não existe lugar no mundo igual à Big Apple. Mesmo assim, embora atípica, Nova York não poderia existir em outro lugar a não ser os Estados Unidos. Até mesmo seus habitantes mais cosmopolitas são visivelmente americanos, como nosso amigo, o falecido John Lindenbaum, hematologista em um hospital do Harlem e amante do jazz, que ao viajar a Bangladesh em um projeto de pesquisa médica levou uma coleção de discos de jazz e uma colher de servir sorvete. Existem muito mais judeus em Nova York, e, diferentemente de vastas partes dos Estados Unidos, muito mais pessoas que sabem da existência do resto do mundo; porém o que aprendi sobre Nova York não se choca com o pouco que sei a respeito do Meio-Oeste ou da Califórnia.

Curiosamente, a experiência de viver nos Estados Unidos, o que nos anos 60 se costumava chamar "as vibrações" do país, mudaram muito menos do que as de outros países que conheci neste meio século. Não existe comparação entre viver em Paris, Berlim ou Londres de minha juventude e nas mesmas cidades em 2002, ou até mesmo em Viena, que propositadamente esconde sua mudança social e política transformando-se em parque temático de um passado glorioso. Modificou-se a própria silhueta física dos edifícios de Londres, tal como pode ser vista das encostas do Parliament Hill, onde moro — agora já mal se vê o Parlamento —, e Paris nunca mais foi a mesma depois que *messieurs* Pompidou e Mitterrand nela deixaram suas marcas. No entanto, embora Nova York tenha passado pelas mesmas transformações sociais e econômicas de outras cidades — desindustrialização, afluxo de classes mais altas, invasão maciça do Terceiro Mundo —, a cidade não sente isso e nem mesmo dá a impressão de que isso ocorreu. Isso é surpreendente, pois como sabe todo nova-iorquino, a cidade muda a cada ano. Eu próprio verifiquei a chegada de inovações fundamentais na vida de Nova York, tais como as lojas coreanas de frutas e verduras, o fim de instituições básicas da classe média-baixa da cidade, como as lojas de departamentos Gimbel, e a transformação da Brighton Beach em Pequena Rússia. Mesmo assim, Nova York continua a ser Nova York, muito mais do que Londres continuou a ser Londres. Até a silhueta dos edifícios de Manhattan é essencialmente a mesma da cidade na década de 1930, especialmente agora que desapareceu o mais ambicioso acréscimo do pós-guerra, o World Trade Center.

Essa aparente estabilidade será uma ilusão? Afinal, os Estados Unidos são parte da humanidade global cuja situação se modificou mais profunda e rapidamente a partir de 1945 do que em qualquer época anterior na história registrada. As mudanças lá ocorridas parecem-nos menos drásticas porque o tipo de sociedade próspera, de alta tecnologia e consumo massificado, que somente chegou à Europa Ocidental na década de 1950, não era novidade nos EUA. Em 1960 eu já sabia que um hiato histórico divide os britânicos na forma pela qual viviam e pensavam, antes e depois da metade dos anos 50; para os Estados Unidos essa década era, ou pelo menos parecia, nada mais do que uma versão ampliada e melhor do tipo de século XX, que seus cidadãos brancos mais prósperos já conheciam havia duas gerações, após recuperarem a confiança em seguida ao choque da Grande Depressão. Visto de fora, isso continua da mesma maneira de antes, embora certo segmento de seus cidadãos — especialmente os de instrução superior — começasse a pensar de maneira diferente, à medida que os países da União Européia se modernizavam e o equipamento para a vida com o qual os turistas europeus entravam em contato começou a parecer menos "avançado" e até mesmo um tanto vulgar. A Califórnia não me pareceu fundamentalmente diferente quando a percorri de carro nas décadas de 1970, 80 e 90, em relação à aparência que tinha e à sensação que dava em 1960, o que não era o caso da Espanha e da Sicília. Durante toda a minha vida Nova York tinha sido uma cidade cosmopolita de imigrantes, coisa que Londres ficou sendo a partir da década de 1950. Os detalhes no grande tapete dos Estados Unidos mudaram, e continuam mudando constantemente, porém seu desenho básico permanece notavelmente estável a curto prazo.

Como historiador, tenho consciência de que por trás dessa estabilidade aparentemente cambiante estão ocorrendo mudanças grandes e de longo prazo, talvez mudanças fundamentais. No entanto, elas ficam ocultadas pela proposital resistência das instituições e dos procedimentos dos Estados Unidos à mudança e pelos hábitos da vida americana, além do que Pierre

Bourdieu chamou, em termos mais gerais, seu *habitus*, ou maneira de fazer as coisas. Metidas na camisa-de-força de uma constituição do século XVIII, reforçada por dois séculos de talmúdica exegese dos advogados, os teólogos da República, as instituições dos Estados Unidos estão mais congeladas na imobilidade do que as de quase todos os demais Estados em 2002. Até mesmo adiou pequenas mudanças, como a eleição de italianos e judeus, sem falar em mulheres, para a chefia do governo. Mas ao mesmo tempo tornou o governo dos Estados Unidos praticamente imune à tomada de decisões importantes de parte de grandes homens, ou na verdade de qualquer pessoa, pois a tomada de decisões rápidas e eficazes é quase impossível, inclusive pelo presidente. Os Estados Unidos, pelo menos em sua vida pública, é um país preparado para operar com mediocridades, porque é necessário fazê-lo, e têm sido suficientemente rico e poderoso no século XX para poder fazê-lo. É o único país em minha vida de observador de política no qual três presidentes capazes (FDR, Kennedy e Nixon) foram substituídos, de um momento para outro, por pessoas que não tinham qualificações nem eram consideradas capazes de exercer o cargo, sem que isso fizesse diferença notável no curso da história dos Estados Unidos e do mundo. Os historiadores que acreditam na supremacia da alta política e nos grandes homens têm nos Estados Unidos um exemplo difícil. Isso criou os nebulosos mecanismos do governo real em Washington, tornado ainda mais opaco pelos extraordinários recursos financeiros das grandes empresas e grupos de pressão, e a incapacidade do processo eleitoral de distinguir entre a realidade e o país político cada vez mais restrito. Portanto, desde o fim da União Soviética, os Estados Unidos se prepararam silenciosamente para funcionar como superpotência única. O problema é que essa situação não tem precedente histórico, que seu sistema político se orienta para as ambições e reações das eleições primárias de New Hampshire e para o protecionismo político, que o país não sabe o que fazer com seu poder e que quase certamente o mundo é demasiado grande e complicado para ser dominado por qualquer período de tempo por uma única superpotência, por maiores que sejam seus recursos econômicos e militares. A megalomania é a doença profissional dos vencedores globais, a menos que seja controlada pelo temor. Ninguém controla os Estados Unidos hoje em dia. Por essa razão, no momento em que escrevo, em abril de 2002, seu enorme poder é capaz de desestabilizar o mundo, e obviamente o faz.

Nosso problema não é que nos estejamos americanizando. Apesar do fortíssimo impacto da americanização cultural e econômica, o resto do mundo, e até mesmo o mundo capitalista, até agora tem mostrado surpreendente resistência a seguir o modelo da sociedade e da política americanas. Isso ocorre provavelmente porque a América é menos um modelo social e político coerente, e portanto exportável, de democracia capitalista liberal, baseado em princípios de liberdade individual, do que sugerem sua ideologia patriótica e sua Constituição. Por isso, longe de um exemplo claro, capaz de ser imitado pelo resto do mundo, os Estados Unidos, ainda que poderosos e influentes, continuam a ser um processo inacabado, distorcido pelo poder do dinheiro e pela emoção pública, de manipulação das instituições públicas e privadas a fim de fazê-las adequar-se a realidades imprevistas no texto inalterável de uma Constituição de 1787. Simplesmente não se prestam a ser copiados. A maior parte de nós não desejaria copiá-los. Desde a puberdade tenho passado mais tempo nos Estados Unidos do que em qualquer outro país, salvo a Grã-Bretanha. Mesmo assim, sinto-me contente por meus filhos não terem crescido lá, e por pertencer a outra cultura. No entanto, ela é também a minha.

Nosso problema é que o império americano não sabe o que quer e nem o que pode fazer com seu poderio, e tampouco conhece seus limites. Simplesmente afirma que os que não estão do seu lado são adversários. Esse é o problema de viver no auge do "século americano". Como tenho 85 anos de idade, provavelmente não verei sua solução.

23. Coda

I

As biografias terminam com a morte do biografado, mas as autobiografias não têm esse fim natural. No entanto, esta tem a vantagem de terminar no momento de uma drástica e inegável cesura na história do mundo, em conseqüência do ataque de 11 de setembro de 2001 contra o World Trade Center e o Pentágono. Provavelmente nenhum outro acontecimento inesperado da história do mundo tenha sido sentido diretamente por maior número de seres humanos. Eu o vi enquanto acontecia, na tela de televisão de um hospital de Londres. Na opinião de um historiador idoso e cético nascido no ano da Revolução Russa, esse fato teve tudo o que houve de pior no século xx: massacres, tecnologia de ponta, porém falível, e o anúncio de que outra vez ocorria uma luta de morte global entre a causa de Deus e a de Satã na vida real, imitando os filmes espetaculares de Hollywood. No mundo ocidental, as bocas que falam para o público espumavam, enquanto os mercenários procuravam palavras para exprimir o indizível, e infelizmente as encontraram.

Magnificado pelas imagens transmitidas mundialmente e pela retórica da era americana da mídia e da política, surgiu repentinamente um fosso entre a maneira pela qual os Estados Unidos e o resto do mundo interpretaram o que acontecera naquele dia terrível. O mundo viu simplesmente um dramático ataque terrorista com enorme número de vítimas e uma humilhação pública momentânea para os Estados Unidos. Em outros aspectos a situação não era diferente da que vinha sendo desde o fim da Guerra Fria, e certamente não constituía causa para alarme na única superpotência mundial.[1] Washington anunciou que o 11 de setembro mudara tudo, e, ao fazê-lo, efetivamente tudo *mudou*, por haver-se de fato declarado único protetor da ordem mundial e definidor das ameaças contra ela. Quem não aceitasse essa interpretação era inimigo real ou potencial. Isso não era inesperado, pois as estratégias do império militar global dos Estados Unidos vinham sendo preparadas desde o final dos anos 80, justamente por aqueles que agora as aplicam. Entretanto, o 11 de setembro provou que vivemos todos em um mundo no qual um único hiperpoder global finalmente resolvera que, a partir do fim da União Soviética, não há limites de curto prazo para seu poderio nem para sua disposição de utilizá-lo, embora os objetivos de seu uso não sejam nada claros — exceto a manifestação de sua supremacia. O século xx terminou. O século xxi começa com crepúsculo e obscuridade.

Não existe melhor lugar do que um leito de hospital, lócus quintessencial de uma vítima prisioneira, para refletir sobre a extraordinária inundação de palavras e imagens orwellianas que se derrama na imprensa e nas telas nessas épocas, todas destinadas a enganar, ocultar e iludir, inclusive aqueles que as produzem. Variaram de simples mentiras à dinâmica ambigüidade com a qual diplomatas, políticos e generais — e na verdade todos nós hoje em dia — nos esquivamos de problemas públicos que não queremos responder honestamente, ou receamos fazê-lo. Variaram de claramente falsas, como o pretexto de que Saddam Hussein (sem dúvida um alvo convidativo) deve ser derrubado por causa das "armas de destruição maciça" do Iraque que ameaçam o mundo, às justificativas da política americana por aqueles que deveriam saber melhor o que estão dizendo, tendo em vista que no passado ela se livrou do stalinismo. O fato de que os formuladores de política e os estrategistas de Washington estejam hoje falando em termos da mais pura política de poder — basta ouvi-los quando falam extra-oficialmente, e, às vezes, até oficialmente — salientou a imprudência de apresentar o estabelecimento de um império global americano como reação defensiva de uma civilização prestes a ser aniquilada por horrores bárbaros não identificados, a menos que conseguisse destruir o "terrorismo internacional". Naturalmente, em um mundo no qual as fronteiras entre a Enron e o governo americano são fluidas, acreditar nas próprias mentiras, pelo menos no momento de dizê-las, faz com que pareçam mais convincentes aos demais.

Deitado na cama, rodeado por sons e papel, concluí que o mundo de 2002 precisa mais que nunca dos historiadores, especialmente os céticos. Talvez a leitura das perambulações de um velho membro da espécie ao longo de sua vida possa ajudar os jovens a enfrentar as perspectivas cada vez mais obscuras do século XXI, não apenas com o necessário pessimismo, mas com visão mais clara, sentido de memória histórica e capacidade de desligar-se das paixões imediatas e das campanhas publicitárias.

Nisso a idade ajuda. Ela já me transformou em raridade estatística, pois em 1998 o número de seres humanos com oitenta anos ou mais foi estimado em 66 milhões, que representam aproximadamente 1% da população mundial. Por simples obra da longevidade a história que para outros se encontra nos livros faz parte das vidas e recordações dessa pequeníssima minoria. Para um leitor potencial que esteja prestes a entrar na fase da educação superior, isto é, nascido no início ou na metade da década de 1980, a maior parte do XX pertence a um passado remoto do qual pouca coisa sobreviveu na consciência real, a não ser filmes ou vídeos sobre dramas históricos e imagens mentais de fragmentos do século que por qualquer motivo se tenham tornado parte do mito coletivo, tais como episódios da Segunda Guerra Mundial na Grã-Bretanha. A maior parte do século passado não é parte da vida, e sim da preparação para exames escolares. O frio dia de inverno em que Adolf Hitler chegou ao poder em Berlim, que recordo vivamente, está imensuravelmente distante para quem tenha vinte anos. A crise dos mísseis de Cuba de 1962, durante a qual me casei, não pode ter significação humana em suas vidas, nem na de muitos de seus pais, pois nenhum ser humano de quarenta anos ou menos havia nascido quando ela ocorreu. Essas coisas não são parte de uma sucessão cronológica de acontecimentos que definem a forma de nossas vidas particulares em um mundo público, como foram para os que têm a minha idade, e sim no máximo um tema para compreensão intelectual e no mínimo parte de um conjunto indiscriminado de coisas que aconteceram "antes do meu tempo".

Os historiadores de minha idade são guias para um trecho crucial do passado, aquele outro lugar em que as coisas eram feitas de maneira diferente, porque vivemos nesse lugar. Podemos não saber mais a respeito da história desse período do que colegas mais jovens que escrevem sobre nosso tempo à luz de fontes que na época não estavam disponíveis para nós ou, na prática, para ninguém. Ainda menos podemos confiar na memória, mesmo que a idade não a tenha comprometido. Sem o auxílio de documentação escrita, é quase certo se equivocar quanto aos fatos. Por outro lado, estivemos lá, e sabemos o que sentimos, o que nos confere uma imunidade natural contra os anacronismos dos que não estavam.

Viver durante mais de oitenta anos no século xx foi uma lição natural a respeito da mutabilidade do poder político, dos impérios e das instituições. Presenciei o desaparecimento total dos impérios coloniais europeus, inclusive o maior de todos, o Império Britânico, que nunca foi mais extenso nem mais poderoso do que em minha infância, quando inaugurou a estratégia de manter a ordem em lugares como o Afeganistão e o Curdistão mediante bombardeios aéreos. Vi grandes potências mundiais relegadas às divisões inferiores, vi o fim de um Império Alemão que pretendia durar mil anos e o de uma potência revolucionária que esperava durar para sempre. Provavelmente não verei o fim do "século americano", mas creio ser possível apostar que alguns leitores deste livro o verão.

Mais do que isso, os idosos já viram as modas chegarem e desaparecerem. Desde o fim da União Soviética a ortodoxia política e a sabedoria convencional têm sido de que não existe alternativa a uma sociedade de capitalismo individualista e a que os sistemas políticos de democracia liberal, que ao que se acredita estão organicamente associados a ela, tornaram-se a forma padrão de governo em quase toda parte. Antes de 1914 muita gente também acreditava nisso, embora não tão amplamente quanto hoje. No entanto, essas suposições pareciam bastante implausíveis durante a maior parte do século xx. O próprio capitalismo parecia estar à beira do abismo. Embora hoje em dia isso nos pareça estranho, entre 1930 e 1960 observadores sensatos presumiam que o sistema econômico da União Soviética, comandado pelo Estado por meio de planos qüinqüenais, ainda que primitivo e ineficiente como até mesmo os visitantes mais favoravelmente dispostos poderiam comprovar, representava um modelo alternativo global à "livre empresa" ocidental. Na época, o "capitalismo" receberia tão poucos votos quantos hoje receberia o "comunismo". Observadores imparciais acreditavam que este último chegaria a produzir mais do que o primeiro. Não me surpreendo em ver-me novamente em companhia de uma geração que não confia no capitalismo, embora já não creia em nossa alternativa a ele.

Para alguém de minha idade, viver durante o século xx constituiu uma lição absolutamente original sobre a potência das forças históricas genuínas. Durante os trinta anos posteriores à Segunda Guerra Mundial o mundo, e a sensação de viver nele, modificaram-se mais rápida e fundamentalmente do que em qualquer outro período de duração comparável na história da humanidade. Os que têm a minha idade em alguns países do hemisfério norte são a primeira geração de seres humanos que efetivamente viveram como adultos antes desse extraordinário lançamento da nave espacial coletiva da humanidade em órbitas de inaudita revolução social e cultural, que o mundo hoje experimenta. Somos a primeira geração que cuja vida atravessou o momento histórico em que deixaram de funcionar as regras e convenções que vinculavam os seres humanos em famílias, comunidades e sociedades. Quem quiser saber como era antes, somente poderá fazê-lo por nosso intermédio. Se alguém pensar que pode retroceder, estamos em posição de dizer que é impossível.

II

A idade produz um tipo de perspectiva histórica, porém espero que minha vida me tenha ajudado a projetar outro: o distanciamento. A diferença crucial entre a historiografia da Guerra Fria — sem falar nos charlatões propagandistas da "guerra contra o terrorismo" — e a da Guerra dos Trinta Anos no século xvii é que (exceto em Belfast) já não se espera que nos declaremos partidários dos católicos ou dos protestantes, ou mesmo que levemos suas idéias tão a sério quanto eles. Mas a história necessita de distanciamento, não apenas das paixões, emoções, ideologias e temores de nossas próprias guerras religiosas, mas também das tentações ainda mais perigosas da "identidade". A história exige mobilidade e capacidade de avaliar e explorar um vasto território, isto é, a capacidade de ir além das próprias raízes. Por isso é que não podemos ser plantas, incapazes de deixar seu solo e hábitat nativo, porque nosso tema não pode esgotar-se em um único hábitat ou nicho ambiental. Nosso ideal não pode ser o carvalho ou o cedro, por mais majestosos que sejam, e sim o pássaro migratório, igualmente à vontade no ártico e no trópico, que sobrevoa metade do mundo. O anacronismo e o provincianismo são dois pecados capitais da história, ambos igualmente resultado de simples ignorância de como são as coisas alhures, o que nem a leitura ilimitada nem o poder da imaginação podem superar. O passado permanece sendo outro país, cujas fronteiras somente podem ser atravessadas pelos viajantes. Porém (com exceção daqueles cujo estilo de vida é nômade), os viajantes são, por definição, gente que se afasta de sua comunidade.

Felizmente, como os leitores que me seguiram até aqui terão visto, durante toda a vida eu pertenci a minorias atípicas, a começar pela enorme vantagem de uma experiência inicial no antigo Império Habsburgo. De todos os grandes impérios multilingüísticos e multiterritoriais que desmoronaram durante o século xx, o declínio e a queda do que pertenceu ao imperador Francisco José foi o que nos deixou a mais poderosa crônica narrativa e literária, por ter sido longamente aguardado e observado por mentes sofisticadas. As cabeças austríacas tiveram tempo para refletir sobre a morte e a desintegração de seu império, enquanto isso se abateu repentinamente sobre outros, pelo menos na medida do tempo histórico, inclusive sobre aqueles cuja saúde se deteriorava visivelmente, como a União Soviética. Mas talvez o caráter multilingüístico, multiconfessional e multicultural da monarquia, assim entendido e aceito, as tenha auxiliado a desenvolver um sentido mais complexo de perspectiva histórica. Seus súditos viveram simultaneamente em diferentes universos sociais e diferentes épocas históricas. No final do século xix a Morávia foi pano de fundo para a genética de Gregor Mendel, a *Interpretação dos sonhos* de Sigmund Freud, e a *Jenufa* de Leos Janácek. Recordo a ocasião, em algum momento na década de 1970, em que me vi numa mesa redonda internacional na Cidade do México debatendo movimentos camponeses latino-americanos, e repentinamente tomei consciência do fato de que quatro dos cinco peritos que compunham o painel haviam nascido em Viena...

Mais do que isso, porém, reconheço-me na frase de E. M. Forster sobre C. P. Cavafy, o poeta grego anglófono de minha Alexandria natal, que "ficava em ângulo ligeiramente oblíquo em relação ao universo". Para o historiador, assim como para o fotógrafo, é uma boa posição.

Durante a maior parte de minha vida, esta foi minha situação: marcado como alguém que vem de fora, devido ao nascimento no Egito, que não tem importância prática na história de minha vida. Estive ligado a muitos países e me senti à vontade neles, e conheci algo de muitos outros. No entanto, em todos eles, inclusive aquele de que sou cidadão nato, tenho sido não necessariamente um intruso, mas alguém que não pertence inteiramente ao lugar em que se encontra, seja como inglês entre centro-europeus, imigrante do continente para a Grã-Bretanha, judeu em toda parte — inclusive, e especialmente, em Israel —, um antiespecialista em um mundo de especialistas, um cosmopolita poliglota, um intelectual cujas convicções políticas e obra acadêmica foram dedicadas aos não-intelectuais, e durante grande parte de minha vida até mesmo anômalo entre os comunistas, que já são minoria na humanidade política dos países que conheci. Isso complicou minha vida como ser humano privado, mas tem sido uma vantagem profissional como historiador.

Foi o que me facilitou resistir ao que Pascal chamou "as razões do coração que a razão desconhece", isto é, a identificação emocional com algum grupo interno óbvio ou escolhido. Como a identidade é definida por oposição a alguma coisa, ela significa a não-identificação com o outro. Isso leva ao desastre. Esse é exatamente o motivo pelo qual a história interna de um grupo escrita unicamente para esse grupo ("história de identidade") — história negra para os negros, história homossexual para homossexuais, história feminista somente para mulheres, ou qualquer tipo de história étnica ou nacionalista de grupo — não pode ser satisfatória como história, mesmo se for mais do que uma versão politicamente tendenciosa de uma subseção ideológica do grupo de identidade mais amplo. Por maior que seja, nenhum grupo de identidade está sozinho no mundo, e o mundo não pode ser modificado para acomodar somente a ele, e nem tampouco o passado.

Trata-se de algo especialmente urgente no começo do novo século, após o fim do curto século XX. À medida que antigos regimes se desintegram, velhas formas de política desaparecem e novos Estados se multiplicam, a manufatura de novas histórias adequadas a novos regimes, Estados, movimentos étnicos e grupos de identidade se transforma em indústria global. Como o anseio humano de continuidade com o passado cresce em uma era caracterizada como de contínuo rompimento com o passado, a sociedade dos meios de comunicação o alimenta inventando suas versões de uma história nacional de bilheteria, como parques temáticos de "herança" em roupagens antigas. E mesmo nas democracias em que o poder autoritário já não controla o que pode ser dito sobre o passado e o presente, a força conjunta dos grupos de pressão, a ameaça das manchetes, a publicidade desfavorável ou mesmo a histeria pública impõem evasões, silêncio e a autocensura pública da "correção política". Ainda hoje (2002) ocorre um choque quando um escritor alemão coerentemente antinazista, de notável coragem moral, como Günther Grass, escolhe como tema de um romance a tragédia do afundamento de um navio cheio de refugiados nazistas que fogem do avanço do Exército Vermelho nos últimos momentos da Segunda Guerra Mundial.

III

O teste de um historiador, ou historiadora, é saber se é capaz de responder a perguntas, especialmente do tipo "E se...?" sobre temas de significação passional para si e para o mundo, como se fossem jornalistas descrevendo coisas há muito acontecidas — porém também não como estranhos, mas como pessoas profundamente envolvidas. Não são perguntas sobre a história *real*, que não trata daquilo que gostaríamos, mas sobre o que aconteceu e talvez pudesse ter acontecido de outra forma, mas não foi assim. São perguntas sobre o presente e não sobre o passado, que é justamente o motivo pelo qual são importantes para quem vive no início de um novo século, velho ou jovem. A Primeira Guerra Mundial não foi evitada, e portanto saber se poderia ter sido evitada é uma questão acadêmica. Se dissermos que as desgraças que causou foram intoleráveis (como quase todos concordam) ou que a Europa germânica, que poderia ter emergido da vitória do Kaiser, poderia ter sido uma perspectiva melhor do que o Tratado de Versalhes (como estou convencido), não estou sugerindo que poderia ter sido diferente. Mesmo assim, eu não passaria no teste, se me fizessem a mesma pergunta, mesmo em teoria, a respeito da Segunda Guerra Mundial. Posso, com enorme esforço, contemplar o argumento de que teria sido vantajoso para a Espanha se o golpe de Franco tivesse tido êxito em 1936, evitando a Guerra Civil. Estou disposto a reconhecer, ainda que lamentando, que o Komintern de Lenin não foi uma boa idéia nem — desta vez sem dificuldade, pois nunca fui sionista — o projeto de Theodor Herzl de um Estado nacional judeu. Teria sido melhor se ele tivesse permanecido como o colunista-estrela *Neue Freie Presse*. Mas se me pedirem que considere a proposição de que a derrota do nacional-socialismo não valeu os 50 milhões de mortos e os incontáveis horrores da Segunda Guerra Mundial, eu simplesmente não poderia fazê-lo. Contemplo a possibilidade de um império mundial americano, cujas chances de longo prazo são poucas, com mais receio e menos entusiasmo com que olho para o desempenho passado do antigo Império Britânico, dirigido por um país cujo tamanho modesto o protegia da megalomania. Que notas eu tiraria nesse teste? Se forem muito baixas, nesse caso este livro não será de grande ajuda para os leitores ao entrarem no novo século, a maioria deles com uma vida mais longa diante de si do que a do autor.

Mesmo assim, não nos desarmemos, mesmo em tempos insatisfatórios. A injustiça social ainda precisa ser denunciada e combatida. O mundo não vai melhorar sozinho.

Notas

1. ABERTURA (pp. 15-22)

(1) Este parágrafo, assim como o seguinte, se baseia em cartas de minha mãe à irmã dela, do mês de maio de 1915.

2. INFÂNCIA EM VIENA [pp. 23-41]

(1) Uso propositadamente os nomes desses lugares em alemão porque eram os nomes antigos que usávamos, embora todas as cidades de alguma significação no império tivessem dois ou três nomes.
(2) Nelly Hobsbaum a sua irmã Gretl, carta datada de 23 de março de 1925.
(3) Nelly Hobsbaum a sua irmã Gretl, carta datada de 5 de dezembro de 1928.

4. BERLIM: O FIM DE WEIMAR [pp. 60-78]

(1) James V. Bryson, *My life with Laemmle*, Facto Books, Londres, 1980, pp. 56-7. Drinkwater sabia tão pouco a respeito de Hollywood que cobrou pelo trabalho menos da metade do que o agente de Laemmle estava autorizado a oferecer.
(2) A maior parte das informações sobre a escola nas páginas seguintes se baseia em Heinz Stallmann (ed.), *Das Prinz-Heinrichs-Gymnasium zu Schöneberg, 1890-1945, Geschichte einer Schule* (impresso particularmente, Berlim, 1965?), em minhas próprias lembranças e nas de Fritz Lustig.

(3) Em 1929 a escola possuía 388 alunos protestantes, 48 católicos, 35 judeus e seis de outros credos (Stallmann, op. cit., p. 47).

(4) Mimi Brown a Ernestine Grün, carta datada de 3 de dezembro de 1931, anunciando sua intenção de sair da Inglaterra, para Ragusa (Dubrovnik)? Para Berlim?

5. BERLIM: MARROM E VERMELHO [pp. 79-95]

(1) Stephan Hermlin, *Abendlicht*, Leipzig, 1979, pp. 32, 35 e 52.
(2) Karl Corino, "Dichtung in eigener Sache", *Die Zeit*, 4 de outubro de 1996, pp. 9-11.
(3) Heinz Stallmann (op. cit.) não traz informação sobre isso, a não ser uma menção a "Leder" numa lista de colegas de 1926 a 1935, por um colaborador que se formou em 1935.
(4) Minha informação provém de Felix Krolokowski, *Erinnerungen: Kommunistische Schülerbewegung in der Weimarer Republik*, texto que me foi dado, possivelmente pelo autor, durante uma visita a Leipzig em 1996.
(5) *Kommunistische Pennäler Fraktion* (*Pennäler*, "estudantes secundários", da gíria escolar *Penne* = escola secundária).
(6) *Tagebuch*, 17 de março de 1935.

6. NA ILHA (pp. 96-118)

(1) *Tagebuch*, 8-11 novembro de 1934. Grande parte deste capítulo se baseia nesse diário, que mantive de 10 de abril de 1934 a 9 de janeiro de 1936.
(2) *Tagebuch*, 16 de junho de 1935 e 17 de agosto de 1935.
(3) Vide a análise social dos britânicos amantes de jazz em meu livro *The jazz scene*, Londres, 1959; Nova York, 1993.
(4) Josef Skvorecky, *The bass saxophone*, Londres, 1978.
(5) Felizmente para eles, malogrou minha primeira tentativa de entrar em contato com uma filial do Partido, em algum lugar nos arredores de Croydon, que eu havia descoberto por anúncios no *Daily Worker*. Sucedeu que encontrei lá um grupo de camaradas críticos, que ouviram com interesse meu relato da derradeira demonstração do Partido em Berlim mas insistiam em dizer que o triunfo de Hitler indicava erros de parte do KPD e talvez até mesmo do Komintern. Eu não era capaz de responder, mas achei que ser recrutado por uma unidade que criticava os generais não seria a melhor maneira de voltar a servir ao exército da revolução mundial. Isso não quer dizer que os cerca de 5 mil comunistas britânicos fossem um grande exército, comparados com o Partido Comunista alemão de 1932.
(6) *Tagebuch*, 4 de junho de 1935: "Hoje por acaso vi as cartas que Mamãe me escreveu em 1929. Ela me chama de 'querido'. Fico emocionado e um pouco perturbado porque há muito tempo ninguém me chama assim, e tento imaginar o que sentiria hoje se alguém usasse essa palavra".
(7) *Tagebuch*, 12 de julho de 1935.
(8) Louise London, *Whitehall and the Jews 1933-1948: British immigration policy and the Holocaust*, Cambridge 2001, citado em Neal Ascherson, "The remains of der Tag", *New York Review of Books*, 29 de março de 2001, p. 44.

7. CAMBRIDGE [pp. 119-33]

(1) Michael Straight, *After long silence*, Londres, 1983.
(2) E. Hobsbawm e T. H. Ranger (eds.), *The invention of tradition*, Cambridge University Press, série "Past & Present", 1983. O livro continua a ser impresso desde a publicação original.
(3) Cito o que escrevi em 1937 sobre o famoso dignitário inglês George ("Dadie") Rylands (*Granta*, 10 de novembro de 1937).
(4) T. E. B. Howarth, *Cambridge between the Wars*, Londres, 1978, p. 172.
(5) *Financial Times*, The Business Weekend Magazine, 4 de março de 2000, p. 18.
(6) Registrei esses números em "Cambridge Cameo: Ties with the past: Ryder and Amies", de E. J. H. e J. H. D. (meu amigo Jack Dodd), em *Granta*, 26 de maio de 1937.
(7) A descrição que fiz de uma conferência de Sheppard em 1937 está citada em Howarth, op. cit., p. 162.
(8) E. J. H., "Professor Treveklyan Lectures", *Granta*, 27 de outubro de 1937.
(9) H. S. Ferns, *Reading from left to right*, Toronto, 1983, p. 114.

8. CONTRA O FASCISMO E A GUERRA [pp. 134-47]

(1) *Cambridge University Club Bulletin*, 18 de outubro de 1938.
(2) "O CUSC ainda não conta com muito mais de 450 membros" (*Boletim Semanal do Clube Socialista da Universidade de Cambridge*, n. 2, outono, 1936; copiado).
(3) *Spain Week Bulletin*, n. 1, s. d. (outubro de 1938).
(4) H. S. Ferns, *Reading from left to right: one man's political history*, University of Toronto Press, 1983, p. 116.
(5) CUSC, *Weekly Bulletin*, 25 de maio de 1937.
(6) CUSC, *Faculty and Study Groups Bulletin*, Quaresma de 1939.
(7) Eric Hobsbawm, "In defence of the thirties", em Jim Philip, John Simpson e Nicholas Snowman (eds.), *The best of Granta 1889-1966*, Londres, 1967, p. 119.
(8) H. S. Ferns, op. cit., p. 113.
(9) Yuri Modin, *My five Cambridge friends*, Londres, 1994, pp. 100-1.

9. SER COMUNISTA [pp. 148-73]

(1) Alessandro Bellassai, "Il caffè dell'unità. Pubblico e privato nella famiglia comunista degli anni 50", *Società e Storia* XXII, n. 84, 1999, pp. 327-8.
(2) Anthony Read e David Fisher, *Operation Lucy: most secret spy ring of the Second World War*, Londres, 1980, pp. 204-5.
(3) Theodor Prager, *Zwischen London und Moskau: Bekenntnisse eines Revisionisten*, Viena, 1975, pp. 56-7.
(4) E. J. Hobsbawm, *Primitive rebels*, Manchester, 1959, pp. 60-2.
(5) Julius Braunthal, *In search of the millenium*, Londres, 1945, p. 39.
(6) Agnes Heller, *Der Affe auf dem Fahrrad*, Berlim/Viena, 1999, pp. 91-2.
(7) Para perceber a escassez de verdadeiras informações sobre essas coisas antes da

Guerra Fria e como eram recebidas com ceticismo pelo eminente numismata medieval que as compilou, vide Philip Grierson, *Books on Soviet Russia 1917-1942: A bibliography and a guide to reading*, Londres, 1943.

(8) Citado em P. Malvezzi e G. Pirelli (eds.), *Lettere di condannati a morte della Resistenza Europea*, Turim, 1954, p. 250. O nome está como grafado no livro. "Feuerlich" deve ser provavelmente "Feuerlicht".

(9) Zdenek Mlynar, pós-escrito a Leopold Spira, *Kommunismus Adieu: Eine ideologische Autobiographie*, Viena, 1992, p. 158.

(10) Fritz Klein, *Drinnen und Draussen: Ein Historiker in der DDR Erinnerungen*, Frankfurt-am-Main, 2000, pp. 169 e 213.

(11) Charles S. Maier, *Dissolution: the crisis of communism and the end of East Germany*, Princeton, 1997, p. 20.

(12) Ibid., pp. 128-9.

10. GUERRA [pp. 174-96]

(1) Ian Kershaw, *Hitler*, Londres, 2001, vol. II, p. 302.

(2) Ibid., p. 298.

(3) Theodor Prager, *Bekenntnisse eines Revisionisten: Zwischen London und Moskau*, Viena, 1975, p. 59.

(4) Joseph R. Starobin, *American communism in crisis, 1943-1957*, Cambridge, MA, 1972, p. 55.

11. GUERRA FRIA [pp. 197-221]

(1) Peter Hennessy, *The secret State: Whitehall and the Cold War*, Londres, 2002, capítulo I.

(2) De qualquer forma, se esse problema afetava imediatamente a política britânica, não era por causa do comportamento soviético, e sim do americano, isto é, as impiedosas condições de Washington a seu empréstimo de 1946 à Grã-Bretanha. (Vide R. Skidelsky, *Keynes*, vol. III.)

(3) Do grupo fazia parte Bernard Floud, que mais tarde foi atormentado pelos serviços secretos até se suicidar, por suspeita de espionagem ou de recrutamento de espiões soviéticos. Quem o encontrou morto foi seu filho, Roderick Floud, historiador econômico que mais tarde se tornou meu colega em Birckbeck e hoje dirige a Universidade Guildhall, de Londres. Ironicamente, como me contou ele, o funcionário do PC David Springhall procurara anteriormente recrutá-lo como agente, e a resposta foi que ele não tinha autoridade para fazê-lo. De qualquer forma, é improvável que um freqüentador de reuniões seccionais do Partido depois da guerra se engajasse no tipo de atividade que geralmente implicava romper o contato com o Partido.

(4) No dia em que lá fui, em agosto de 1947, estimei o número de viajantes à "fronteira verde" em cerca de quinhentos, e o daqueles que regressavam, em cerca de setecentos a oitocentos. Na época havia três trens diários.

(5) Palavras de um prisioneiro de guerra inglês que escapou de um campo na Polônia e lutou junto com o Exército Vermelho que avançava. Devo a citação a George Barnsby, de Wolverhampton.

(6) O professor Reinhard Koselleck.

(7) Vide Eric Hobsbawm, *The age of extremes* (brochura), p. 189.

(8) Seu título, *For a lasting peace and a people's democracy* (*sic*), era geralmente abreviado por "Forfor". Desapareceu de vista em 1956.

(9) R. W. Johnson, "Do they eat people here much still? Rarement. Très rarement", *London Review of Books*, 14 de dezembro de 2000, pp. 30-1. Hodgkin, que tinha especial afeição pelo Terceiro Mundo, abandonou a delegação durante suas viagens à África, para onde fora a fim de expandir seu trabalho. Voltou a Oxford na década de 1960 como *fellow* do Colégio Balliol, que também elegeu para mestre o decano dos historiadores marxistas, Christopher Hill. Sua viúva, a ganhadora do Prêmio Nobel (Química), Dorothy Hodgkin, continuou a tradição familiar, pois em 1984 vi-me em sua companhia numa visita de solidariedade à Universidade Bir Zeit, na Margem Oeste da Palestina, ocupada por Israel.

(10) "Academic Freedom", em *University Newsletter*, Cambridge, novembro de 1953, p. 2. Fui o editor e escrevi a maior parte das matérias da maioria dos dez números dessa revista, publicada pelo Partido Comunista de Cambridge em nome de um grupo de estudantes de graduação comunistas (isto é, a seção dos estudantes de graduação do PC), a qual apareceu entre outubro de 1951 e novembro de 1954.

(11) Agradeço a Nina Fishman pelos relevantes documentos dos arquivos da BBC, Auditor, Conversas com D.S.W., 20 de setembro de 1950, e G.22/48, circulado em 13 de março de 1948, intitulado "Tratamento do comunismo e de oradores comunistas, nota do diretor da palavra falada". O diretor parece haver considerado comunista o famoso físico P. M. S. Blackett — mais tarde ganhador do Prêmio Nobel —, presumivelmente devido a sua hostilidade à guerra nuclear.

(12) O guinéu, unidade monetária equivalente a uma libra e um *shilling*, era uma forma conveniente para que os comerciantes cobrassem mais caro. Desapareceu com a transformação monetária para o sistema decimal.

(13) W. C. Lubenow, *The Cambridge Apostles 1820-1914: Imagination and friendship in British intellectual and professional life*, Cambridge, 1998.

(14) Alan Ryan, "The voice from the hearth-rug", *London Review of Books*, 28 de outubro de 1999, p. 19.

(15) Hans-Ulrich Wehler, *Historisches Denken am Ende des 20. Jahrhunderts (1945-2000)*, Göttingen, 2001, pp. 29-30.

(16) O pioneiro *The great terror*, de Robert Conquest, somente foi publicado em 1968.

(17) Vide Hennessy, op. cit., p. 30.

12. STALIN E DEPOIS [pp. 222-44]

(1) Ken Coates, "How not to reappraise the New Left", em Ralph Miliband e John Saville (eds.), *The Socialist Register*, Merlin Press, Londres, 1976, p. 112.

(2) Assim, nas regras do PC britânico, o direito dos membros de participar da "formação da política" se transformara no simples direito de sua "discussão".

(3) Aldo Agosti, *Palmiro Togliatti*, Milão, 1996; Felix Tchouev, *Conversations avec Molotov; 140 Entretiens avec le Bras Droit de Staline*, Paris, 1995; Robert Levy, *Anna Pauker: The Rise and Fall of a Jewish Communist*, Berkeley, 2000; K. Morgan, *Harry Pollitt*, Manchester, 1993.

(4) Carta de E. J. Hobsbawm, *World News*, 26 de janeiro de 1957, p. 62.

(5) Ver Eric Hobsbawm, "The Historians' Group of the Communist Party", em M. Cornforth (ed.), *Rebels and Their Causes: Essays in Honour of A. L. Morton*, Londres, 1978, p. 42.

(6) Francis Becket, *Enemy Within: The Rise and Fall of the British Communist Party*, Londres, 1995, p. 139.

(7) Talvez seja útil citar a parte principal desse documento. Ei-la:
Todos nós advogamos idéias marxistas durante muitos anos, tanto em nossos campos específicos como em discussões políticas no movimento operário. Acreditamos por isso ter a responsabilidade de exprimir nossas opiniões, como marxistas, na atual crise do socialismo internacional.

Pensamos que o apoio acrítico do Comitê Executivo do Partido Comunista à ação soviética na Hungria é a indesejável culminação de anos de distorção de fatos e de incapacidade dos comunistas britânicos de refletir por si mesmos sobre os problemas políticos. Havíamos esperado que as revelações feitas no XX Congresso do Partido Comunista da União Soviética tivessem feito com que nossa liderança e nossa imprensa compreendessem que as idéias marxistas somente serão aceitáveis no movimento operário britânico se derivarem da verdade sobre o mundo em que vivemos.

A revelação de graves crimes e abusos na URSS e a recente revolta de trabalhadores e intelectuais contra as burocracias pseudocomunistas e sistemas policiais da Polônia e Hungria mostram que durante os últimos doze anos nossa análise se baseou em uma apresentação falseada dos fatos – não uma teoria ultrapassada, pois ainda consideramos correto o método marxista.

Para que a ala esquerdista e marxista em nosso movimento operário venha a ter apoio, como é indispensável para a realização do socialismo, esse passado deve ser absolutamente repudiado, inclusive com o repúdio do último exemplo desse passado perverso, o endosso pelo Comitê Executivo dos atuais erros da política soviética.

Remetido ao *Daily Worker* em 18 de novembro de 1956; publicado no *New Statesman* e no *Tribune* em 1º de dezembro de 1956.

(8) Eric Hobsbawm, "The Historians' Group of the Communist Party", em Cornforth, op. cit, p. 41.

(9) Andrew Thorpe, *The British Communist Party and Moscow 1920-1943*, Manchester, 2000, pp. 238-41.

(10) Henry Pelling, *The British Communist Party; A Historical Profile*, Londres, 1958.

(11) Ver "Problems of Communist History", cap. 1 do meu *Revolutionaries*, Londres, 1973.

(12) Ver minha Memória sobre ele em *Proceedings of the British Academy 90,* 1995, pp. 524-5.

(13) Ibid., p. 539.

(14) Uma versão mais recente pode ser encontrada em meu livro (com Antonio Polito) *The New Century*, Londres, 2000, pp. 158-61.

13. DIVISOR DE ÁGUAS [pp. 245-59]

(1) Tony Gould, *Insider Outsider: The Life and Times of Colin MacInnes*, Londres, 1983, p. 183.

(2) *Darwin*, em *Chambers Biographical Dictionary*, edição de 1974.

(3) Francis Newton, *The Jazz Scene*, Londres, 1959, Introdução, p. 1.

(4) O livro foi publicado nos Estados Unidos em 1960 por uma pequena editora de esquerda, republicado em edição atualizada pela Penguin Books em 1961, e subseqüentemente traduzido para o francês como *História Social do Jazz* para uma série editada por Fernand Braudel, para o italiano e para o tcheco.

14. SOB O CNICHT [pp. 260-73]

(1) Richard Haslam, em *Country Life,* 21 de julho de 1983, p. 131.

(2) Ao escrever este capítulo, meu filho Andy me conta pela primeira vez a ocasião, presumivelmente na década de 1970, em que, depois que dois outros meninos de Croesor tinham se afastado, seu amigo lhe disse, em tom de desculpa: "Os outros me disseram que batesse em você, mas eu não quero. Você pode fingir que eu te bati, quando eles aparecerem?". Mesmo assim, essa amizade desapareceu à medida que a mãe do amigo fez Andy sentir-se cada vez mais indesejável na fazenda dela.

15. OS ANOS 60 [pp. 274-91]

(1) Para minha opinião sobre os acontecimentos de maio, ver "Maio de 1968", escrito mais tarde naquele mesmo ano, em E. J. Hobsbawm, *Revolutionaries,* Londres, 1999, e edições anteriores, cap. 24.

(2) *MAGNUM PHOTOS: 1968 Magnum Throughout the World,* textos de Eric Hobsbawm e Marc Weitzmann. Paris, 1998.

(3) No reparei nisso conscientemente na época, mas esse ponto é bem referido por Yves Pagès, que editou o registro completo dos grafites da Sorbonne, coligido e preservado por cinco funcionários da universidade na época. Ver *No Copyright. Sorbonne 1968: Graffiti,* Éditions Verticales, 1998, p. 11.

(4) Citado em H. Stuart Hughes, *Sophisticated Rebels,* Cambridge, MA, e Londres, 1988, p. 6.

(5) Alain Touraine, *Le Mouvement de Mai ou le Communisme Utopique,* Paris, 1968.

(6) Eric J. Hobsbawm, *Les Primitifs de la Révolte dans l'Europe Moderne,* Paris, 1966.

(7) Este artigo é o cap. 22 de meu *Revolutionaries; Contemporary Essays,* Londres, 1937, e várias edições posteriores.

(8) Sheila Rowbotham, *Promise of a Dream,* Londres, 2000, pp. 118, 203-4 e 208.

(9) Ibid., p. 203.

(10) Ibid., p. 196.

(11) Carlo Feltrinelli, *Senior Service,* Milão, 1999, p. 314.

(12) Rowbotham, op. cit., p. 196.

(13) *New Left Review,* 1977.

16. UM OBSERVADOR NA POLÍTICA [pp. 292-310]

(1) Martin Jacques e Francis Mulhern (eds.), *The Forward March of Labour Halted?,* Londres, 1981; Eric Hobsbawm, *Politics for a Rational Left,* Londres, 1989.

(2) "Labour's Lost Millions", escrito após as eleições gerais de 1983, em Hobsbawm, *Politics for a Rational Left,* p. 63.

(3) Ibid., p. 65.

(4) "Out of the Wilderness" (outubro de 1987), *Politics for a Rational Left,* p. 207.

(5) *Marxism Today,* abril de 1885, pp. 21-36 e capa.

(6) Geoff Mulgan em *Marxism Today,* novembro-dezembro de 1998 (número especial), pp. 15-6.

(7) Matéria principal em *Marxism Today,* setembro de 1991, p. 3.

(8) Eric Hobsbawm, *The Age of Extremes* (edição em brochura no Reino Unido), pp. 481, 484.
(9) "After the Fall", em R. Blackburn (ed.), *After the Fall, the Failure of Communism and the Future of Socialism*, Londres, 1991, pp. 122-3.

17. ENTRE HISTORIADORES [pp. 311-27]

(1) Sobre a substância dos parágrafos seguintes, ver também Eric Hobsbawm, "75 Years of the Economic History Society: Some Reflections", em Pat Hudson (ed.), *Living Economic and Social History: Essays to Mark the 75th Anniversary of the Economic History Society*, Glasgow, 2001, pp. 136-40.
(2) Informação do professor Zvi Razi, biógrafo de Postan, a quem devo os dados sobre sua juventude, assim como aos falecidos Isaiah Berlin e Chimen Abramsky.
(3) IX Congrès International des Sciences Historiques: Paris 28 août – 3 septembre 1950, vol. II, ACTES, Paris, 1951, p. v.
(4) Professor Van Dillen, de Amsterdã, em ibid., p. 142.
(5) Jacques Le Goff, em *Past & Present* 100, agosto de 1983, p. 15.
(6) Hans-Ulrich-Wehler, *Historisches Denken am Ende des 20. Jahrhunderts: 1945-2000*, Göttingen, 2001, pp. 29, 30.
(7) *Daedalus: Journal of the American Academy of Arts and Sciences* (inverno de 1971), "Historical Studies Today". Os colaboradores franceses, todos ligados ao império de Braudel, eram Jacques Le Goff, François Furet e Pierre Goubert; os ingleses – dois deles ligados a *Past & Present* – eram Lawrence Stone, Moses Finley e eu mesmo; os dos Estados Unidos tinham principalmente vínculos com Princeton, e entre eles estavam Robert Darnton e o único especialista de uma região não ocidental, Benjamin Schwarz, de Harvard.
(8) Ibid., p. 24.
(9) Para Braudel, seu obituário em *Annales*, 1986, n. 1; para minha conferência inaugural, Eric Hobsbawm, *On History*, Londres, 1997, p. 64.
(10) Em Clifford Geertz, *The Interpretation of Cultures*, Nova York, 1973.
(11) Lawrence Stone, "The Revival of Narrative", *Past & Present* 85, novembro de 1979, pp. 9, 21.
(12) Carlo Ginzburg, *Il formaggio e i vermi* [O queijo e os vermes], Turim, 1976. Curiosamente, embora tenha sido ressuscitado (por mim) no *TLS* dez anos antes, o estudo de um caso de feiticeiras beneficentes, *I Benandanti*, na minha opinião o mais interessante, não despertou atenção.
(13) Ver cap. 21 do meu *On History*, Londres, 1997, originalmente publicado como "The Historian Between the Quest for the Universal and the Quest for Identity".
(14) Pierre Bourdieu, *Choses Dites*, Paris, 1987, p. 38.

18. NA ALDEIA GLOBAL [pp. 328-44]

(1) Noel Annan, *Our Age*, Londres, 1990, p. 267n.
(2) O *Estado*, que é o *Times* local, falou de "um auditório lotado [...] terminando com entusiástico e prolongado aplauso", *Estado de S. Paulo*, 28 de maio de 1975.
(3) Julio Caro Baroja, citado em E. J. Hobsbawm, *The Age of Extremes*, Londres, 1994, p. 1.

19. MARSEILLAISE [pp. 345-69]

(1) Ver a biografia dessa notável figura, escrita por Annie Kriegel e S. Courtois, *Eugen Fried: Le Grand Secret do PCF*, Paris, 1997. Os papéis relativos de Moscou e Paris na gênese da Frente Popular foram muito debatidos, mas hoje parece claro que sua verdadeira inovação se originou na França, a disposição dos comunistas de ampliar a chamada "Frente Unida", composta de outros socialistas, para incluir os liberais francamente não socialistas, e finalmente todos os antifascistas, mesmo os adversários do comunismo.

(2) Hervé Hamon e Patrick Rotman, *Les Intellocrates: Expédition en Haute Intelligentsia*, Paris, 1981, p. 330.

(3) Sobre a Revolução Francesa, ver meu *Echoes of the Marseillaise: Two Centuries Look Back on the French Revolution*, Rutgers, 1990, e "Histoire et Illusion", em *Le Débat* 89, março-abril de 1996, pp. 128-38.

20. DE FRANCO A BERLUSCONI [pp. 370-94]

(1) *Primitive Rebels: Studies in Archaic Forms of Social Movement in the Nineteenth and Twentieth Centuries*, Manchester University Press, 1959.

(2) E. J. Hobsbawm, *Revolutionaries: Contemporary Essays*, Londres, 1973, "Reflections on Anarchism", p. 84.

(3) Gerald Brenan, *The Spanish Labyrinth: An Account of the Social and Political Background of the Spanish Civil War*, Cambridge, 1943, Prefácio. Por motivos óbvios a primeira edição, publicada durante a Segunda Guerra Mundial, atraiu pouca atenção.

(4) O resultado está no capítulo 5 de *Primitive Rebels* e no capítulo 8 de *Bandits*, 1968.

(5) Essas notas são a base deste relato de minha primeira visita.

(6) "Franco in Retreat", *New Statesman and Nation*, 14 de abril de 1951, p. 415. Esse artigo, que escrevi ao voltar, foi descrito como "alguns excertos das notas de um inglês em Barcelona".

(7) E. J. Hobsbawm, *Primitive Rebels*, ed. 1959, Prefácio, p. v.

(8) Para uma biografia desse militante vitalício (1900-1973), "sempre um dos mais estimados líderes da Federação Comunista de Palermo, ver o artigo "Sala, Michele" em Franco Andreucci e Tommaso Detti (eds.), *Il Movimento Operaio Italiano: Dizionario Biografico*, vol. 4, Roma, 1978.

(9) "O vasto corpo de literatura erudita e sensata sobre a Máfia surgiu entre 1890 e 1910, e a relativa escassez de análises modernas é altamente lamentável", *Primitive Rebels*, p. 31, fn 3.

(10) Giorgio Napolitano e Eric Hobsbawm, *Intervista sul PCI*, Bari, 1975.

21. TERCEIRO MUNDO [pp. 395-419]

(1) E. J. Hobsbawm, "The Revolutionary Situation in Colombia", *The World Today*, Royal Institute of International Affairs, junho de 1963, p. 248.

(2) Andres Villaveces, "A Comparative Statistical Note on Homicide Rates in Colombia", em Charles Bergquist, Ricardo Peñaranda e Gonzalo Sanchez G. (eds.), *Violence in Colombia 1990-2000: Waging War and Negotiating Peace*, Wilmington, Delaware, 2001, pp. 275-80.

(3) Monsenhor G. Guzman, Orlando Fals Borda e E. Umana Luna, *La Violencia en Colombia*, 2 vols., Bogotá, 1962, 1964.

(4) Eduardo Pizarro Leongomez, *Las FARC (1949-1966) De la Autodefensa a la Combinación de Todas las Formas de Lucha*, Bogotá, 1991, p. 57.

(5) E. J. Hobsbawm, *Rebeldes Primitivos*, Barcelona, 1968, p. 226.

(6) E. J. Hobsbawm, "Guerrillas in Latin America", em J. Saville e R. Miliband (eds.), *The Socialist Register*, 1970, pp. 51-63; E. J. Hobwbawm, "Guerrillas", em Colin Harding e Christopher Roper (eds.), *Latin American Review of Books I*, Londres, 1973, pp. 79-88.

(7) Ver meus "What's New in Peru" e "Peru: the Peculiar 'Revolution'", em *New York Review of Books I*, 21 de maio de 1970 e 16 de dezembro de 1971.

(8) E. J. Hobsbawm, "Chile: Year One", em *New York Review of Books*, 23 de setembro de 1971.

(9) *International Herald Tribune* e Pesquisa de "formadores de opinião"do Pew Center, *International Herald Tribune*, 20 de dezembro de 2001, p. 6.

22. DE FDR A BUSH [pp. 420-46]

(1) Isso era bastante próximo da verdade, porém não literalmente correto. Estou quase seguro de que alguns dos pesquisadores da Faculdade de Graduação da Nova Escola de Pesquisa Social em Nova York, onde mais tarde eu iria dar aulas, continuavam a publicar seu marxismo.

(2) P. A. Baran e E. J. Hobsbawm, "The Stages of Economic Growth", KIKLOS, vol. XIV, 1961, fasc. 2, pp. 234-42.

(3) Ver F. Ianni e E. Reuss-Ianni, *A Family Business: Kinships and Social Control in Organized Crime*, Nova York, 1972.

(4) E .J. Hobsbawm, "The Economics of the Gangster", *The Quarterly Review*, n. 604, abril de 1955, pp. 243-56.

(5) Citado em S. Chapple e R. Garofalo. *Rock'n'Roll is Here to Pay: The History and Politics of the Music Industry*, Chicago, 1977, p. 251.

(6) Studs Terkel, *Division Street: America*, Nova York, 1967.

(7) E. J. Hobsbawm, *Intervista sul Nuovo secolo a Cura di Antonio Polito*, Bari, 1999, p. 165.

23. CODA [pp. 447-455]

(1) Ver meu resumo da situação mundial publicado em *The Age of Extremes* oito anos antes (edição em brochura), capítulo XIX, "Towards the Millennium", especialmente pp. 558-62.

Fotos da capa

Eric Hobsbawm: foto de Juan Esteves
Luís Carlos Prestes: Acervo Iconografia
Enterro de Stalin, 1953: Hulton Archive/ Getty Images
Paris, 1968: Hulton Archive/ Getty Images
Billie Holiday e banda, 1939: Hulton Archive/ Getty Images
Manifestações contra a ditadura chilena, 1980: Hulton Archive/ Getty Images
Parada militar com motocicletas, praça Vermelha, 1940: Hulton Archive/ Getty Images
Adolf Hitler, 1933: Hulton Archive/ Getty Images

Índice remissivo

11 de setembro de 2001, acontecimentos de, 447-9

Acadêmicos: a guerra mundial e os, 176; Apóstolos de Cambridge, 211-4; atividades básicas, 328-30, 438; comunistas, empregabilidade dos, 200-1, 204-8; comunistas, problemas dos, 216-8; peripatéticos, 246-7, 274; professores de Cambridge, pré-guerra, 126-9, 136
Adam Smith, Janet, 252
Adam, Gyorgy, 346
Adcock, F. E., 127, 129
Adler, Friedrich, 153
África do Norte, 57, 139, 141, 144, 175, 190, 400, 401
Agnelli, Gianni, 390
Albânia, 144, 341, 380, 442
Albornoz, Nicolas Sanchez, 375
Alemanha, 60-95; pós-1945, 200-3. *Ver* Berlim
Alexandria, cidade natal de EH, 16-7, 54-5
Ali, Tariq, 281

Allende, Hortensia, 414
Allende, Salvador, 410, 414
Althusser, Louis, 241, 364
Altneuschul, Praga, 201
Alvarado, Velasco, general Juan, 413
Amendola, Giorgio, 150, 385
América Latina, 395-419; história comparada, 410-2; historiografia, 322-3; política na, 401-19; visitas de EH à, 331, 395-7
Amis, Kingsley, 166, 251
Anderson, Perry, 116, 237
Angola, 308
Anistia Internacional, 255
Annales, 312, 315-8, 323, 325, 363
Annan, Noel, 125, 137
Apóstolos: Universidade de Cambridge, 120, 127, 141, 211-4
Argélia, 255, 361, 363, 397, 400-1
Argentina, 247, 322, 339, 340, 395, 402-3, 411
Argüedas, José Maria, 404
Armas nucleares/movimento antinuclear, 219-20, 237, 241, 255, 260, 269. *Ver* Campanha para o Desarmamento Nuclear

Armstrong, Louis, 99
Aron, Raymond, 278, 342
Ascherson, Neal, 211
Assembléia Mundial dos Estudantes (RME), 143-5; congresso (1939), 143-4, 146
Associação de Professores Universitários, 162, 205
Auschwitz, 202
Áustria, 23-7, 36, 40, 43, 100, 142, 164, 169, 190, 192, 203; Movimento de Libertação da Áustria, 190-2. *Ver também* Viena; Império Habsburgo

Baader-Meinhof, gangue de, (Fração do Exército Vermelho), 282
Baran, Paul, 283, 424, 426, 430
Barbarismo (ou socialismo), 310
Barbato, Nicola, 380
Barber, Chris, 256
Barcelona, 76, 94, 104, 317, 374-6
Barker, Paul, 292
Barnard, George, 137
Barthes, Roland, 360
BBC (British Broadcasting Corporation), 200, 461n11:11
Beatles, 280
Belcher, Muriel, 254
Bélgica, belgas, 108, 152, 289, 345, 368
Benario, Olga, 82, 83
Benn, Tony, 296-7, 300-1
Benstead, sra., 180
Berend, Ivan, 167-8
Berghauer, Helène, 360-1
Berlim, 21, 60-95, 98, 103, 114, 244; anos da República de Weimar, 61-8; ascensão do nazismo, 74-7; dialeto, 63; greve de transportes (1932), 78-9; incêndio do Reichstag, 92; Muro de, 169, 171, 225, 309; pós-1945, 60-1
Berlin, Isaiah, 120, 151, 235, 464n17:1
Berlinguer, Enrico, 384, 392
Berlusconi, Silvio, 388, 391, 393-4
Bernal, J. D., 143, 205-6, 216, 434

Berti, Giuseppe, 380
Besançon, Alain, 360
Betancur, Belisario, 415
Bevan, Aneurin, 300
Beveridge, William, 135n
Beves, Donald, 128-9, 196
Bevin, Ernest, 207
Biermann, Wolf, 172
Birkbeck, Faculdade, 199-200, 206, 246, 272, 329, 408, 416
Birnbaum, professor "Sally", 70
Black Dwarf, 281
Blackburn, Thomas, 271
Blackett, Patrick, 266, 461n11:11
Blair, Tony, 299, 302
Bletchley, 124, 129, 177
Bloch, Marc, 312, 315
Blunket, David, 298, 302
Blunt, Anthony, 120, 128, 213
Bodsch, Willi, 71
"Bolchevismo cultural", 88
Bolívia, 282, 285, 395, 402, 406
Bolonha, 381, 385
Borda, Orlando Fals, 407
Bose, Arun, 146
Bourdieu, Pierre, 292, 327, 363
Boxer, Charles, 322
Boxer, Mark, 211
Bradley's, Nova York, 332
Brasil, 83, 330, 332, 338-9, 361, 402, 405, 410-2, 416, 418
Bratislava (Pressburg), 24, 25
Bratt, Peter. *Ver* Einsiedel, Wolfgang von
Braudel, Fernand, 314, 317-9, 323-4, 342, 357-9, 363-4, 464n17:7
Braun, Otto, 83
Braunthal, Julius, 159
Brecht, Bertold, 67, 71, 90, 160-1, 170-1
Brenan, Gerald, 374
Bridges, Harry, 426-7
Brigada Raivosa, 289
Brigadas Internacionais, 81, 140, 163, 373
Brigadas Vermelhas, 391

470

Broda, Hilde, 210
Brogan, Denis, 422
Browder, Earl, 193
Brown, Gordon, 302
Brown, Mimi (Grün) (tia de EH), 32-3, 50-1, 77-8, 94, 97-8, 272
Brown, Wilfred, 32
Browning, Robert, 223
Bruce, Lenny, 214
Bubrik, Gennadi ("Goda"), 84
Buchenwald, 202
Buckley, "Lord", 437
Bulgária, 217, 235
Bünger, Siegfried, 169
Burgess, Guy, 120-1
Burns, Emile, 193
Busch, Ernst, 67

Caça aos comunistas, 142-3, 176-8, 197, 204-9, 216, 246, 256, 333, 358-9, 423-6, 430-1, 436-7
Café Partisan, 237-40
Calvino, Italo, 334, 388, 394
Cambridge, Grupo Antibelicista dos Cientistas de, 136
Camden Town, 199
Campanha dos Astros pela Amizade Inter-racial (SCIF), 255
Campanha para o Desarmamento Nuclear (CND), 237, 255
Canadá, 190, 322, 332, 336
Canard Enchaîné, 348-9, 366
Cantimori, Delio, 382
Capone, Al, 436
Carr, E. H., 207
Cartier-Bresson, Henri, 275-6
Castro, Fidel, 246, 257, 282, 285, 396, 403, 409
César, Júlio, 328
Chakravarty, Renu Roy, 399
Chamberlain, Neville, 183
Champernowne, David, 176
Cherry, Don, 430

Chesterton, G. K., 334
Chicago, 435-7
Chile, 97, 104, 108, 146, 395, 401-3, 410, 412, 414, 419
Chin Peng, 159
China, 73, 83, 90, 159, 228, 236, 308
Chomsky, Noam, 292
Churchill, Winston, 183-6, 188, 193, 249
Clapham, John H., 127
Clark, Colin, 316
Clément, (Eugen Fried), 354, 464n19:1
Clube Socialista da Universidade de Cambridge (CUSC), 134-41
Cobb, Richard, 348
Cohen, Jack, 139
Coleções de selos, reconhecimento da história através das, 24
Coleman, Ornette, 430
Colletti, Lucio, 393
Collins, Henry, 246
Colômbia, 405-10, 415-6
Colorni, Eva, 297
Companys, Luis, 104
Comunismo, 148-73
Comunistas, vidas de, 148-73
Conferência da Liberação Feminina, 325
Congresso de Estudos de Gramsci (1958), 385
Congresso Internacional de Ciências Históricas (Paris, 1950), 316-7, 358, 360
Contracultura (década de 1960), 253-4, 269, 274-82, 290-1
Cook, Robin, 298, 302
Cooke, Alistair, 421
Coréia, Guerra da Coréia, 209, 219, 316, 339-40, 342-3, 443
Corino, Karl, 81
Cornford, F. M., 123
Cornford, John, 137, 140, 143, 213, 373n
Corpo de Instrução do Exército (AEC), 179, 187-9
Costa Rica, 411
Craxi, Bettino, 392
Crea, Enzo, 381

Crise dos mísseis em Cuba (1962), 246-7, 255, 269, 449
Croesor, vale de, País de Gales, 263-73
Croissant, Madame Humbline, 350
Cuba: inspiradora de guerrilhas, 282, 285, 405, 407, 409, 412-3; invasão da baía dos Porcos (1961), 256-7; revolução em, 283; visitas de estrangeiros, 283-7, 403, 412
Cultura da juventude, 106, 251-4, 279, 280-2, 287-8

Daedalus, 320, 464n17:7
Daily Worker (*Morning Star*), 215, 230, 232, 458n6:5
Dakin, Douglas, 205
Daley, Richard, 436
Dankworth, John, 256
Darlington, R. R., 315
Darwin, Charles, 212, 248, 311, 410
Davidson, Basil, 217
Davis, Miles, 430
de Gaulle, General, 349, 364-6
de Tocqueville, A., 278, 438-9
"Debate sobre o Padrão de Vida", 320
Debray, Regis, 282
Descolonização, 255, 284-5, 307-8
Deutscher, Isaac, 227
Dimitrov, George, 90, 162, 164, 234
Djilas, Milovan, 158
Dobb, Maurice, 114, 211, 232, 382
Donegan, Lonnie, 253
Donini, Ambrogio, 379
Drinkwater, John, 68
Dutt, Rajni Palme, 233-4
Dylan, Bob, 280, 282, 431

Eban, Aubrey (Abba Eban), 137
École des Hautes Études en Sciences Sociales, 335, 358, 363
Economic History Review, 314
Economic History Society, 215
Eden, Anthony, 231
Effenberger, sra., 53, 58

Egito, 16-8, 29, 43, 45-6, 55, 108
Einaudi, Giuilio (e editora), 164, 384, 386-8
Einsiedel, Wolfgang von ("Peter Bratt"), 191
Eisler, Georg, 28, 169, 172, 192, 308
Eisler, Gerhar, 170
Eisler, Hanns, 28, 91, 169-70
Elias, Norbert, 142
Ellington, Duke, 99, 432
Elliot, John, 258
Engels, Frederick, 62, 157, 402
Engenheiros Reais, 560ª Companhia de Campo de, 178-87
Ensino universitário, 328-32; antes da guerra, 123-4, 129-31; na Guerra Fria, 205-7
Enzensberger, Hans Magnus, 285
Enzensberger, Masha, 285
Equador, 335, 418
"Era Dourada", 248-52
Erdös, Paul, 168
Escoteiros, 51-2
Escritório de Informação Comunista. *Ver* Kominform
Escritório do Exército para Assuntos Correntes (ABCA), 187
Eslováquia, 25. *Ver* Tchecoslováquia
Espanha, 98, 330, 334, 339, 354, 371-8
Estado de bem-estar (*Welfare State*), 250, 259
Estados Unidos, 20, 75, 100, 151, 193, 210, 219-20, 246, 256, 279, 282-5, 310, 316, 322, 338-9, 359, 396-7, 415, 417; e a Itália, 389; historiografia, 318-9, 321-3; imagens dos, 420-1, 422; opiniões latino-americanas sobre, 417; visitas de EH aos, 331, 423-39. *Ver* Guerra Fria; jazz
Estenssoro, Víctor Paz, 396
Estudantes, 123-6, 134-47, 274-91, 328-31
Etoile, restaurante, 334
Exército Simbionês de Libertação, 433-4
Exposição Internacional (Paris, 1937), 354

Fadeyev, Alexander, 285
Fainlight, Ruth, 247

Fawkes, Wally, 254
Febvre, Lucien, 315
Feltrinelli, Giangiacomo (e editora), 285
Ferns, Henry (Harry), 138, 141, 322
Feuerlicht, Ephraim (Franz Marek), 163-5
Finlândia, finlandeses, 176, 308-9, 332
Finley, Moses, 257, 464n17:7
Fischer, Ernst, 169-70
Fischer, Joshka, 290
Fischer, Ruth, 28, 170
Flanigan, Mick, 183
Flohr, Salo, 97
Floud, Bernard, 460n11:3
Fogel, Robert W., 319
Foot, Michael, 298-300
Foote, Alexander, 153-4
Forças Armadas Revolucionárias da Colômbia (FARC), 407-9, 415-6
Forster, E. M., 17, 137, 214
Fox, Charles, 193
França, 345-8; formalidade na, 356-8; língua francesa, 368-9; na década de 1930, 350-7; ocupação do Ruhr (1923), 19; Partido Comunista da, 359-60, 362, 366-7; queda da, (1940), 183-5. *Ver* Paris
Francisco José, imperador Habsburgo, 16, 18, 38
Franco, Francisco, 220, 375-6, 378, 454
Franklin, Rosalind, 206
Freddie (camarada), 155
Frente Popular, 104, 244, 354-6, 371, 465n19:1
Fried, Erich, 192
Friedmann, Herta (prima de EH), 52
Friedmann, Otto (primo de EH), 52
Friedmann, Richard e Julie (tio-avô e tia-avó de EH), 201
Friedmann, Viktor e Elsa (tio-avô e tia-avó de EH), 52, 201
Fuentes, Carlos, 410
Furet, François, 360, 367, 464n17:7

Gaitán, Jorge Eliezer, 405
Gallagher, Jack, 322
Gandy, Robin, 260, 266
García Márquez, Gabriel, 406, 411
Garner, Erroll, 431
Gasparian, família, 410
Gaster, Jack, 208-9
Geertz, Clifford, 324
Genovese, Gene, 319
George, Bridget (tia de EH), 414
Getty Center, Santa Mônica, 331
Gibbon, Edward, 311
Gide, André, 347
Gilhodès, Pierre, 409
Gill, Ken, 293, 295
Gillespie, John Birks (Dizzy), 432
Ginzburg, Carlo, 324, 464n17:12
Giono, Jean, 347
Giraudoux, Jean, 347-8
Gleason, Ralph, 432-5
Gloucester, Segunda Guerra Mundial, 189, 193-6
Gluckman, Max, 379
Gold, família, 19-21
Gold, Melitta (Litta), 15, 20-1
Goldberg, Millie (tia de EH), 108
Goldmann, Lucien, 360
Goldstücker, Edward, 168
Gombrich, Ernst, 26
Gomulka, Vladislav, 235
Goodwin, Clive, 257
Gorbachev, Mikhail, 173, 309
Gordon, Hugh, 131
Goubert, Pierre, 464n17:17
Grã-Bretanha, nos anos 30, 105-12
Gramsci, Antonio, 379, 382, 385-6, 388
Grande Crise Econômica, 21-2, 64-5, 76
Grande Guerra, 16, 27, 54, 81, 103, 109
Grande Inflação, 32, 65
Granta, 126, 133, 138, 141, 175
Grass, Günther, 454
Grécia, gregos, 71, 339, 452
Greene, Graham, 402, 411
Grove, Marmaduke, 414

Grün, Ernestine (avó de EH), 59
Grün, família, 18, 29, 32
Grün, Mimi (tia de EH). *Ver* Brown, Mimi
Grün, Nelly (mãe de EH). *Ver* Hobsbaum, Nelly
Guerra Civil Espanhola, 81-2, 104, 134-47, 155, 355, 370-7
Guerra Fria, 144, 168, 197-8, 204-9, 215-21, 227-8, 236, 247, 254-8, 284, 309, 316-7, 320-1, 332-3, 388-90, 393, 396, 423, 439, 448, 451
Guevara, Che, 277, 281-3, 285, 404, 413
Gupta, Indrajit Sonny, 132, 399
Gutman, Herb, 319
Guyot, Raymond, 143

Habsburgo, império, 16-8, 24-7, 37-8, 153, 452
Haksar, P. N., 146, 398
Haldane, J. B. S., 216
Halder, general, 184, 185
Hall, Stuart, 237, 303-4, 306
Haller, Peter, 28
Hammond, John Jr., 99, 431
Hanak, Peter, 168
Hase, Günther von, 66
Haskell, Francis, 343, 381
Haskell, Larissa, 343
Haupt, Georges, 202
Hay, Lorna, 147
Hayek, Friedrich von, 143, 320
Hazlitt, William, 112, 194, 300
Healey, Denis, 298-9
Heath, Edward, 302
Hegedüs, Andras, 167
Heinemann, Margot, 143
Heller, Agnes, 159
Heller, Clemens, 358-9
Hermlin, Stephan. *Ver* Leder, Rudolf
Herrnstadt, Rudolf, 61
Herzl, Theodor, 41, 454
Heseltine, Michael, 302
Higham, David, 334

Hill, Christopher, 116, 223, 232, 461n11:9
Hill, Elizabeth, 131
Hindenburg, marechal de campo, 75
Hines, Earl, 432
História do PCUS (b) Curso Breve, 115, 216
História medieval, estudo da, 315
Historiadores, necessidade dos, 449
Historiografia, 72, 115-7, 127, 192-3, 209, 215-6, 240-1, 257-8, 311-27
History Workshop Journal, 238, 323
History Workshop Movement, 325-6
Hitler, Adolf: ascensão ao poder, 38, 75-6, 85, 86, 449; e a Áustria, 192; Segunda Guerra Mundial, 184-6; torna-se chanceler, 92-3
Ho Chi Minh, 159, 283
Hobsbaum, Bella (tia de EH), 51
Hobsbaum, Berkwood (Ike) (tio de EH), 108, 414
Hobsbaum, Cissie (Sarah). V*er* Prechner, Cissie
Hobsbaum, Ernest (Aron) (tio de EH), 17, 108
Hobsbaum, família, 108-9
Hobsbaum, Gretl (Grün) (tia de EH), 29, 50, 52-4, 66, 97, 101
Hobsbaum, Harry (tio de EH), 48, 51, 109, 110, 175
Hobsbaum, Leopold Percy (pai de EH), 16-7, 31, 42-8
Hobsbaum, Lou (tio de EH), 108
Hobsbaum, Nancy (irmã de EH), 15-6, 50, 66, 77-8, 94, 97, 100, 146
Hobsbaum, Nelly (née Grün) (mãe de EH), 16-7, 20, 32-4, 42, 48-50, 52-8
Hobsbaum, Peter (primo de EH), 53, 66, 97-8, 146
Hobsbaum, Phil (tio de EH), 108-9
Hobsbaum, Reuben (primo de EH). *Ver* Osborn, Reuben
Hobsbaum, Ronnie (primo de EH), 51, 108-9, 111-2

Hobsbaum, Sidney (tio de EH), 29, 32, 102, 104, 146, 371; na indústria cinematográfica, 49, 67-8, 104; responsabiliza-se por EH, 66, 77, 94, 97; visita Paris com EH (1933), 345-7

Hobsbawm, Andy (filho de EH), 163, 247, 405, 462n14:2

Hobsbawm, Eric: amante do jazz, 99-100, 167-8, 193, 251-4, 421-2, 429-33; anos de adolescência em Berlim, 64-78; atividade comunista em Berlim, 80, 83-95; atividade política, 292-4, 297-9; *Bandidos*, 288, 335, 465n20:4; casamento com Marlene (1962), 114, 246; casamento com Muriel (1943-50), 189; ensinando na Faculdade Birkbeck, 200, 205, 329; ensinando na Nova Escola para Pesquisa Social, Nova York, 329-30; *Era dos extremos*, 249, 336, 341, 367-8; *A era das revoluções*, 209, 246, 334-5; escola em Berlim, 66, 69-73; escola em Londres, 111-4; escola em Viena, 35-7, 53; escritos de, 208-9, 243, 294, 302-6, 340-1; estilo de vida de classe média, 247-50; estudante de graduação na Universidade de Cambridge (1936-39), 119-45, 311-3; experiências da segunda Guerra Mundial, 176-96; experiências na Guerra Fria, 206-10, 254-8; férias no País de Gales, 260-73; filhos, 247, 260-1, 268, 272, 283, 391, 446; filiação ao Partido Comunista, 131-3, 138-46, 148, 155-8, 242-4, 458n6:5; infância em Viena, 15-6, 18-21, 24-41, 48-54, 57-9; início marxista, 71, 79, 115-7; *fellow* do King's College, 209-15; mudança para a Inglaterra (1933), 94-8, 105-11; na América Latina, 395-8, 401-19; na França (anos 30), 146, 345-57; na França (anos 50), 360-1; na França (anos 60 a 90), 361-9; na Itália, 378-90; nascimento em Alexandria (1917), 16-8; *Nações e nacionalismo*, 336, 341; nos Estados Unidos, 331, 423-39; opiniões comunistas, 73-6, 243-4; *Rebeldes primitivos*, 278, 288, 334, 370, 374, 379, 395; recebe o primeiro cartão do Valentine's Day, 138; *Revolutionaries*, 462n12:11, 463n15:1; *A invenção da tradição*, 122, 336; *História social do jazz* (como Francis Newton), 168, 252-4, 431, 462n13:4; *The Rise of the Wage Worker*, 208; viagem a Cuba, 283-7; viajando como acadêmico, 331-2, 335-6, 343-4; vida doméstica e social, 343; visita a Espanha, 370-8; visita a Inglaterra pela primeira vez (1929), 50-2; visita a União Soviética, 222-6

Hobsbawm, Julia (filha de EH), 247, 273

Hobsbawm, Marlene (segunda esposa de EH), 15, 19, 114, 167, 199, 211, 256, 343-4; e a crise de Cuba, 246-7; na América Latina, 331, 335; na França, 362, 364; na Itália, 381, 390-2; no País de Gales, 261, 270, 273; no Vietnã, 283; nos Estados Unidos, 280, 438, 441-2

Hodgart, Matthew, 213

Hodgkin, Dorothy, 461n11:9

Hodgkin, Thomas, 207, 460n11:9

Hoffa, Jimmy, 427

Holiday, Billie, 252, 423, 431

Homossexualismo, na Universidade de Cambridge, 141

Honecker, Erich, 91

Hovell-Thurlow-Cumming-Bruce, A. R., 136

Hugo, Victor, (como educador político), 408

Hungria, 105, 166-9, 230, 232, 235, 346

Hunter, Bruce, 334

Hussein, Saddam, 448

Idade, vantagens da, 449-52

Índia, 132, 146, 343-4, 398-9

Indonésia, 90, 146

Instituto de Pesquisa Histórica, Londres, 258, 331

Iran (Pérsia), 21, 340

Irmãos Marx, 124, 392

Israel, 40-1, 108, 235, 246, 397, 400, 453-4.
    Ver Sionismo
Itália, 378-94, 417
Iugoslávia, comunismo, 145, 198, 217, 275, 353

Jackson, Mahalia, 437
Jacques, Martin, 293, 302, 306
Jagger, Mick, 281
Jazz, 99-100, 167-8, 193, 251-4, 280, 421-2, 429-33
Jeans e história, 290-1
Jefferys, James B., 142
Jenkins, Roy, 297
Johnson, Harry, 213
Johnson, Paul, 255
Jones, A. H. M., 257
Jones, Claudia, 256
Jones, Jack, 295
Jones, Nellie, 265
Jospin, Lionel, 290, 368
Judeus, 19, 23-41, 44-5, 48, 52, 57, 59, 62-3, 70, 102-4, 106, 137, 144, 159-60, 163, 196, 201-2, 231, 238-9, 313-4, 385, 397, 411, 426, 430, 443, 445, 453-4
Julião, Francisco, 405
Juventude Comunista, 143-4

Kafka, Franz (reabilitação de), 168
Kallin, Anna ("Nyuta"), 200
Kennedy, John Fitzgerald, 247, 323, 427, 436, 445
Keppel, Cynthia, lady, 314
Keunemann, Pieter, 132, 146
Keynes, John Maynard, 126-7, 136, 311
Kiernan, V. G. (Victor), 116, 322, 399
King's College, Cambridge, 113-4, 121-2, 125-9, 141, 175, 210-4, 245, 251, 399
Kinnock, Neil, 298, 300
Kinsey, Tom, 269
Klein, Fritz, 169, 171
Klugmann, James, 131, 143-4, 213, 217, 233, 235

Koestler, Arthur, 232
Kogon, Eugen, 202
Kominform (Escritório Comunista de Informação), 204, 217
Komintern (Internacional Comunista), 83, 85-9, 111, 141, 150, 156-7, 159, 160-1, 164, 170, 193, 231, 233-4, 454
Kornai, Janos, 173
Korner, Alexis, 281
Koselleck, Reinhard, 460n11:6
Kosminsky, E. A., 221
Kostov, Traicho, 217
KPD. *Ver* Partido Comunista da Alemanha
Kraus, Karl, 27, 38, 56-7, 71, 200, 359
Kriegel, Annie, 360
Kruschev, Nikita, 222, 228-34, 247
Kube, Wilhelm, 70
Kubitschek, Juscelino, 402
Kuczynski, Jürgen, 63
Kuczynski, Ruth, 63
Kumaramangalam, Surendra Mohan, 132, 147, 398

Labrousse, Ernest, 318, 342, 357
Laemmle, Carl, 50, 67, 68
Laine, Cleo, 256
Lania, Leo, 28
Laski, Harold, 135
Laslett, Peter, 200
Laterza, Vito, editor, 387
Le Goff, Jacques, 318, 464n17:7
Le Roy Ladurie, Emmanuel, 342, 360, 364, 367
Leavis, F. R., 113-4, 116
Leder, Rudolf (Rolf) (Stephan Hermlin), 79-82
Lefebvre, Henri, 360-1
Lenin, V. I., 72, 80, 149, 153, 160, 170, 222, 277
León, Argeliers, 285
León, Vicente Girbau, 375
Leuillot, Paul, 317
Levi, Primo, 202

Lewis, Wyndham, 147
Leys, Simon, 151
Lichtenstern, Hedwig (tia de EH), 201
Liebling, A.J., 350
Liehm, Antonin, 167, 359
Lindenbaum, John, 443
Línguas: alemão, 177, 191, 200; espanhol, 374; francês, 368-9; galês (gaélico), 269; guarani, 402; italiano, 381; locais, 396; multilingüismo, problema do, 341-2, 372, 396; quíchua, 404, 413
Llangoed Hall, 263
Llewellyn-Smith, Harold, 113
Lodge, Henry Cabot, 281
London School of Economics (LSE), 110, 135, 141-2, 190, 281, 312-3, 398
London, Artur, 163
Londoño, Rocío, 408
Londres, 96, 189-93, 199
Losey, Joseph, 423
Luckacs, George, 116, 166
Lula (Luís Inácio da Silva), 416
Lyttelton, Humphrey, 252, 256

Macera, Pablo, 410
MacInnes, Colin, 252-4, 256
Mackenzie, Norman, 251
Maclean, sr., 114
Maddox, John, 266
Máfia, 381, 389, 392, 428-9, 465n20:9
Magris, Claudio, 18
Maier, Charles, 172
Maison des Sciences de l'Homme, Paris, 358
Manet, Édouard, *Olympia*, 347
Mao, maoísmo, 173, 236, 277, 308, 413, 415-6. *Ver* China
Marchais, George, 366
Marchesi, Victor, 98
Marcuse, Herbert, 339
Marienstras, Elise, 362-3
Marienstras, Richard, 41, 362-3
Marin, Pedro Antonio, 408
Marks, Louis, 246

Mars, barra de chocolate, visão marxista da, 108
Mars, Forrest B., 108
Martin, Kingsley, 252
Marty, André, 161, 231
Marulanda, Manuel. *Ver* Marin, Pedro Antonio
Marx, Karl, 32, 79, 149, 157, 159, 274-5, 382, 389, 393
Marxism Today, 235, 241-2, 293-4, 298, 302-6
Marxismo, 52, 115-7, 133, 149, 164, 216, 230, 241, 274-6, 283-4, 288, 292, 346, 366, 384, 408; certeza histórica da vitória, 90, 158, 305; e a história, 114-7, 216, 222-3, 232-4, 257, 316-9, 321-6, 332-4; interesse pelo, declínio do, 325, 384; monopólio estabelecido e perdido por Moscou, 227, 236-7; não nacionalista, 289; prevalecente entre intelectuais do Terceiro Mundo, 337-8
Massachusetts Institute of Technology (MIT), 331, 424, 425
Matisse, Henri, 351
Mattioli, Raffaele, 388
May, Alan Nunn, 210
McGibbon & Kee, 252
Meacher, Michael, 302
Melly, George, 254
Meuvret, Jean, 317
México, 339, 342, 395, 397, 403, 405, 409-10, 412, 417-8
Michael x, 284
Mikes, George, 105
Miliband, Ralph, 297, 304
Miller, Jonathan, 213
Mitterand, François, 364-6
Molotov, Y. M., 228
Momigliano, Arnaldo, 343
Monk, Thelonious, 252, 430
Morazé, Charles, 316
Morgenstern, Christian, 74, 78
Morin, Edgar, 360

Moro, Aldo, 391
Morris, Christopher, 126
Morton, Leslie (A.L.), 116, 223
Movimento de Libertação da Áustria, 190-2
Movimentos camponeses: na América do Sul, 404-9, 413, 415-6; na Itália, 379-80, 389
Movimentos de resistência, 41, 81, 145, 160, 163, 217-8, 359-63, 384, 386-7, 447-8
Movimentos revolucionários: da década de 1960, 277-9, 282, 287-90; limites da simpatia por, 288, 415; na América Latina, 404-9. *Ver* comunismo
Munique, crise de (1938), 134, 139
Música rock, 251, 279, 280
Mynatt, Margaret, 157

Nahum, Ephraim Alfred "Ram", 131-2, 137
Namier, L. B., 314
Napolitano, Giorgio, 385, 391
Needham, Joseph, 266
Neoliberalismo econômico, 305-7, 308, 366, 450. *Ver* Era Tatcher
Neruda, Pablo, 418
New Left Review, 237, 281, 304
New Reasoner, 232, 236
New School for Social Research, Nova York, 329, 342, 466n22:1
New Statesman and Nation, 218, 251-2, 461n12:7, 465n20:6
New York Review of Books, 409-10, 466*n*21: 7,8
Newton, Francis (pseudônimo de EH), 252-3
Newton, Frankie, 252
Niemeyer, Oscar, 402
Nobel de Economia, prêmio, 307, 319
Norman, E. H., 322
"Nova esquerda", 236-40, 274-82, 325, 433
Nova York, 151, 329, 336, 426, 428, 430, 432, 438, 440, 442-4

Osborne, Reuben (primo de EH), 109
Owen, Bob, 271

Owen, David, 297

Pacifismo, 135-6
Pagnol, Marcel, 349
País de Gales, 241, 260-73, 325, 335
Palestina, 79, 82, 94, 196, 289
Palestras, prazeres e limites das, 330-1
Palme, Olaf, 234
Panteras Negras, 288
Papen, Franz von, 75-6
Paraguai, 402-3
Parc Farm, 268-9, 272-3
Paris, 68, 102, 104-6, 143-4, 146-7, 211, 274-8, 285, 316, 335, 345-58, 360-9
Partido Comunista da Alemanha (KPD), 64, 85-94, 157, 169-70, 458n6:5
Partido Comunista da França, 143, 160, 163, 176, 275-6, 354, 359-60, 362, 366-7; MOI (*Main d'Oeuvre Immigrée*), 163, 353
Partido Comunista da Grã-Bretanha: colapso do, 302-3; crise de 1956 no, 216, 230-44; filiação de EH no, 131-3, 148, 155-8, 242-4, 458n6:5; Filial Estudantil de Cambridge, 131-3, 138-46; funcionários públicos membros do, 200, 205; Grupo de Historiadores, 215-6, 221, 222-5, 230, 232-7, 240, 242, 246, 318, 360; história do, 235; Segunda Guerra Mundial, 175-6, 186, 193
Partido Comunista da Itália (PCI), 149n, 150, 164, 242, 383-5, 388-92
Partido Comunista da Tchecoslováquia, 167-8, 218, 226
Partido Comunista da União Soviética (PCUS): XX Congresso do, (1956), 161, 226, 229, 235
Partido Conservador: governo de Thatcher, 296-7, 303-4
Partido da Unidade Socialista (PSU), França, 362
Partido dos Trabalhadores (PT), Brasil, 416
Partido Nazista, ascensão ao poder, 65, 76, 85-94

Partido Trabalhista: década de 1930, 109-10, 135-6, 187-9; décadas de 1970 e 1980, 292-307; Novo Partido Trabalhista, 306-7
Partidos Comunistas da Índia, 132, 236, 399
Pascal, Roy, 131
Pasionaria, La (Dolores Ibarruri Gómez), 155
Past & Present, 216, 257-8, 317-8, 323, 336, 363
Patten, Christopher, 302
Pauker, Anna, 229
Pauly-Dreesen, Rose, 103
Peacock, Thomas Love, 263
Pearce, Brian, 233
Pearson, Gabriel, 237
Peru, 285, 332, 335, 342, 404-5, 410, 413-5, 418-9; Sendero Luminoso, 288, 415
Pevsner, Nikolaus, 199
Piatnitsky, Osip, 234
Picasso, Pablo, 205-6, 351, 354
Pigou, A. C., 129
Plumb, Jack, 337
Polanyi, Karl, 142
Polito, Antonio, 148
Pollard, Sidney, 206
Pollitt, Harry, 175, 233-4
Polônia, 25, 38, 41, 68, 76, 146, 169, 194, 198, 230, 235, 275, 316-7
Pontón, Gonzalo, 340
Portmeirion, 262-3, 266, 269
Portugal, 377, 441
"pós-modernismo", França, 324, 366, 369
Postan, M. M. (Mounia), 130, 136, 190, 266, 312-5, 337
Pottle, Pat, 269
Power, Eileen, 314
Prager, Teddy, 142, 155, 190
Prechner, Cissie (Sarah) (tia de EH), 109
Prestes, Luiz Carlos, 83
Preston (Prechner), Denis (primo de EH), 99, 109, 190, 193, 252-3
Preston, Rosalie (prima de EH), 109

Primavera de Praga, 164, 167-9, 302, 309. *Ver* Tchecoslováquia; Partido Comunista da Tchecoslováquia
Prinz-Heinrichs-Gymnasium (PHG), 66-7, 69-72, 82
Procacci, Giuliano, 385
Pronteau, Jean, 275
Proust, Marcel, mau francês de, 350

Quarterly Review, The, 429
Quebec, quebecois, 285, 287, 289

Racismo, 255
Rado, Alexander, 153-4
Rajk, Laszlo, 217-8
Ramelson, Bert, 295
Ramelson, Marian, 295
Randle, Bill, 437
Ranki, George, 168
Raymond, Henri, 360-2
Regimes militares, 338-40, 402, 412-5
Renn, Ludwig, 71
Renner, Karl, 192
Renoir, Jean, 104, 351, 356
República Democrática Alemã (RDA), 169-73
Revolução cultural (1960), 290, 325. *Ver* contracultura
Revolução de Outubro (russa), 27, 65, 72-3, 80, 148, 160, 221, 225-6, 243, 261
Ribar, Ivo (Lolo), 145
Robbie, (R.W. Robson), 178
Robles, Miggy, 146
Rodriguez, Carlos Rafael, 284
Rogers, Bill, 297
Rolling Stones, 280-1
Romênia, 25, 164, 202, 229, 313
Roosevelt, Franklin D., 422-3
Rothstein, Andrew, 162
Rowbotham, Sheila, 281, 287, 325
Rubensohn, "Tönnchen ", 73
Rudé, George, 335
Runciman, Steven, 324

Russell, Bertrand, 212, 219, 260, 266, 269
Russell, Ralph, 137, 399

Sabaté, Francisco, 374
Sala, Michele, 380
Saltmarsh, John, 127
Samuel, Howard, 252
Samuel, Raphael, 237-40, 323
San Francisco, 280, 432-4
Sarabhai, família, 398
Sartre, Jean-Paul, 357
Saunders, Constance, 142
Saville, John, 142, 232
Savio, Mario, 434
Scanlon, Hugh, 295
Scargill, Arthur, 295-6
Schiffrin, André, 436
Schilfert, Gerhard, 169
Schleicher, general, 90
Schlesinger, Arthur Jr., 133, 312, 423
Schoenman, Ralph, 269
Schönbrunn, Walter, 70-1
Schroeder, Hans-Heinz, 74
Schulkampf, Der, 82, 84, 88, 93
Schwarcz, Luiz, 339
Schwarz, Walter, 266, 268
Seaman, Muriel (primeira esposa de EH), 189-90, 199-200, 210, 398
Searle, Ronald, 181, 199
Segunda Guerra Mundial: expectativa da, 139, 146-7; experiências de EH, 176-96; início da, 174-75; lembrança da, 449
Sen, Amartya, 211, 297, 307
Sendero Luminoso, Peru, 288, 415
Sereni, Emilio, 385
Shelest, Alla, 223
Sheppard, J.T., 127
Sicília, 29, 380-1
Silkin, Sammy, 135
Sillitoe, Alan, 247
Simon, Emil, 72
Simon, Hedi, 132
Sindicato de Estudantes de Cambridge (Cambridge Union), 131

Sindicato Internacional dos Estivadores e Estocadores (ILWU), 426-9
Sindicatos Britânicos, 180, 293-6, 304-5, 306
Sionismo, 37-9, 79, 97, 137, 159, 164, 196, 209, 229, 313, 363, 454. *Ver* Israel
Siqueiros, David Alfaro, 285
Sling, Otto, 218
Smith, Adam, 311
Smyth, Dame Ethel, 103
Soboul, Albert ("Marius"), 275
Socialismo, colapso do, 307-10
Soegono, Satjadjit, 146
Sonabend, Yolanda, 343
Soros, George, 341
Sozialistischer Schülerbund (SSB), 80, 82-94
Spencer, David, 131
Springhall, David, 460n11:3
Sraffa, Piero, 211, 382, 385, 388
St. Marylebone, Escola Elementar, 111-4
Stalin, Joseph, 155-6, 161, 165-6, 171, 186, 193, 216-7, 221, 228-9, 281, 316, 423; embalsamado por pouco tempo, 222
Stanford, Universidade, 332
Stiglitz, Joseph, 307
Stone, Lawrence, 258, 464n17:7
Storia del Marxismo, 164, 336, 384
Strachey, John, 267
Straight, Michael, 120, 131
Strasser, Gregor, 90
Suécia, 234, 237
Suez, crise de (1956), 231
Sweezy, Paul, 283
Sylvester, David, 442
Szamuely, Tibor, 166, 167
Szana, Alexander, 25, 57

Talmon, J. L., 209
Tawney, R.H., 135n
Taylor, Charles, 237
Tchecoslováquia, 24-5, 28, 38, 53, 100, 164-5, 167-8, 218, 272, 308, 335
Terkel, Studs, 436-7

Terroristas, grupos, 282, 286, 288-9, 310, 361, 391, 448-9
Thälmann, Ernst, 75, 89
Thatcher, Era de, 294, 296-7, 302-4
Thirtle, Bert, 180
Thomas, Hugh, 375
Thomas, R.S., 264, 271-2
Thompson, Dorothy, 266
Thompson, E. P., 116, 217, 232, 236, 240-2, 266, 292, 337
Tito, 144-5, 217, 227-8
Togliatti, Palmiro, 85, 149, 228, 379, 385, 388
Torres, Camilo, 407
Touraine, Allain, 278
Trentin, Bruno, 381, 385
Trieste, 17-8
Trótski, Leon D., e trotsquismo, 100, 227, 233, 236, 281, 285, 290
Turing, Alan, 129
Turquia, 36, 292, 330, 339
Tynan, Ken, 254, 256-7

Udet, Ernst, 68
Uhlman, Fred, 75
Unger, Wolfgang, 69
União Soviética (URSS), 72-3, 80, 90, 97, 148-9, 154, 160-1, 164-6, 198, 203, 208, 228, 244, 255, 313, 316, 320-1, 423, 450; colapso da, 307-10; desestalinização, 222, 226, 235; e a Guerra Fria, 218-21, 255; historiadores, 221, 222-4, 320-1; ortodoxias, 216-7, 320, 367; Partido Comunista da, 161, 226, 229; pós-1945, 202-4, 224-6; Segunda Guerra Mundial, 149, 186; serviços de informação, 63, 120-1, 153-4. *Ver* Guerra Fria; Revolução de Outubro; Stalin, Joseph
Universal Films, 67-8
Universidade de Cambridge, 113, 119-43, 175-8, 196, 198-9, 209-14, 257, 266, 312-3, 322, 398; a ciência na, 119, 123, 128, 130, 136, 216-7; Apóstolos, 120, 211-4; grupo de espiões na, 120-1, 129, 213; tempos de EH como estudante de graduação, 119-41, 311-3
Universities and Left Review, 236-8
University Newsletter, Cambridge, 461
URSS. *Ver* União Soviética

Vailland, Roger, 360, 362
Varela, Juan de la Cruz, 408
Veliz, Claudio, 414
Vernant, J. P., 227
Viajar de carona, 355-6, 371
Vickers, J.O.N. ("Mouse"), 176
Viena, 23-41, 60, 64, 69, 143, 164, 169
Vietnã, 154, 159, 279, 281-3, 288, 412
Vilar, Pierre, 317
Villa Seutter, Viena, 15-6, 18-9
Villari, Rosario e Anna Rosa, 385, 392
Villaroel, Gualberto, 396
Vives, J. Vicens, 317

Wallich, Walter, 212
Warhol, Andy, 442
Watt, Ian, 181
Wayne, Philip, 112
Webb, Kaye, 181, 199
Webb, Sidney e Beatrice, 135n
Wedderburn, Dorothy, 137, 268
Wegener, Alfred, 68
Wehler, Hans-Ulrich, 464n17:6
Weidenfeld, George, 209, 334
Weimar, República de, 61-7, 87-9, 243; cultura, 67, 88
Wesker, Arnold, 231
West, Alick, 246
White, Archie, 187
Wiemer, Ernst, 74
Wilbraham, Marion, 218
Wilkinson, Patrick, 129
Williams, Gwyn Alf, 325
Williams, Raymond, 116, 176, 240, 242-3, 304
Williams, Rupert Crawshay, 266
Williams, Shirley, 297

Williams-Ellis, Amabel, 267-73
Williams-Ellis, Clough, 261
Wilson, Harold, 293
Wintour, Charles, 133
Wittenberg, Gerhard, 79, 94

Wittkower, Rudolf, 257
Wolf, Markus, 173

Zangheri, Renato, 385
Zeitung, Die, 191

1ª edição [2002] 3 reimpressões

ESTA OBRA FOI COMPOSTA PELO ACQUA ESTÚDIO EM MINION,
E IMPRESSA PELA RR DONNELLEY EM OFSETE SOBRE PAPEL PÓLEN SOFT DA
SUZANO PAPEL E CELULOSE PARA A EDITORA SCHWARCZ EM MARÇO DE 2019

A marca FSC® é a garantia de que a madeira utilizada na fabricação do papel deste livro provém de florestas que foram gerenciadas de maneira ambientalmente correta, socialmente justa e economicamente viável, além de outras fontes de origem controlada.